COLLECTION TRANSMATH

Raymond BARRA **Maurice GLAYMANN**

Joël MALAVAL **Jean-Jacques PENSEC**

MATHÉMATIQUES

C un cercle de centre O et dont 1 diamètre est [AD]
B un point fixe sur C, distinct de A et D
M est un point quelquonque de C. Notons H l'orthocentre du triangle AMD

a) demontrer que les droites (MH) et (BD) sont parrallèles

b) démontrez que les droites (BH) et (MD) sont parrallèles.

c) quelle est la nature du quadrilatère MHBD?

d) Où sont situés les points H lorsque le point M décrit le cercle C?

indication: expliquez pourquoi $\vec{MH} = \vec{DB}$; or $\vec{DB}$ est un vecteur fixe. Donc H est l'image de M par la translation de vecteur $\vec{DB}$ et si M décrit C, alors...

2e

ABC est un triangle isocèle de sommet A AB = AC. A l'exterieur de ce triangle, on construit le triangle équilatéral AC' B. I est le point d'intersection de (BB') et (CC'). J est le point d'intersection de (B'C) et (BC'). Démontrez que A, I et J sont alignés. indication: utilisez la médiatrice de [BC], axe de symétrie de ABC

FERNAND NATHAN

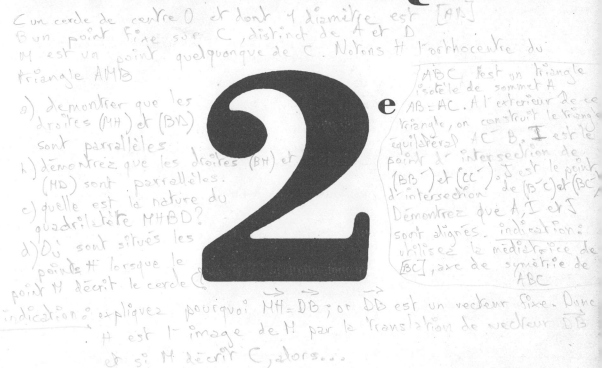

AVERTISSEMENT
NOUVEAUX PROGRAMMES

> Ce livre est conforme au programme de la classe de 2e tel qu'il ressort de la note du 10 octobre 1984, publiée au B. O. n° 38 du 25 octobre 1984.
>
> La note du 5 septembre 1985, publiée au B. O. n° 31 du 12 septembre 1985 modifie la précédente, mais les modifications consistent en la suppression pure et simple de quelques titres que la note de 1985 rendait déjà marginaux, et sur lesquels nous nous étions peu étendus : étude locale de fonctions, angles inscrits, rotations.
>
> Extrait du B. O. n° 31 du 12 septembre 1985

Modification de la note de service n° 84-374 du 10 octobre 1984 concernant les instructions et commentaires du programme de mathématiques de la classe de seconde.

R. L.R. : 524-5

Note de service n° 85-306 du 5 septembre 1985 (Éducation nationale : bureau DL 3)

Texte adressé aux recteurs.

En raison des modifications apportées au programme de mathématiques de la classe de seconde, la note de service n° 84-374 du 10 octobre 1984 (*) est modifiée comme suit :

ANNEXE

Classe de seconde : Instructions et commentaires du programme de mathématiques

I — Activités numériques

Supprimer le premier alinéa du paragraphe c dont le titre devient *« Exemples d'approximation d'un nombre réel »*.

III - Fonctions

b) Comportement global

Supprimer la dernière phrase du premier alinéa.
Supprimer le second alinéa.

c) Comportement local

Supprimer le paragraphe.

VI — Angles

Supprimer le dernier alinéa.

Pour le ministre et par délégation :

Le directeur des Lycées,
P. ANTONMATTEI

(*) Publiée au B. O. n° 38 du 25 octobre 1984, p. 3779.

ISBN 2-09-170490-3

AVANT-PROPOS

Les chapitres de ce manuel, dans leur presque totalité, comptent les rubriques décrites ci-après.

1. Pour prendre un bon départ

Cette partie aide l'élève à faire le point sur les connaissances antérieures, en particulier celles de la classe de Troisième, dont il aura besoin pour aborder le chapitre.
Les exercices incorporés permettent un contrôle de l'acquis des connaissances rappelées.

2. Approche

Nous y présentons des situations où nous approchons la notion introduite dans le chapitre.
Le but est de donner des images mentales, exprimées dans un langage usuel, qui permettent un travail efficace en mathématiques.
Les exercices proposés sont construits de telle sorte qu'un élève avance pas à pas dans la situation.

3. Cours et applications

Le point de départ du cours est l'acquis de la classe de Troisième. Nous traitons le noyau du programme de la classe de Seconde, sans jamais dépasser la frontière de ce programme, avec le souci de connecter les connaissances entre elles.
Les thèmes les plus intéressants et les plus immédiats par rapport au cours sont donnés en exercice.

Le cours est agrémenté :

- *de commentaires,* qui expliquent, lorsque cela s'impose, le pourquoi d'une définition, d'un théorème, d'une notation...;
- *d'exercices résolus,* qui montrent à l'élève l'utilisation immédiate de la notion introduite;
- *d'applications,* qui donnent au lecteur une meilleure idée du champ d'application de cette notion.

4. Pour aller plus loin

Cette partie trouve sa place lorsqu'une notion comporte des prolongements qui semblent pouvoir intéresser certains élèves.

5. Exercices

Ils sont de deux types, ce que reflètent les deux subdivisions de cette rubrique :

- *pour tester vos connaissances,* groupant des exercices dont la réponse est quasi immédiate (il suffit d'appliquer un résultat introduit dans le chapitre) ;
- *exercices d'entraînement,* rassemblant des exercices classiques dont la plupart sont conçus pour être accessibles d'abord à la majorité des élèves de la classe de Seconde.

Nous avons présenté les chapitres dans l'ordre du programme : analyse, puis géométrie. Il est bien entendu loisible aux professeurs d'organiser leur planning comme ils le souhaitent.

Nous espérons que les enseignants utilisant cet ouvrage en classe voudront bien nous faire part de leurs critiques ou suggestions. C'est avec reconnaissance que nous en tiendrons compte, et par avance nous les en remercions.

LES AUTEURS.

SOMMAIRE

Conforme aux instructions et commentaires parus au B. O. du 25-10-1984.

CHAPITRE
1

PANORAMA NUMÉRIQUE

Ce chapitre ne comporte pas de rubrique « Approche », car il s'agit essentiellement de révisions portant sur les opérations dans $\mathbb{R}$ et sur les inégalités.

1. Pour prendre un bon départ

1.1. Conseils pour bien calculer

Calculer c'est transformer des écritures. *Pour bien calculer :*

- *Il faut connaître les conventions d'écriture,* car elles indiquent les opérations à faire et souvent l'ordre dans lequel il faut opérer.

Par exemple : $3-(x+y)$ indique que l'on calcule d'abord $x+y$, et que l'on retranche à 3 le réel $x+y$.

Autre exemple : il ne faut pas confondre $\dfrac{1}{\dfrac{2}{3}}$ et $\dfrac{\dfrac{1}{2}}{3}$; la première écriture indique le quotient de 1 par $\dfrac{2}{3}$: c'est $\dfrac{3}{2}$; la seconde indique le quotient de $\dfrac{1}{2}$ par 3 : c'est $\dfrac{1}{6}$.

- *Il ne faut pas perdre de vue qu'un réel admet plusieurs écritures.*

Par exemple : $53+5$; $66-8$; $\dfrac{580}{10}$; $(8\times 7)+2$; $\dfrac{29}{2}+\dfrac{87}{2}$; ...; sont différentes écritures du réel 58.

- *Il faut connaître les règles de calcul,* c'est-à-dire les lois qui permettent et justifient les transformations. Il ne faut pas en inventer d'autres!

Par exemple, dans $\dfrac{a+b}{b}$, il est impossible de « simplifier par b » et il est faux d'affirmer que $\dfrac{a+b}{b}$ et a désignent le même réel.

1.2. Calculs sur des réels

a. Savoir additionner (ou soustraire) des réels écrits sous forme fractionnaire

- *Ils ont même dénominateur :*

$$\frac{13}{41}+\frac{105}{41}=\frac{13+105}{41}=\frac{118}{41}.$$

- *Ils ont des dénominateurs différents :*

on doit alors **les réduire au même dénominateur,** c'est-à-dire prendre un multiple commun des dénominateurs.

***Exemple* 1**

$$\frac{15}{8}-\frac{2}{3}=\frac{15\times 3}{8\times 3}-\frac{2\times 8}{3\times 8}=\frac{45-16}{24}=\frac{29}{24}.$$

Le multiple choisi ici (et qui convient toujours) est le produit des dénominateurs.

Il est quelquefois possible de choisir un dénominateur commun plus petit que le produit; en voici un exemple.

SAVOIR

a, b, c, d sont des réels
$b \neq 0 \quad d \neq 0$

$$\frac{a}{b}+\frac{c}{d}=\frac{ad+bc}{bd}$$

$$\frac{a}{b}-\frac{c}{d}=\frac{ad-bc}{bd}$$

***Exemple* 2**

$$\begin{aligned}\frac{8}{3}+\frac{5}{18}-\frac{4}{9}&=\frac{8\times 6}{3\times 6}+\frac{5}{18}-\frac{4\times 2}{9\times 2}\\&=\frac{48+5-8}{18}\\&=\frac{45}{18}.\end{aligned}$$

Il faut penser **à simplifier** le résultat; ainsi :

$$\frac{8}{3}+\frac{5}{18}-\frac{4}{9}=\frac{5\times 9}{2\times 9}=\frac{5}{2}.$$

b. Savoir multiplier des réels écrits sous forme fractionnaire

SAVOIR

a, b, c, d sont des réels
$b \neq 0;\ d \neq 0$

$$\frac{a}{b}\times\frac{c}{d}=\frac{ac}{bd}$$

Il est utile de penser à simplifier avant d'effectuer les multiplications.

$$\frac{125}{52}\times\frac{44}{75}=\frac{125\times 44}{52\times 75}=\frac{5\times 25\times 4\times 11}{4\times 13\times 3\times 25}$$

Après simplifications, il vient :

$$\frac{125}{52}\times\frac{44}{75}=\frac{5\times 11}{13\times 3}=\frac{55}{39}.$$

c. Savoir diviser des réels écrits sous forme fractionnaire

Diviser par un réel non nul, c'est *multiplier par son inverse.* Ainsi :

$$A = \frac{\frac{42}{5}}{-\frac{2}{15}} = \frac{42}{5} \times \left(-\frac{15}{2}\right) = -\frac{42 \times 15}{5 \times 2} = -\frac{2 \times 21 \times 3 \times 5}{5 \times 2}$$

Après simplification, il vient : $A = -63$.

SAVOIR

a et b réels NON NULS.

L'inverse de $\frac{a}{b}$ est :

$$\frac{1}{\frac{a}{b}} = \frac{b}{a}$$

1.3. Savoir écrire autrement lorsque des radicaux interviennent

a. Quelques exemples

- $\sqrt{8} + \sqrt{2} = \sqrt{4 \times 2} + \sqrt{2} = \sqrt{4}\sqrt{2} + \sqrt{2} = 3\sqrt{2}.$
- $(3 + \sqrt{2})(3 - \sqrt{2}) = 3^2 - (\sqrt{2})^2 = 9 - 2 = 7.$
- $(\sqrt{5} + \sqrt{2})^2 = (\sqrt{5})^2 + 2\sqrt{5}\sqrt{2} + (\sqrt{2})^2$
  $= 5 + 2\sqrt{5}\sqrt{2} + 2$
  $= 7 + 2\sqrt{10}.$

SAVOIR

Pour tous réels a et b **positifs :**

$$(\sqrt{a})^2 = a$$

$$\sqrt{a}\sqrt{b} = \sqrt{ab}$$

Si $b \neq 0$,

$$\sqrt{\frac{a}{b}} = \frac{\sqrt{a}}{\sqrt{b}}$$

b. « Expression conjuguée »

La technique suivante repose sur la propriété rappelée dans l'encadré ci-dessous.
Pour supprimer le radical au dénominateur de certaines écritures, il est nécessaire de multiplier numérateur et dénominateur par un même réel. Quelquefois, il est simple de trouver ce réel :

- $\frac{2}{\sqrt{3}} = \frac{2\sqrt{3}}{\sqrt{3}\sqrt{3}} = \frac{2\sqrt{3}}{3}.$
- $\frac{3 + \sqrt{5}}{2\sqrt{3}} = \frac{(3 + \sqrt{5})\sqrt{3}}{2\sqrt{3}\sqrt{3}} = \frac{(3 + \sqrt{5})\sqrt{3}}{6}.$

Dans d'autres cas, il faut de plus utiliser

$(a - b)(a + b) = a^2 - b^2.$

- *Par exemple,* soit le réel $\frac{3}{4 - \sqrt{3}}$.

Il faut remarquer que : $(4 - \sqrt{3})(4 + \sqrt{3}) = 4^2 - (\sqrt{3})^2 = 16 - 3 = 13.$

Donc : $\frac{3}{4 - \sqrt{3}} = \frac{3(4 + \sqrt{3})}{(4 - \sqrt{3})(4 + \sqrt{3})} = \frac{3(4 + \sqrt{3})}{13}.$

On dit que **$4 + \sqrt{3}$ est l'« expression conjuguée » de $4 - \sqrt{3}$.**

SAVOIR

Pour tous réels a, b, x avec :

$b \neq 0$ et $x \neq 0$,

$$\frac{a}{b} = \frac{ax}{bx}$$

EXERCICE Trouvez dans chaque cas une écriture sans radical au dénominateur :

$$\frac{\sqrt{3}}{\sqrt{7}};\quad \frac{1}{\sqrt{5} - 3};\quad \frac{-7}{3\sqrt{5}};\quad \frac{\sqrt{5} + 1}{\sqrt{2} - \sqrt{3}}.$$

1.4. Puissances de dix

a. Quelques exemples de transformations d'écritures

- $(10^{-3})^2 = 10^{-6}$.
- $\dfrac{10^5}{10^{-2}} = 10^5 \times 10^2 = 10^7$.
- $\sqrt{10^{-4}} = \sqrt{10^{-2} \times 10^{-2}} = 10^{-2}$.
- $\left(\dfrac{1}{10}\right)^{-3} \times 10^5 = (10^{-1})^{-3} \times 10^5 = 10^3 \times 10^5 = 10^8$.
- $\dfrac{10^2 \times \left(\dfrac{1}{10}\right)^3}{\left(\dfrac{1}{1\,000}\right)^3 \times (10\,000)^{-5}} = \dfrac{10^2 \times 10^{-3}}{(10^{-3})^3 \times (10^4)^{-5}} = \dfrac{10^{-1}}{10^{-9} \times 10^{-20}}$

$$= \frac{10^{-1}}{10^{-29}} = 10^{29} \times 10^{-1} = 10^{28}.$$

Notez que dans 10^{-3}, par exemple, l'exposant est négatif, mais $10^{-3} = 0{,}001$ est un réel positif.
Notez d'autre part que les règles de calculs rappelées ci-contre peuvent être utilisées avec d'autres réels que 10.

> **SAVOIR**
> $10^0 = 1$; $10^1 = 10$
> $10^2 = 100$; $10^3 = 1\,000$; etc.
> Pour tout *naturel* p,
> $$10^{-p} = \frac{1}{10^p}$$
> $10^{-1} = 0{,}1$; $10^{-2} = 0{,}01$
> Pour tous *entiers* p et q
> $10^p \times 10^q = 10^{p+q}$
> $\sqrt{10^p} = (\sqrt{10})^p$
> $\dfrac{10^p}{10^q} = 10^{p-q}$
> $(10^p)^q = 10^{pq}$

b. Utilisation des puissances de dix

On les utilise, en particulier en sciences et techniques, pour écrire simplement :

- les grands nombres; par exemple la vitesse de la lumière 3×10^8 m/s; le nombre d'atomes contenus dans un gramme d'hydrogène $6{,}02 \times 10^{23}$; ...
- les petits nombres; par exemple la charge électrique d'un proton $1{,}6 \times 10^{-19}$ coulomb; le temps mis par un ordinateur pour effectuer une addition $4{,}8 \times 10^{-9}$ s; ...

1.5. Commentaires sur les calculatrices

Les **décimaux** sont des réels qui s'écrivent $\boldsymbol{a \times 10^p}$, avec a et p entiers.

- Seuls les décimaux admettent une écriture décimale avec un nombre fini de chiffres après la virgule.

Une calculatrice affiche un nombre fini de chiffres, donc les seuls nombres que l'on peut entrer dans une calculatrice sont décimaux.

En particulier, ne croyez pas entrer $\dfrac{2}{3}$; votre calculatrice affiche en fait (si elle visualise dix chiffres) le décimal .666 666 666 7.

- Certaines calculatrices disposent de *la notation scientifique*, c'est-à-dire que, si on le souhaite, elles traduisent le décimal $a \times 10^p$ en affichant à la suite a et p :

pour 213,37 elles affichent 2,133 7 02
pour −0,004 15 elles affichent −4,15 −03.

2. Cours et applications

2.1. Transformer des écritures

Vous devez être familiarisé avec deux types de techniques : **développer** et **factoriser.** Ces deux techniques reposent sur la même propriété :

> Pour tous réels a, b, c :
> $a(b+c) = ab + ac.$

Lorsqu'on passe de $a(b+c)$ à $ab+ac$, on développe un produit; lorsqu'on passe de $ab+ac$ à $a(b+c)$, on repère a comme facteur commun aux deux termes de la somme, que l'on transforme en un produit : on la factorise.

a. Savoir développer

Il est fréquent que l'on ait besoin d'identités remarquables pour développer.

> Pour tous réels a et b :
> $(a+b)^2 = a^2 + 2ab + b^2$
> $(a-b)^2 = a^2 - 2ab + b^2$
> $(a+b)(a-b) = a^2 - b^2$

***Exemple* 1**

x est un réel.

$$\begin{aligned}\mathbf{(x+1)(3-x)-(x-1)^2} &= (3x+3-x^2-x)-(x^2-2x+1)\\ &= -x^2+2x+3-x^2+2x-1\\ &= \mathbf{-2x^2+4x+2.}\end{aligned}$$

***Exemple* 2**

x et y sont des réels; calculons $\mathbf{(x+2y)^3}$.
Utilisons pour cela le fait que, pour tout réel a : $\mathbf{a^3 = a^2 \times a}$.

$$\begin{aligned}\mathbf{(x+2y)^3} &= (x+2y)^2(x+2y)\\ &= (x^2+4xy+4y^2)(x+2y)\\ &= x^3 + 4x^2y + 4xy^2 + 2x^2y + 4xy^2 + 8y^3\\ &= \mathbf{x^3+6x^2y+8xy^2+8y^3.}\end{aligned}$$

Entraînez-vous en traitant les exercices 8 *à* 15 *page* 17.

b. Savoir factoriser

Exemple 1 : le facteur commun est évident

x est un réel.

$$\begin{aligned}\mathbf{(2x+3)(x-5)-(2x+3)(2x-1)} &= (2x+3)\left[(x-5)-(2x-1)\right]\\ &= (2x+3)(x-5-2x+1)\\ &= (2x+3)(-x-4)\\ &= \mathbf{-(2x+3)(x+4)}.\end{aligned}$$

Exemples 2 : il s'agit d'une identité remarquable

- x est un réel.

$$\begin{aligned}\mathbf{81x^2-64} &= (9x)^2-8^2\\ &= \mathbf{(9x-8)(9x+8)}.\end{aligned}$$

- x et a sont des réels.

$$\begin{aligned}\mathbf{x^2+2x-a^2+1} &= x^2+2x+1-a^2\\ &= (x+1)^2-a^2\\ &= \mathbf{(x+a+1)(x-a+1)}.\end{aligned}$$

Exemple 3 : le facteur commun n'est pas apparent

Pour factoriser $\mathbf{9x^2-4-(6x+4)(x-5)}$, il n'y a pas de facteur commun apparent. Mais on repère $9x^2-4$ qui fait penser à « a^2-b^2 », et la possibilité de mettre 2 en facteur dans $6x+4$.

$$\begin{aligned}\mathbf{9x^2-4-(6x+4)(x-5)} &= (3x-2)\mathbf{(3x+2)}-2\mathbf{(3x+2)}(x-5)\\ &= (3x+2)\left[(3x-2)-2(x-5)\right]\\ &= (3x+2)(3x-2-2x+10)\\ &= \mathbf{(3x+2)(x+8)}.\end{aligned}$$

A titre d'entraînement, vous pouvez traiter les exercices 16 *à* 26 *page* 17.

c. Utilisation de la factorisation

EXERCICE résolu 1

Quel est le signe de $16x^2+4x+\frac{1}{4}-\left(4x+\frac{1}{2}\right)(2x+1)$ suivant les valeurs du réel x?

Solution □ □ □

Il peut paraître naturel de développer; nous vous laissons vérifier que l'on trouve :

$$16x^2+4x+\frac{1}{4}-\left(4x+\frac{1}{2}\right)(2x+1)=8x^2-x-\frac{1}{4}.$$

Mais alors trouver le signe de $8x^2-x-\frac{1}{4}$ n'est pas chose simple.

Il est préférable de factoriser, en remarquant que :

$$16x^2+4x+\frac{1}{4}=\left(4x+\frac{1}{2}\right)^2.$$

Alors $16x^2+4x+\frac{1}{4}-\left(4x+\frac{1}{2}\right)(2x+1)=\left(4x+\frac{1}{2}\right)\left[\left(4x+\frac{1}{2}\right)-(2x+1)\right]$

$$=\left(4x+\frac{1}{2}\right)\left(4x+\frac{1}{2}-2x-1\right)$$

$$=\left(4x+\frac{1}{2}\right)\left(2x-\frac{1}{2}\right).$$

A ce moment-là, il est simple de trouver le signe d'un produit :

il suffit de trouver le signe de chaque facteur.

Il est pratique de présenter les calculs à l'aide du tableau ci-contre.

x		$-\frac{1}{8}$		$\frac{1}{4}$	
$4x+\frac{1}{2}$	$-$	0	$+$		$+$
$2x-\frac{1}{2}$	$-$		$-$	0	$+$
$\left(4x+\frac{1}{2}\right)\left(2x-\frac{1}{2}\right)$	$+$	0	$-$	0	$+$

□ □ □ □ □ □ □ □ □ □

EXERCICE résolu 2

Résoudre dans $\mathbb{R}$ l'équation $(2x+3)^2+4x^2-9=0$.

Solution □ □ □

Ici encore, développer n'apporte rien d'intéressant. Or il est possible de factoriser :

$$(2x+3)^2+4x^2-9=(2x+3)^2+(2x)^2-3^2$$
$$=(2x+3)^2+(2x+3)(2x-3)$$
$$=(2x+3)(2x+3+2x-3)$$
$$=4x\,(2x+3).$$

Un réel x est solution de l'équation $(2x+3)^2+4x^2-9=0$, *si et seulement* s'il est solution de l'équation :

$$4x(2x+3)=0.$$

Ce produit est nul, *si et seulement si :*

$$4x=0 \quad \textbf{ou} \quad 2x+3=0$$

$$\boldsymbol{x=0} \quad \textbf{ou} \quad \boldsymbol{x=-\frac{3}{2}}$$

L'équation admet donc deux solutions : 0; $-\frac{3}{2}$.

□ □ □ □ □ □ □ □ □ □

2.2. Manipuler des inégalités

Il est important de savoir que :

Pour tout réel c POSITIF, et pour tous réels a, b :
si $a \geqslant b$ alors $ac \geqslant bc$.

Pour tout réel c NÉGATIF, et pour tous réels a, b :
si $a \geqslant b$ alors $ac \leqslant bc$.

a. Carré et inégalités

- x et y sont des réels **positifs** tels que $\boldsymbol{x \leqslant y}$.

Comparons $\boldsymbol{x^2}$ et $\boldsymbol{y^2}$.
Pour cela, considérons le réel $x^2 - y^2$:

$$x^2 - y^2 = (x - y)(x + y).$$

L'hypothèse $0 \leqslant x \leqslant y$ implique : $x - y \leqslant 0$ et $x + y \geqslant 0$
d'où : $(x - y)(x + y) \leqslant 0$
et $x^2 - y^2 \leqslant 0$

$$\boldsymbol{x^2 \leqslant y^2}.$$

EXERCICE Nous vous laissons montrer que si $x \geqslant 0$, $y \geqslant 0$ et $x^2 \leqslant y^2$ alors $x \leqslant y$.

Théorème 1

> **Pour tous réels $\boldsymbol{x \geqslant 0}$ et $\boldsymbol{y \geqslant 0}$,**
> **1. si $\boldsymbol{x \leqslant y}$ alors $\boldsymbol{x^2 \leqslant y^2}$;**
> **2. si $\boldsymbol{x^2 \leqslant y^2}$ alors $\boldsymbol{x \leqslant y}$.**

Commentaire

x et y sont des réels **positifs.**
$x = y$ **si et seulement si** $x \geqslant y$ *et* $x \leqslant y$.
D'après le théorème précédent :

$$x = y \textit{ si et seulement si } x^2 \geqslant y^2 \text{ et } x^2 \leqslant y^2, \text{ soit } x^2 = y^2.$$

En d'autres termes deux réels positifs sont égaux *si et seulement si* leurs carrés sont égaux.

- Dans le cas où x et y sont des réels négatifs, il faut faire attention au sens des inégalités.

Théorème 2

> **Pour tous réels $\boldsymbol{x \leqslant 0}$ et $\boldsymbol{y \leqslant 0}$,**
> **1. si $\boldsymbol{x \leqslant y}$ alors $\boldsymbol{x^2 \geqslant y^2}$;**
> **2. si $\boldsymbol{x^2 \leqslant y^2}$ alors $\boldsymbol{x \geqslant y}$.**

EXERCICE En utilisant à nouveau $x^2 - y^2 = (x - y)(x + y)$, démontrez le théorème précédent.

b. Applications

EXERCICE résolu 3 Résoudre dans $\mathbb{R}$ l'inéquation $x^2 > 6$.

Solution □ □ □

Pour les réels $x \geq 0$, utilisons le théorème 1 ci-dessus :

$$x^2 > 6, \text{ si et seulement si } x > \sqrt{6}.$$

Pour les réels $x < 0$, utilisons le théorème 2 ci-dessus, en remarquant que $6 = (-\sqrt{6})^2$:

$$x^2 > (-\sqrt{6})^2, \text{ si et seulement si } x < -\sqrt{6}.$$

En conclusion, les solutions de l'inéquation $x^2 > 6$ sont les réels tels que :

$$x < -\sqrt{6} \quad \text{ou} \quad x > \sqrt{6}.$$

□ □ □ □ □ □ □ □ □ □

Commentaire

Pour résoudre cette inéquation on peut aussi factoriser $x^2 - 6$ et étudier son signe.

EXERCICE résolu 4

a est un réel tel que $-4 < a < 2$.
Quels renseignements en déduisez-vous pour a^2 ?

Solution □ □ □

Pour tout réel a **NÉGATIF** tel que $-4 < a$, il vient $a^2 < 16$.
Pour tout réel a **POSITIF** tel que $a < 2$, il vient $a^2 < 4$.
Pour tout réel a, $a^2 \geq 0$.
En conclusion, pour tout réel a tel que $-4 < a < 2$, on a :

$$0 \leq a^2 < 16.$$

□ □ □ □ □ □ □ □ □ □

c. Racine carrée et inégalités

Il faut savoir que :

> **Tout réel POSITIF a est le carré de DEUX réels OPPOSÉS.**
> **Celui des deux réels qui est positif s'appelle la racine carrée de a, et se note $\sqrt{a}$.**
> **Pour tout réel $a \geq 0$: $x^2 = a$, *si et seulement si* $x = \sqrt{a}$ ou $x = -\sqrt{a}$.**
> **La racine carrée de 0 est 0 : $\sqrt{0} = 0$.**

x et y sont des réels **positifs** tels que $x \leq y$. *Comparons* $\sqrt{x}$ *et* $\sqrt{y}$.

$x \geq 0$, donc $x = (\sqrt{x})^2$. De même $y \geq 0$, donc $y = (\sqrt{y})^2$.

L'hypothèse $x \leq y$ s'écrit alors : $(\sqrt{x})^2 \leq (\sqrt{y})^2$.
D'après la proposition *2* du théorème 1, il vient $\sqrt{x} \leq \sqrt{y}$.

Réciproquement, supposons $x \geq 0$, $y \geq 0$ et $\sqrt{x} \leq \sqrt{y}$. *Comparons* x *et* y.
La proposition *1* de ce même théorème conduit à $x \leq y$. D'où le théorème suivant :

Théorème 3

> **Pour tous réels $x \geq 0$ et $y \geq 0$,**
> **1. si $x \leq y$ alors $\sqrt{x} \leq \sqrt{y}$;**
> **2. si $\sqrt{x} \leq \sqrt{y}$ alors $x \leq y$.**

EXERCICES

Pour tester vos connaissances

1. Parmi les rationnels suivants, quels sont les décimaux?

$$-0{,}007\,1;\quad \frac{17}{125};\quad \frac{43}{58};\quad -\frac{407}{2};$$

$$3;\quad \frac{17}{40};\quad \sqrt{29{,}16}.$$

2. Résolvez dans $\mathbb{R}$ les équations suivantes :

a) $x^2=5{,}3$. ***b)*** $-2x^2=1$.
c) $2x^2-3=-1$.

3. Comment choisir le réel a pour que $a^2>100$?

4. x est un réel tel que $-3<x<-2$. Que pouvez-vous dire de x^2?

5. Comment choisir le réel x pour que $2\leqslant x^2\leqslant 5$?

6. Justifiez le fait que

$$33<\sqrt{1\,117}<34.$$

7. Comment choisir le réel x pour que $\sqrt{x}\geqslant 53$?

8. a est un réel tel que

$$2{,}1<2a+1<5{,}1.$$

Que pouvez-vous dire de $\sqrt{a}$?

Exercices d'entraînement

Calculs sur les écritures fractionnaires

Pour les exercices 1 à 7, écrivez plus simplement les réels.

1. $-\frac{6}{35}+\frac{4}{5}-\frac{3}{4}$.

2. $\left(1-\frac{1}{3}\right)\left(\frac{2}{5}+1-\frac{1}{2}\right)$.

3. $\dfrac{3-\frac{2}{5}+\frac{4}{3}}{2+\frac{4}{5}-\frac{2}{3}};\quad \dfrac{6-\frac{5}{2}+\frac{3}{8}}{3-\frac{5}{2}-\frac{7}{4}}$.

4. $\dfrac{0{,}3-\frac{1}{100}+0{,}03}{\frac{3}{4}+\frac{1}{100}-0{,}04};\quad \dfrac{-4-0{,}5-8{,}5}{-\frac{4}{3}+\frac{7}{4}}$.

5. $\dfrac{\frac{1}{3}-\frac{5}{2}}{\frac{3}{4}-\frac{1}{2}}\times\dfrac{\frac{5}{6}+\frac{7}{3}}{1-\frac{5}{6}}\times\dfrac{-\frac{2}{5}+1}{\frac{2}{5}-1}$.

6. $\dfrac{\frac{5}{6}+\frac{1}{5}}{\frac{5}{6}-\frac{1}{5}}\times\dfrac{\frac{3}{4}-\frac{2}{3}}{\frac{3}{4}+\frac{2}{3}}\times\dfrac{\frac{1}{4}-5}{1+\frac{1}{4}}$.

7. $\left(\frac{3}{4}-\frac{5}{3}\right)\times\dfrac{2-\frac{4}{7}}{3}\times\dfrac{1}{\frac{4}{3}-\frac{1}{2}}$.

Développement d'écritures

Pour les exercices 8 à 15, développez les expressions suivantes.

8. $(-a-b)^2$; $(5a-3x)^2$.

9. $\left(-\frac{3}{2}a-\frac{1}{2}a\right)^2$; $(2+x+y)^2$.

10. $(3a-2b+c)^2$;
$(10^6-a)(10^6+a)$.

11. $(x^2+a^2)^2-(x^2-a^2)^2$.

12. $(x+3)^2+2(x+3)(x-4)+(x-4)^2$.

13. $(4-x)^2+(x-4)^2$.

14. $(a-4)(a^2+4a+16)$.

15. $(3x+2b)^3+(3x-2b)^3$.

Factorisation

Pour les exercices 16 à 24, factorisez les expressions suivantes.

16. $4x^2-9a^2$; $a^6-2a^3b^2+b^4$.

17. $4x^2+4x+1$; $x^{16}-16$.

18. $a^2-2ab+b^2-c^2$.

19. $(2x-3)^2-(x+1)^2$.

20. $(3x^2-3)+(x^2-2x+1)$.

21. $3a^2-12ab+12b^2$.

22. $(x-1)(2x+3)+(2-2x)(3-x)$.

23. $1-a-b+ba$.

24. $(2u^2-2u-1)-(2v^2-2v-1)$.

25. ***a)*** Développez
$(x-y)(x^2+xy+y^2)$
et $(x+y)(x^2-xy+y^2)$.

b) Déduisez-en des factorisations de x^6+27 et $8x^3-y^9$.

26. Pour tout réel x on considère le réel $y=(x^2-16)^2-(x+4)^2$.

a) Factorisez l'écriture de y à l'aide de quatre facteurs.

b) Développez l'écriture de y.

c) En choisissant chaque fois la forme la plus commode, calculez le réel y lorsque :
$x=0$; $x=3$; $x=5$; $x=-4$; $x=\sqrt{3}-1$.

Calculs littéraux

Pour les exercices 27 à 30, calculez :

27. $\frac{x+3}{3}+\frac{1}{5}(x+5)+\frac{x-2}{15}$.

28. $\frac{a}{a-b}+\frac{b}{a+b}+\frac{a^2+b^2}{(a+b)(a-b)}$.

29. $2x+1-\frac{3}{x-1}$.

30. $\frac{1}{x-1}-\frac{x-1}{3}$.

Écritures avec radicaux

31. Est-il possible d'écrire sans radicaux les réels suivants :

$$\sqrt{20\sqrt{6}}\sqrt{30\sqrt{6}};$$

$$\sqrt{30}\,\frac{\sqrt{513-1}}{\sqrt{120}};\quad \frac{\sqrt{0{,}32}\sqrt{0{,}2}}{\sqrt{3{,}6}}?$$

32. Écrivez sans radicaux aux dénominateurs les réels suivants.

$$\frac{5}{\sqrt{7}};\quad \frac{1}{2-\sqrt{5}};\quad \frac{2-\sqrt{3}}{2+\sqrt{3}};\quad -\frac{1}{\sqrt{5}}+\frac{2-\sqrt{3}}{1-\sqrt{2}}.$$

Pour les exercices 33 à 36, indiquez si les réels sont égaux.

33. $5\sqrt{6}$ et $6\sqrt{5}$.

34. $10\sqrt{12}$ et $2\sqrt{300}$.

35. $\sqrt{3}-\sqrt{2}$ et $\sqrt{5-2\sqrt{6}}$.

36. $\sqrt{3}-\sqrt{7}$ et $\sqrt{10-2\sqrt{21}}$.

37. *a*) Démontrez que pour $x \geqslant 0$ et $y \geqslant 0$, $\sqrt{x}+\sqrt{y}=\sqrt{x+y+2\sqrt{xy}}$.

b) Démontrez que pour $a \geqslant 0$ et $b \geqslant 0$, $\sqrt{a+b} \leqslant \sqrt{a}+\sqrt{b}$.
Dans quel cas a-t-on l'égalité?

c) Démontrez que pour $x \geqslant 0$ et $y \geqslant 0$,

$$x+y \geqslant 2\sqrt{xy}.$$

A quelle condition a-t-on l'égalité?
Application : $x \geqslant 0$, $y \geqslant 0$, $z \geqslant 0$. Montrez que :

$$(x+y)(y+z)(z+x) \geqslant 8xyz.$$

Puissances de dix

38. Le nombre d'atomes contenus dans un gramme d'hydrogène est $6{,}02 \times 10^{23}$. (c'est le nombre d'Avogadro).
Le gramme d'hydrogène occupe dans les conditions normales de température et de pression un volume de 11,2 litres.

a) Combien y a-t-il d'atomes dans un litre d'hydrogène?

b) Dans la réalité, les atomes d'hydrogène ne se touchent pas. Il existe entre eux une distance qui est variable, due à leur mouvement.
Mais si l'on suppose tout l'espace occupé, quel serait le volume d'un atome?
Si cet atome est assimilé à une sphère, quel serait le rayon de cette sphère?
Si cet atome est assimilé à un cube, quel serait le côté de ce cube?
(Extrait de Savoir et Savoir faire. Seconde Cédic)

39. La vitesse de la lumière est estimée à 3×10^8 m/s et la distance moyenne Terre-Soleil à 149 millions de kilomètres.
Calculez le temps nécessaire à un signal lumineux issu de la Terre pour parvenir au Soleil.

40. Si m est la masse d'un corps et V son volume, alors sa masse volumique est $\rho = \frac{m}{V}$.

a) La Terre supposée sphérique a un rayon de $6{,}4 \times 10^6$ m et une masse de 6×10^{24} kg. Quelle est sa masse volumique?

b) Même question avec le Soleil, de masse 2×10^{30} kg et de rayon 7×10^8 m.

c) Même question avec Mars, de masse $6{,}4 \times 10^{23}$ kg et de rayon $6{,}8 \times 10^3$ km.

Équations et inéquations

Pour les exercices 41 à 46, résolvez dans $\mathbb{R}$ les équations :

41. $3x^2=-4$.

42. $(x+5)^2=6$.

43. $2x^2=\frac{9}{2}$.

44. $(a-2)^2=(2a+1)^2$.

45. $a^2+(a-1)^2=0$.

46. $(x+3)^4=16$.

47. *a*) Pour quels réels x, $\sqrt{x-4}$ désigne-t-il un réel?

b) Résolvez l'équation $\sqrt{x-4}=2$.

c) Résolvez l'équation $\sqrt{x-4}=-\frac{1}{2}$.

Pour les exercices 48 à 53, quel renseignement avez-vous pour x^2?

48. $x>-10$.

49. $x>3$.

50. $x<-1$.

51. $1<x<\frac{8}{5}$.

52. $-2<x<-1$.

53. $-10<x<42$.

Pour les exercices 54 à 57, résolvez les inéquations :

54. $2x^2>3$.

55. $x^2<1-\sqrt{2}$.

56. $(x+3)^2>4$.

57. $(2-x)^2<(2x-1)^2$.

58. *a*) Pour quels réels x, $\sqrt{2x+3}$ désigne-t-il un réel?

b) Résolvez l'inéquation $\sqrt{2x+3}<4$.

c) Résolvez l'inéquation $\sqrt{2x+3}>3-\sqrt{10}$.

CHAPITRE
2

RÉSOLUTION D'ÉQUATIONS ET D'INÉQUATIONS

Ce chapitre est essentiellement consacré aux équations et inéquations, déjà étudiées en classe de Troisième, aussi ne traitons-nous pas la partie « Approche » dans ce chapitre. Vous trouverez d'autres équations et inéquations au chapitre 3 (avec la valeur absolue), au chapitre 9 (du second degré), au chapitre 10 (avec la fonction inverse), au chapitre 11 (avec la fonction racine carrée), au chapitre 12 (avec les fonctions trigonométriques) et aux chapitres 13 et 17 (du premier degré à deux inconnues).

1. Pour prendre un bon départ

1.1. Équations du premier degré

a. Rappels

Une équation est dite du premier degré lorsqu'on peut la mettre sous la forme :

$$ax + b = 0$$

où a et b sont des réels *donnés* et où x est l'*inconnue.*

Exemple

Résoudre dans $\mathbb{R}$ *l'équation* $-5x+1=0$.

Un réel x est solution de cette équation, *si et seulement si* $-5x+1=0$ ce qui équivaut à :

$$-5x = -1 \quad \text{soit} \quad x = \frac{-1}{-5} = \frac{1}{5}.$$

L'ensemble des solutions de l'équation est donc l'ensemble $\mathcal{S} = \left\{\frac{1}{5}\right\}$.

EXERCICE Résolvez dans $\mathbb{R}$ les équations :

$$2t - \pi = 0; \quad 5 - \frac{4}{3}t = 0; \quad \frac{2}{5}x + \frac{6}{7} = 0.$$

b. Interprétation graphique

Vous avez établi en classe de Troisième que résoudre dans $\mathbb{R}$ l'équation $\boldsymbol{ax + b = 0}$, c'est aussi :
trouver l'abscisse du point d'intersection de la droite d'équation $y = ax + b$ *avec l'axe des abscisses.*
Trois cas sont à envisager :

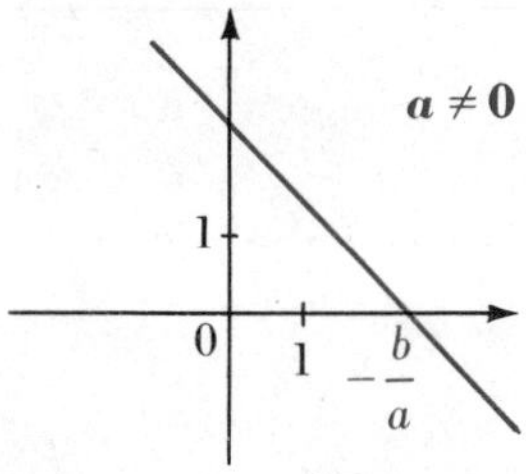

$\mathcal{S} = \left\{-\frac{b}{a}\right\}$

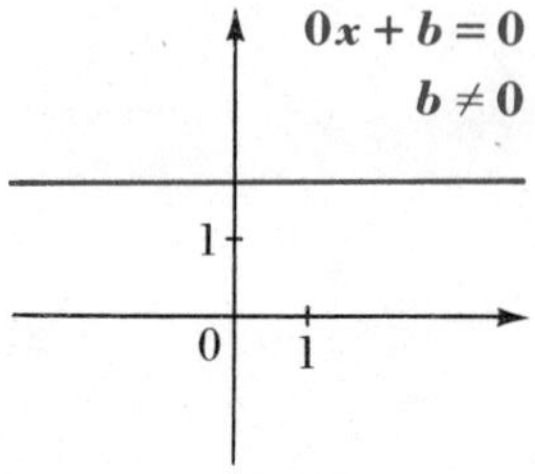

$\mathcal{S} = \varnothing$

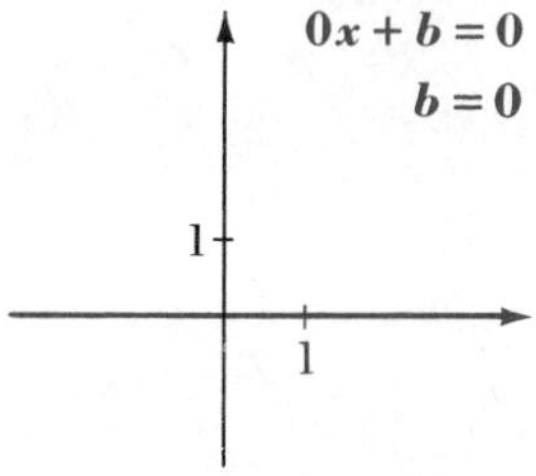

$\mathcal{S} = \mathbb{R}$

1.2. Inégalités et intervalles

Parce que résoudre une inéquation du premier degré conduit à trouver un intervalle pour ensemble des solutions de cette inéquation, nous vous proposons de rappeler les différents intervalles et de donner leurs interprétations géométriques.

a. Rappels de définitions

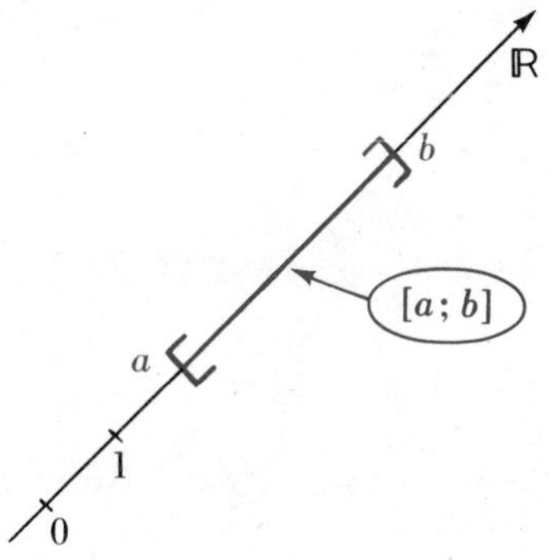

***a* et *b* sont des réels tels que $a < b$.**

L'intervalle FERMÉ $[a; b]$ est l'ensemble des réels x tels que :

$$a \leqslant x \leqslant b.$$

L'intervalle OUVERT $]a; b[$ est l'ensemble des réels x tels que :

$$a < x < b.$$

Le réel $b - a$ est l'*amplitude* des intervalles $[a; b]$ et $]a; b[$.

b. Des notations commodes $+\infty$ et $-\infty$

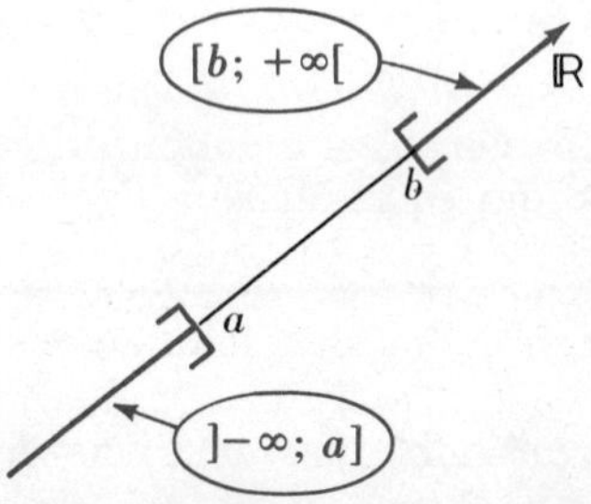

Avec ces notations, on définit aussi :

- **la demi-droite fermée à gauche $[b; +\infty[$,** *ensemble des réels x tels que* $\boldsymbol{x \geqslant b}$;
- **la demi-droite fermée à droite $]-\infty; a]$,** *ensemble des réels x tels que* $\boldsymbol{x \leqslant a}$.

Notez que $]-\infty; +\infty[$ est un intervalle; en fait, c'est l'ensemble $\mathbb{R}$ des réels.
On note :

$$\mathbb{R}^+ = [0; +\infty[; \quad \mathbb{R}^- =]-\infty; 0]; \quad \mathbb{R}^{*+} =]0; +\infty[; \quad \mathbb{R}^{*-} =]-\infty; 0[.$$

EXERCICE

Définissez les demi-droites ouvertes à gauche $]y; +\infty[$ et à droite $]-\infty; x[$.
Définissez les intervalles semi-ouverts $[a; b[$ et $]a; b]$.

1.3. Inéquations du premier degré

a. Rappels

Une inéquation est dite du premier degré lorsqu'on peut la mettre sous l'une des formes :

$$\boldsymbol{ax+b \geqslant 0; \quad ax+b > 0.}$$
$$\boldsymbol{ax+b \leqslant 0; \quad ax+b < 0.}$$

où a et b sont des réels donnés, et où x est l'inconnue.

***Exemple* 1**

Résoudre dans $\mathbb{R}$ *l'inéquation* $2x+3 \geqslant 0$.
Un réel x est solution de l'inéquation, *si et seulement si* $2x+3 \geqslant 0$. Ce qui équivaut à :

$$\boldsymbol{2x \geqslant -3}$$
$$\boldsymbol{x \geqslant -\frac{3}{2}}$$

car multiplier chaque membre de l'inégalité par le réel positif $\frac{1}{2}$ ne change pas le sens de l'inégalité. L'ensemble des solutions est l'ensemble des réels supérieurs ou égaux à $-\frac{3}{2}$, soit l'intervalle :

$$\mathcal{S} = \left[-\frac{3}{2}; +\infty\right[.$$

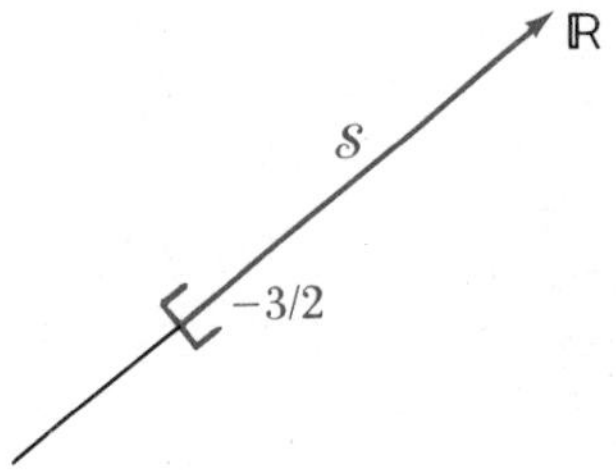

***Exemple* 2**

Résoudre dans $\mathbb{R}$ *l'inéquation* $2-5x > 0$.
Un réel x est solution de cette inéquation, *si et seulement si* $2-5x > 0$.
A savoir : $-5x > -2$

$$x < \frac{-2}{-5}, \quad \text{soit} \quad \boldsymbol{x < \frac{2}{5}}$$

car multiplier chaque membre de l'inégalité par le réel $-\frac{1}{5}$ change le sens de l'inégalité.
L'ensemble des solutions est l'intervalle :

$$\mathcal{S} = \left]-\infty; \frac{2}{5}\right[.$$

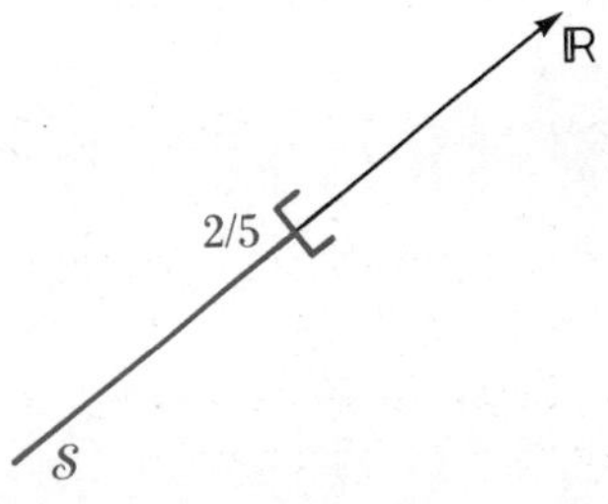

EXERCICE Désignez par un intervalle l'ensemble des solutions des inéquations :

$$-3t-1<0; \quad 2u+\frac{4}{3}\leqslant 0; \quad 3-\frac{5}{2}x>0.$$

b. Interprétation graphique

Vous avez établi en classe de Troisième que résoudre dans $\mathbb{R}$ l'inéquation $\boldsymbol{ax+b\geqslant 0}$, c'est aussi :
trouver les abscisses des points M *de la droite d'équation* $y=ax+b$ *qui sont au-dessus de l'axe des abscisses.*
Quatre cas sont à envisager :

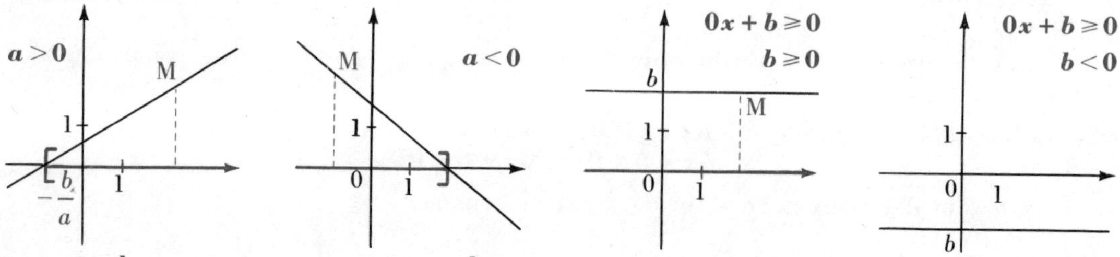

$\mathcal{S}=\left[-\frac{b}{a}; +\infty\right[$ $\quad$ $\mathcal{S}=\left]-\infty; -\frac{b}{a}\right]$ $\quad$ $\mathcal{S}=\mathbb{R}$ $\quad$ $\mathcal{S}=\varnothing$

2. Cours et applications

2.1. Où l'on se ramène à une équation du premier degré

a. Un premier exemple

Résoudre dans $\mathbb{R}$ *l'équation* $x-\frac{1}{2}(3-2x)=2(x-1)+\frac{1}{2}$.

Un réel x est solution de cette équation, *si et seulement si* $x-\frac{3}{2}+x=2x-2+\frac{1}{2}$.

Ce qui s'écrit aussi : $\quad x+x-2x=-2+\frac{1}{2}+\frac{3}{2}$

soit $\quad 0x=0.$

Par conséquent, tout réel est solution.
L'ensemble des solutions est : $\mathcal{S}=\mathbb{R}$.

EXERCICE Résoudre dans $\mathbb{R}$ les équations :

$$2x+5=5x-7; \qquad \frac{1}{3}(x-1)-\frac{1}{6}(3-x)=\frac{1}{2}(x-1);$$

$$4t-\frac{1}{2}\left(t+\frac{3}{2}\right)=3t-4; \quad 2\left(u+\frac{3}{2}\right)+u+2=7+5u-2(u+1).$$

b. On peut factoriser

SAVOIR

$a \times b = 0$

si et seulement si :

$a = 0$ **ou** $b = 0$.

***Exemple* 1**

Résoudre dans $\mathbb{R}$ *l'équation* E :

$$(5x+1)(3-2x)=0.$$

Vous savez qu'un produit de réels est nul *si et seulement si* l'un au moins de ces réels est nul.
Donc x est solution de l'équation E, *si et seulement si :*

$$5x+1=0 \quad \textbf{ou} \quad 3-2x=0.$$

On est ramené à résoudre deux équations du premier degré.

L'ensemble des solutions de $5x+1=0$ est $\mathcal{S}_1=\left\{-\frac{1}{5}\right\}$.

L'ensemble des solutions de $3-2x=0$ est $\mathcal{S}_2=\left\{\frac{3}{2}\right\}$.

En conclusion, l'ensemble des solutions de l'équation E est :

$$\boldsymbol{\mathcal{S}=\mathcal{S}_1 \cup \mathcal{S}_2=\left\{-\frac{1}{5}; \frac{3}{2}\right\}}.$$

***Exemple* 2**

Résoudre dans $\mathbb{R}$ *l'équation* E : $(9x^2-4)-(6x+4)(x-5)=0$.

Essayons d'écrire le premier membre de l'équation comme un produit de facteurs.

$$\begin{aligned}(9x^2-4)-(6x+4)(x-5)&=(3x-2)(3x+2)-2(3x+2)(x-5)\\&=(3x+2)\left[3x-2-2(x-5)\right]\\&=(3x+2)(x+8).\end{aligned}$$

Par conséquent, x est solution de E, *si et seulement si :*

$$(3x+2)(x+8)=0.$$

On est encore ramené à la résolution de deux équations du premier degré.
Il est clair que l'ensemble des solutions de E est :

$$\boldsymbol{\mathcal{S}=\left\{-8; -\frac{2}{3}\right\}}.$$

c. L'inconnue figure au dénominateur

Résoudre dans $\mathbb{R}$ *l'équation* E : $\dfrac{2x+1}{5x-3}=4$.

- *Première méthode :*

Si x est solution de l'équation **alors :**

$$\begin{aligned}2x+1&=4(5x-3)\\2x+1&=20x-12\\18x&=13\\x&=\frac{13}{18}.\end{aligned}$$

S'il y a une solution, ce ne peut être que $\frac{13}{18}$; mais $\frac{13}{18}$ est-il solution?

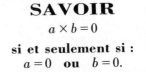

Il reste à le vérifier : $\dfrac{2\left(\dfrac{13}{18}\right)+1}{5\left(\dfrac{13}{18}\right)-3}=\dfrac{\dfrac{13}{9}+\dfrac{9}{9}}{\dfrac{65}{18}-\dfrac{54}{18}}=\dfrac{22}{9}\times\dfrac{18}{11}=2\times2=4.$

Donc l'ensemble des solutions est $\mathcal{S}=\left\{\mathbf{\dfrac{13}{18}}\right\}$.

• *Deuxième méthode :*
x est solution de l'équation, *si et seulement si* $2x+1=4(5x-3)$ **et** $5x-3\neq0$.
Autrement dit, x est solution, *si et seulement si* $x=\dfrac{13}{18}$ et $x\neq\dfrac{3}{5}$. Comme $\dfrac{13}{18}\neq\dfrac{3}{5}$, on en déduit que $\mathcal{S}=\left\{\mathbf{\dfrac{13}{18}}\right\}$.

2.2. Les problèmes de mise en équation

EXERCICE résolu

Un père a 35 ans et son fils 7 ans.

1. Dans combien d'années l'âge du père sera-t-il le double de celui de son fils?

2. Dans combien d'années sera-t-il 8 fois celui de son fils?

Solution □□□

1. Notons a le nombre d'années cherché; a est donc **un naturel.** Lorsque le père aura $(35+a)$ ans, le fils en aura $7+a$, et à ce moment-là :

$$35+a=2(7+a).$$

Résolvons dans ℕ cette équation :
a est solution *si et seulement si :*

$$35+a=14+2a$$
$$a=35-14$$
$$\boldsymbol{a=21.}$$

C'est donc dans 21 ans que l'âge du père $(35+21=56)$ sera le double de l'âge du fils $(7+21=28$ et $56=2\times28)$.

2. Notons A le nombre d'années cherché; A est **un naturel.**
L'énoncé conduit **à résoudre dans** ℕ l'équation : $35+\mathrm{A}=8(7+\mathrm{A})$.
A est solution, *si et seulement si :*

$$35+\mathrm{A}=56+8\mathrm{A}$$
$$7\mathrm{A}=-21$$
$$\mathbf{A=-3.}$$

-3 *n'est pas naturel,* donc le problème n'admet pas de solution.

□□□□□□□□□□

Marche à suivre pour résoudre algébriquement un problème
En voici les étapes.

• **Choix de l'inconnue**
Le choix est parfois immédiat : c'est le cas de l'exercice précédent.
Il n'en est pas toujours ainsi (malheureusement!).
Pensez en particulier à préciser à quel ensemble appartient l'inconnue.

- **Mise en équation**

On cherche l'équation du problème, en écrivant que l'inconnue choisie satisfait aux conditions de l'énoncé.

- **Résolution de l'équation**

- **Examen des résultats. Discussion**

Si la mise en équation a bien traduit toutes les conditions imposées par l'énoncé, c'est-à-dire si l'on a traduit les conditions nécessaires et suffisantes auxquelles doit satisfaire l'inconnue, une résolution correcte de l'équation doit conduire à une réponse acceptable.
Toutefois il est conseillé *d'examiner le résultat obtenu, de l'interpréter et de vérifier la cohérence avec les données.*

2.3. Où l'on se ramène à des inéquations du premier degré

a. Un premier exemple

Résoudre dans $\mathbb{R}$ *l'inéquation* $\frac{2x-7}{2}+x-1 \leqslant 2(x+1)$.

x est solution de cette inéquation, *si et seulement si* $x-\frac{7}{2}+x-1 \leqslant 2x+2$, soit $0x \leqslant \frac{13}{2}$.

Tout réel est donc solution de l'inéquation, car cette dernière inégalité est vraie.
L'ensemble des solutions est donc : $\mathcal{S}=\mathbb{R}$.

b. Attention! Danger!

Résoudre dans $\mathbb{R}$ *l'inéquation* E : $\frac{x-1}{x-2}<4$.

Il est fortement tentant de remplacer cette inéquation par $x-1<4(x-2)$.

Mais IL NE FAUT PAS, car multiplier chaque membre de l'inéquation E par $x-2$ demande de connaître le signe de $x-2$.
En effet, si $x-2$ est négatif, on doit changer le sens de l'inégalité.
Il faudrait donc envisager deux cas : $x-2>0$ et $x-2<0$.

Il est préférable de procéder ainsi :

x est solution de E, *si et seulement si* $\frac{x-1}{x-2}-4<0$ **et** $x-2 \neq 0$.

Après réduction au même dénominateur, l'inéquation s'écrit :

$$\frac{x-1-4(x-2)}{x-2}<0, \quad \text{puis} \quad \frac{-3x+7}{x-2}<0.$$

Étudions le signe de $-3x+7$ et le signe de $x-2$ à l'aide du tableau ci-contre.

x		2		$\frac{7}{3}$	
$-3x+7$	+		+	0	−
$x-2$	−	0	+		+
$\frac{-3x+7}{x-2}$	−	‖	+	0	−

La « double barre » en 2 indique que pour $x=2$, l'écriture $\frac{-3x+7}{x-2}$ ne désigne pas un réel.

Donc, x est solution de E, *si et seulement si* $x<2$ ou $x \geqslant \frac{7}{3}$.

L'ensemble des solutions est : $\mathcal{S}=\left]-\infty ; 2\right[\cup \left[\frac{7}{3} ; +\infty\right[$.

EXERCICES

Pour tester vos connaissances

1. Résolvez dans ℝ l'équation

$$\frac{2x+1}{3}+\frac{5x-1}{6}=\frac{4x-3}{2}.$$

2. Résolvez dans ℝ l'équation

$$\frac{1}{6}(3x-4)+\frac{1}{10}(5x-9)=\frac{1}{8}(6x-3)+\frac{1}{12}(3x-7).$$

3. Résolvez dans ℝ l'équation

$$(x+1)(x-1)=0.$$

4. Résolvez dans ℝ l'équation

$$(x-1)(x-2)-(x^2-1)(2-x)=0.$$

5. Un marchand de tissus vend les $\frac{3}{7}$ d'une pièce d'étoffe, puis le $\frac{1}{3}$ de ce qui reste.

Après ces deux ventes il lui reste 8 mètres de tissu.

Quelle était la longueur initiale de la pièce d'étoffe?

6. Un carré est tel que si l'on augmente la mesure de son côté de 3 unités, alors son aire augmente de 21 unités d'aire. Quelle est la mesure du côté de ce carré?

7. Résolvez dans ℝ l'inéquation

$$\frac{1}{2}(5x-3)-\frac{1}{6}(8x-3)>\frac{1}{4}(3x-1).$$

8. Déterminez, suivant les valeurs du réel x, le signe de $(x+1)(x-1)$.

9. Résolvez dans ℝ l'inéquation

$$x^2>4x.$$

10. Résolvez dans ℝ l'inéquation

$$\frac{\sqrt{2}\,x-1}{3+x}\leqslant -2.$$

11. Traduisez à l'aide d'inégalités :

a) $x\in\left[3;\frac{11}{2}\right]$. ***b)*** $x\in]-\infty;4[$.

Représentez ces deux intervalles; quelle est leur intersection?

12. A quels intervalles appartiennent des réels tels que :

a) $x\geqslant 2$?

b) $a>2$ **et** $a<\frac{7}{2}$?

c) $y<-30$?

Exercices d'entraînement

Équations se ramenant au premier degré

Pour les exercices 1 à 16, résolvez dans ℝ les équations suivantes :

1. $\frac{1}{2}(2x-3)-\frac{1}{3}(x+3)=\frac{1}{9}(4x-2)$.

2. $3t-2(t+1)=3-6t$.

3. $\frac{1}{8}(6x-1)-\frac{1}{12}(3x-5)=\frac{1}{6}(3x+6)$.

4. $x+7-3(x-1)=4-2x$.

5. $y+\frac{y}{2}+\frac{y}{3}+\frac{y}{4}=1+\frac{1}{2}+\frac{1}{3}+\frac{1}{4}$.

6. $5x+1-(x-4)+3=4(x+2)$.

7. $1-\frac{2}{3}(1+u)-\frac{3}{2}(2-u)=\frac{1}{6}$.

8. $\frac{\alpha+1}{2}+\frac{\alpha+2}{3}+\frac{\alpha+3}{4}=12\alpha-1$.

9. $(2x-1)^2=(x-1)^2$.

10. $(2x+3)(5x-7)^2(x-1)^3=0$.

11. $(4x^2-9)-2(2x-3)+x(2x-3)=0$.

12. $\frac{3}{x-1}+\frac{5}{x+1}=\frac{2}{x^2-1}$.

13. $\frac{1{,}75}{x}-\frac{0{,}25}{x-2}=\frac{1{,}25}{x(x-2)}$.

14. $1-\cfrac{1}{1-\cfrac{1}{1-x}}=2$.

15. $\cfrac{1}{1-\cfrac{1}{1-\cfrac{1}{x}}}=3$.

16. $\left(\frac{x-1}{x+1}\right)^2-\left(\frac{x+2}{x-2}\right)^2=0$.

Mise en équation

17. Passant! Ci-gît Diophante.
Les chiffres diront la durée de sa vie.
Sa douce enfance en fait le sixième. Un douzième de sa vie a passé et son menton s'est couvert de duvet. Marié, il a vécu le septième de sa vie sans enfant. Cinq ans ont passé; la naissance d'un fils l'a rendu heureux. Le sort a voulu que la vie de ce fils soit deux fois plus courte que celle de son père. Plein de tristesse, le vieillard a rendu l'âme quatre ans après la mort de son fils.
Dis passant, quel âge avait atteint Diophante lorsque la mort l'a enlevé?

18. A quelle heure les aiguilles d'une montre sont-elles l'une sur l'autre pour la première fois après midi?

19. Quel naturel faut-il ajouter au numérateur et au dénominateur de $\frac{3}{7}$ pour obtenir le double de ce rationnel?

20. Déterminez un naturel tel que le produit de ce naturel avec son suivant soit son carré augmenté du naturel initial.

21. ***a)*** Expliquez pourquoi tout naturel impair s'écrit $2n+1$ où n est un naturel.

b) Est-il possible de déterminer trois naturels *impairs consécutifs* dont la somme soit 99?

22. Sur un axe, A, B, C, D sont les points d'abscisses respectives 1; -1; 2; $\frac{5}{2}$.
Trouvez les points M de cet axe tels que

$$\frac{\overline{MA}}{\overline{MB}}=\frac{\overline{MC}}{\overline{MD}}.$$

23. Dans un plan muni d'un repère orthonormé, A et B sont les points de coordonnées respectives $(-3; 2)$ et $(4; 3)$.
Déterminez les coordonnées du point M de la droite (AB) tel que $\frac{\overline{MA}}{\overline{MB}}=-\frac{2}{3}$.

24. Dans un plan muni d'un repère orthonormé, A et B sont les points de coordonnées respectives $(2; 0)$ et $(0; -1)$.
Déterminez les points C de l'axe des ordonnées tels que le triangle ABC soit isocèle.

25. Si on augmente de 5 unités le côté d'un carré, on obtient un autre carré dont l'aire vaut 4 fois celle du précédent.
Quelle est la mesure du côté du premier carré?

26. On mesure avec un crayon une table rectangulaire d'aire $\frac{27}{20}$ m^2.
Les deux dimensions sont dans le rapport de 5 à 3.
On porte exactement 10 fois le crayon dans la longueur.
Quelle est la longueur du crayon?

27. Une personne achète 2 500 m^2 de terrain. A la fin de la première année, la valeur de son terrain augmente de 3/20 du prix d'achat.
A la fin de la deuxième année, la valeur augmente des 4/25 de celle qu'il avait à la fin de la première année. A la fin de la troisième année, la valeur augmente de $\frac{1}{12}$ de celle qu'il avait à la fin de la seconde année.
La valeur du terrain à la fin de la troisième année étant alors 43 555 francs, à quel prix la personne a-t-elle acheté le mètre carré de terrain?

28. Trois cousins ont respectivement 32; 20 et 6 ans.
Dans combien d'années l'âge de l'aîné sera-t-il égal à la somme des âges des deux autres?

29. Dans les éprouvettes graduées A et B, on a respectivement le même volume d'acide chlorhydrique et d'eau.
On verse, de A dans B, 20 g d'acide ; puis de B dans A les $\frac{2}{3}$ de la solution obtenue.
Finalement, il y a quatre fois plus de liquide dans A que dans B.

***a*)** Déterminez les quantités d'eau et d'acide initiales.

***b*)** Déterminez les concentrations en acide de chacune des éprouvettes A et B après ces deux manipulations.

Intervalles

Pour les exercices 30 à 35, déterminez la réunion et l'intersection des intervalles I et J.

30. $I=\left[1;\ \frac{5}{2}\right]$; $J=]-\infty;\ 3]$.

31. $I=]2;\ 5[$; $J=]4,\ +\infty[$.

32. $I=[-10;\ 0]$; $J=[0;\ 3[$.

33. $I=[-3;\ -1]$; $J=]-1;\ 0[$.

34. $I=]-\infty;\ 2[$; $J=[2;\ +\infty[$.

35. $I=[0;\ 1]$; $J=\left]0;\ \frac{1}{2}\right[$.

Inéquations se ramenant au premier degré

Pour les exercices 36 à 45, résolvez dans $\mathbb{R}$ les inéquations suivantes :

36. $\frac{1}{3}(2x+1)-\frac{1}{2}(x-2)>x-1.$

37. $2(x-1)-3(x+1)>4(x-2).$

38. $x-\frac{1}{2}-x(x-2)\leqslant 2-x^2+x.$

39. $2x(x-1)\geqslant 3x(x+1).$

40. $(x-1)(x-2)(3-x)\leqslant 0.$

41. $(x-1)^2-25\leqslant 0.$

42. $(5t+1)^2+9\leqslant 0.$

43. $(\alpha-2)\alpha+2(\alpha^2-4)\leqslant 4(\alpha-2)^2.$

44. $\frac{2x+1}{x+2}\geqslant x.$

45. $\frac{(3-2x)^3(x-5)}{(7x-1)(3x+4)^2}\geqslant 0.$

46. Si on augmente de 5 unités le côté d'un carré, on obtient un autre carré dont l'aire est comprise entre 4 fois et 9 fois celle du précédent.
Quelle peut être la mesure du côté du premier carré?

Pour les exercices 47 à 52, étudiez, suivant le réel x, le signe de chacun des réels ci-après :

47. $2x+3.$

48. $2-5x.$

49. $(3-x)(x+4).$

50. $(x-1)^2(3-5x).$

51. $(2-3x)^3(1-2x).$

52. $\frac{x+1}{3-4x}.$

CHAPITRE
3

VALEUR ABSOLUE

1. Pour prendre un bon départ

1.1. Quelques questions

x est un réel; $-x$ est **l'opposé** de x.

• *Quel est le signe de* $-x$*?*
Confrontez votre réponse à des exemples (cas où $x=20$; $x=-10$; $x=43{,}7$; $x=-\sqrt{3}$; ...).

• *Parmi les réels :*

$$-3x+20;\quad 3x-20;\quad -3x-20;\quad 3x+20$$

quel est l'opposé de $20-3x$*?*

• *Pour quels réels* x*, le réel* $20-3x$ *est-il positif ou nul?*

• *Si* $20-3x \geqslant 0$*, quel est le signe de l'opposé de* $20-3x$*?*

1.2. Abscisse d'un point sur une droite graduée

a. Abscisse d'un point

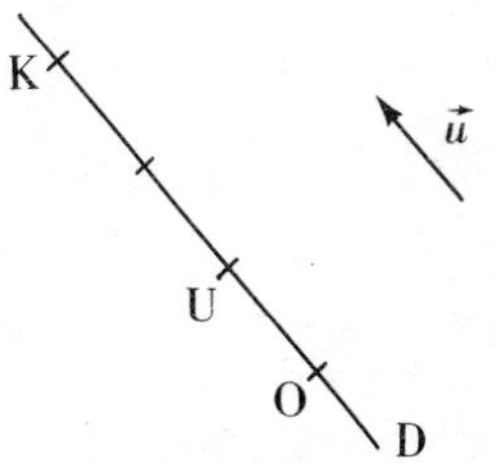

D est la droite qui passe par un point O et de *vecteur directeur* $\vec{u}$ $(\vec{u} \neq \vec{0})$ (voir chapitre 16, page 182).
K est le point de D, d'**abscisse** 3 dans **le repère** $(O;\ \vec{u})$ signifie que

$$\overrightarrow{OK}=3\vec{u}.$$

D'où la construction ci-contre du point K.

EXERCICE Placez sur la droite D les points d'abscisses respectives :

$$4; \quad -5; \quad \frac{1}{2}; \quad -\frac{1}{4}.$$

Quelles sont les abscisses des points O et U, où U est le point tel que $\overrightarrow{OU} = \vec{u}$?

b. Milieu d'un intervalle

A et B sont les points de la droite D, d'abscisses respectives a et b, dans le repère $(O; \vec{u})$.

$$\overrightarrow{OA} = a\vec{u} \qquad \overrightarrow{OB} = b\vec{u}.$$

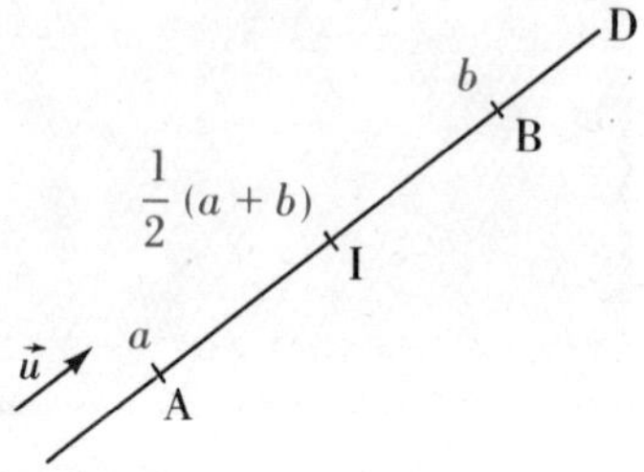

Le milieu I du segment [AB] est le point défini par : proposition 1. $\overrightarrow{AI} = \overrightarrow{IB}$

ou bien par : proposition 2. $\overrightarrow{OI} = \frac{1}{2}(\overrightarrow{OA} + \overrightarrow{OB})$.

EXERCICE Prouvez l'équivalence des propositions 1 et 2.

La proposition 2 permet d'écrire : $\overrightarrow{OI} = \frac{1}{2}(a\vec{u} + b\vec{u}) = \frac{1}{2}(a+b)\vec{u}$.

Le milieu I du segment est donc le point de D d'abscisse $\frac{a+b}{2}$. Par analogie, $\boldsymbol{\frac{a+b}{2}}$ **est le milieu (ou centre) de l'intervalle [*a*; *b*].**

Notez que $\frac{a+b}{2}$ est aussi le milieu des intervalles $[a; b[$, $]a; b]$ ou $]a; b[$.

Par exemple, le milieu de l'intervalle [1; 5] est le réel $\frac{1}{2}(1+5) = 3$.

EXERCICE Déterminez les milieux des intervalles

$$[0; 5], \quad]-1; 2], \quad \left[-\frac{17}{2}; -3\right[, \quad]3,15; 14,3[.$$

2. Approche

2.1. L'idée de valeur absolue

• Dans la vie de tous les jours, le mot *distance* est fréquemment utilisé. Vous savez en particulier qu'une distance s'exprime toujours par **un réel positif** (on ne dit jamais que la distance de Paris à Lyon est de −450 kilomètres).

- A, B, C, D, E, F sont les points d'abscisses respectives 7; 4; -3; $-\frac{3}{2}$; -112; $\frac{1}{2}$ d'une droite de repère $(O; \vec{u})$.

La distance entre deux points est **un réel positif.**
La distance entre les points A et B est : $7-4=3$; on la note $d(A, B)=3$.
3 est dit aussi la distance entre les réels 7 et 4; on note $d(7; 4)=3$.
La distance entre les points C et B est : $d(C, B)=4-(-3)=7$, on note aussi $d(4; -3)=7$.

EXERCICE Calculez les distances entre : D et A; C et E; E et C; B et F.

Vous remarquez que pour calculer la distance entre deux points donnés, *on retranche la plus petite abscisse de la plus grande.*

- M et N sont les points d'abscisses respectives x et y d'une droite de repère $(O; \vec{u})$.

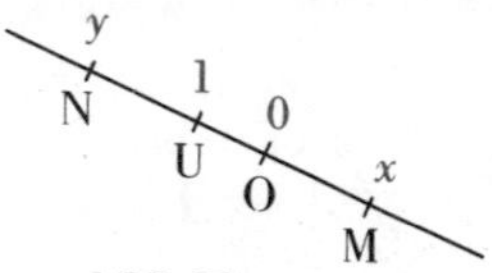

$d(M, N)=y-x$

La distance entre M *et* N, *ou encore la distance entre les réels x et y, est celui des réels $x-y$ et $y-x$ qui est positif : c'est la valeur absolue de $x-y$; on la note $|x-y|$.*
De façon plus précise :

$$|x-y| = \begin{cases} x-y & \text{si } x>y \\ 0 & \text{si } x=y \\ y-x & \text{si } x<y. \end{cases}$$

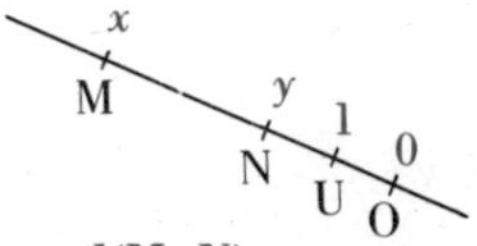

$d(M, N)=x-y$

EXERCICES

1. Écrivez sous la forme de distances les réels $|y-x|$, $|x-1|$, $|y|$, $|y+1|$.

2. Trouvez les réels x tels que $|x-4|=3$.

Trouvez les réels u tels que $|u+2|=\frac{5}{2}$.

2.2. La chasse au trésor

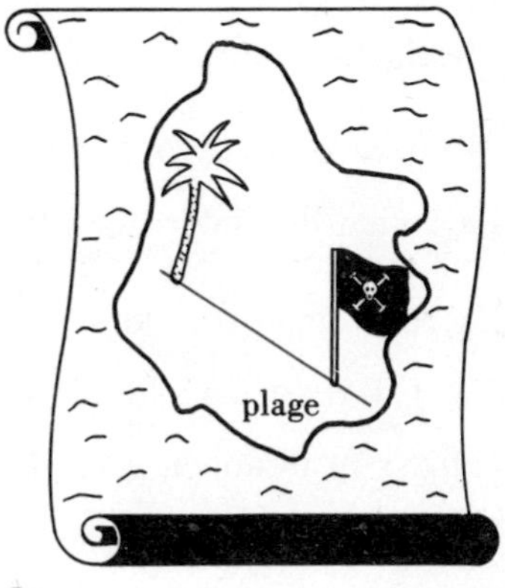

On vient de retrouver un parchemin attribué à Philippe le pirate.
Sur ce parchemin figure le plan d'une île et le message que nous avons traduit ainsi : « Sur la ligne qui passe par le cocotier et le mât, j'ai caché un trésor.
Deux fois la distance du trésor au mât, plus trois fois la distance du trésor au cocotier est égal à 65 pas.
De plus j'ai compté 30 pas entre le mât et le cocotier. »
Dans un premier temps, avant de se lancer à la recherche du trésor, mathématisons cette situation.
Pour cela, assimilons :

- la ligne dont il est question à une droite graduée d'origine M (le mât);
- le cocotier, au point C d'abscisse 30;
- l'emplacement du trésor à un point T; notons x son abscisse.

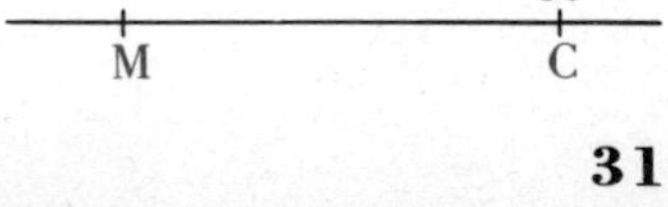

D'après le paragraphe précédent :

$$d(\mathrm{M}, \mathrm{T}) = |x| \quad \text{et} \quad d(\mathrm{C}, \mathrm{T}) = |x - 30|.$$

Trouver un point T tel que $2 \cdot d(\mathrm{M}, \mathrm{T}) + 3 \cdot d(\mathrm{C}, \mathrm{T}) = 65$, revient donc à trouver un réel x tel que :

$$\mathbf{2\,|x| + 3\,|x - 30| = 65.}$$

Comme nous ne savons pas résoudre directement cette équation, essayons de l'écrire sans utiliser la notation valeur absolue. Pour cela, déterminons les signes de x et $x - 30$. Consignons les résultats dans le tableau :

		$d(\mathrm{M}, \mathrm{T})$	$d(\mathrm{C}, \mathrm{T})$	$2\,\lvert x\rvert + 3\,\lvert x - 30\rvert = 65$
T M C	$x \leqslant 0$	$-x$	$30 - x$	$-5x + 90 = 65$
M T C	$0 \leqslant x \leqslant 30$	x	$30 - x$	$-x + 90 = 65$
M C T	$x \geqslant 30$	x	$x - 30$	$5x - 90 = 65$

L'abscisse du trésor peut-elle être négative?

D'après ce tableau, on est conduit à résoudre dans $]-\infty; 0]$ l'équation $-5x + 90 = 65$.

Un réel de $]-\infty; 0]$ est solution, *si et seulement si :*

$$-5x = -25, \quad \text{soit} \quad \boldsymbol{x = 5}.$$

Or $5 \notin]-\infty; 0]$, donc 5 **n'est pas solution** de $2\,|x| + 3\,|x - 30| = 65$.

EXERCICE

Résolvez dans $[0; 30]$ l'équation $-x + 90 = 65$.
Résolvez dans $[30; +\infty[$ l'équation $5x - 90 = 65$.
Concluez sur l'ensemble des solutions de $2\,|x| + 3\,|x - 30| = 65$. Qu'en déduisez-vous pour l'emplacement du trésor de Philippe le pirate?

2.3. Valeur absolue et intervalles

La valeur absolue permet de décrire des intervalles d'une autre façon que celle vue au chapitre 2 page 20.

Exemple

Traduire à l'aide de la valeur absolue : $x \in [2; 3]$.

Le milieu de l'intervalle $[2; 3]$ est $\frac{1}{2}(2 + 3) = \frac{5}{2}$.

La demi-amplitude de cet intervalle est $\frac{1}{2}(3 - 2) = \frac{1}{2}$.

Un réel x est dans $[2; 3]$, *si et seulement si* la distance entre x et le milieu $\frac{5}{2}$ est inférieure à la demi-amplitude $\frac{1}{2}$.

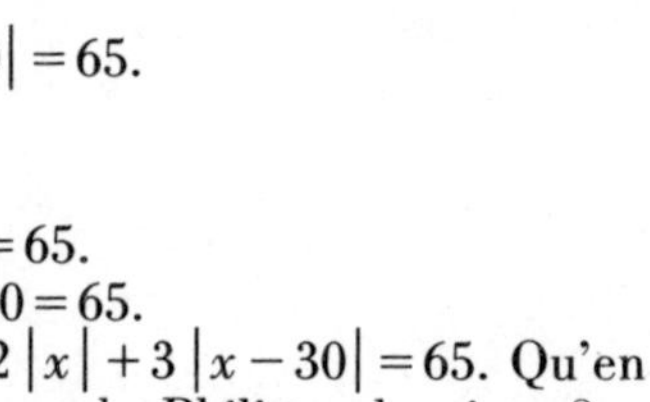

D'où : $\boldsymbol{x \in [2; 3]}$**,** *si et seulement si :*

$$\left| x - \frac{5}{2} \right| \leqslant \frac{1}{2}.$$

EXERCICE

Traduisez à l'aide de la valeur absolue : $x \in [-3; 3]$; $u \in]-2; 5[$.

3. Cours et applications

3.1. Valeur absolue d'un réel

Définition 1

La valeur absolue du réel x, notée $|x|$, est le réel tel que :

$$|x| = x \qquad \text{si } x \geqslant 0$$
$$|x| = -x \qquad \text{si } x \leqslant 0.$$

On remarque que : si $x \geqslant 0$, $|x| \geqslant 0$
si $x \leqslant 0$, alors $-x \geqslant 0$ donc $|x| \geqslant 0$.
D'où le théorème suivant :

Théorème 1

Pour tout réel x, $|x| \geqslant 0$ et $|x| = 0$, *si et seulement si* $x = 0$.

Commentaires

• Dans la plupart des exercices faisant intervenir la valeur absolue, c'est en fait un réel du type $|x - y|$ qui intervient. *D'où la nécessité de savoir que :*

si $x \geqslant y$, $|x - y| = x - y$; si $x \leqslant y$, $|x - y| = y - x$.

• Interprétation géométrique.
D est une droite de repère $(O; \vec{u})$. M est le point de D d'abscisse x. $|x|$ est la distance entre les points O et M.

$d(O, M) = -x$

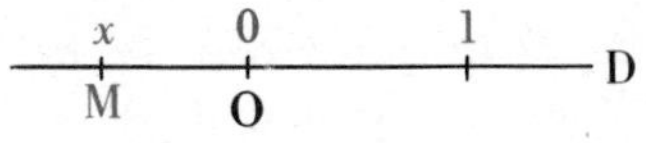

$d(O, M) = x$

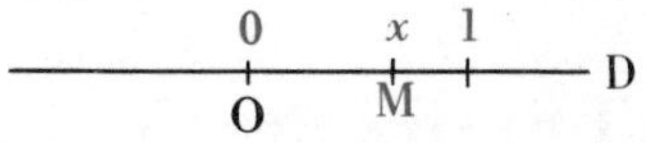

Propriétés

► **Calcul de $|x|^2$**

Si $x \geqslant 0$, $|x| = x$ donc $|x|^2 = x^2$.

Si $x \leqslant 0$, $|x| = -x$ donc $|x|^2 = (-x)^2 = x^2$.
D'où le théorème suivant :

Théorème 2

Pour tout réel x, x et $|x|$ ont le même carré.

$$|x|^2 = x^2.$$

▶ **Comparaison de $|x|$ et $|-x|$.**
D'après le théorème précédent :

$$|x|^2 = x^2 \quad \text{et} \quad |-x|^2 = (-x)^2 = x^2.$$

Théorème 3

Pour tout réel x, x et $-x$ ont même valeur absolue :

$$|-x| = |x|.$$

Pour tous réels x et y, $|x-y| = |y-x|$.

EXERCICE Prouvez que $|x| = |y|$ *si et seulement si :* $x = y$ **ou** $x = -y$.

▶ **Comparaison de $|xy|$ et $|x| \cdot |y|$.**
Pour tous réels x et y, $|xy|$ **et** $|x| \cdot |y|$ **sont des réels positifs;** pour les comparer **il suffit donc de comparer leurs carrés :**

$$|xy|^2 = (xy)^2 = x^2y^2 \quad \text{et} \quad (|x| \cdot |y|)^2 = |x|^2|y|^2 = x^2y^2.$$

Théorème 4

Pour tous réels x et y, $|xy| = |x| \cdot |y|$.

EXERCICE Prouvez comme ci-dessus que pour tout réel x et tout réel $y \neq 0$:

$$\left|\frac{x}{y}\right| = \frac{|x|}{|y|}.$$

▶ **Comparaison de $|x+y|$ et $|x| + |y|$.**
Pour tous réels x et y, les réels $|x+y|$ et $|x| + |y|$ sont positifs, mais la comparaison de leurs carrés n'est pas aussi immédiate que précédemment.
Nous admettrons le théorème suivant, dont nous vous proposons la démonstration à l'exercice 23 page 39.

Théorème 5 (inégalité triangulaire)

Pour tous réels x et y, $|x+y| \leqslant |x| + |y|$.

En particulier $|x-y| = |x+(-y)|$; l'inégalité triangulaire conduit à :

$$|x-y| \leqslant |x| + |-y|$$

comme $|-y| = |y|$, on déduit que :

$$|x-y| \leqslant |x| + |y|.$$

▶ **Comparaison de $|x|$ et $\sqrt{x^2}$.**
Pour tout réel x, $x^2 \geqslant 0$.
Donc pour tout réel x, $\sqrt{x^2}$ est un réel.

Par définition, $\sqrt{x^2}$ est le réel positif dont le carré est x^2.
D'où :

- si $x \geqslant 0$, $\sqrt{x^2} = x$;
- si $x \leqslant 0$, $\sqrt{x^2} = -x$.

Ainsi, **pour tout réel x :**

$$\sqrt{x^2} = |x|.$$

Commentaire

Interprétation géométrique. $(O; \vec{i}, \vec{j})$ est un repère orthonormé d'un plan P muni d'une distance.
M est le point de coordonnées $(x; y)$.
Vous avez établi dans les classes antérieures que :

$$d(O, M) = \sqrt{x^2 + y^2}$$

m est la projection orthogonale de M sur l'axe des abscisses; alors m a pour coordonnées $(x; 0)$.

Donc : $d(O, m) = \sqrt{x^2 + 0^2} = \sqrt{x^2}$.

Or géométriquement $d(O, m) = |x|$.

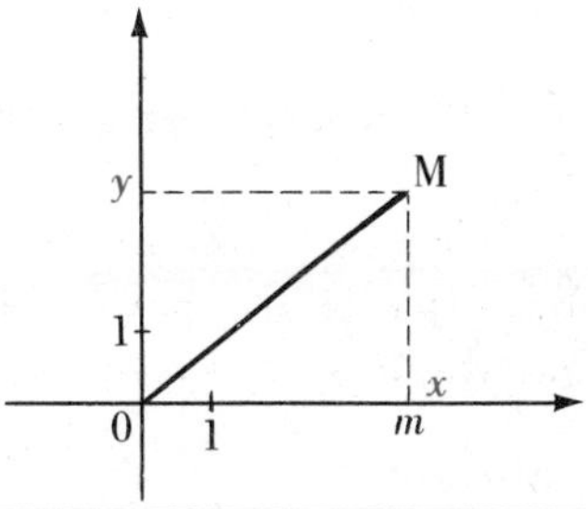

3.2. Valeur absolue et intervalles

a. Distance entre deux réels

Définition 2

> **La distance entre les réels x et y est le réel positif :**
> $$d(x; y) = |x - y|.$$

b. Traduction géométrique

a et r sont des réels, $r \geqslant 0$.
Le milieu de l'intervalle $[a - r; a + r]$ est a.
Sa demi-amplitude est r.
Un réel x est dans $[a - r; a + r]$, *si et seulement si* la distance entre x et a est inférieure à r.
Nous admettons le théorème suivant :

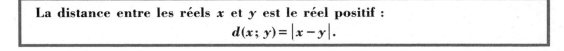

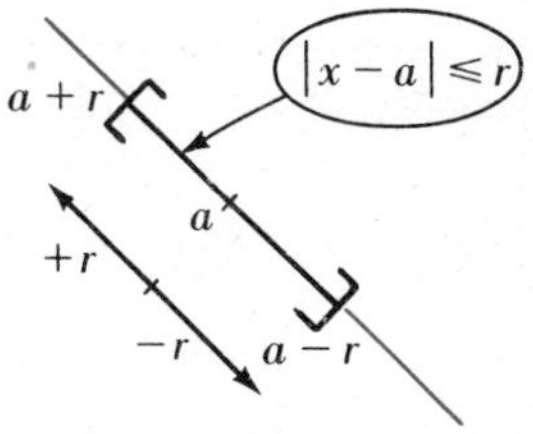

Théorème 6

> ***a* et *r* sont des réels, $r \geqslant 0$.**
> $$|x - a| \leqslant r, \text{ si et seulement si } x \in [a - r; a + r].$$

On admet de même que :

$|x-a|<r$, *si et seulement si* $x\in]a-r;\ a+r[$

$|x-a|>r$, *si et seulement si* $x\in]-\infty;\ a-r[\ \cup\ ]a+r;\ +\infty[$.

Exemple

Traduire à l'aide d'intervalles $|x+1|>3$.

Avec les notations précédentes $a=-1$, $r=3$.
Donc $|x+1|>3$, *si et seulement si* $x\in]-\infty;\ -4[\cup]2;\ +\infty[$.

3.3. Applications

EXERCICE résolu 1

Comment écrire $|2x-3|$ sans utiliser la notation valeur absolue?

Solution □ □ □

Par exemple, dans la résolution d'équations où interviennent des réels tels que $|2x-3|$, il est souvent nécessaire de supprimer la notation valeur absolue.
Pour cela, *il faut étudier le signe de* $2x-3$:

$$2x-3\geqslant 0, \text{ si et seulement si } x\geqslant\frac{3}{2}$$

donc, pour $x\geqslant\frac{3}{2}$, $|2x-3|=2x-3$

pour $x\leqslant\frac{3}{2}$, $|2x-3|=-(2x-3)$.

x		$\frac{3}{2}$	
$2x-3$	$-$	0	$+$
$\|2x-3\|$	$3-2x$	0	$2x-3$

Il est conseillé de présenter les résultats à l'aide d'un tableau du type figurant ci-dessus : il permet de mieux visualiser les différents cas.

□ □ □ □ □ □ □ □ □

EXERCICE résolu 2

Traduisez à l'aide d'un intervalle :

$$|2x+5|\leqslant\frac{7}{4}.$$

Solution □ □ □

D'après le théorème 6.

$|2x+5|\leqslant\frac{7}{4}$, si et seulement si $2x\in\left[-5-\frac{7}{4};\ -5+\frac{7}{4}\right]$.

D'où successivement : $2x\in\left[-\frac{27}{4};\ -\frac{13}{4}\right]$

$$\boldsymbol{x\in\left[-\frac{27}{8};\ -\frac{13}{8}\right]}.$$

□ □ □ □ □ □ □ □ □

EXERCICE résolu 3

a. Écrivez $|2x-1|+|2-3x|$ sans utiliser la valeur absolue.

b. Résolvez dans $\mathbb{R}$ l'équation E : $|2x-1|+|2-3x|=2$.

Solution □ □ □

a. Nous vous laissons analyser les résultats consignés dans le tableau ci-contre.

x		$\frac{1}{2}$		$\frac{2}{3}$	
$\|2x-1\|$	$1-2x$	0	$2x-1$		$2x-1$
$\|2-3x\|$	$2-3x$		$2-3x$	0	$3x-2$
$\|2x-1\|+\|2-3x\|$	$3-5x$		$1-x$		$5x-3$

b. *Résolution de* E : on résout cette équation dans chacun des intervalles où $|2x-1|+|2-3x|$ a une expression différente.

- Dans $\left]-\infty;\frac{1}{2}\right]$, on résout $3-5x=2$, d'où $x=\frac{1}{5}$, mais $\frac{1}{5}\notin\left]-\infty;\frac{1}{2}\right]$.
- Dans $\left[\frac{1}{2};\frac{2}{3}\right]$, on résout : $1-x=2$, d'où $x=-1$, mais $-1\notin\left[\frac{1}{2};\frac{2}{3}\right]$.
- Dans $\left[\frac{2}{3};+\infty\right[$, on résout : $5x-3=2$, d'où $x=1$. Or $1\in\left[\frac{2}{3};+\infty\right[$.

L'ensemble des solutions de l'équation E est $\mathcal{S}=\{1\}$.

□ □ □ □ □ □ □ □ □ □

EXERCICES

Pour tester vos connaissances

1. Calculez : $|-1|$; $|3^2|$; $|(-4)^2|$; $|-3|^2$; $\left|2^2-\frac{7}{4}\right|$; $|-4|-\left|\frac{15}{2}\right|$.

2. Pour $x=2$, puis pour $x=-4$, calculez : $A=|2x+4|$; $B=(2x-1)-|x-2|$.

3. Résolvez dans $\mathbb{R}$, les équations : $|t|=5$; $|x|=-2$; $|-x|=4$; $|y|=0{,}75$.

4. ***a)*** Quel est le signe de $|x|$? de $|-x|$? de $|-3x-1|$?

b) Quel lien existe-t-il entre $2x-\frac{3}{2}$ et $\frac{3}{2}-2x$?

c) $A=|2x+1|$ et $B=2|x|+1$. Comparez A et B.

d) Si x et y sont des réels tels que $|x|\leqslant|y|$, est-il vrai que $x\leqslant y$?

e) Quelle est la valeur absolue de $|x|$?

5. Résolvez dans $\mathbb{R}$ l'équation

$$|2x+5|=|3x+1|.$$

(Utilisez $|a|=|b|$, si et seulement si $a=b$ ou $a=-b$.)

6. Écrivez $\left|\frac{2}{3}x+4\right|$ sans utiliser la notation valeur absolue. Présentez vos résultats à l'aide d'un tableau.

7. a et b sont des réels négatifs tels que $|a|<|b|$.
Que pouvez-vous dire de a et b?

8. Est-il vrai que : si $|x|\leqslant 1$ alors $|3x|<4$?

9. Calculez :

$d(10;-10)$ et $d\left(-\frac{7}{4};3\right)$.

10. Traduisez à l'aide d'intervalles :

a) $|x|\leqslant\frac{3}{2}$.   ***b)*** $|z|\geqslant\frac{3}{2}$.

11. Traduisez à l'aide de la notation valeur absolue :

a) $x\in]-1;1[$.

b) $x\in\left]-\infty;-\frac{1}{2}\right]\cup\left[\frac{1}{2};+\infty\right[$.

Exercices d'entraînement

Sans notation valeur absolue

Pour les exercices 1 à 6, écrivez le réel sans la notation valeur absolue.

1. $|2x+7|$.

2. $\left|\frac{1}{2}x-3\right|$.

3. $|x|\cdot|x|$.

4. $\left|\frac{2x+3}{x}\right|$.

5. $\left|(2x+5)\left(1-\frac{3}{2}x\right)\right|$.

6. $|-3x+4|+|x-3|$.

Interprétation géométrique

7. A et B sont les points d'abscisses respectives 1 et 3 sur l'axe D.
M est le point de D d'abscisse x.
Exprimez $d(\mathrm{M}, \mathrm{A})+d(\mathrm{M}, \mathrm{B})$ en fonction de x.

8. Quelle interprétation géométrique pouvez-vous donner aux réels

$$2|x+3|+\left|\frac{5}{2}-x\right|? \qquad |2x+1|?$$

Résolution d'équations

Pour les exercices 9 à 18, résolvez dans $\mathbb{R}$ les équations suivantes :

9. $|x|=x$.

10. $|x-2|=2-x$.

11. $|2a-3|=\pi$.

12. $|3x|+5=x-1$.

13. $|x|+2|3-x|=-2$.

14. $d(u; 2)=5$.

15. $|z|+|z+1|=2$.

16. $|3x+1|=|x-3|$.

17. $|a|+|2-a|+|a-1|=1$.

18. $|(3x+4)(2-x)|=0$.

Pour les exercices 19 et 20, interprétez géométriquement et résolvez dans $\mathbb{R}$ les équations :

19. $d(x;\ -1)=d(x;\ 4)$.

20. $|x-2|+|x-5|=2$.

21. Problème du campeur.

(extrait de « Pour une mathématique vivante en Seconde », A. P. M. E. P.).

Dans un camping, un vacancier envisage de planter sa tente le long d'une allée rectiligne de 500 m aboutissant à la mer.

Le long de cette allée se trouvent :

- à 100 m de la mer, les installations sanitaires;
- à 300 m de la mer, le centre commercial;
- à 400 m de la mer, le parking.

Le campeur prévoit qu'il fera journellement :

- un aller-retour tente-mer;
- un aller-retour tente-centre commercial;
- un aller-retour tente-sanitaires.

a) Quelle distance parcourra-t-il journellement s'il plante sa tente à 200 m de la mer?

b) Où doit-il planter sa tente pour que la distance journalière soit minimale?

22. Problème des trois villes.

Trois villes A, B, C sont situées le long d'une route rectiligne : A et B sont distantes de 900 m; B est entre A et C; B et C sont distantes de 1 200 m.
Une personne se rend quotidiennement deux fois en A, une fois en B et trois fois en C. Où doit-elle construire sa maison pour que son trajet journalier soit minimal?

Démonstrations

23. L'inégalité triangulaire.

a) Montrez que pour tout réel a, on a : $a \leqslant |a|$.

b) A l'aide du théorème 2, page 33, et de la question précédente, montrez que pour tous réels x et y :

$$|x+y| \leqslant |x| + |y|.$$

c) Déduisez-en que $|x+y| = |x| + |y|$, si et seulement si $xy \geqslant 0$.

24. ***a)*** Démontrez que pour tous réels x et y, on a :

$$\big||x| - |y|\big| \leqslant |x+y|.$$

b) A l'aide de l'inégalité triangulaire et de la question précédente, montrez que pour tous réels x, y :

$$\big||x| - |y|\big| \leqslant |x-y| \leqslant |x| + |y|.$$

25. Utilisez l'égalité

$$x - z = x - y + y - z$$

pour montrer que pour tous réels x, y, z, on a :

$$d(x;\, z) \leqslant d(x;\, y) + d(y;\, z).$$

Racine carrée et valeur absolue

26. Déterminez pour quels réels x, $\sqrt{(5+3x)^2}$, puis $(\sqrt{5+3x})^2$ sont des réels.

27. Est-il vrai que les réels $\sqrt{(2-5x)^2}$ et $(\sqrt{2-5x})^2$ sont égaux?

28. Résolvez dans $\mathbb{R}$ l'équation $\sqrt{(a-3)^2} = 7$.

Inégalités et valeur absolue

Pour les exercices 29 à 33, démontrez les propositions suivantes.

29. Si $|x| \leqslant \frac{1}{3}$ alors $|3x| \leqslant 2$.

30. Si $|x-1| < 0{,}25$ alors $|x| > 0{,}5$.

31. Si $|x+2| \leqslant 1$ alors $1 \leqslant |x| \leqslant 3$.

32. Si $|x-1| \leqslant 10^{-3}$ alors $|x^2-1| < 10^{-2}$.

33. Si $|x-2| < \frac{1}{4}$ alors $|x^2-4| < \frac{9}{8}$.

34. Un nouveau réel?
a et b sont des réels; max $(a;\, b)$ désigne *le plus grand des réels a et b.*
Pour tout réel x, déterminez max $(x;\, -x)$.

Distance

35. Déterminez $d\left(1{,}111;\, \frac{10}{9}\right)$.

36. Résolvez dans $\mathbb{R}$:

$$d(x;\, 3) = 2 \cdot d(x;\, -1).$$

37. a et b sont des réels donnés. Résolvez dans $\mathbb{R}$:

$$d(x;\, a) = 2 \cdot d(x;\, b).$$

Traductions

Pour les exercices 38 à 41, traduisez à l'aide d'intervalles.

38. $2 \leqslant x$.

39. $|2x-1| < 3$.

40. $|2-3x| > 4$.

41. $d(x;\, -1) < \frac{3}{2}$.

Pour les exercices 42 à 45, traduisez à l'aide de la valeur absolue.

42. $x \in [-7;\, 5]$.

43. $x < -1$ ou $x > \frac{7}{2}$.

44. $2x - 1 \in]-3;\, 0[$.

45. $x \in]-\infty;\, 1] \cup]4;\, +\infty[$.

46. Comment choisir le réel positif a pour qu'il n'existe aucun réel vérifiant simultanément

$$|x-1| < \frac{3}{2} \quad \text{et} \quad |x+1| < a?$$

CHAPITRE
4

APPROXIMATIONS DES RÉELS

1. Pour prendre un bon départ

1.1. Position du problème

a. Le réel $\frac{1}{3}$

$\frac{1}{3}$ est le réel quotient de 1 par 3, c'est-à-dire le réel dont le produit par 3 est égal à 1.
A partir de cette définition et de la pratique de la division dans le système décimal, on écrit :

$$\frac{1}{3} = 0{,}333\,3\ldots$$

Les pointillés sous-entendent que l'écriture se continue; d'ailleurs vous savez que dans ce cas chaque point représente le chiffre 3.

Donc : $\frac{1}{3}$ **n'est pas 0,3;** $\frac{1}{3}$ **n'est pas 0,33;** $\frac{1}{3}$ **n'est pas 0,333 33;** etc.

Dans la pratique, on est souvent obligé de remplacer $\frac{1}{3}$ par *un décimal.*

Un menuisier à qui vous demanderez une planche de $\frac{1}{3}$ de mètre vous livrera une planche de 0,33 mètre.

Une calculatrice qui affiche *dix* chiffres, et à qui l'on propose $\frac{1}{3}$, fait apparaître sur l'écran :

.3333333333

autrement dit 0,333 333 333 3.

Dans le cas de $\frac{1}{3}$, il est très facile d'estimer l'erreur commise en remplaçant $\frac{1}{3}$ par 0,3 par exemple. En effet, comme $0{,}3 < \frac{1}{3} < 0{,}4$, l'erreur ainsi commise est inférieure à $0{,}4 - 0{,}3 = 0{,}1$.

b. Le réel $\sqrt{6}$

$\sqrt{6}$ est le réel dont le carré est 6 : $(\sqrt{6})^2 = 6$.

Comment trouver des approximations décimales de $\sqrt{6}$ à partir de cette définition?
La calculatrice est le moyen le plus rapide de répondre à cette question. Une calculatrice qui affiche *dix* chiffres fournit le décimal :

$$2{,}449\,489\,743.$$

A-t-on vraiment l'égalité?

Sinon, quel encadrement d'amplitude 10^{-9} peut-on en déduire? L'approximation proposée par la calculatrice est-elle par défaut ou par excès?

Ce sont quelques-uns des types de problèmes que nous résolvons dans les paragraphes suivants.
Bien sûr la calculatrice est très rapide, mais si l'on veut un encadrement de $\sqrt{6}$ d'amplitude 10^{-20}, elle n'est plus d'aucun secours. Aussi présentons-nous par la suite des méthodes d'approximations qui, avec un peu de patience, **permettent de trouver des encadrements d'amplitudes aussi petites que l'on veut.**

1.2. D'autres problèmes : encadrement d'un résultat

L'aire S d'un disque de rayon R est $S = \pi R^2$.
Supposons le rayon connu à l'aide de l'encadrement :

$$2{,}18 < R < 2{,}19.$$

Travaillons avec l'encadrement :

$$3{,}14 < \pi < 3{,}15.$$

Le problème qui se pose alors est le suivant :
dans ces conditions, **quel est le meilleur encadrement, c'est-à-dire celui ayant l'amplitude la plus petite, que l'on puisse trouver pour l'aire S?**

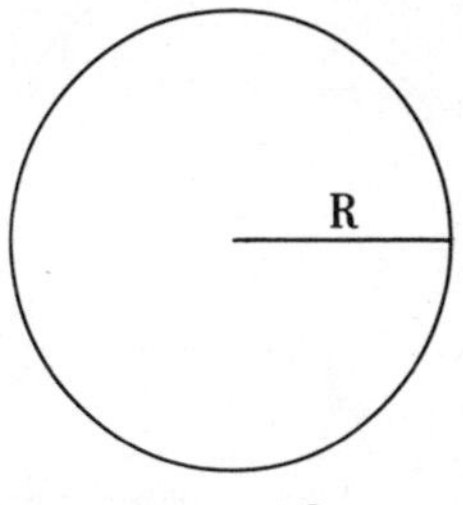

$S = \pi R^2$

EXERCICE Répondez à cette question.

On est conduit quelquefois à résoudre le problème réciproque.
Par exemple ici :
on veut connaître l'approximation décimale par défaut de S à 10^{-1} près.
Avec quel encadrement de π doit-on travailler?

EXERCICE Avec l'encadrement de R retenu ci-dessus, pouvez-vous répondre à cette question?

2. Approche

2.1. Les encadrements successifs

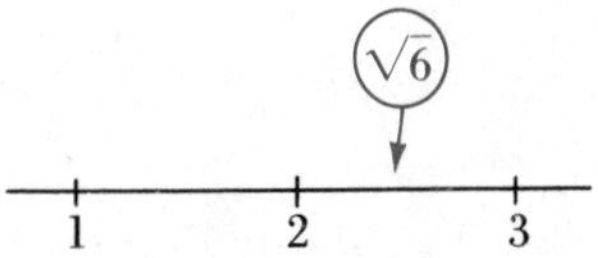

La double inégalité $\mathbf{2 < \sqrt{6} < 3}$ est vraie car $2^2 < \sqrt{6}^2 < 3^2$, à savoir $4 < 6 < 9$.
Les naturels 2 et 3 encadrent $\sqrt{6}$.
Cet encadrement a pour amplitude 1.

Peut-on trouver un encadrement de $\sqrt{6}$ d'amplitude 10^{-1}?
Pour répondre à cette question, on construit la table des carrés ci-contre.
Elle fournit l'encadrement :

$$5,76 < 6 < 6,25$$

d'où :

$$\mathbf{2,4 < \sqrt{6} < 2,5.}$$

Les décimaux 2,4 et 2,5 encadrent $\sqrt{6}$.
L'encadrement a pour amplitude $2,5 - 2,4 = 0,1 = 10^{-1}$.

x	x^2
2,1	4,41
2,2	4,84
2,3	5,29
2,4	5,76
($\sqrt{6}$ →)	(← 6)
2,5	6,25

EXERCICE

Complétez la table des carrés ci-contre.
Déduisez-en un encadrement d'amplitude 10^{-2} de $\sqrt{6}$.
Trouvez ensuite un encadrement d'amplitude 10^{-3}.

x	x^2
2,41	5,808 1
2,42	⋮
2,43	
⋮	

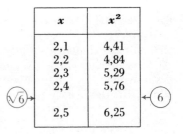

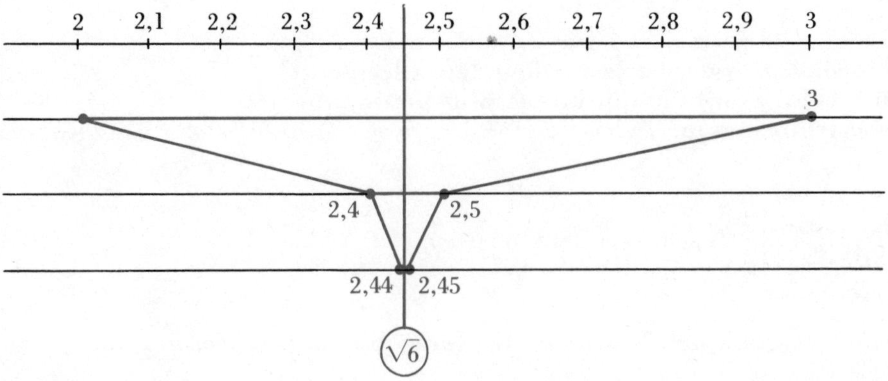

Commentaire

Le passage d'un encadrement au suivant *nécessite* de longs calculs auxiliaires.
Ainsi, pour passer de l'encadrement $2,4 < \sqrt{6} < 2,5$ à $2,44 < \sqrt{6} < 2,45$, il a fallu calculer les carrés de 2,41; 2,42; 2,43 avant de trouver les décimaux 2,44 et 2,45 qui encadrent le réel $\sqrt{6}$.

2.2. Algorithme de Babylone

Voici une méthode qui permet d'obtenir des encadrements d'amplitudes aussi petites que l'on veut de $\sqrt{p}$, où p est un naturel.

L'idée de la méthode est celle-ci :
trouver $\sqrt{p}$, c'est écrire p comme produit de deux réels positifs **ÉGAUX.**

$$p = \sqrt{p}\sqrt{p}.$$

On étudie donc les paires de rationnels positifs a et b tels que $\boldsymbol{ab = p}$**,** sachant que les paires qui nous donneront les meilleures approximations sont celles où a et b sont presque égaux.

Avant de présenter cette méthode, nous demandons de résoudre **deux exercices simples** dont nous utiliserons les résultats.

EXERCICES

1. a est un réel strictement **positif** tel que $\sqrt{p} < a$.

On a alors $\dfrac{\sqrt{p}}{a} < 1$.

Montrez que l'on a $\dfrac{p}{a} < \sqrt{p}$.

2. a et b sont deux réels strictement positifs tels que $ab = p$ et $\sqrt{p} < a$.

Notez que $b = \dfrac{p}{a}$, et que $(a - \sqrt{p})^2 > 0$.

Développez $(a - \sqrt{p})^2$, et déduisez-en que $\sqrt{p} < \dfrac{1}{2}(a + b)$.

Prenons par exemple $\boldsymbol{p = 37}$, et déterminons des encadrements de $\boldsymbol{\sqrt{37}}$.

• ***Première étape du calcul :***
Posons $\boldsymbol{a_1 = 7}$; remarquez que $\sqrt{37} < 7$.

Prenons b_1 tel que $a_1 b_1 = 37$, soit $b_1 = \dfrac{37}{7}$.

D'après l'exercice 1 ci-dessus, on a $b_1 < \sqrt{37}$, d'où l'encadrement :

$$\boldsymbol{\frac{37}{7} < \sqrt{37} < 7.}$$

L'amplitude de cet encadrement est :

$$7 - \frac{37}{7} = \boldsymbol{\frac{12}{7}}.$$

• ***Deuxième étape du calcul :***
a_2 est le milieu de l'intervalle $[b_1; a_1]$.

$$\boldsymbol{a_2} = \frac{1}{2}\left(\frac{37}{7} + 7\right) = \boldsymbol{\frac{43}{7}}.$$

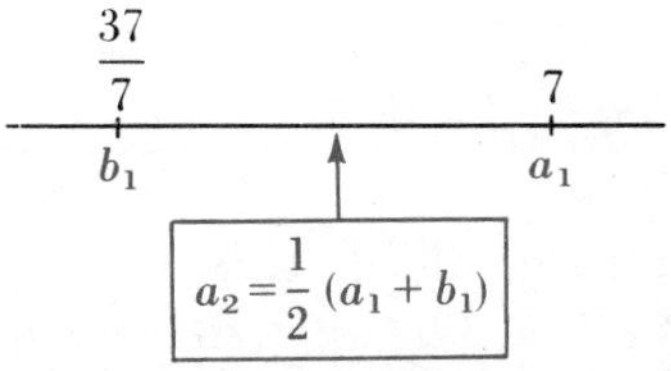

D'après l'exercice 2 ci-dessus, on a :

$$\sqrt{37} < a_2.$$

Comme de plus $a_2 < a_1$, on a a_2 plus près de $\sqrt{37}$ que a_1.
Comme à la première étape prenons alors :

$$\boldsymbol{b_2} = \frac{37}{a_2} = \boldsymbol{\frac{259}{43}}.$$

D'après l'exercice 1, $b_2 < \sqrt{37}$, d'où l'encadrement :

$$\mathbf{\frac{259}{43} < \sqrt{37} < \frac{43}{7}}.$$

Remarquez que l'amplitude de cet encadrement : $\frac{43}{7} - \frac{259}{43} = \mathbf{\frac{36}{301}}$ est presque 15 *fois* plus petite qu'à la première étape. Aussi le dessin ci-contre n'est-il pas à l'échelle; nous le donnons uniquement pour noter la place relative de a_1, a_2, b_1, b_2.

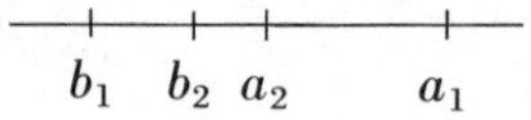

- ***Troisième étape du calcul :***

EXERCICE

Montrez que le milieu $\boldsymbol{a_3} = \mathbf{\frac{1831}{301}}$ de $[b_2;\ a_2]$ vérifie $\sqrt{37} < a_3 < a_2$.

Comment choisissez-vous b_3? Vérifiez que $\boldsymbol{b_3} = \mathbf{\frac{11\,137}{1\,831}}$.

On parvient donc à l'encadrement :

$$\mathbf{\frac{11\,137}{1\,831} < \sqrt{37} < \frac{1\,831}{301}}.$$

Son amplitude est $\frac{1\,831}{301} - \frac{11\,137}{1\,831} = \frac{324}{551\,131}$; presque 205 *fois* plus petite qu'à la deuxième étape!

Avec la calculatrice et un affichage de 10 chiffres, on vérifie que :

$$b_3 = \mathbf{6{,}082}\,468\,596 \quad \text{et} \quad a_3 = \mathbf{6{,}083}\,056\,478.$$

- ***Quatrième étape du calcul :***

EXERCICE

Montrez que l'on aboutit à $\boldsymbol{a_4} = \mathbf{\frac{3\,352\,399}{551\,131}}$ et $\boldsymbol{b_4} = \mathbf{\frac{20\,391\,847}{3\,352\,399}}$.

Quelle est l'amplitude de l'encadrement $[b_4;\ a_4]$?

Combien de chiffres exacts de l'écriture décimale de $\sqrt{37}$ connaissez-vous?

- ***Cinquième étape du calcul :***

EXERCICE

Si votre calculatrice affiche plus de 8 chiffres, essayez de faire cette cinquième étape.

Comparez les écritures décimales de a_5 et b_5 avec l'affichage de $\sqrt{37}$ sur votre calculatrice.

Commentaire

Un algorithme est un procédé de calcul qui permet de résoudre un problème par l'exécution souvent répétitive de certaines règles.

C'est la raison pour laquelle la technique précédente est appelée *algorithme de Babylone* (méthode utilisée à Babylone entre les années −2000 et −600).

Le mot **algorithme** résulte de la déformation successive *(algoritmus, algorisme)* du nom du mathématicien Al Kuwarizmi (IXe siècle), originaire de Kuwarizm, aujourd'hui Khiva située en Ouzbékistan (U. R. S. S.).

3. Cours et applications

3.1. Approximations et encadrements

A et x sont deux réels, k est un réel strictement positif. Dire que A est une approximation de x à k près signifie que :

$$|x - A| \leqslant k.$$

Nous avons établi au chapitre 3 que cette proposition se traduit aussi par :

$$\mathbf{A - k \leqslant x \leqslant A + k}$$

ou : $\quad \mathbf{x \in [A - k\,;\, A + k]}.$

Si de plus on précise que **A est une approximation par défaut à k près de x,** alors :

$$A \leqslant x \leqslant A + k.$$

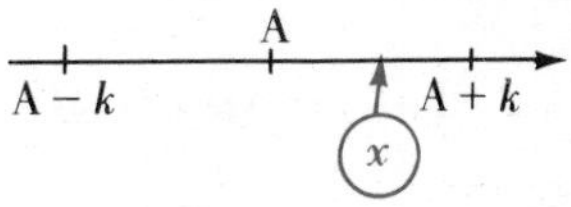

De même, si **A est une approximation par excès à k près de x,** alors :

$$A - k \leqslant x \leqslant A.$$

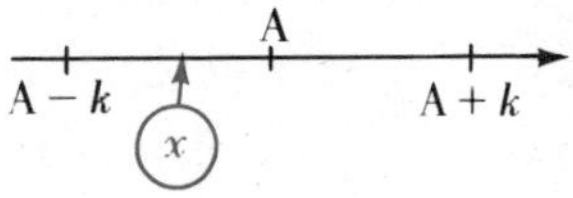

Exemple

6,082 762 530 est une approximation à 5×10^{-9} près de $\sqrt{37}$, car

$$6{,}082\,762\,525 < \sqrt{37} < 6{,}082\,762\,535.$$

3.2. Opérations sur les approximations

On connaît des encadrements des réels x et y :

$$a \leqslant x \leqslant b \quad \text{et} \quad c \leqslant y \leqslant d;$$

comment déterminer des encadrements de $x + y$, $x - y$ et xy?

a. La somme de deux réels

Nous savons que si $a \leqslant x \leqslant b$ et $c \leqslant y \leqslant d$, alors :

$$\mathbf{a + c \leqslant x + y \leqslant b + d.}$$

Voici un exemple :

$$1{,}414 < \sqrt{2} < 1{,}415 \quad (\text{amplitude } 10^{-3})$$
$$2{,}236\,0 < \sqrt{5} < 2{,}236\,1 \quad (\text{amplitude } 10^{-4}).$$

Nous en déduisons :

$$\mathbf{3{,}650\,0 < \sqrt{2} + \sqrt{5} < 3{,}651\,1.}$$

L'amplitude de cet encadrement est 11×10^{-4}; c'est *la somme* des amplitudes des encadrements de $\sqrt{2}$ et $\sqrt{5}$.

Plus généralement, nous avons :
l'amplitude de l'encadrement de $x + y$ est la somme des amplitudes des encadrements de x et de y.

b. La différence de deux réels : attention au sens des inégalités!

Nous savons que si $a \leqslant x \leqslant b$ et $c \leqslant y \leqslant d$

alors : $$-d \leqslant -y \leqslant -c$$

et de là, d'après le paragraphe *a.* :

$$\boldsymbol{a - d \leqslant x - y \leqslant b - c.}$$

Ainsi, pour avoir un encadrement de $\sqrt{2}-\sqrt{5}$, il suffit d'écrire $\sqrt{2}+(-\sqrt{5})$ et d'utiliser l'encadrement :

$$-2{,}236\,1 < -\sqrt{5} < -2{,}236\,0$$

d'où : $$1{,}414 - 2{,}236\,1 < \sqrt{2}-\sqrt{5} < 1{,}415 - 2{,}236\,0$$

et : $$\boldsymbol{-0{,}822\,1 < \sqrt{2}-\sqrt{5} < -0{,}821\,0;}$$

encadrement qui a aussi pour amplitude 11×10^{-4}.

Plus généralement, nous avons :

l'amplitude de l'encadrement de $x-y$ est la somme des amplitudes des encadrements de x et de y.

c. Le produit de deux réels

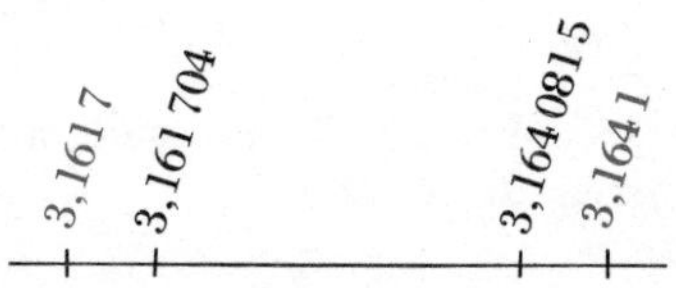

Il est facile de trouver un encadrement de $\sqrt{2}\sqrt{5}$:

$$1{,}414 \times 2{,}236\,0 < \sqrt{2}\sqrt{5} < 1{,}415 \times 2{,}236\,1$$

et : $$3{,}161\,704 < \sqrt{2}\sqrt{5} < 3{,}164\,081\,5.$$

Il est inutile de conserver tous les chiffres après la virgule; on peut donner le résultat par exemple sous la forme :

$$3{,}161\,7 < \sqrt{2}\sqrt{5} < 3{,}164\,1.$$

Comme le dessin l'indique, *il faut veiller à ne pas réduire l'amplitude de l'encadrement...*

Voici un autre exemple : $2{,}14 < u < 2{,}15$ et $-0{,}05 < v < 0{,}08$.

$-0{,}05 < v \leqslant 0$ alors $0 \leqslant -v < 0{,}05$

donc : $$0 \leqslant u(-v) < 2{,}15 \times 0{,}05$$
$$0 \leqslant u(-v) < 0{,}107\,5$$
$$-0{,}107\,5 < uv \leqslant 0.$$

$0 \leqslant v < 0{,}08$

donc : $$0 \leqslant uv < 0{,}08 \times 2{,}15$$
$$0 \leqslant uv < 0{,}172.$$

En utilisant alors les valeurs extrêmes des deux encadrements, il vient

$$\boldsymbol{-0{,}107\,5 < uv < 0{,}172.}$$

Notez qu'il n'y a pas de règle générale pour déterminer un encadrement du produit xy à partir de ceux de x et de y.

On applique suivant le cas les règles de calcul dans l'ensemble $\mathbb{R}$.

3.3. Approximation décimale d'ordre *n* d'un réel

A l'aide d'une calculatrice qui affiche dix chiffres, on trouve pour $\sqrt{7}$: 2,645 751 311.

L'approximation décimale par défaut d'ordre 1 de $\sqrt{7}$ est **2,6.** On l'obtient en prenant *la partie entière* de $\sqrt{7}$ (chiffres avant la virgule), et *le premier chiffre* (car ordre 1) après la virgule.

De façon comparable, *l'approximation décimale par défaut d'ordre* 3 de $\sqrt{7}$ est **2,645.** *L'approximation décimale par excès d'ordre* 3 de $\sqrt{7}$ est **2,646** : le troisième chiffre après la virgule a été augmenté de 1 car le quatrième chiffre de $\sqrt{7}$ est entre 5 et 9.
Le tableau suivant fournit les approximations décimales de $\sqrt{7}$.

Ordre	**Approximation d'ordre *n*** *par défaut*	*par excès*
0	2	3
1	2,6	2,7
2	2,64	2,65
3	2,645	2,646
4	2,645 7	2,645 8
5	2,645 75	2,645 76

Commentaire

Selon les renseignements dont on dispose, il n'est pas toujours possible de déterminer l'approximation décimale d'ordre *n* d'un réel.
Voici un exemple :
on se donne $2{,}236\,06 < \sqrt{5} < 2{,}236\,07$.
Il en résulte l'encadrement : $-7{,}944\,32 < 1 - 4\sqrt{5} < -7{,}944\,28$. Ce résultat ne permet pas de dire si le quatrième chiffre après la virgule est 2 ou 3.
Pour répondre à cette question il faut un encadrement *plus fin* de $\sqrt{5}$.

4. Pour aller plus loin

4.1. La dichotomie ou le partage en deux

Déterminons des approximations du réel $\sqrt{37}$ en partant de l'encadrement :

$$\mathbf{6 < \sqrt{37} < 7.}$$

A_0 et A_1 sont respectivement les points d'abscisses $x_0 = 6$ et $x_1 = 7$ d'une droite graduée.
A_2 est **le milieu** du segment $[A_0A_1]$, il a pour abscisse :

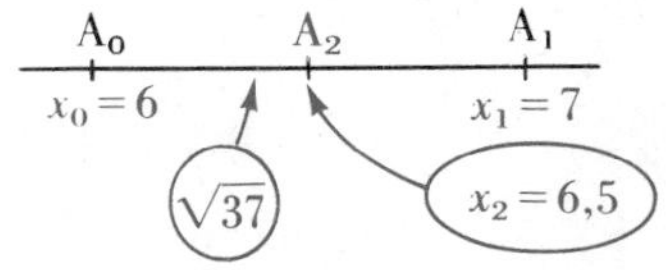

$$x_2 = \frac{1}{2}(x_0 + x_1) = \frac{13}{2} = 6{,}5.$$

$\sqrt{37}$ est-il dans l'intervalle $]x_0; x_2[$ ou $]x_2; x_1[$?

Pour le savoir, comparons x_2^2 et 37 : $x_2^2 = \frac{169}{4} = 42{,}25$

$$x_2^2 > 37 \quad \text{donc} \quad \sqrt{37} \in \,]x_0; x_2[.$$

Recommençons : A_3 est le milieu du segment $[A_0A_2]$, il a pour abscisse

$$x_3 = \frac{1}{2}(x_0 + x_2) = \frac{25}{4} = 6{,}25.$$

$\sqrt{37}$ est-il dans l'intervalle $]x_0;\, x_3[$ ou $]x_3;\, x_2[$?

$$x_3^2 = \frac{625}{16} = 39{,}0625 \quad \text{donc} \quad x_3^2 > 37 \quad \text{et} \quad \sqrt{37} \in \,]x_0;\, x_3[.$$

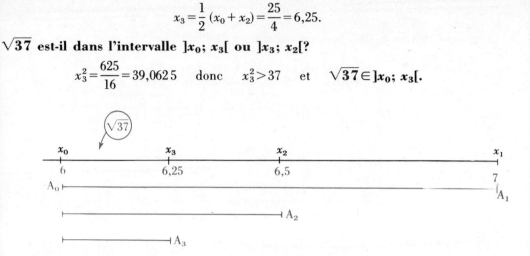

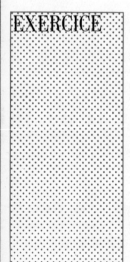

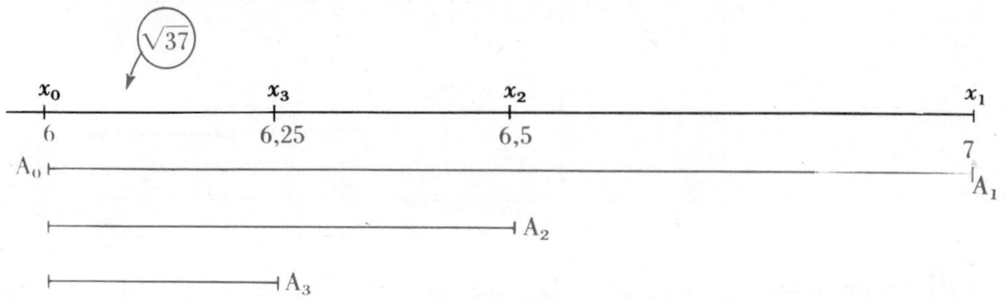

On obtient ainsi une suite de segments emboîtés qui contiennent tous le réel $\sqrt{37}$, et à chaque étape le nouvel intervalle a une amplitude moitié de celle de l'intervalle précédent.
On détermine ainsi une suite de réels : x_0, x_1, ..., x_k, ... *On arrête les calculs dès que l'amplitude d'un intervalle qui contient $\sqrt{37}$ est inférieure à un réel positif fixé à l'avance.*

EXERCICE

Notons u et v les réels qui, à chaque étape, vérifient $u < \sqrt{37} < v$.
L'amplitude de cet encadrement est $v - u$ et le milieu de l'intervalle $[u;\, v]$ est $z = \frac{1}{2}(u + v)$.
Complétez la table suivante pour obtenir, à l'aide de votre calculatrice, un encadrement de $\sqrt{37}$ d'amplitude inférieure à 10^{-8}.
Au bout de 4 coups, est-ce l'algorithme de Babylone (voir page 43) ou la dichotomie qui donne le meilleur encadrement?

u	v	$v - u$	z	z^2
6	7	1	6,5	42,25
6	6,5	0,5	6,25	39,0625
6	6,25			
⋮	⋮			

4.2. Un réel fameux : π

a. Quelques points de repère historiques

Le problème de la mesure de *la longueur* et de *l'aire* du cercle a attiré l'attention des mathématiciens dès la plus haute Antiquité.
A première vue, chercher le rapport de la longueur de la circonférence d'un cercle à la longueur d'un de ses diamètres semble être un problème simple. En effet, pour obtenir ce réel π, il suffit d'enrouler un fil sur un disque et de comparer cette longueur à celle d'un diamètre.
Cependant, la détermination « exacte » du réel π est la réelle difficulté.

Voici quelques étapes de l'évolution des approximations de π à travers les âges :

- dans la Bible, on trouve déjà l'approximation 3;
- à Babylone, vers $-2\,000$, on prend la valeur $3+\frac{1}{8}$;
- dans le papyrus d'Ahmès ($-1\,650$), on donne l'approximation $4\left(\frac{8}{9}\right)^2$;
- Archimède, vers -250, propose l'encadrement :

$$3+\frac{10}{71}<\pi<3+\frac{10}{70}.$$

Notez que $3+\frac{1}{7}=\frac{22}{7}$; cela vous rappelle peut être quelque chose!

- Une équipe du C. E. A. (commissariat à l'Énergie atomique, Paris) donne, en 1966, 250 000 décimales, 500 000 en 1967 et 1 000 000 en 1974.

Ces calculateurs ont utilisé des méthodes que vous rencontrerez au cours de vos études. En attendant, en voici une plus simple pour encadrer π.

b. Méthode d'Archimède pour encadrer π

Le cercle C, de centre O et de rayon $\frac{1}{2}$, a pour périmètre π.
Archimède inscrit dans ce cercle un polygone régulier de 3 côtés, puis de 6 côtés, puis de 12 côtés, ..., puis de $3\cdot 2^n$ côtés, ...
De même, il trace des polygones circonscrits à ce cercle, de 3, 6, 12, ..., puis de $3\cdot 2^n$ côtés.

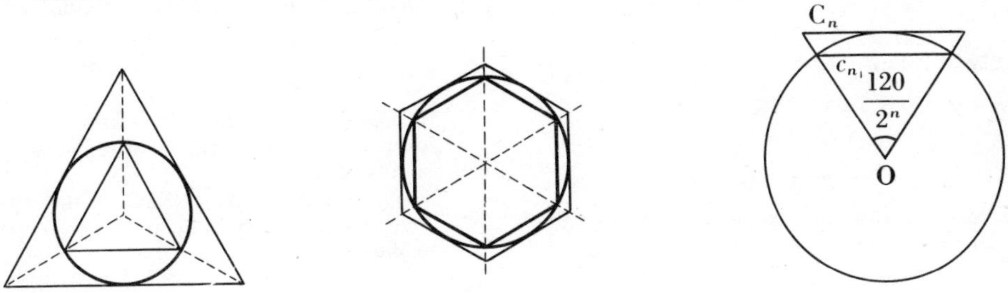

c_n désigne le côté du polygone inscrit dans C de $3\cdot 2^n$ côtés; p_n est son périmètre.
C_n désigne le côté du polygone circonscrit à C de $3\cdot 2^n$ côtés; P_n est son périmètre.

EXERCICES

1. Montrez que $c_n=\sin\frac{60}{2^n}$ et $C_n=\tan\frac{60}{2^n}$.

2. On sait que $p_n=3\cdot 2^n\cdot c_n$ et $P_n=3\cdot 2^n\cdot C_n$.
D'autre part : $p_n<\pi<P_n$.
A l'aide de votre calculatrice et en effectuant les calculs avec au moins 6 décimales, **complétez** la table suivante et trouvez un encadrement de π d'amplitude inférieure à 10^{-3}.

n	$3\cdot 2^n$	$\frac{60}{2^n}$	c_n	C_n	p_n	P_n	**Amplitude**
0	3	60°	0,866 025	1,732 051	2,598 076	5,196 152	2,598 076
1	6	30°					
⋮							

EXERCICES

Pour tester vos connaissances

1. A l'aide de l'algorithme de Babylone, déterminez des encadrements d'amplitudes inférieures à 10^{-6} de $\sqrt{17}$ et $\sqrt{19}$.
Déduisez-en un encadrement de $\sqrt{17}+\sqrt{19}$. Quelle est son amplitude?

2. On veut mettre bout à bout deux tables de longueurs l et L (en mètres).
Sachant que :

$$2{,}12 < L < 2{,}13 \quad \text{et} \quad 1{,}03 < l < 1{,}05;$$

quelle est la longueur totale occupée par les deux tables?

3. 3,142 est une approximation par excès de π à 5×10^{-4} près;
1,414 est une approximation par défaut de $\sqrt{2}$ à 5×10^{-4} près.
Est-il possible de déterminer l'approximation décimale par défaut d'ordre 3 de $\pi+\sqrt{2}$?

4. On donne :

$$1{,}85 \leqslant a \leqslant 1{,}86;$$
$$-1{,}5 \leqslant b \leqslant -1{,}49;$$
$$-0{,}2 \leqslant c \leqslant 0{,}5.$$

Déduisez-en des encadrements de $a+b$, $a-b$, $a+b+c$, $a+b-c$, a^2, ab et abc.

5. Déterminez un encadrement de $\pi\sqrt{2}$ de sorte que son amplitude soit la plus voisine de 5×10^{-4}.

6. Écrivez les encadrements d'un réel non décimal x fournis par chacun des renseignements suivants :

a) les premiers chiffres de l'écriture décimale sont 2,718;

b) une calculatrice après avoir arrondi la troisième décimale donne 2,718;

c) l'approximation décimale d'ordre 3 par excès est 2,719;

d) 2,7186 est une approximation par excès à 8×10^{-4} près.
Déduisez alors de ces renseignements un encadrement de x le plus précis possible.

7. Assimilons la Terre à une sphère dont le cercle équatorial a pour périmètre 40 000 km.
En prenant $3{,}14<\pi<3{,}15$, est-il raisonnable d'affirmer que le rayon de la Terre est de 6 369,4 km?

Exercices d'entraînement

1. Déterminez les encadrements du réel A dans chacun des cas suivants :

a) 1,423 est une approximation de A à 10^{-3} près;

b) $-13{,}4$ est une approximation par défaut de $-$A à 5×10^{-1} près;

c) 2,5157 est une approximation par excès de 3A à 10^{-5} près.

Pour les exercices 2 à 4, on donne les approximations avec la p-ième décimale exacte de x_1, y_1, z_1 de x, y, z.
Calculez un encadrement pour $x+y-z$.

2. $p=2 \quad x_1=0{,}24$
$y_1=7{,}43 \quad z_1=3{,}81.$

3. $p=3 \quad x_1=2{,}423$
$y_1=0{,}543 \quad z_1=3{,}271.$

4. $p=4 \quad x_1=1{,}4142$
$y_1=1{,}7320 \quad z_1=3{,}1415.$

5. On a :

$$4{,}2<x<4{,}3 \quad \text{et} \quad 0{,}15<y<0{,}16.$$

Déterminez un encadrement $s_1<s<s_2$ du réel $s=x+y$.
Déterminez des réels k, h, l tels que :

$$|s-s_1|<k, \quad |s-s_2|<h,$$

$$\left|s-\frac{s_1+s_2}{2}\right|<l.$$

6. Les décimaux 1,4142 et 1,7320 sont des approximations à 10^{-4} près par défaut de $\sqrt{2}$ et $\sqrt{3}$.

a) Déterminez un encadrement de $\sqrt{2}+\sqrt{3}$. Quel est le nombre de décimales exactes obtenues?

b) Même question pour $\sqrt{2}\sqrt{3}$.

7. ***a)*** Calculez $(3+2\sqrt{7})^2$
et $(3-2\sqrt{7})^2$.

b) Écrivez plus simplement

$$\sqrt{37+12\sqrt{7}} \quad \text{et} \quad \sqrt{37-12\sqrt{7}}.$$

c) Calculez $x+y$ et $x-y$.

d) Sachant que $2{,}645<\sqrt{7}<2{,}646$, déterminez une approximation de $x+y$ à 10^{-2} près par défaut.

Pour les exercices 8 à 11, déterminez à l'aide d'une calculatrice les approximations décimales par excès d'ordre 0 à 6 des réels :

8. $\dfrac{0{,}1875\times 95{,}5}{0{,}0266\times 10^{-2}}.$

9. $(-4{,}72)^5\sqrt{9{,}19\times 0{,}404}.$

10. $\dfrac{\sqrt{216}}{18{,}8\times 2{,}36}.$

11. $375\times 27{,}4\times\sqrt{291{,}56}.$

Pour les exercices 12 à 15, les réels u et v sont donnés par des encadrements; déterminez des encadrements de $u+v$, $u-v$, $v-u$, uv.

12. $123{,}4\leqslant u\leqslant 123{,}5$
$32{,}7\leqslant v\leqslant 32{,}8.$

13. $3\times 10^{-3}\leqslant u\leqslant 4\times 10^{-3}$
$41\times 10^{-3}\leqslant v\leqslant 42\times 10^{-3}.$

14. $-5\leqslant u\leqslant -4{,}9$
$7\leqslant v\leqslant 7{,}1.$

15. $-211\times 10^{-3}\leqslant u\leqslant -210\times 10^{-3}$
$-441\times 10^{-3}\leqslant v\leqslant -442\times 10^{-3}.$

Pour les exercices 16 à 18, donnez des encadrements du volume d'une sphère $V=\frac{4}{3}\pi R^3$, sachant que :

16. $0{,}01\leqslant R\leqslant 0{,}02$
avec $3{,}14<\pi<3{,}15.$

17. $1{,}01\times 10^{-3}\leqslant R\leqslant 1{,}02\times 10^{-3}$
avec $3{,}141<\pi<3{,}142.$

18. $10^{-5}\leqslant R\leqslant 1{,}1\times 10^{-5}$
avec $3{,}1415<\pi<3{,}1416.$

19. Déterminez les approximations décimales par défaut d'ordre 1 et 2 de la longueur du côté d'un triangle équilatéral qui a même aire qu'un cercle de rayon 2783 mètres.

20. Un cercle a pour rayon R. H est un hexagone régulier inscrit dans ce cercle.

a) Exprimez en fonction de R la longueur c du côté de H.

b) Déterminez en fonction de R l'aire a de H.

c) On suppose que

$$15{,}21<R<15{,}22$$

et on choisit

$$1{,}732<\sqrt{3}<1{,}733.$$

Donnez des encadrements de c et a.

21. A l'aide de la calculatrice, déterminez des encadrements d'amplitudes inférieures à 10^{-6} de :

$$a=\sqrt{3}-\sqrt{5} \quad \text{et} \quad b=\sqrt{17}+\sqrt{21}.$$

Puis déterminez des encadrements de $a+b$ et ab.

22. On donne : $5{,}31\leqslant x<5{,}32$.
Déduisez-en des encadrements de :

$$5x^2; \quad 7x-3; \quad 5x^2+7x-3.$$

23. Connaissant l'encadrement :

$$-1{,}29<2t+1<-1{,}28,$$

déterminez l'encadrement de t.

24. a et b vérifient les encadrements :

$$2 \leqslant a < 2{,}1 \quad \text{et} \quad 1{,}6 < b \leqslant 1{,}7.$$

Déterminez un encadrement de la solution de l'équation $2x + a = b$.

25. $(O; \vec{i}, \vec{j})$ est un repère du plan P. D_1 et D_2 sont les droites d'équations respectives :

$$y = 2x + a \quad \text{et} \quad y = -x + b,$$

avec :

$$5{,}12 < a < 5{,}13 \quad \text{et} \quad -6{,}14 < b < -6{,}13.$$

Déterminez les encadrements des coordonnées du point d'intersection des droites D_1 et D_2.

26. Dans certaines recettes de cuisine, on lit : « Mettre 100 g de sucre, soit 6 à 8 cuillerées à soupe ». Si vous faites l'expérience, selon que vous prenez une cuillerée rase ou une « bonne cuillerée » de gourmand, vous avez entre 12 g et 16 g par cuiller.
Si vous mettez 6 « bonnes cuillerées » ou 8 cuillerées rases, vous mettez environ 100 g (le calcul donne 96 g).
Mais dans quelle « fourchette » (qui n'a rien à voir avec la cuiller à soupe!) se trouve de toute façon le poids de sucre mis?
(D'après I. R. E. M. Poitiers, Seconde 1982-83)

27. Les côtés a, b, c d'un parallélépipède rectangle sont donnés par les encadrements (mesures en mètres) :

$$53 < a < 54, \quad 101 < b < 102, \quad 217 < c < 218.$$

Déterminez un encadrement du volume du parallélépipède.

28. Assimilons la Terre à une sphère dont le cercle équatorial a pour périmètre 40 000 km à 100 km près par défaut.

Pour calculer son rayon, quelle approximation décimale de π suffit-il de choisir : 3? 3,1? 3,14? 3,141? 3,141 6?

29. On a mesuré la longueur a du côté d'un carré dont les angles sont supposés parfaitement droits et on a trouvé 20 cm à 5 mm près.

a) Dans quel intervalle se situe a?

b) Dans quel intervalle se situe l'aire S de ce carré?

c) Si l'on veut S à 1 cm² près, quel encadrement suffisant doit-on choisir pour a?

30. On veut relier en ligne droite par une conduite d'écoulement deux points A et B distants de 250 mètres. On suppose cette distance mesurée à 1 m près.
Pour réaliser cette conduite on dispose de tuyaux de 5 m à 5 cm près. Les tuyaux s'emboîtent l'un dans l'autre sur une partie de 20 cm à 1 cm près.

Quelle quantité minimale de tuyaux faut-il pour réaliser ce projet?

31. La population d'un pays est de 50,8 millions d'habitants en 1982.

Le taux de croissance annuel de cette population est 0,58 %.

Quelle est la population en 1983?

CHAPITRE
5

PREMIÈRES NOTIONS SUR LES FONCTIONS

1. Pour prendre un bon départ

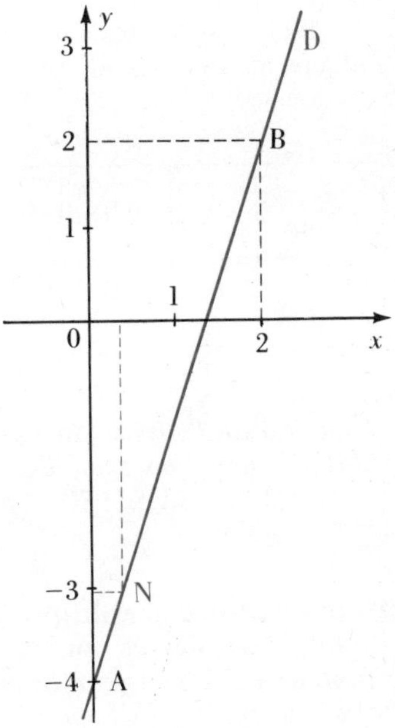

En classe de Troisième, vous avez étudié les *fonctions affines.* En voici une :
la fonction f de $\mathbb{R}$ vers $\mathbb{R}$, définie par $x \longmapsto 3x-4$.

L'*image* du *réel* x est le *réel* noté $\boldsymbol{f(x)}$ tel que :

$$f(x)=3x-4.$$

EXERCICE Dans l'exemple donné ci-dessus, calculez $f(0)$, $f(2)$, $f(-2)$ et $f\left(\frac{3}{2}\right)$.

Vous savez que dans un repère la représentation graphique de la fonction f considérée est la droite D, d'**équation** $\boldsymbol{y=3x-4}$. Pour construire D, il suffit de connaître **deux** de ses points.
Comme $f(0)=-4$, le point A de coordonnées $(0;\,-4)$ est sur D.
Il en est de même du point B de coordonnées $(2;\,2)$, car $f(2)=2$.

EXERCICE

1. Le point M de coordonnées $(1,1;\,-0,7)$ est-il sur la droite D? Qu'en est-il du point de coordonnées $(1,2;\,-0,7)$?
2. Le point N d'ordonnée -3 est sur la droite D. Déterminez l'abscisse de N.
3. I est le point d'intersection de D avec l'axe des abscisses. Déterminez l'ordonnée de I, puis son abscisse.

2. Approche

2.1. L'idée de fonction

Dans la vie de tous les jours, il est fréquent d'entendre des expressions telles que :
« la consommation d'essence d'une voiture aux 100 kilomètres *est fonction de* la vitesse »;
« les tâches distribuées *sont fonction des* capacités de chacun »;
« la vendange *est fonction du* temps qu'il a fait »;...
Dans toutes ces expressions *« fonction de »* signifie *« dépend de »*. En économie, physique, biologie,... cette idée se retrouve dans :
« l'évolution d'une population d'amibes *est fonction du* temps »;
« la pression atmosphérique est *fonction de* l'altitude »;
« le prix d'une denrée *est fonction de* la quantité produite »;
Mais dans ces sciences, on cherche de plus à expliciter une relation entre les nombres mesurant les grandeurs.

2.2. En physique : allongement d'un ressort

On fixe un corps de masse m à un ressort et on repère la division l en face de laquelle l'index s'immobilise.
l_0 est la division qui correspond à la position de l'index lorsqu'aucun corps n'est suspendu.
La table suivante indique, pour différentes masses, l'allongement $l - l_0$ du ressort.

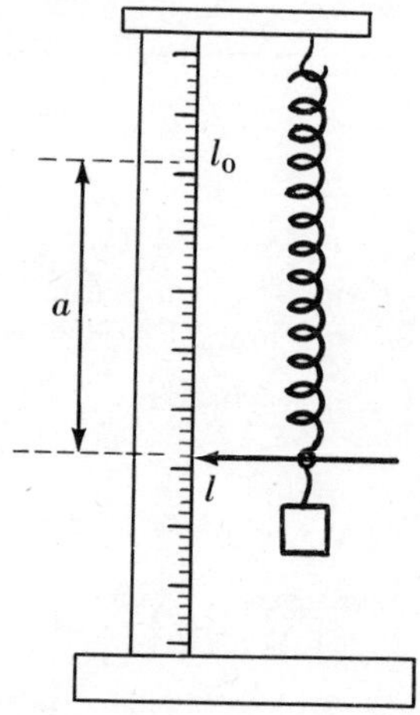

m en kg	0	0,05	0,1	0,15	0,2	0,25	0,3
$l - l_0$ en mm	0	12	23	35	48	61	72

A *un réel de la ligne du haut est associé un réel et un seul de la ligne du bas : on a ainsi fabriqué une fonction de l'ensemble* $\{0; 0,05; 0,1; 0,15; 0,2; 0,25; 0,3\}$ *dans l'ensemble* $\{0; 12; 23; 35; 48; 61; 72\}$.

Représentons graphiquement les données.
Portons les masses en abscisses et les allongements en ordonnées. (Remarquez *le choix des unités* sur chacun des axes du repère orthogonal). On constate que les points obtenus sont *pratiquement alignés.* D'où l'idée de chercher l'allongement $a(m)$ sous la forme :

$$a(m) = \alpha m + \beta.$$

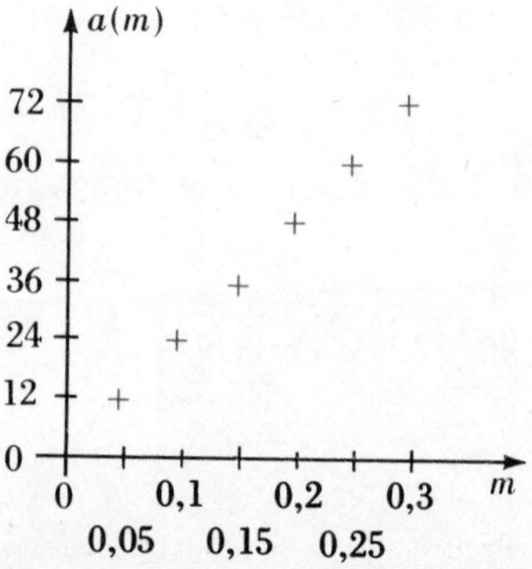

Déterminons les réels α et β :

- pour $m = 0$, $\quad a(0) = \beta = 0$

• pour $m = 0{,}05$, $a(0{,}05) = 0{,}05\alpha = 12$

donc : $$\alpha = \frac{12}{0{,}05} = 240.$$

Aux imprécisions de mesure près, le physicien admet que, pour une masse m, l'allongement du ressort est proportionnel à cette masse et que :

$$a(m) = 240\ m.$$

Conventionnellement, en mathématiques, on note la fonction ainsi définie :

$$a \left| \begin{array}{l} \mathbb{R}^+ \longrightarrow \mathbb{R} \\ m \longmapsto a(m). \end{array} \right.$$

Il est important de remarquer que si a est définie sur $\mathbb{R}^+$, en fait pour de grandes masses le ressort ne reprend pas sa longueur initiale lorsque la charge est supprimée.
Cela signifie que pour une masse $m = 150$ par exemple, on peut calculer $a(150)$, mais ce résultat n'est pas l'allongement du ressort, si celui-ci a résisté à une telle charge!...

EXERCICE

1. Représentez sur le graphique précédent la fonction a.

2. Quelles sont les images de 0,1; 0,15; 0,2; 0,25; 0,3?

3. Pour une masse $m = 0{,}55$, *estimez* l'allongement correspondant du ressort.

2.3. En biologie : évolution d'une population d'amibes

Un biologiste étudie l'évolution d'une population d'amibes qu'il cultive dans son laboratoire. Une amibe est un être unicellulaire sans forme fixe. Au jour J (noté 0), le biologiste évalue à 1 million le nombre de ses amibes et il constate que ce nombre double tous les jours. Voici la table qu'il dresse sur une période de 10 jours.

Jour	0	1	2	3	4	5	6	7	8	9
Effectif de la population (en millions)	1	2	4	8	16	32	64	128	256	512

EXERCICE

Vérifiez sur le tableau ci-dessus que pour tout naturel n, $0 \leqslant n \leqslant 9$, l'effectif au jour n est 2^n.

La rapidité d'accroissement de cet effectif est impressionnante! Par bonheur, la plupart du temps, des facteurs extérieurs ralentissent l'évolution... sinon il y a longtemps que nous serions cernés par les amibes.

Le biologiste admet que le processus d'évolution se déroule de la même façon au-delà du dixième jour, à savoir que la population double d'un jour à l'autre. Il peut décrire son phénomène par la fonction :

$$\begin{array}{l} \mathbb{N} \longrightarrow \mathbb{R} \\ n \longmapsto 2^n. \end{array}$$

Il s'agit là d'une fonction de $\mathbb{N}$ dans $\mathbb{R}$ parce qu'à tout naturel n est associé un réel et un seul, qui est 2^n.

Le biologiste représente graphiquement cette fonction : il obtient les points en noir sur la figure ci-contre.
Le biologiste a constaté que le doublement de la population ne se fait pas brusquement, mais de façon continue au cours du temps. Il traduit cette continuité en considérant la fonction :

$$\begin{aligned} \mathbb{R}^+ &\longrightarrow \mathbb{R} \\ x &\longmapsto 2^x \end{aligned}$$

qui est représentée par la courbe ci-contre.

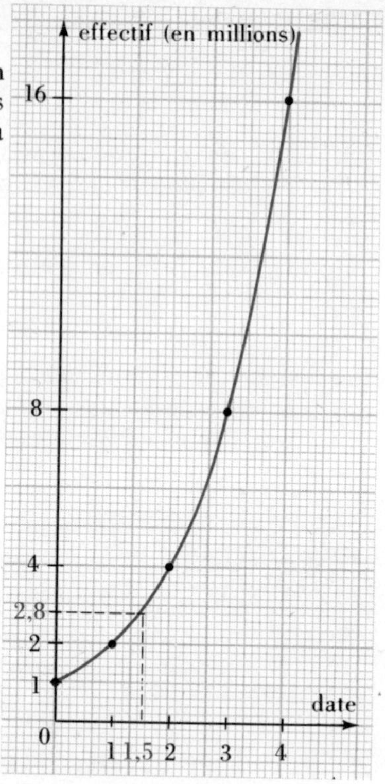

Elle contient évidemment les points déjà placés de coordonnées $(n; f(n))$.

Le biologiste veut déterminer *approximativement l'effectif de la population au bout d'un jour et demi,* donc à la date $t = 1{,}5$.
Sur le graphique, il lit la valeur approchée 2,8 millions.

EXERCICE Déterminez approximativement à l'aide du graphique ci-dessus l'effectif de la population d'amibes au bout de 18 heures, puis au bout de deux jours et demi.

Le biologiste se pose aussi la question :
à quelle date approximative t, l'effectif de la population est-il de 3,5 millions?
Il constate sur le graphique qu'il a l'encadrement

$$1{,}6 < t < 1{,}8.$$

EXERCICE Graphiquement, déterminez approximativement à quelles dates l'effectif est de 4,6, de 7,2 et 12 millions.

En mathématiques, on sait donner un sens à l'écriture 2^x lorsque x n'est pas naturel : cela sera fait dans les classes ultérieures.

EXERCICES **Touche $\boxed{y^x}$ de la calculatrice.**
Par exemple pour $y = 2$ et $x = 1{,}5$, on trouve avec 6 décimales $2^{1{,}5} \simeq 2{,}828\,427$.
Comparez alors avec les résultats des deux exercices précédents.

1. Calculez sur votre calculatrice $2^{2{,}5}$ et $2^{0{,}75}$, puis comparez avec vos précédentes approximations.

2. En utilisant des encadrements successifs, trouvez un encadrement d'amplitude 10^{-2} du réel t tel que :

$$2^t = 4{,}6; \quad 2^t = 7{,}2; \quad 2^t = 12$$

et comparez avec vos précédentes approximations.

2.4. Fonction définie par morceaux : mouvement d'un train

Un train se rend de Moulins à Paris en 2,5 heures. On suppose qu'il effectue ce trajet à la vitesse constante de 126 km/h.
Après un arrêt d'une heure à Paris, le train repart pour Moulins, mais cette fois à la vitesse constante de 105 km/h.

EXERCICE

Vérifiez que :

a. La distance entre Moulins et Paris est 315 km.

b. Le train effectue le trajet Moulins-Paris-Moulins en 6,5 h (arrêt compris).

Notons $f(t)$ la distance entre la position du train à l'instant t et Moulins.
Par exemple : $f(0)=0$; $f(2,5)=315$; $f(6,5)=0$.

Exprimons $f(t)$ à l'aide de t :

- Sur le trajet Moulins-Paris, c'est-à-dire pour :

$$\mathbf{0 \leqslant t \leqslant 2,5,}$$

le train roule à la vitesse constante de 126 km/h.
Donc la distance parcourue à l'instant t est :

$$f(t)=126t.$$

- Pendant l'arrêt en gare de Paris, c'est-à-dire pour :

$$\mathbf{2,5 \leqslant t \leqslant 3,5,}$$

le train est toujours à 315 km de Moulins.
Donc la distance qui le sépare de Moulins à l'instant t est :

$$f(t)=315.$$

- Sur le trajet Paris-Moulins, c'est-à-dire pour :

$$\mathbf{3,5 \leqslant t \leqslant 6,5,}$$

le train roule à la vitesse constante de 105 km/h.
A l'instant t, il y a $t-3,5$ (heures) qu'il est parti de Paris.
En une durée de $t-3,5$, il parcourt $105(t-3,5)$ depuis Paris. Il se rapproche de Moulins, donc la distance qui le sépare de Moulins à l'instant t est :

$$\begin{aligned} f(t) &= 315-105(t-3,5) \\ &= 682,5-105t. \end{aligned}$$

On définit ainsi une fonction $f : [0; 6,5] \longrightarrow \mathbb{R}$

$$t \longmapsto \begin{cases} 126t & \text{si } 0 \leqslant t \leqslant 2,5 \\ 315 & \text{si } 2,5 \leqslant t \leqslant 3,5 \\ 682,5-105t & \text{si } 3,5 \leqslant t \leqslant 6,5. \end{cases}$$

Remarque

Ce qu'il faut comprendre ici, c'est qu'il n'y a qu'une fonction définie (et non pas trois) de $[0; 6,5]$ dans $\mathbb{R}$ parce qu'à chaque réel t de $[0; 6,5]$ est associé *un réel et un seul* même si l'expression de $f(t)$ change selon l'intervalle où est t.

3. Cours et applications

3.1. Notion de fonction

A est une partie de $\mathbb{R}$.
Fabriquer une fonction f de A vers $\mathbb{R}$, c'est associer à chaque réel x de A, un réel et un seul, noté $f(x)$.
A est l'**ensemble de définition** de f.
On dit aussi que f est une **application de A dans $\mathbb{R}$.**

Exemples

- La fonction définie sur $\mathbb{R}$ par $f(x)=2$, est **une fonction constante.**
- La fonction définie sur $\mathbb{R}$ par $f(x)=x$, est **la fonction identité** de $\mathbb{R}$.
- La fonction définie sur $\mathbb{R}$ par $f(x)=|x|$ est **la fonction valeur absolue.**

EXERCICE

f de $\mathbb{R}$ vers $\mathbb{R}$ est telle que :

$$f(x)=\begin{cases} |x| & \text{si } x\in]-\infty;\ -2] \\ \dfrac{1}{x} & \text{si } x\in[-2;\ 1] \\ x^2 & \text{si } x\in[1;\ +\infty[\end{cases}$$

f est-elle une fonction?

Commentaire

En mathématiques, on ne s'occupe pas directement de phénomènes réels particuliers; on veut fournir un outil qui s'adapte à **toutes** les situations réelles : cet outil est la notion de fonction.
L'idée première est celle d'association : par exemple à tout réel d'une partie de $\mathbb{R}$ on associe un réel et un seul, et ce dernier peut être **librement** choisi (voir exercices 17 à 21, page 65).

3.2. Les problèmes de notation

Si f est une fonction de A vers $\mathbb{R}$, on la représente par l'écriture :

$$f \left| \begin{array}{l} A \longrightarrow \mathbb{R} \\ x \longmapsto f(x). \end{array} \right.$$

Par exemple, f est la fonction de $\mathbb{R}$ vers $\mathbb{R}$ telle que $\boldsymbol{x \longmapsto f(x)=x^2}$.
Il faut bien comprendre la signification de cette notation : elle indique qu'à chaque réel on associe son carré.
Les lettres ici n'ont pas de signification particulière; cette fonction peut aussi se noter $f : u \longmapsto f(u)=u^2$.
La notation est là pour condenser la phrase :
f est la fonction de $\mathbb{R}$ vers $\mathbb{R}$ qui à un réel associe son carré.

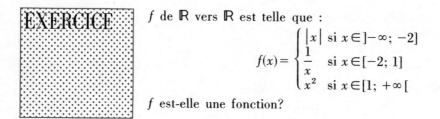

3.3. Les problèmes de l'ensemble de définition

Il arrive très souvent dans la pratique mathématique que l'on donne une fonction sans préciser son ensemble de définition, qu'il faut alors déterminer.

Exemple

f est la fonction telle que $u \longmapsto \sqrt{u-1}$.
Comment trouver son ensemble de définition?
Si u est un réel, l'écriture $\sqrt{u-1}$ désigne un réel *si et seulement si* $u-1 \geqslant 0$, soit $u \geqslant 1$.
L'ensemble de définition de f est donc $[1, +\infty[$.

3.4. Les problèmes de la représentation graphique

f est une fonction dont l'ensemble de définition est D.

La représentation graphique (ou courbe représentative) de f dans un repère est l'ensemble des points de coordonnées $(x; f(x))$ où x est un réel de D.

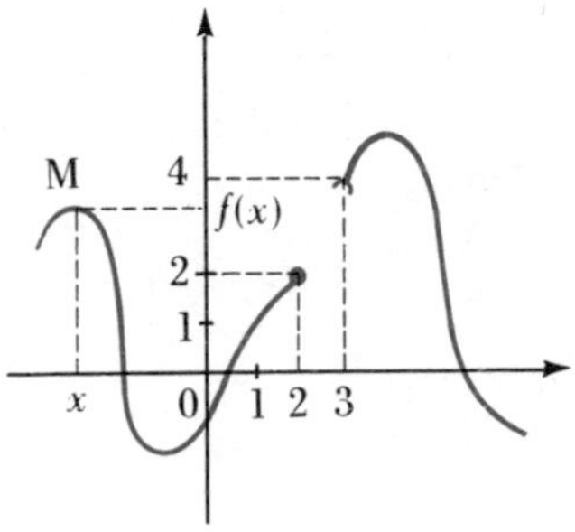

Pratiquement, nous choisissons toujours un repère orthogonal.

Résultat important

> **Un point M de coordonnées $(x; y)$ appartient à la représentation graphique de f *si et seulement si* x appartient à D et $y = f(x)$.**

La représentation graphique de f dans $(O; \vec{i}, \vec{j})$ a pour **équation cartésienne** $y = f(x)$.

EXERCICES

1. Représentez graphiquement la fonction

$$u \left| \begin{array}{l} \mathbb{R} \longrightarrow \mathbb{R} \\ x \longmapsto 2x-1. \end{array} \right.$$

2. Représentez graphiquement la fonction définie sur $\mathbb{R}$ par $x \longmapsto 3$.

Commentaires

- Sur la représentation ci-dessus, on indique que 3 n'a pas d'image à l'aide d'un crochet; par contre, 2 a pour image 2; on l'indique à l'aide d'un point.
- Comme tout dessin, le tracé d'une représentation graphique n'est qu'*approximatif*.

De plus vous serez limité par les dimensions de votre feuille de papier, et ce quelles que soient les unités choisies sur les axes.
Vous ne tracerez donc, le plus souvent, qu'une partie de la représentation graphique.

• **Les unités ne sont pas obligatoirement les mêmes sur les axes.**
Essayez par exemple de représenter $x \longmapsto x^2$ sur $[-10; 10]$...

• **Quelquefois, une fonction n'est connue que par sa représentation graphique :** c'est le cas par exemple pour un baromètre enregistreur lorsqu'il trace une représentation de la pression atmosphérique en fonction du temps.

• **Attention, ne pas confondre f et $f(x)$!**
f désigne une fonction : avec son ensemble de définition D et l'indication de la façon de calculer l'image de chaque réel de D.
$f(x)$ désigne un réel, c'est l'image du réel x de D.

3.5 Restriction d'une fonction

Exemples

f est la fonction définie sur $\mathbb{R}$ telle que $x \longmapsto |x|$.
Pour tout réel $x \geqslant 0$, $f(x) = |x| = x$.
La fonction g de $\mathbb{R}^+$ vers $\mathbb{R}$ telle que $x \longmapsto g(x) = x$ est **la restriction de f à $\mathbb{R}^+$.**
De même la restriction h de la fonction f à $[-3; 0]$ est la fonction de $[-3; 0]$ vers $\mathbb{R}$ telle que $x \longmapsto -x$; en effet : pour tout réel x de $[-3; 0]$, $h(x) = f(x) = -x$.
De façon générale on a la définition suivante :

Définition 1

f est une fonction dont l'ensemble de définition est D. A est une partie de D. Dire que la fonction

$$g \left| \begin{array}{l} A \longrightarrow \mathbb{R} \\ x \longmapsto g(x) \end{array} \right.$$

est la restriction de f à l'ensemble A signifie que pour tout réel x de A :

$$g(x) = f(x).$$

3.6. Applications

EXERCICE résolu

Reprenez la fonction associée au mouvement du train Moulins-Paris, et définie au paragraphe 2.4.

$$f : [0; 6,5] \longrightarrow \mathbb{R}$$

$$t \longmapsto \begin{cases} 126t & \text{si } 0 \leqslant t \leqslant 2,5 \\ 315 & \text{si } 2,5 \leqslant t \leqslant 3,5 \\ 682,5 - 105t & \text{si } 3,5 \leqslant t \leqslant 6,5. \end{cases}$$

Représentez graphiquement cette fonction dans un repère orthogonal.

Solution □□□

Nous avons ainsi définie une fonction f et une seule; mais pour la représenter nous faisons intervenir *trois restrictions* de f.

• Représentons d'abord **la restriction g de f à l'intervalle [0; 2,5] telle que $t \longmapsto 126t$.** Cette représentation est *le segment* de droite [OA] où :
O est le point d'abscisse 0 et d'ordonnée $g(0)=0$; c'est donc l'origine du repère;
A est le point d'abscisse 2,5 et d'ordonnée $g(2,5)=126\times 2,5=315$.

• Représentons **la restriction h de f à l'intervalle [2,5; 3,5].** Sa représentation est le segment [AB] où :
A a pour coordonnées (2,5; 315);
B a pour coordonnées (3,5; 315).

• Représentons, enfin, **la restriction k de f à [3,5; 6,5] telle que**

$$t \longmapsto 682,5-105t.$$

Sa représentation est le segment [BC] où :
B a pour coordonnées (3,5; 315);
C a pour coordonnées (6,5; 0).

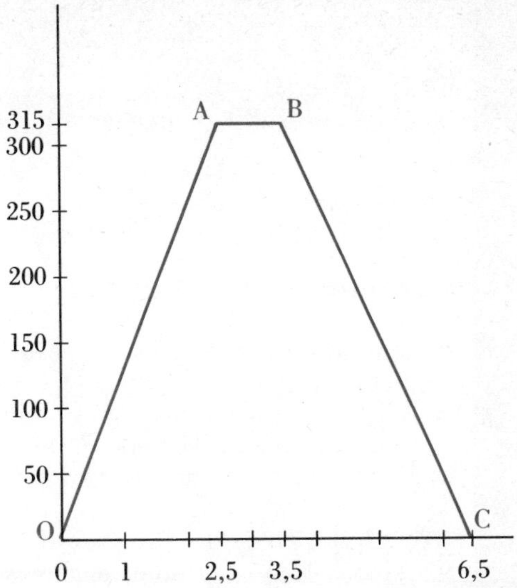

□□□□□□□□□□

4. Pour aller plus loin

Égalité de fonctions

Définition 2

> **f et g sont deux fonctions d'ensembles de définition respectifs D_f et D_g.**
> **Dire que les fonctions f et g sont égales signifie que :**
>
> $$D_f=D_g \text{ et pour tout réel } x \text{ de } D_f,\ f(x)=g(x).$$
>
> **On note alors $f=g$.**

Exemples

• Voici deux fonctions, $f : x \longmapsto \sqrt{x^2}$ et $g : x \longmapsto |x|$.
Pour tout réel x, $x^2 \geqslant 0$ donc $\sqrt{x^2}$ désigne un réel: $D_f=D_g=\mathbb{R}$.
De plus, pour tout réel x, $\sqrt{x^2}=|x|$.
Donc $f=g$.

• Voici deux autres fonctions $i : x \longmapsto x$ et $j : x \longmapsto \frac{x^2 - x}{x-1}$.

Ici $D_i = \mathbb{R}$ et $D_j = \mathbb{R} - \{1\}$.
$D_i \neq D_j$, cela suffit pour conclure que $i \neq j$.

Remarquez cependant que pour tout réel $x \neq 1$, $\frac{x^2 - x}{x-1} = \frac{x(x-1)}{x-1} = x$.

Commentaire

L'important dans $f(x)$ est le résultat et non pas la façon dont s'écrit ce réel. En d'autres termes :
— les fonctions définies sur $\mathbb{R}$ telles que $x \longmapsto 2$ et $x \longmapsto \sqrt{4}$ sont égales;
— les fonctions de $\mathbb{R}$ vers $\mathbb{R}$, $x \longmapsto (x+1)^2$ et $u \longmapsto u^2 + 2u + 1$ sont égales.

EXERCICES

Précisez dans chacun des cas suivants si les deux fonctions sont égales :

1. $f : x \longmapsto \frac{1}{x}$; $\quad g : u \longmapsto \frac{u-1}{u^2 - u}$.

2. $f : x \longmapsto (\sqrt{x})^2$; $\quad g : x \longmapsto x$.

3. $f : x \longmapsto (\sqrt{3x-1})^2$; $\quad g : x \longmapsto \sqrt{(3x-1)^2}$.

4. $f : u \longmapsto |u+1|$; $\quad g : u \longmapsto -u-1$.

5. $f : x \longmapsto \frac{\sqrt{x}}{x}$; $\quad g : x \longmapsto \frac{1}{\sqrt{x}}$.

EXERCICES

Pour tester vos connaissances

1. f est la fonction de $\mathbb{R}$ vers $\mathbb{R}$ telle que $x \longmapsto 2x^2$.

a) Déterminez les images des réels 0; $\sqrt{2}$; -4 par f.

b) Déterminez les antécédents des réels 0; 4; 5; -4.

2. Reprenez les deux questions précédentes, mais avec la fonction g de $[-4; 1]$ vers $\mathbb{R}$ telle que $x \longmapsto 2x^2$.

3. Définissez une fonction dont l'ensemble de définition est $\{0; 1; \sqrt{2}; 3\}$.

4. Déterminez pour chacune des fonctions son ensemble de définition :

a) f de $\mathbb{R}$ vers $\mathbb{R}$ telle que :

$$f(x) = \frac{1}{x} \text{ si } x \neq 0; \text{ et } f(0) = 0.$$

b) g de $\mathbb{R}$ vers $\mathbb{R}$ telle que $x \longmapsto \frac{1}{x}$.

c) h de $\mathbb{R}$ vers $\mathbb{R}$ telle que $x \longmapsto \sqrt{2x+1}$.

5. Précisez dans chaque cas si vous avez affaire à une fonction.

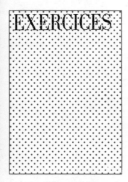

a) $[-1; +\infty[\longrightarrow \mathbb{R}$
$x \longmapsto \sqrt{x+1}.$

b) $\mathbb{R}-\left\{\frac{1}{2}\right\} \longrightarrow \mathbb{R}$
$x \longmapsto \frac{2x-1}{x}.$

c) $\mathbb{R}-\{-2\} \longrightarrow \mathbb{R}$
$u \longmapsto \frac{u+1}{3}+\frac{3}{u+2}.$

d) $[-6; 6] \longrightarrow \mathbb{R}$
$t \longmapsto \frac{4}{5}.$

6. f est la fonction de $\mathbb{R}$ vers $\mathbb{R}$ telle que :

$$f(x)=\begin{cases} 2x+3 & \text{si } x \leqslant 1 \\ x-4 & \text{si } x>1 \end{cases}$$

Définissez la restriction g de f à $[1; +\infty[$. Représentez g graphiquement.

7. Les graphiques suivants sont-ils des représentations graphiques de fonctions? Justifiez votre réponse.

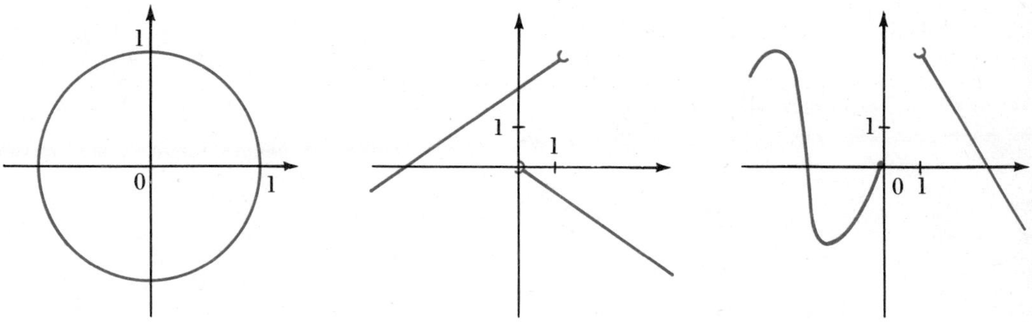

Exercices d'entraînement

Divers exemples de fonctions

1. Statistiques : taux de mortalité infantile.
Le tableau suivant donne pour la période 1946-1982, *le taux pour* 1 000 *de mortalité infantile* en France : nombre d'enfants de moins d'un an décédés pour 1 000 enfants nés vivants.

a) Quelle fonction f pouvez-vous associer à ce tableau?

b) Représentez graphiquement cette fonction.

c) g est la fonction telle que

$$g(t)=f(t+1)-f(t).$$

Que représente cette fonction? Représentez-la graphiquement.

d) Analysez à l'aide de ces deux courbes l'évolution du taux de mortalité infantile entre 1946 et 1982.

1946	77,8	1955	38,6	1964	23,1	1973	15,4
1947	71,1	1956	36,2	1965	21,9	1974	14,6
1948	55,9	1957	33,8	1966	18	1975	13,7
1949	60,3	1958	31,5	1967	17,1	1976	12,6
1950	51,9	1959	29,6	1968	17,0	1977	11,5
1951	50,2	1960	27,4	1969	16,4	1978	10,6
1952	45,1	1961	25,7	1970	15,4	1979	10,1
1953	41,7	1962	25,7	1971	17,2	1980	9,8
1954	40,8	1963	25,6	1972	16,0	1981	10,1
						1982	9,7
Source : (I. N. S. E. E.).							

2. Légende du jeu d'échecs.

Le jeu d'échecs a été inventé en Inde. Lorsque l'empereur Chiram joua à ce jeu pour la première fois, il fut en admiration pour Séta, son inventeur, pauvre savant vivant grâce aux dons de ses élèves...

Pour le récompenser, Chiram lui demanda ce qu'il souhaitait, et très modestement Séta répondit :

« Qu'on me donne **un** grain de blé pour la première case, **deux** grains pour la seconde, **quatre** pour la troisième, ... ».

Chiram, qui connaissait un peu les mathématiques, reprit :

« Tu auras tes grains de blé pour les 64 cases de l'échiquier : d'une case à l'autre, on **doublera** le nombre de grains; mais sache que ta demande n'est pas digne de ma générosité! »

a) Chiram fut obligé de considérer une fonction f. Quel est son ensemble de définition.

b) Si n désigne le numéro d'une case, déterminez $f(n)$.

3. Géométrie.

On dispose d'un carré de métal de 20 cm de côté. Pour fabriquer une boîte parallélépipédique, on enlève à chaque coin un carré de côté a.

Calculez $V = f(a)$, le volume de cette boîte. Quel est l'ensemble de définition de f?

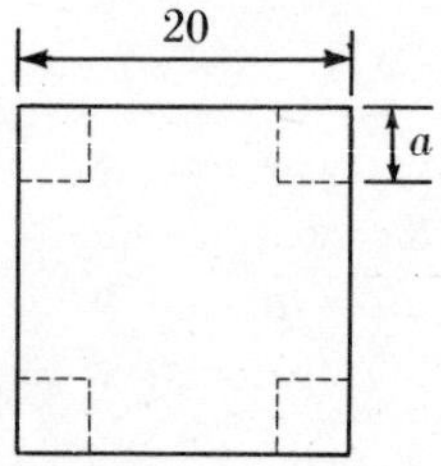

4. Tarif dégressif.

L'affiche suivante indique les prix pratiqués par un marchand pour faire des photocopies.

De la 1re à la 10e .... 1,20 F pièce
De la 11e à la 50e .... 1 F pièce
Au-delà .... 0,70 F pièce

a) Déterminez le prix à payer pour 100 photocopies.

b) Pour n photocopies, déterminez le prix à payer (trois cas sont à envisager).

c) Vous venez de définir une fonction f sur $\mathbb{N}$.

g désigne la fonction de $\mathbb{R}^+$ vers $\mathbb{R}$ telle que pour tout réel $x \geqslant 0$, $g(x) = f(x)$.

Représentez graphiquement la fonction g.

5. Trajet d'un train.

La S. N. C. F. projette de mettre en place un service reliant Paris et Lille de 6 heures à 18 h 45. Le premier départ de Paris aurait lieu à 6 h et le voyage se déroulerait comme indiqué sur le graphique ci-dessous.

a) Tirez de ce graphique tout renseignement utile, et en particulier la vitesse du train sur chaque tronçon.

b) Arrivé à Lille, le train s'arrête 15 minutes et repart pour Paris. La vitesse sur chaque tronçon est la même que lors de l'aller et les arrêts dans les gares de même durée. Après 15 minutes d'arrêt à Paris, le train refait un aller-retour dans les mêmes conditions que précédemment.

Représentez sur un graphique la marche du train de 6 h à 18 h 45.

c) Déterminez graphiquement les heures et lieux de rencontre du train de voyageurs et d'un train de marchandises qui, parti de Paris à 5 h 30, arrive à Lille à 9 h 25 en circulant à vitesse constante et sans arrêt.

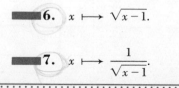

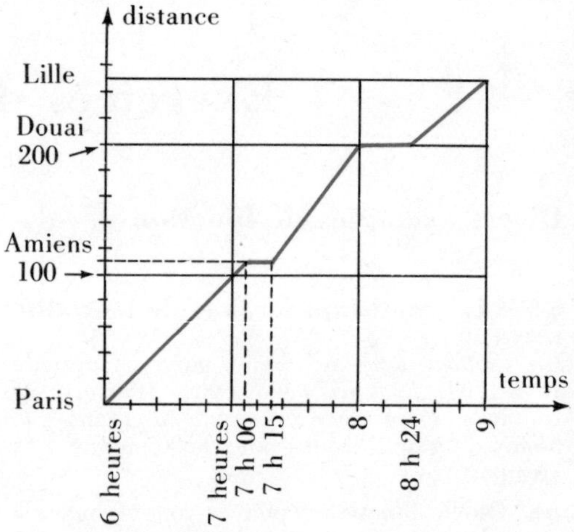

Ensembles de définition

Pour les exercices 6 à 16, déterminez l'ensemble de définition de chacune des fonctions :

6. $x \longmapsto \sqrt{x-1}$.

7. $x \longmapsto \dfrac{1}{\sqrt{x-1}}$.

8. $u \longmapsto 2u^2+\dfrac{3}{2}$.

9. $x \longmapsto \sqrt{(1-x)(x-2)}$.

10. $x \longmapsto \sqrt{\dfrac{x}{x+1}}$.

11. $x \longmapsto \dfrac{1-x}{x^2-4}$.

12. $t \longmapsto \dfrac{3\sqrt{t}-1}{|t|-1}$.

13. $x \longmapsto \dfrac{2-x}{x^2-9}$.

14. $x \longmapsto \dfrac{\sqrt{2-x}}{x^2-9}$.

15. $x \longmapsto \dfrac{x+1}{3}+\dfrac{3}{x+1}$.

16. f est telle que :

$f(x)=\dfrac{x-1}{(x-2)(x+5)}$ si $x \in]-\infty; 2[$ et

$f(x)=\dfrac{4}{7}\left(1-\sqrt{x-2}\right)$ si $x \in [2; +\infty[$.

Fabriquons des fonctions

17. Définissez trois applications différentes de l'intervalle $[-1; 0]$ dans $\mathbb{R}$.

18. Déterminez, dans chaque cas ci-dessous, une fonction dont la représentation graphique est :

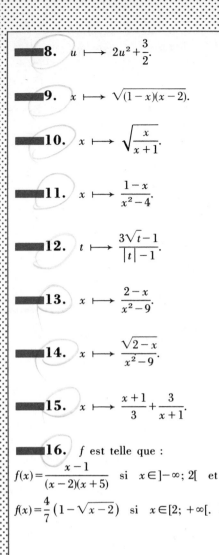

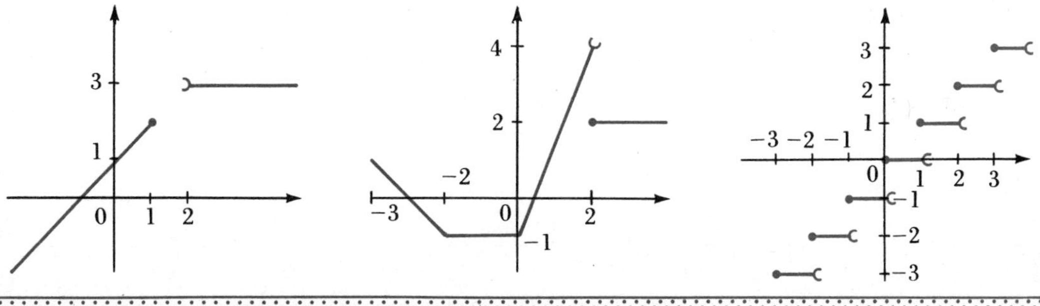

19. Définissez une fonction numérique g dont l'ensemble de définition est $\mathbb{R}$ et telle que $g(0)=\pi$, $g(1)=-3$, $g(2)=2{,}291$.

20. Définissez une fonction affine f telle que :

$$f(3)=0 \quad \text{et} \quad f(4)-f(1)=2.$$

21. Trouvez une fonction k dont l'ensemble de définition est $\mathbb{R}-\{1\}$ et telle que $k(2)=3$.

Restrictions de fonctions

22. Proposez deux fonctions f et g définies sur $\mathbb{R}$ et dont les restrictions à l'intervalle $[-1; 1]$ soient égales à :

$$x \longmapsto 1-x^2.$$

23. f est la fonction définie sur $\mathbb{R}$ par $f(x)=x$.
g est la fonction définie sur $[-2; -1]$ par $g(x)=\sqrt{x^2}$.
g est-elle une restriction de f?

24. f est la fonction définie sur $\mathbb{R}$ par $f(x)=|x-1|+|x|$.

Déterminez la restriction de f à $[1; +\infty[$.

Représentations graphiques

25. L'alcootest (d'après CUEEP, Lille).
Voici une histoire imaginaire : un chauffeur, après une fête bien arrosée, prend le volant de sa voiture et roule à 60 km/h pendant 30 s; quand, à 300 m devant lui, un agent lui fait signe d'arrêter...
Scénario 1 : le chauffeur s'arrête, souffle dans le ballon, et on lui retire le permis.

Scénario 2 : il prend peur, fait rapidement demi-tour et s'enfuit.

Scénario 3 : il fait semblant de s'arrêter et redémarre tout de suite.
Pour chaque scénario, tracez sur un graphique tel que le suivant une courbe possible donnant, en fonction du temps, la distance qui sépare le chauffeur de son point de départ.

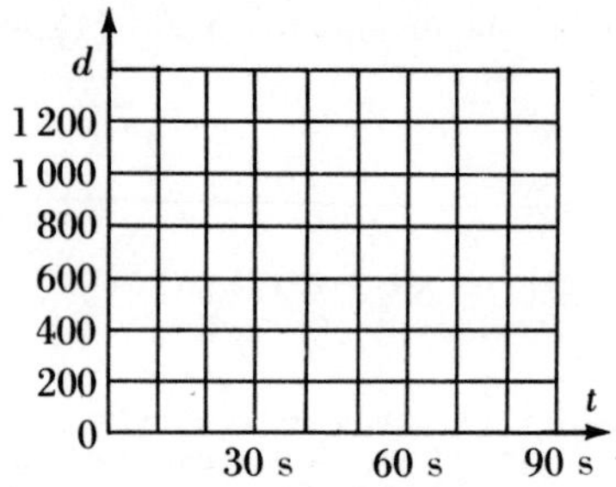

26. Représentez la fonction

$$f : x \longmapsto 3x+1$$

sur l'intervalle [0; 0,01] avec pour unité 2 m sur chaque axe, puis avec 2 cm pour unité. Que remarquez-vous?

Pour les exercices 27 à 32, représentez graphiquement les fonctions :

27. $f : x \longmapsto 3x-1$.

28. $f : x \longmapsto |2-x|$.

29. $f : t \longmapsto |t+3|+|2t-1|$.

30. $f : x \longmapsto \dfrac{|x|}{x}$.

31.

$$f : x \longmapsto \begin{cases} 2x+1 & \text{si } x \in]-\infty;\, 1[\\ 3 & \text{si } x \in]1;\, 4[\\ x-4 & \text{si } x \in [4;\, +\infty[. \end{cases}$$

32. $f : x \longmapsto |x| - |1-3x|$.

33. Représentez graphiquement dans le repère orthonormé $(O, \vec{i}, \vec{j})$ la fonction

$$f : x \longmapsto |x-3|.$$

Comment pouvez-vous en déduire la représentation de la fonction

$$g : x \longmapsto -|x-3|?$$

Représentez g sur le même schéma que pour f.

34. ***a)*** f est la fonction

$$x \longmapsto 2x+1.$$

Représentez cette fonction.

b) Déduisez-en, sans autres calculs, la représentation de la fonction $x \longmapsto |2x+1|$, puis de la fonction $x \longmapsto -|2x+1|$.

35. Attention, la calculatrice ne fait pas tout!...
Tabulez sur l'intervalle [−10; 10] avec le pas $h=0{,}5$, la fonction

$$f : t \longmapsto \frac{1}{t^2-2},$$

c'est-à-dire calculez $f(-10)$, $f(-9{,}5)$, $f(-9)$, $f(-8{,}5)$, ...
Représentez la courbe correspondante.
Pouvez-vous relier les points obtenus sans autre forme de procès?

36. Fonction partie entière
Un réel x est toujours entre deux entiers consécutifs : $n \leqslant x < n+1$.
(Le dessin ci-dessous essaie de le suggérer.)

n est la partie entière du réel x; on note $E(x)=n$.
Par exemple : $E(0,3)=0$; $E(\sqrt{2})=1$;

$E(\pi)=3$; $E(-2,5)=-3$; $E(-1)=-1$.

Attention! certaines calculatrices ont une touche INT qui donne la partie entière d'un réel; mais quelquefois elles affichent par exemple $E(-3,1)=-3$...

a) Trouvez

$E(1{,}67)$, $E(-2{,}09)$, $E(10)$, $E(\sqrt{31})$.

b) La fonction partie entière, notée E, est la fonction de $\mathbb{R}$ vers $\mathbb{Z}$ telle que $x \longmapsto E(x)$. Représentez la restriction de E à l'intervalle [−4; 4].

c) Quelle est la restriction de E à $\mathbb{Z}$?

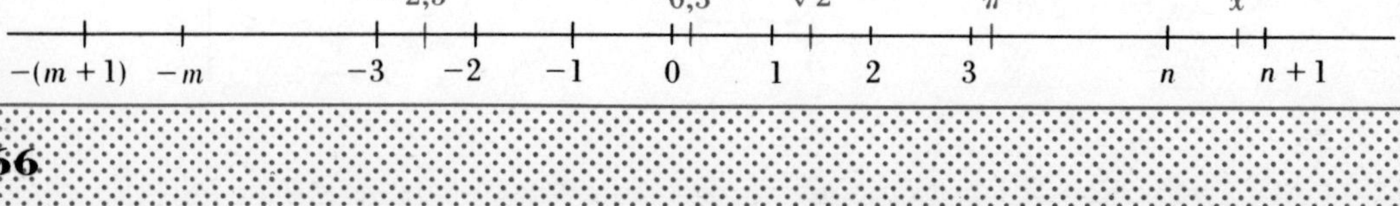

SENS DE VARIATIONS TAUX DE VARIATIONS

1. Pour prendre un bon départ

1.1. Coefficient directeur d'une droite

Vous avez vu que dans le plan muni d'un repère $(O; \vec{i}, \vec{j})$ toute droite D *non parallèle à l'axe des ordonnées* a une équation de la forme :

$$\boldsymbol{y = ax + b}.$$

Le réel a est **le coefficient directeur** de D dans le repère $(O; \vec{i}, \vec{j})$.

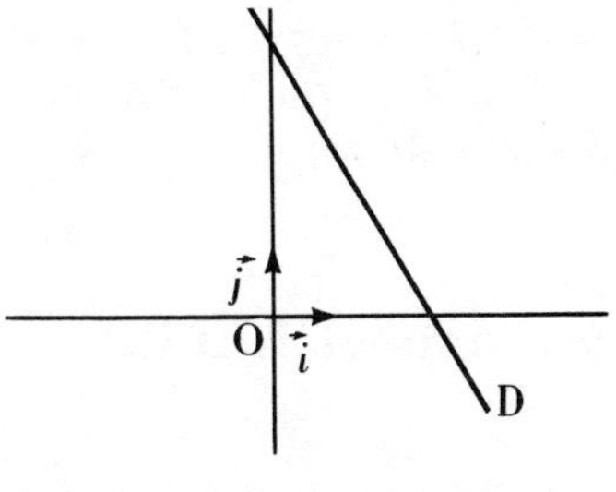

1.2. Comment calculer le coefficient directeur d'une droite définie par deux points?

• $(O; \vec{i}, \vec{j})$ est un repère, A et B les points de coordonnées respectives (2; 3) et (−5; 1).
Il existe deux réels a et b tels que $y = ax + b$ est une équation de la droite (AB).
Écrivons que les coordonnées de A et B vérifient cette équation; on obtient le système :

$$\begin{cases} 3 = 2a + b \\ 1 = -5a + b. \end{cases}$$

Nous vous laissons montrer que $\boldsymbol{a = \frac{2}{7}}$.

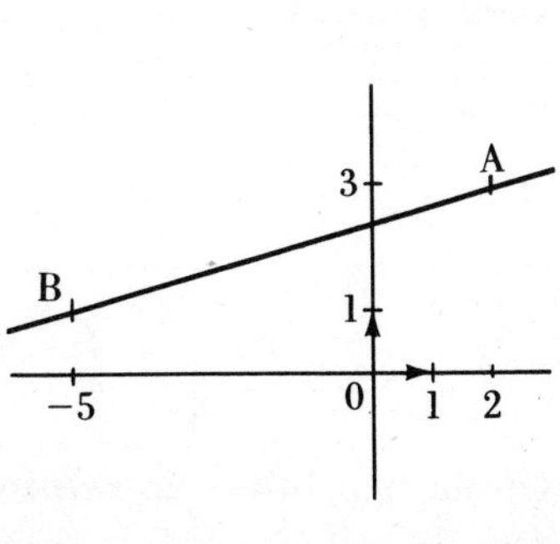

• De façon générale, nous vous laissons vérifier que si $(x_A; y_A)$ sont les coordonnées de A, $(x_B; y_B)$ celles de B, alors le coefficient directeur de la droite (AB) est :

$$a = \frac{y_A - y_B}{x_A - x_B}$$

(avec $x_A \neq x_B$ et donc (AB) non parallèle à l'axe des ordonnées).
C'est souvent de cette façon que l'on calcule un coefficient directeur sans pour cela écrire une équation de la droite.

EXERCICE

f est la fonction $x \longmapsto 2x^2 - 3x + 1$ définie sur $\mathbb{R}$. $\mathcal{C}$ est sa représentation graphique dans $(O; \vec{i}, \vec{j})$. A et B sont les points de $\mathcal{C}$ d'abscisses respectives 1 et 3.
Trouvez le coefficient directeur de la droite (AB).

2. Approche

2.1. L'idée de croissance

a. Un exemple

L'aire S d'un disque de rayon R dépend de ce rayon : $S = \pi R^2$.
Si le rayon augmente, l'aire augmente : l'aire est **fonction croissante** du rayon.
Si l'on veut *traduire précisément* ce que l'on entend par là, on dit : quels que soient les disques de rayons R et R′, et d'aires respectives S et S′, si $R < R'$ alors on a : $S < S'$.

b. Aspect intuitif

Intuitivement il apparaît qu'une fonction *f* est croissante *si, lorsqu'on donne à x des valeurs de plus en plus grandes, on obtient pour f(x) des valeurs de plus en plus grandes.*
Graphiquement, la courbe représentant f ne descend pas.
Le dessin ci-contre donne la représentation graphique d'une fonction croissante sur l'intervalle [100; 130].
L'usage est de lui associer un tableau, dit **tableau de variations,** dans lequel on indique par une flèche (orientée de gauche à droite) le « sens des variations » de la fonction.
Par exemple ici :

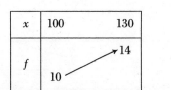

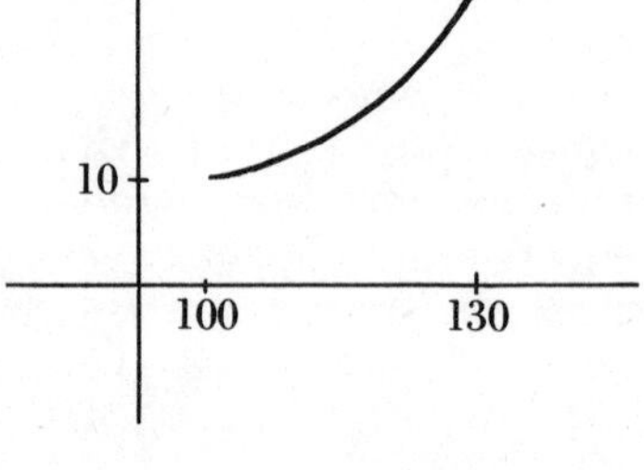

x	100	130
f	10 ↗	14

On dit que 10 est un **minimum** de la fonction et 14 un **maximum.**

2.2. L'idée de décroissance

a. Un exemple

La pression atmosphérique diminue lorsque l'altitude augmente, ce qui **a été prouvé.**

Traduisons précisément ce phénomène :
quelles que soient les pressions atmosphériques P et P′ aux altitudes respectives A et A′, si $A < A'$ alors $P > P'$.
La pression atmosphérique est une **fonction décroissante** de l'altitude.

b. Aspect intuitif

Intuitivement il apparaît que *f* est une fonction décroissante *si, lorsqu'on donne à x des valeurs de plus en plus grandes, on obtient pour f(x) des valeurs de plus en plus petites.*
Le dessin ci-contre présente la représentation graphique d'une fonction décroissante sur $[-10; 20]$, car cette courbe ne monte pas.
Voici son tableau de variations :

x	-10	20
f	$20 \searrow$	-20

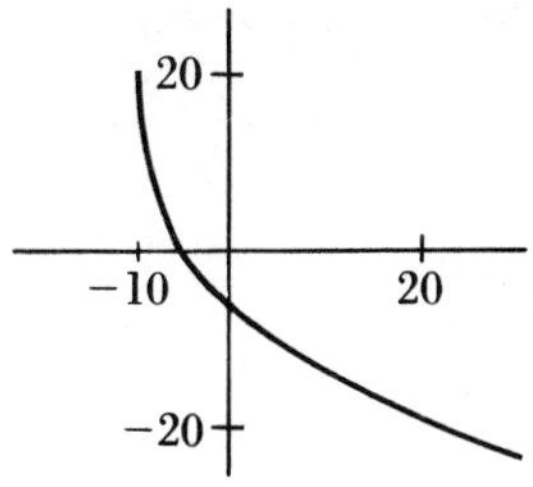

2.3. Fonction ni croissante, ni décroissante

EXERCICE

La fonction représentée ci-contre n'est pas croissante sur [0; 2], n'est pas décroissante sur [0; 2].
Expliquez pourquoi.
Dressez son tableau de variations.

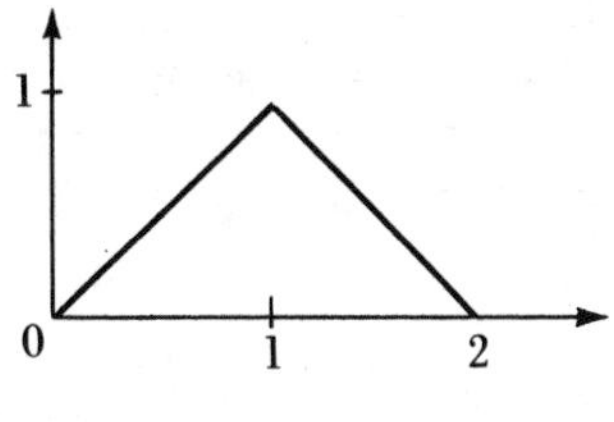

2.4. Le taux de variations : coût de fabrication

Un industriel fabrique des objets d'un même type.
Pour x objets fabriqués, il note $C(x)$ le coût de fabrication de ces x objets.
La courbe ci-contre représente la fonction C : $x \longmapsto C(x)$.
C est une fonction croissante :

si $x_1 < x_2$ alors $C(x_1) < C(x_2)$.

Mais ce qui intéresse également l'industriel, c'est la « vitesse » de cette croissance.
Par exemple : combien coûte **en moyenne** *la fabrication d'***un seul** *objet lorsque cet objet est fabriqué dans le lot d'usinage allant du millième au deux-millième objet?*

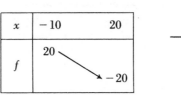

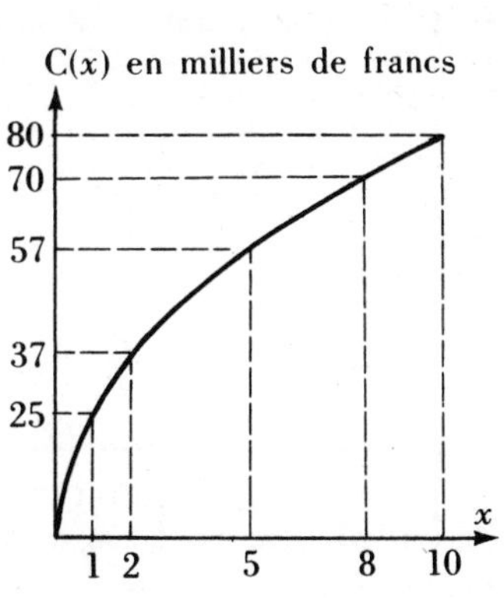

Entre le millième et le deux-millième objet la variation du coût est de :

$$37-25=12$$

soit 12 000 francs (car en ordonnées l'unité est le millier de francs). Ce coût est celui de la fabrication de 1 000 objets; donc en moyenne la fabrication de chacun d'eux coûte : **12 francs.**

Notez que pour répondre, on a calculé $\frac{C(x_2)-C(x_1)}{x_2-x_1}$ avec $x_2=2000$ et $x_1=1000$.

Nous appelons ce réel **le taux de variations de C entre x_1 et x_2.**

EXERCICE

a. Quel est le coût moyen d'un objet fabriqué dans le lot d'usinage allant du deux-millième au cinq-millième objet?

b. Quel est le taux de variations de C entre 5 000 et 8 000? Que représente-t-il concrètement?

c. Quel est le taux de variations de C entre 8 000 et 10 000?

d. La croissance du coût moyen de fabrication d'un objet n'a-t-elle pas tendance à ralentir?

e. L'industriel pense que le coût moyen d'un objet fabriqué entre le dix-millième et le douze-millième sera égal au coût d'un objet fabriqué entre le huit-millième et le dix-millième.
Combien alors coûtera au total la fabrication de 12 000 objets?

3. Cours et applications

3.1. Sens de variations

f est une fonction et I un intervalle contenu dans son ensemble de définition.

Définition 1

Dire que f est croissante sur l'intervalle I signifie que pour tout couple de réels u et v dans I,

$$\text{si} \quad u<v \quad \text{alors} \quad f(u)\leqslant f(v).$$

Définition 2

Dire que f est strictement croissante sur l'intervalle I signifie que pour tout couple de réels u et v dans I,

$$\text{si} \quad u<v \quad \text{alors} \quad f(u)<f(v).$$

Commentaires

• Il suffit donc qu'il existe un *seul* couple de réels u et v dans I tels que $u<v$ et $f(u)\geqslant f(v)$ pour que f ne soit pas croissante sur I.

• La définition 2 est différente de la définition 1 en ce sens que dans $f(u)<f(v)$ l'inégalité est **stricte.**

Une fonction strictement croissante sur I est croissante sur I. L'inverse n'est pas nécessairement vrai comme le montrent les exemples suivants :

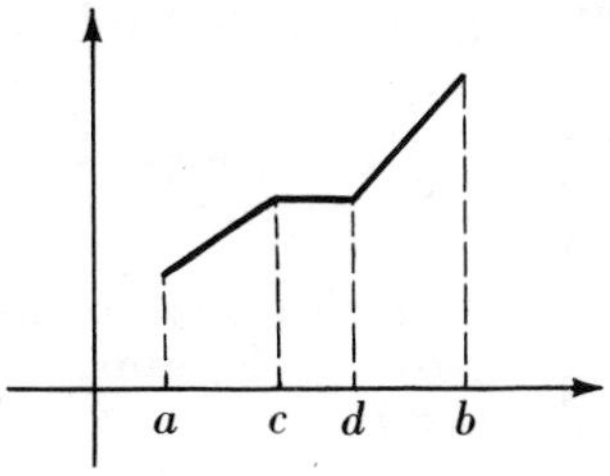

fonction croissante sur $[a, b]$ mais non strictement croissante sur $[a, b]$: on a $c<d$ et $f(c)=f(d)$.

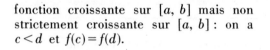

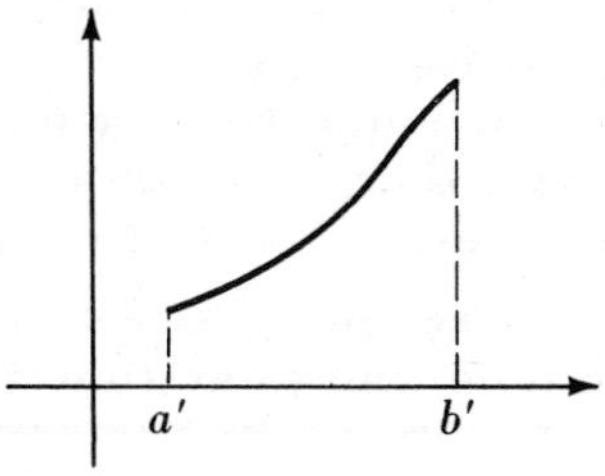

fonction strictement croissante sur $[a', b']$

• La définition 1 page 70 est équivalente à :
Dire que f est croissante sur I *signifie que pour tout couple* (u, v) *de réels de* I,

$$\textbf{si} \quad u>v \quad \textbf{alors} \quad f(u)\geqslant f(v)$$

Expliquez pourquoi.

• Notez que la croissance est liée à l'intervalle choisi comme le montre l'exercice du paragraphe 2.3.

Définition 3

Dire que f est décroissante sur l'intervalle I signifie que pour tout couple de réels u et v dans I,

$$\textbf{si} \quad u<v \quad \textbf{alors} \quad f(u)\geqslant f(v).$$

Définition 4

Dire que f est strictement décroissante sur l'intervalle I signifie que pour tout couple de réels u et v dans I,

$$\textbf{si} \quad u<v \quad \textbf{alors} \quad f(u)>f(v).$$

Définition 5

Dire que f est monotone sur l'intervalle I signifie que f est soit croissante sur I, soit décroissante sur I.

EXERCICE Donnez la définition d'une fonction strictement monotone sur I.

3.2. Minimum. Maximum

f est une fonction et I un intervalle contenu dans l'ensemble de définition de f.

Définition 6

> **a est un réel de I.**
> **1. Dire que $f(a)$ est *un minimum* de f signifie qu'il existe un intervalle J contenant a tel que : pour tout x de I et de J, $f(a) \leqslant f(x)$.**
> **2. Dire que $f(a)$ est *LE minimum* de f sur I signifie que pour tout x de I, $f(a) \leqslant f(x)$.**

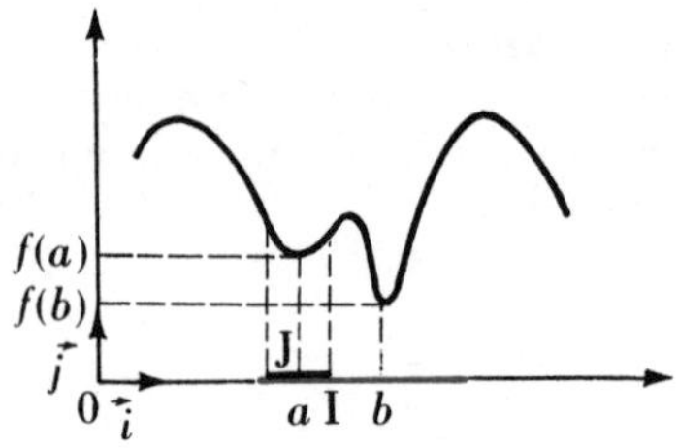

$f(a)$ est un minimum
$f(b)$ est le minimum de f sur I.

Commentaire

On dit aussi que f **admet un minimum en a,** au lieu de $f(a)$ est un minimum de f.

Définition 7

> **a est un réel de I.**
> **1. Dire que $f(a)$ est *un maximum* de f signifie qu'il existe un intervalle J contenant a tel que : pour tout x de I et de J, $f(a) \geqslant f(x)$.**
> **2. Dire que $f(a)$ est *LE maximum* de f sur I signifie que pour tout x de I, $f(a) \geqslant f(x)$.**

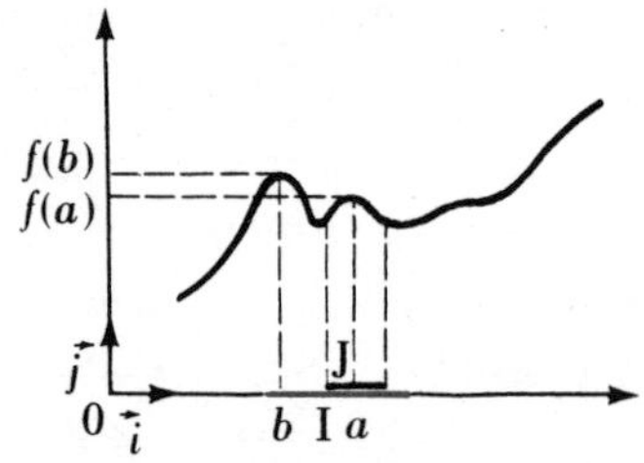

$f(a)$ est un maximum.
$f(b)$ est le maximum de f sur I.

3.3. Étude du sens des variations

Étudier le sens des variations d'une fonction c'est trouver, lorsqu'ils existent, les plus grands intervalles sur lesquels f est monotone.

3.4. Variations des fonctions affines

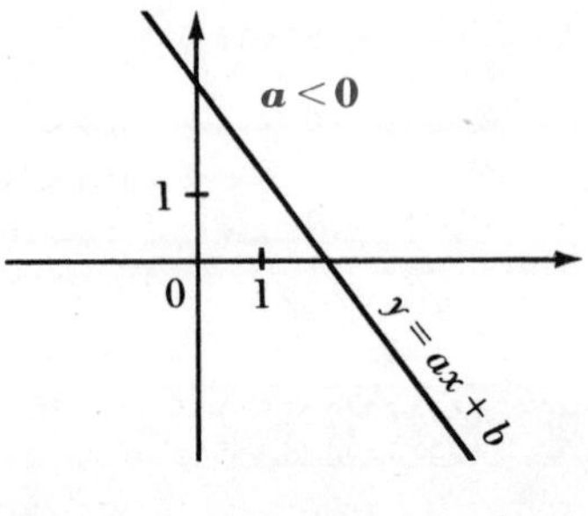

f est une fonction affine : il existe donc deux réels a et b tels que, pour tout réel x,

$$f(x) = ax + b.$$

Pour deux réels u et v tels que $\mathbf{u < v}$, *comparons $f(u)$ et $f(v)$.*
Nous avons :

$$f(u) - f(v) = au + b - (av + b) = a(u - v).$$

Comme $u - v < 0$ par hypothèse, il vient :

- si $a > 0$, alors $f(u) - f(v) < 0$, donc $f(u) < f(v)$;
- si $a < 0$, alors $f(u) - f(v) > 0$, donc $f(u) > f(v)$;
- si $a = 0$, alors $f(u) = f(v)$.

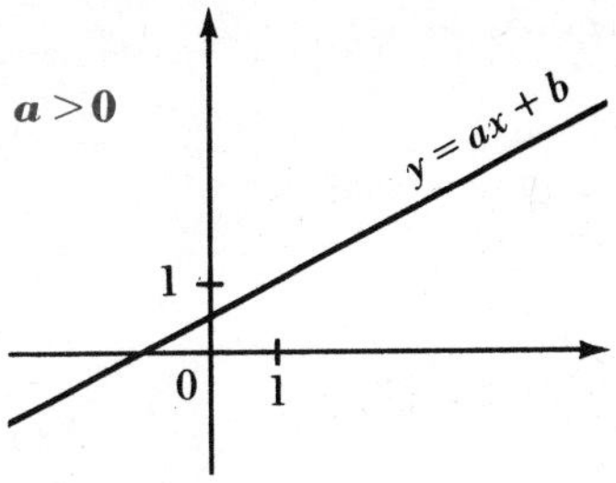

Puisque cela est vrai pour tous réels u et v tels que $u < v$, nous énonçons le théorème suivant :

Théorème 1

Une fonction affine $f : x \longmapsto ax + b$
1. est strictement croissante sur $\mathbb{R}$ si $a > 0$;
2. est strictement décroissante sur $\mathbb{R}$ si $a < 0$;
3. est constante si $a = 0$.

3.5. Sens de variations de la fonction valeur absolue $f : x \longmapsto |x|$

Nous savons que par définition de $|x|$:

$$f(x) = \begin{cases} x & \text{si } x \geqslant 0 \\ -x & \text{si } x \leqslant 0. \end{cases}$$

La restriction de f à $[0; +\infty[$ est la fonction

$$g \left| \begin{array}{l} [0; +\infty[\longrightarrow \mathbb{R} \\ \quad x \longmapsto x. \end{array} \right.$$

g est strictement croissante sur $[0; +\infty[$ d'après le théorème précédent.
La restriction de f à $]-\infty; 0]$ est la fonction

$$h \left| \begin{array}{l}]-\infty; 0] \longrightarrow \mathbb{R} \\ \quad x \longmapsto -x. \end{array} \right.$$

h est strictement décroissante sur $]-\infty; 0]$ d'après ce théorème.

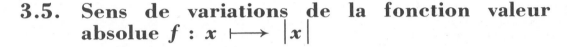

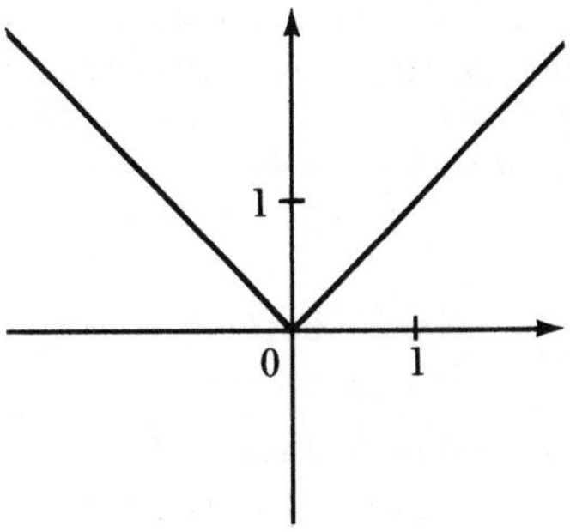

3.6. Taux de variations d'une fonction

Définition 8

f est une fonction; u et v sont deux réels *distincts* de son ensemble de définition.
Le taux de variations de f entre u et v est le réel :

$$t(u, v) = \frac{f(u) - f(v)}{u - v}.$$

Commentaires

- Pourquoi prend-on $u \neq v$?
- Le taux de variations entre v et u est le réel

$$t(v,\ u)=\frac{f(v)-f(u)}{v-u};$$

mais $v-u=-(u-v)$ et $f(v)-f(u)=-\big(f(u)-f(v)\big)$.
Il en résulte donc que $t(v,\ u)=t(u,\ v)$.

a. Lien entre taux de variations et coefficient directeur d'une sécante

f est une fonction définie sur D; u et v sont deux réels *distincts* de D.
Dans le repère $(O;\ \vec{i},\ \vec{j})$, M est le point de coordonnées $\big(u;\ f(u)\big)$ et N celui de coordonnées $\big(v;\ f(v)\big)$.
La droite (MN) est **sécante** à la représentation graphique de f.
Calculons le coefficient directeur a de (MN) comme il a été dit au paragraphe 1.2. :

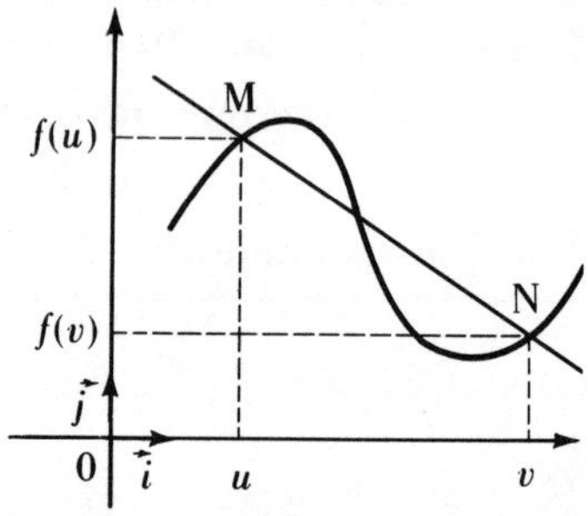

$$a=\frac{y_M-y_N}{x_M-x_N}=\frac{f(u)-f(v)}{u-v}=t(u,\ v).$$

D'où le théorème suivant.

Théorème 2

> **f est une fonction; u et v deux réels *distincts* de son ensemble de définition. $\mathcal{C}$ est la représentation graphique de f dans un repère du plan. Le taux de variations de f entre u et v est le coefficient directeur de la sécante à $\mathcal{C}$, passant par les points de coordonnées $\big(u;\ f(u)\big)$ et $\big(v;\ f(v)\big)$.**

b. Lien entre taux de variations et monotonie

Théorème 3

> **La fonction f est croissante sur l'intervalle I *si et seulement si*, pour tous réels u et v distincts de I, on a $t(u,\ v)\geqslant 0$.**

Nous vous proposons de démontrer ce théorème à l'exercice 21, page 78. Notez que l'on obtient un énoncé analogue lorsqu'on remplace « f est croissante sur I » par « f est décroissante sur I », et « $t(u,\ v)\geqslant 0$ » par « $t(u,\ v)\leqslant 0$ ».

Commentaire

Ce théorème n'est pas d'une grande importance pratique. En effet, pour calculer $t(u,\ v)$ il faut calculer $f(u)-f(v)$, et le signe de $f(u)-f(v)$ se trouve dans les cas usuels aussi facilement que celui de $t(u,\ v)$.

3.7. Applications

a. Un exemple d'étude de variations

EXERCICE résolu 1

Dressez le tableau de variations de la fonction f définie sur $[0; +\infty[$ telle que :

$$x \longmapsto 2x^2 - x + 1.$$

Solution □□□

Donnons-nous deux réels u et v de $[0; +\infty[$, avec $u < v$, et étudions le signe de $f(u) - f(v)$.

$$\begin{aligned} f(u) - f(v) &= 2u^2 - u + 1 - (2v^2 - v + 1) \\ &= 2(u^2 - v^2) - u + v \\ &= 2(u - v)(u + v) - (u - v). \end{aligned}$$

En mettant $2(u - v)$ en facteur, il vient :

$$f(u) - f(v) = 2(u - v)\left(u + v - \frac{1}{2}\right).$$

Nous savons que $u < v$, donc $u - v < 0$ et de là $2(u - v) < 0$.

Il reste donc à étudier le signe de $u + v - \frac{1}{2}$.

Il est essentiel de remarquer ici, que si $u \geqslant \frac{1}{4}$ **ET** $v \geqslant \frac{1}{4}$ alors $u + v \geqslant \frac{1}{2}$, donc $u + v - \frac{1}{2} \geqslant 0$.

D'où : si l'on a $u < v$, $u \geqslant \frac{1}{4}$ et $v \geqslant \frac{1}{4}$, alors $f(u) - f(v) \leqslant 0$ soit $f(u) \leqslant f(v)$.

Les inégalités $u \geqslant \frac{1}{4}$ et $v \geqslant \frac{1}{4}$ signifient que u et v sont dans l'intervalle $\left[\frac{1}{4}; +\infty\right[$, donc :

f **est croissante sur l'intervalle** $\left[\frac{1}{4}; +\infty\right[$.

Nous remarquons que si $0 \leqslant u \leqslant \frac{1}{4}$ **ET** $0 \leqslant v \leqslant \frac{1}{4}$, alors : $u + v - \frac{1}{2} \leqslant 0$, donc $f(u) \geqslant f(v)$.

Les inégalités $0 \leqslant u \leqslant \frac{1}{4}$ et $0 \leqslant v \leqslant \frac{1}{4}$ signifient que u et v sont dans l'intervalle $\left[0; \frac{1}{4}\right]$, donc :

f **est décroissante sur l'intervalle** $\left[0; \frac{1}{4}\right]$.

Comme $f(0) = 1$ et $f\left(\frac{1}{4}\right) = \frac{7}{8}$, nous avons :

x	0	$\frac{1}{4}$	$+\infty$
f	1 ↘	$\frac{7}{8}$	↗

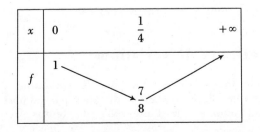

Commentaires importants sur la méthode

• Ce qui est important pour étudier le signe de $u+v-\frac{1}{2}$, c'est que **u et v** vérifient les mêmes inégalités, ce qui permet de les placer dans un **même** intervalle.
En effet, c'est seulement sur un intervalle qu'a été définie la croissance ou la décroissance d'une fonction.

• **Mais comment penser à ce réel $\frac{1}{4}$ qui convient si bien?**

Nous voulons $u+v-\frac{1}{2}\geqslant 0$ $\left(\text{ou } u+v-\frac{1}{2}\leqslant 0\right)$ pour u **et** v dans un **même** intervalle; en particulier si $u=v$, u et v sont bien dans un même intervalle et alors on doit avoir $2u-\frac{1}{2}\geqslant 0$ $\left(\text{ou } 2u-\frac{1}{2}\leqslant 0\right)$, soit $u\geqslant\frac{1}{4}$ $\left(\text{ou } u\leqslant\frac{1}{4}\right)$.

Cela conduit à regarder ce qui se passe sur $\left[\frac{1}{4}; +\infty\right[$ et $\left[0; \frac{1}{4}\right]$. Cette « méthode » fondée sur l'expérience trouvera sa justification en classe de Première.

b. Résolution d'équations, d'inéquations; obtention d'inégalités

EXERCICE résolu 2

Démontrez que pour tout réel $x\geqslant 0$, on a

$$2x^2>x-1.$$

Solution □□□

L'inégalité à démontrer est équivalente à $2x^2-x+1>0$.
Notons f la fonction $x \longmapsto 2x^2-x+1$.
Démontrer l'inégalité précédente pour tout $x\geqslant 0$, revient à démontrer que **pour tout $x\geqslant 0$, on a $f(x)>0$.**
Or nous connaissons le tableau de variations de cette fonction f sur $[0, +\infty[$ (voir exercice précédent).

Ce tableau indique que f est décroissante sur $\left[0; \frac{1}{4}\right]$, que $f(0)=1$ et $f\left(\frac{1}{4}\right)=\frac{7}{8}$.

Donc si l'on a : $0<x<\frac{1}{4}$, alors $f\left(\frac{1}{4}\right)\leqslant f(x)\leqslant f(0)$, soit : $\frac{7}{8}\leqslant f(x)\leqslant 1$.

Comme $\frac{7}{8}>0$, on en déduit que **pour tout $x\in\left[0; \frac{1}{4}\right]$, on a $f(x)>0$.**

Le tableau indique que f est croissante sur $\left[\frac{1}{4}; +\infty\right[$.

Donc **si $x>\frac{1}{4}$** alors $f(x)\geqslant f\left(\frac{1}{4}\right)$, soit **$f(x)\geqslant\frac{7}{8}>0$.**

En conclusion : **pour tout réel $x\geqslant 0$, on a $f(x)>0$.**
□□□□□□□□□□

c. Applications du taux de variations

En physique, une **vitesse moyenne** est un taux de variations. En effet, notons $d(t)$ la distance parcourue par un mobile à l'instant t (distance par rapport à un point fixe origine). La vitesse moyenne du mobile sur l'intervalle de temps $[t_1; t_2]$, est par définition $\frac{d(t_2)-d(t_1)}{t_2-t_1}$, c'est-à-dire le taux de variations de d entre t_1 et t_2.

EXERCICES

Pour tester vos connaissances

1. Que dire d'une fonction qui est à la fois croissante et décroissante sur un intervalle I?

2. Représentez graphiquement une fonction décroissante et non strictement décroissante sur l'intervalle $[-1; 4]$.

3. f est une fonction croissante sur l'intervalle $[a; b]$ $(a < b)$.
f a-t-elle un maximum? Un minimum? Précisez-les.
Mêmes questions si f est décroissante sur $[a; b]$.

4. f est une fonction définie sur $\mathbb{R}$, croissante sur $\mathbb{R}$ et telle que $f(0) = a$.
Pourquoi peut-on dire que :
pour tout $x \geqslant 0$,
on a : $f(x) \geqslant a$?

5. f est une fonction décroissante sur l'intervalle $[a; b]$ $(a < b)$.
Pourquoi peut-on dire que pour tout $x \in [a; b]$, on a : $f(b) \leqslant f(x) \leqslant f(a)$?

6. Pour chacune des fonctions, dressez son tableau de variations.

a) $x \longmapsto 122x - 5\,812$.

b) $x \longmapsto -14x + 1\,985$.

7. Quel est le taux de variations d'une fonction constante?
Ce résultat est-il conforme à l'idée du taux de variations?

8. f est une fonction définie sur $\mathbb{R}$ telle que $f(2) = 5$ et $t(2; 3) = 3$.

Donnez $f(3)$.
f est-elle croissante sur $[2; 3]$?

Exercices d'entraînement

Pour les exercices 1 à 5, en utilisant les définitions et vos connaissances sur le sens des variations de la fonction valeur absolue, étudiez le sens des variations de chacune des fonctions.

1. $x \longmapsto |x| + 3$.

2. $x \longmapsto 2\,|x| - 5$.

3. $x \longmapsto -0{,}8\,|x| + 6$.

4. $x \longmapsto 3\,|x|^2$.

5. $x \longmapsto -2(|x| + 2)^2$.

6. Revoyez la définition de la fonction partie entière E, donnée à l'exercice 36 du chapitre 5.
Montrez que E est croissante sur $\mathbb{R}$.

7. Utilisez les définitions pour montrer que la fonction $x \longmapsto x^2$ est strictement croissante sur $[0; +\infty[$ et strictement décroissante sur $]-\infty; 0]$.

Pour les exercices 8 à 10, étudiez le sens de variations de chaque fonction donnée, en utilisant les définitions et les résultats de l'exercice 7.

8. $x \longmapsto -x^2$.

9. $x \longmapsto 2x^2 - 5$.

10. $x \longmapsto -3x^2 + 6$.

11. En utilisant les définitions, montrez que la fonction

$$f : x \longmapsto x^2 - 2x$$

est strictement croissante sur $[1; +\infty[$ et strictement décroissante sur $]-\infty; 1]$.

12. f est la fonction

$$x \longmapsto 3x^2 - 6x + 1.$$

Montrez que f est strictement décroissante sur $]-\infty; 1]$ et strictement croissante sur $[1; +\infty[$.

13. f est la fonction

$$x \longmapsto -2x^2 + 5x - 1.$$

Montrez que f est strictement croissante sur $\left]-\infty; \frac{5}{4}\right]$ et strictement décroissante sur $\left[\frac{5}{4}; +\infty\right[$.

Pour les exercices 14 à 18, en utilisant la méthode de l'exercice résolu au paragraphe 3.7.*b.*, démontrez les inégalités :

14. pour tout $x \geqslant 1$, $3x^2 - 4x \geqslant -1$.

15. pour tout $x \geqslant 40$, $5x^2 \geqslant 180x + 3$.

16. pour tout $x \in [0; 2]$, $x^2 \leqslant 4x + 1$.

17. pour tout $x \geqslant 0$, $-2x^2 \leqslant -3x + 5$.

18. pour tout $x \geqslant 4$, $x^2 - 4x \geqslant -1$.

19. Hauteur d'un projectile.
Un projectile est lancé à partir du sol à un instant pris comme origine. On note $h(t)$ sa hauteur à l'instant t.
Les physiciens estiment que l'on a pour tout t : $h(t) = -5t^2 + 100t$.

a) Quelle hauteur maximale a atteint le projectile (pour cela, étudiez les variations de la fonction h).

b) A quel instant le projectile atteindra-t-il le sol?

20. $f : x \longmapsto \dfrac{x}{1+x^2}$.

a) Trouvez l'ensemble de définition de f.
b) Pour deux réels u et v, calculez

$$f(u) - f(v).$$

c) Montrez que si $u < v$, le signe de

$$f(u) - f(v)$$

est celui de $1 - uv$.
d) Montrez que si l'on a $0 < u \leqslant 1$ et $0 < v \leqslant 1$, alors $uv \leqslant 1$.
Montrez que si $u > 1$ et $v > 1$ alors $uv > 1$.
e) Déduisez-en que f est strictement croissante sur $[1, +\infty[$ et strictement décroissante sur $[0; 1]$.
f) En procédant comme précédemment, étudiez les variations de f sur $]-\infty; 0]$.

21. Démonstration du théorème 3 de la page 74.
f est une fonction définie sur un intervalle I.

a) Démontrez que si f est croissante sur I alors pour tous réels distincts u et v de I, on a $t(u, v) \geqslant 0$.

b) Supposez que pour tous réels distincts u et v de I, $t(u, v) \geqslant 0$. Déduisez-en que f est croissante sur I.

22. Automobile sur un circuit.
Une automobile tourne sur un circuit; à partir d'un instant pris comme origine on enregistre les variations de la vitesse (exprimée en km/h) en fonction du temps t (en secondes).
On a obtenu la courbe ci-dessous représentant la fonction $t \longmapsto v = f(t)$.

a) La fonction f est-elle croissante sur $[0; 100]$? décroissante sur $[0; 100]$?

b) Citez des intervalles sur lesquels f est croissante; sur lesquels f est décroissante; sur lesquels f est constante (approximativement).

c) Dressez le tableau de variations de f sur $[0; 100]$.

d) Pouvez-vous dessiner l'allure de cette partie du circuit? Estimez la longueur des lignes droites.

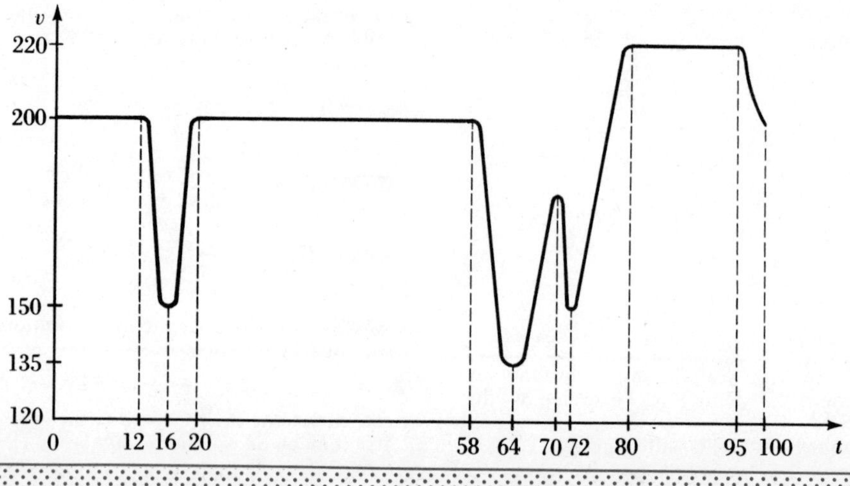

CHAPITRE
7

PARITÉ. PÉRIODICITÉ

1. Pour prendre un bon départ

1.1 Coordonnées et symétrie orthogonale

$(O; \vec{i}, \vec{j})$ est un repère **orthogonal.**

- M est un point de coordonnées $(x; y)$ et M′ le symétrique orthogonal de M par rapport à l'axe des ordonnées.

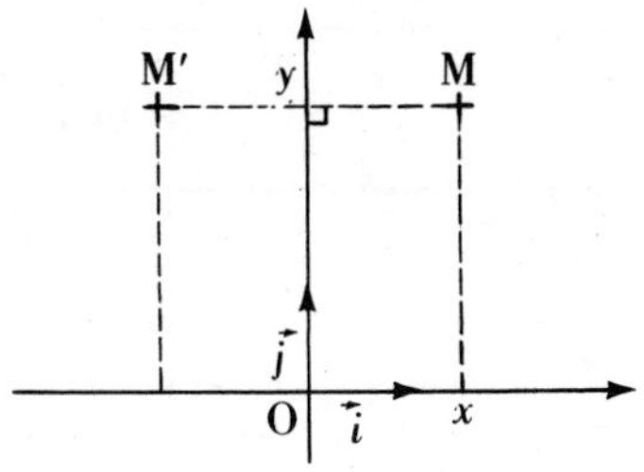

EXERCICE Quelles sont les coordonnées de M′?

- M est un point de coordonnées $(x; y)$, M′ un point de coordonnées $(x'; y')$.

EXERCICE Si $x = -x'$ et $y = y'$, que pouvez-vous dire de M et M′?

- $(O; \vec{i}, \vec{j})$ est un repère **orthogonal** et $\mathcal{C}$ la courbe ci-contre.

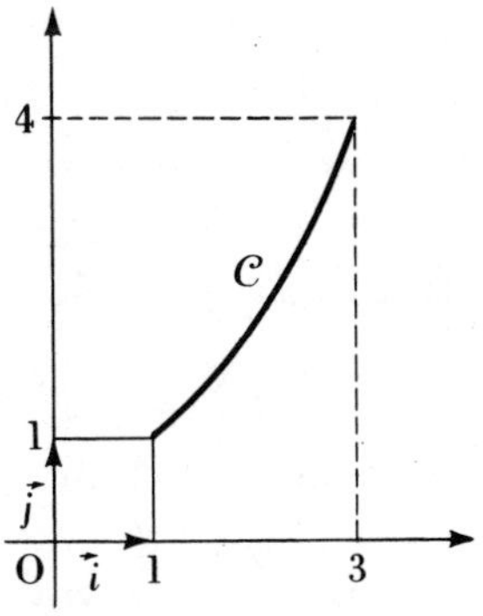

EXERCICE Dessinez la courbe $\mathcal{C}'$ symétrique de $\mathcal{C}$ par rapport à l'axe des ordonnées.

1.2. Coordonnées et symétrie centrale

$(O; \vec{i}, \vec{j})$ est un repère.
M est un point de coordonnées $(x; y)$ et M′ le symétrique de M par rapport à O.

EXERCICE

Quelles sont les coordonnées de M'?

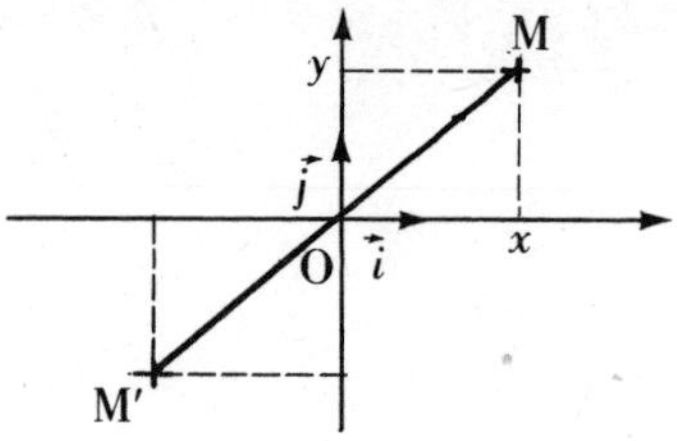

1.3. Coordonnées et translation

• $(O; \vec{i}, \vec{j})$ est un repère et T un réel **non nul.** On considère la translation de vecteur $\vec{u}$ de coordonnées (T; 0). M est un point de coordonnées $(x; y)$.

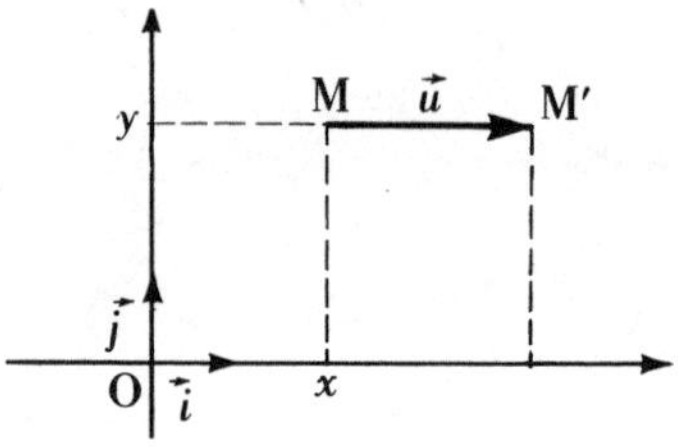

EXERCICE

Quelles sont les coordonnées du point M' image de M par cette translation?

• On donne la courbe $\mathcal{C}$ ci-contre.

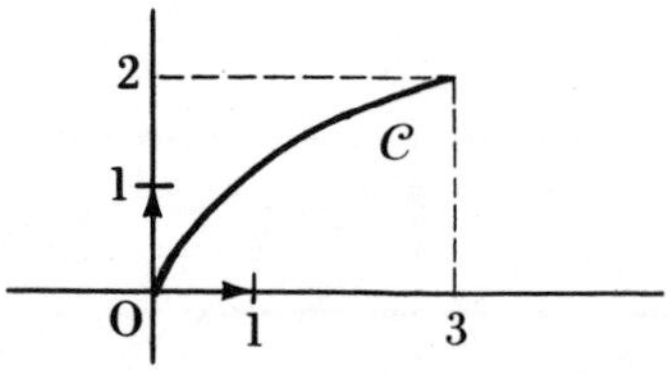

EXERCICE

Dessinez son image dans la translation de vecteur $\vec{u}$ de coordonnées (2; 0).

2. Approche

2.1. Ensemble symétrique

E est l'ensemble réunion des deux intervalles

$$[2; 3] \text{ et } [-3; -2].$$

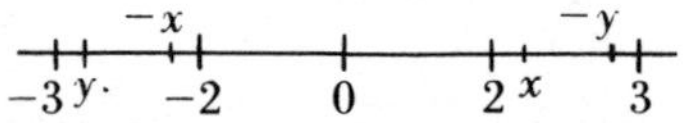

Si x est un réel de E, alors on a :

$$2 \leqslant x \leqslant 3, \quad \text{ou} \quad -3 \leqslant x \leqslant -2.$$

On en déduit : $-3 \leqslant -x \leqslant -2$, ou $2 \leqslant -x \leqslant 3$

ce qui prouve que $-x$ est aussi dans E.
Ainsi, pour tout x de E, $-x$ est dans E.
Par définition, on dit qu'un tel ensemble est **symétrique par rapport à zéro.**

Exemple important
Il est clair que si x est réel, $-x$ est aussi un réel. Ainsi, $\mathbb{R}$ **est symétrique par rapport à zéro.**

EXERCICE

Les ensembles E suivants sont-ils symétriques par rapport à zéro? (Dessinez.)

a. $E = [2; 3] \cup]-3; -2]$.

EXERCICE

b. E = [−1; +1].

c. $E = \left[-2; \frac{3}{2}\right]$.

d. E =]−∞; −3] ∪ [3; +∞[.

2.2. Fonctions paires

f est la fonction **valeur absolue :**

$$x \longmapsto |x|$$

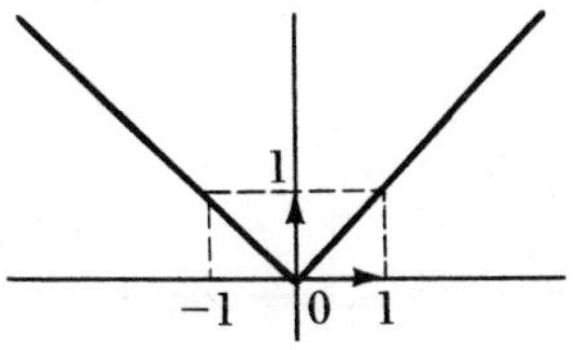

son ensemble de définition, ℝ, est symétrique par rapport à zéro.
Nous avons : $f(-x) = |-x|$; or : $|-x| = |x|$. D'où :

$$f(-x) = |x| = f(x).$$

Et cela est vrai pout **tout** réel x.
On dit que f est une **fonction paire.**
Dans un repère **orthogonal,** *sa courbe représentative admet l'axe des ordonnées comme axe de symétrie.*

EXERCICE

f est la fonction $x \longmapsto x^2$ définie sur ℝ.

a. Vérifiez que, *pour tout réel* x, $f(x) = f(-x)$.

b. Vérifiez que dans un repère orthogonal les points M et M′ de coordonnées respectives $(x; f(x))$ et $(-x; f(-x))$ sont symétriques par rapport à l'axe des ordonnées.

2.3. Fonctions impaires

f est la fonction : $x \longmapsto x^3$ définie sur ℝ.
Nous avons $f(-x) = (-x)^3 = -x^3$ et $f(x) = x^3$.
D'où pour **tout** réel x, $f(-x) = -f(x)$. On dit que f est une **fonction impaire.**

EXERCICE

Pour la fonction $f: x \longmapsto x^3$, vérifiez que dans un repère quelconque $(O; \vec{i}, \vec{j})$ les points de coordonnées respectives $(x; f(x))$ et $(-x; f(-x))$ sont symétriques par rapport à O.

2.4. Fonction ni paire, ni impaire

f est la fonction $x \longmapsto \sqrt{x}$ définie sur [0; +∞[.

EXERCICE

L'ensemble de définition de cette fonction f est-il symétrique par rapport à zéro?
Pour tout x de cet ensemble peut-on avoir : $f(x) = f(-x)$ ou $f(x) = -f(-x)$?
f est-elle paire? f est-elle impaire?

2.5. Fonctions périodiques

De nombreux phénomènes sont périodiques par rapport au temps, c'est-à-dire qu'ils se reproduisent régulièrement à intervalles constants.
Leur étude a nécessité la création d'un modèle mathématique : les **fonctions périodiques.**
Intuitivement, une fonction périodique est une fonction qui prend la même valeur à intervalles réguliers.
Par exemple, en électricité, la tension délivrée aux bornes d'un générateur en fonction du temps, et observée à l'oscillographe, donne une figure du type suivant :

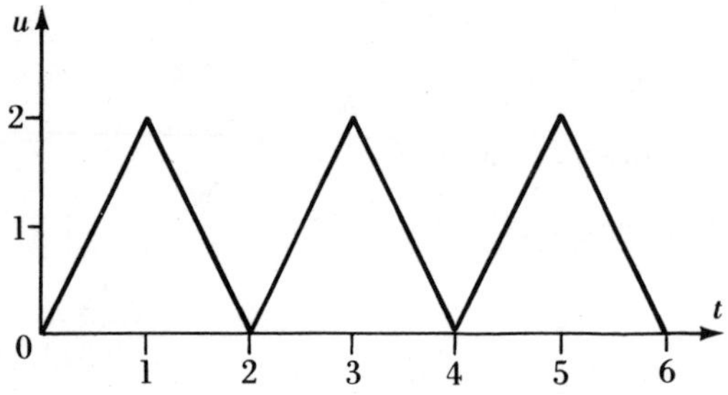

en ordonnées : 1 cm pour 0,1 V
en abscisses : 1 cm pour 10^{-3} s

EXERCICE

Notons $u(t)$ la tension aux bornes à l'instant t, et u la fonction $t \longmapsto u(t)$.

a. Quelle est la tension aux instants 0; 2; 4; 6?

b. Quelle est la tension aux instants 1; 3; 5?

c. Supposons que la courbe se prolonge au-delà de 6 « de la même façon », c'est-à-dire que la courbe représentant u sur [6; 8], [8; 10], [10; 12], etc., est la même que celle représentant u sur [0; 2].
Que vaut $u(32)$? $u(33)$?

d. T est un réel de [0; 2].
Marquez sur l'axe des temps les points T+2, T+4, T+6, T+8, etc.
Vérifiez que $u(\mathrm{T}) = u(\mathrm{T}+2) = u(\mathrm{T}+4) = u(\mathrm{T}+6) = \ldots$
Pour cette raison on dit que 2 est une période de u.

3. Cours et applications

3.1. Fonctions paires

Définition 1

f est une fonction dont l'ensemble de définition est D.
Dire que f est paire signifie que les *deux* circonstances suivantes sont réalisées :

1. pour tout x dans D, $-x$ est aussi dans D;

2. pour tout x de D, $f(-x) = f(x)$.

Commentaires

- Pour une fonction f définie sur $\mathbb{R}$, la première condition est toujours vérifiée.
- L'égalité $f(x)=f(-x)$ doit avoir lieu pour **tout** x de D. Il suffit qu'il existe un seul réel x de D tel que $f(x)$ soit différent de $f(-x)$ pour dire que f **n'est pas** paire.

Par exemple, si f est la fonction définie sur $\mathbb{R}$ par

$$f(x)=x^2+x,$$

on a : $$f(1)=2, \quad f(-1)=0;$$

f n'est pas paire.

Conséquence graphique

f est une fonction paire et $\mathcal{C}$ est sa courbe représentative dans le repère **orthogonal** $(O; \vec{i}, \vec{j})$.
Alors les points M de coordonnées $(x; f(x))$ et M′ de coordonnées $(-x; f(-x))$ ont des **abscisses opposées** et ont **la même ordonnée.**
Ils sont donc symétriques par rapport à l'axe des ordonnées.
L'axe des ordonnées est un axe de symétrie de la courbe $\mathcal{C}$.

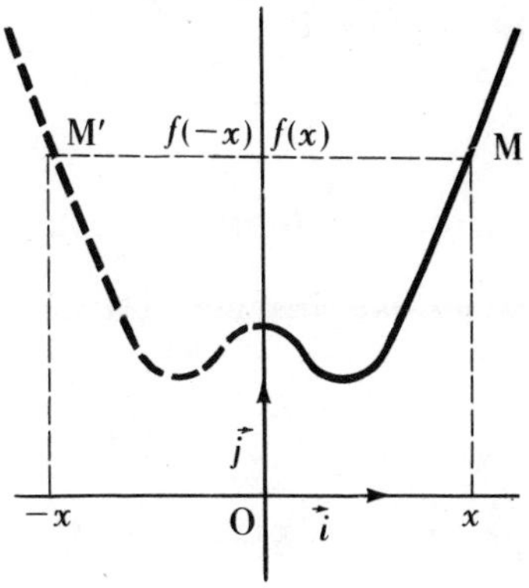

3.2. Fonctions impaires

Définition 2

> **f est une fonction dont l'ensemble de définition est D.**
> **Dire que f est impaire signifie que les *deux* circonstances suivantes sont réalisées :**
> **1. pour tout x dans D, $-x$ est aussi dans D;**
> **2. pour tout x de D, $f(-x)=-f(x)$.**

Commentaires

Analogues à ceux qui suivent la définition précédente.
Attention! Le « contraire » de fonction paire n'est pas fonction impaire!
En d'autres termes, **une fonction qui n'est pas paire n'est pas nécessairement impaire** (voir exercice du paragraphe 2.4.).

Remarque

f est une fonction **impaire** dont l'ensemble de définition D **contient 0.**
Alors on a : $f(0)=-f(0)$.
Il en résulte que $f(0)=0$.
Donc : **si une fonction impaire est définie en 0, alors $f(0)=0$.**
Cette remarque peut servir pour montrer qu'une fonction **n'est pas impaire.**
Par exemple, la fonction f donnée par $f(x)=x^3+1$ n'est pas impaire car : $f(0)\neq 0$.

Conséquence graphique

f est une fonction impaire et $\mathcal{C}$ est sa représentation graphique dans le repère $(O; \vec{i}, \vec{j})$.
Alors les points M et M′ de coordonnées respectives

$$(x; f(x)) \quad \text{et} \quad (-x; f(-x))$$

ont des **abscisses opposées** et des **ordonnées opposées.** Ils sont donc symétriques par rapport à l'origine O du repère. **L'origine O du repère est un centre de symétrie de la courbe $\mathcal{C}$.**

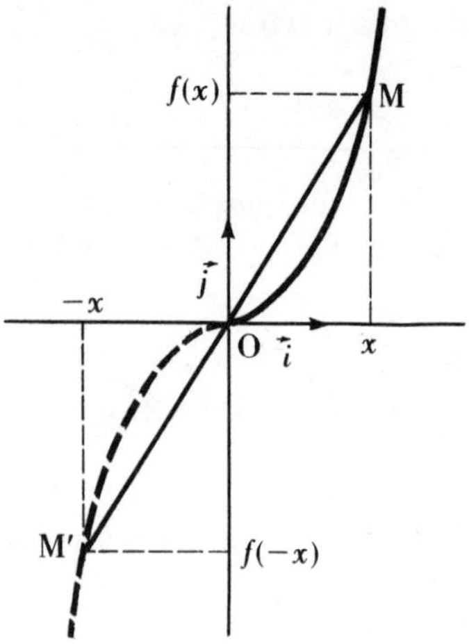

Commentaire

Notez que le repère $(O; \vec{i}, \vec{j})$ n'est pas nécessairement orthogonal.

3.3. Fonctions périodiques

Définition 3

f est une fonction dont l'ensemble de définition est D. T est un réel *non nul.* Dire que f est périodique de période T signifie que les *trois* circonstances suivantes sont réalisées :

1. **pour tout réel x de D, $x + T$ est aussi dans D;**
2. **pour tout réel x de D, $x - T$ est aussi dans D;**
3. **pour tout x de D, $f(x+T) = f(x)$ et $f(x-T) = f(x)$.**

Commentaire

Nous admettrons (reportez-vous à l'exercice 15 p. 87) que si T est une période d'une fonction périodique f, alors tout réel kT, avec k entier non nul, est aussi une période de f.
Le plus petit de ces réels qui est positif s'appelle LA période de f : elle n'existe pas toujours.

Conséquence graphique

Pour tracer la représentation graphique d'une fonction f périodique de période T, on choisit un intervalle I d'amplitude T $\left(\text{par exemple, } I = [0; T],\ I = \left[-\frac{T}{2}; \frac{T}{2}\right], \ldots\right)$ et on trace la courbe $\mathcal{C}'$ représentant la restriction de f à $D \cap I$, où D est l'ensemble de définition de f.
Ensuite, on translate $\mathcal{C}'$ par les translations de vecteurs de coordonnées $(-T; 0)$ et $(T; 0)$.
Si $I = [0; T]$, on obtient ainsi la courbe de la restriction de f à $D \cap [-T; 2T]$.
Pour obtenir d'autres morceaux de la courbe de f, on opère par d'autres translations.

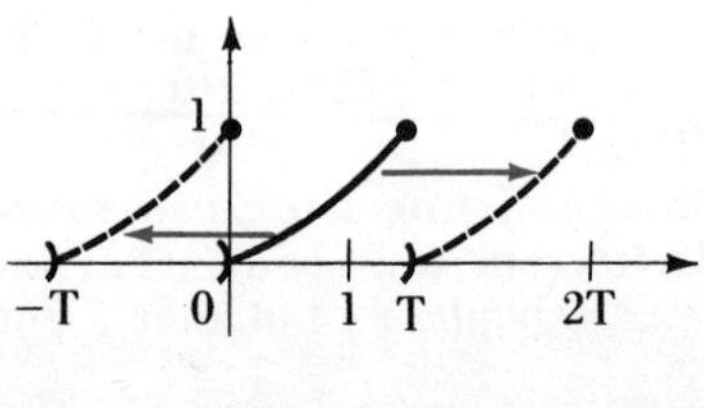

3.4. Applications

EN MATHÉMATIQUES

1. En mathématiques, savoir si une fonction est paire, impaire, ou périodique, permet de réduire l'ensemble d'étude d'une fonction. **Il y a donc économie de travail.**
Par exemple, f est une fonction paire définie sur D. On peut se borner à étudier f sur $[0; +\infty[\cap D$.
Des propriétés de f mises en évidence sur cet ensemble, on pourra déduire les propriétés de f sur D.
Mais **ATTENTION,** la déduction ne se fait pas mot pour mot, comme vous le montre l'exercice suivant.

EXERCICE résolu

f est une fonction paire strictement croissante sur $[a; b]$ avec $0 < a < b$.
Que pouvez-vous dire de f sur $[-b; -a]$?

Solution □ □ □

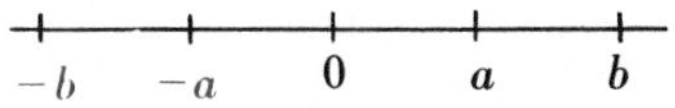

Remarquons d'abord que f étant paire, si elle est définie sur $[a; b]$, elle est aussi définie sur le symétrique de $[a; b]$ par rapport à zéro, c'est-à-dire sur $[-b; -a]$.
Pour voir si elle est monotone sur $[-b; -a]$, prenons dans cet intervalle deux réels u et v tels que $u < v$, et comparons $f(u)$ et $f(v)$.
Puisque f est paire, $-u$ et $-v$ sont dans $[a; b]$.
Par ailleurs, de $u < v$ on déduit : $-v < -u$.
Mais f est strictement croissante sur $[a; b]$; donc on a $f(-v) < f(-u)$.
Or f étant paire on a

$$f(-v) = f(v) \quad \text{et} \quad f(-u) = f(u).$$

Ainsi pour tout couple $(u; v)$ de $[-b; -a]$ avec $u < v$ on a $f(v) < f(u)$.
Donc f est strictement **décroissante** sur $[-b; -a]$.
□ □ □ □ □ □ □ □ □ □

2. Pour **démontrer** qu'**une courbe** $\mathcal{C}$ **possède un axe de symétrie** on pourra démontrer qu'elle représente **une fonction paire** (voir chapitre 9).
Pour démontrer qu'**une courbe** $\mathcal{C}$ **a un centre de symétrie,** on pourra démontrer qu'elle représente **une fonction impaire.**

EN PHYSIQUE

1. Lorsqu'un **dipôle est symétrique,** la fonction

$$u : i \longmapsto Ri$$

est paire (i est l'intensité, R la résistance, u la tension). On peut se borner à l'étudier pour des valeurs positives de i.

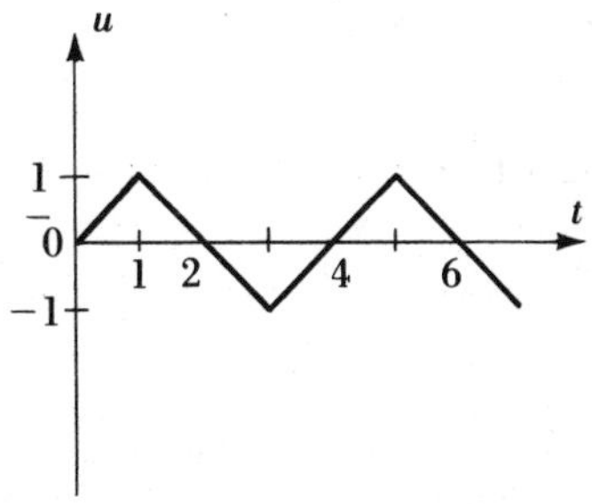

2. Les fonctions périodiques interviennent dans de nombreux domaines.
En physique, les phénomènes étudiés ont un début et une fin.
Par exemple, la courbe ci-contre représente pour le physicien une fonction périodique de période 4. (Il s'agit des variations de la tension aux bornes d'un générateur en fonction du temps).
Pour le mathématicien, comme 0 appartient à l'ensemble de définition, $0-4=-4$ devrait aussi être dans cet ensemble. Pour lui la fonction n'est que *la restriction* d'une fonction périodique.

EXERCICES

Pour tester vos connaissances

1. Une fonction constante définie sur $\mathbb{R}$ est-elle paire? impaire?

2. Une fonction linéaire définie sur $\mathbb{R}$ par $x \longmapsto ax$ est-elle paire? impaire?

3. Existe-t-il une fonction définie sur $\mathbb{R}$ qui soit à la fois paire et impaire? En existe-t-il plusieurs?

4. n est un naturel supérieur ou égal à 1.
Prouvez que :
si n est pair la fonction $x \longmapsto x^n$ est paire;
si n est impair la fonction $x \longmapsto x^n$ est impaire.

5. La fonction inverse : $x \longmapsto \frac{1}{x}$ définie sur $\mathbb{R}^*$ est impaire. Pourquoi?

6. La fonction f définie sur $]0; +\infty[$ par :

$$f(x) = \frac{x^2+1}{x}$$

n'est pas impaire. Pourquoi?

7. Définissez sur $\mathbb{R}$ la fonction f périodique, de période 1 et dont la restriction à $[0; 1[$ est $x \longmapsto x$.

Représentez graphiquement f.

Exercices d'entraînement

Parité

Pour les exercices 1 à 9, étudiez la parité des fonctions suivantes.

1. $x \longmapsto \dfrac{x}{x^2+1}$.

2. $x \longmapsto \dfrac{|x|}{x^2+1}$.

3. $x \longmapsto 3x^{19} + x^{11} + 43x^7 + x + 1$.

4. $x \longmapsto \left|\dfrac{x-1}{x+1}\right|$.

5. $x \longmapsto 5x^8 + 6x^6 + 2x^2 + 3$.

6. $x \longmapsto \dfrac{3x-1}{x^2+1}$.

7. $x \longmapsto 5x^3 + 2x^4 - 1$.

8. $x \longmapsto \sqrt{x^2-4}$.

9. $x \longmapsto \sqrt{x^2+x}$.

Pour les exercices 10 à 12, on donne les tableaux de variations suivants; dans chaque cas on précise si la fonction concernée est paire ou impaire.
On demande de dresser le tableau complet des variations, étant entendu que les zones hachurées indiquent que la fonction n'est pas définie sur les ensembles correspondants.

10. f est paire :

x	0		5/2	
f	2	↘	0	//////

11. f est impaire :

x	1		2		3		4	
f	3	↘	5	↗	1	→	1	//////

12. f est paire :

x	−4		−2		−1	
f	2	↘	0	↗	1	//////

13. La fonction f est définie par :

$f(x) = -x$ si $x \in]-\infty; -1]$
$f(x) = x^2$ si $x \in [-1; 1]$
$f(x) = x$ si $x \in [1; +\infty[$

est-elle paire? est-elle impaire?

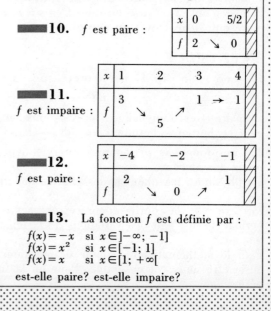

14. La fonction f définie par :

$f(x) = -2x+3$ si $x \in]-\infty; -1[$
$f(x) = x^2$ si $x \in [-1; 1]$
$f(x) = 2x+3$ si $x \in]1; +\infty[$

est-elle paire? est-elle impaire?

Périodicité

15. f est une fonction périodique de période T.
Montrez que $f(x+2T) = f(x)$.

$$f(x+3T) = f(x) \text{ et } f(x-2T) = f(x).$$

16. Pourquoi la fonction
$f : x \longmapsto \frac{1}{x}$ n'est-elle pas périodique?

Indications. Raisonnez ainsi : si f est périodique, il existe un réel T *non nul* tel que pour tout x non nul : $f(x+T) = f(x)$.
Montrez que cela est impossible.

Pour les exercices 17 à 20, montrez que les fonctions suivantes ne sont pas périodiques (procédez comme dans l'exercice 16).

17. $x \longmapsto |x|$.

18. $x \longmapsto \sqrt{x}$.

19. $x \longmapsto x^2$.

20. $x \longmapsto \frac{x+1}{x-1}$.

21. On considère la fonction f définie de la manière suivante :
— la restriction de f à $[-1; +1]$ est donnée par $f(x) = x^2$;
— f est périodique de période 2.

a) Tracez la courbe représentative de f sur $[-5; +5]$; sur $[-10; +10]$.

b) Calculez $f(2,5)$; $f(4,5)$; $f(-2,5)$.

c) Résolvez dans $\mathbb{R}$ l'équation $f(x) = \frac{1}{4}$.

22. On considère la fonction f définie de la manière suivante :
— la restriction de f à $[-1; +1]$ est donnée par $f(x) = |x|$;
— f est périodique de période 2.

a) Tracez la courbe représentative de f.

b) Calculez $f(1)$; $f(-1)$; $f(3)$; $f(5)$; $f(-3)$; $f(-5)$.

c) Résolvez dans $\mathbb{R}$ l'équation $f(x) = 1$.

23. Fonction partie décimale.
Revoyez la définition de la fonction partie entière, E (chapitre 5 page 66). On considère la fonction :

$$d : x \longmapsto x - E(x).$$

a) Calculez $d(x)$ lorsque x est un entier.

b) Calculez $d(x)$ pour x dans $[0; 1[$.
Représentez graphiquement la restriction de d à $[0; 1[$.

c) Calculez $d(x)$ pour x dans $[1; 2[$.
Représentez, sur le même graphique qu'en question ***b)***, la restriction de d à $[1; 2[$.

d) La fonction d est-elle périodique? (Auparavant, vérifiez que pour tout réel x $E(x+1) = E(x)+1$.)

24. Image sur un écran de télévision.
L'image sur un téléviseur est formée par un point plus ou moins lumineux (le spot) qui balaye l'écran ligne par ligne et de haut en bas (l'image est donc décomposée en un grand nombre de lignes si serrées et parcourues si rapidement par le spot que nous ne le distinguons pas à l'œil).

Nous ne nous intéressons ici qu'au mouvement horizontal du spot et nous décrivons ce mouvement par la fonction f qui à un instant t associe l'abscisse x du spot sur l'axe (voir figure) et en supposant qu'à la date $t = 0$ le spot est à gauche de l'écran ($x = 0$), lequel a 41 cm de largeur.

a) Étudiez cette fonction sachant que le spot se déplace à vitesse constante à l'aller (gauche à droite) et au retour, et sachant que le trajet aller dure 59 microsecondes et le trajet retour 5 microsecondes

(1 microseconde $= 10^{-6}$ seconde).

b) L'image étant formée de 625 lignes horizontales, combien d'images successives sont formées sur l'écran en une seconde?

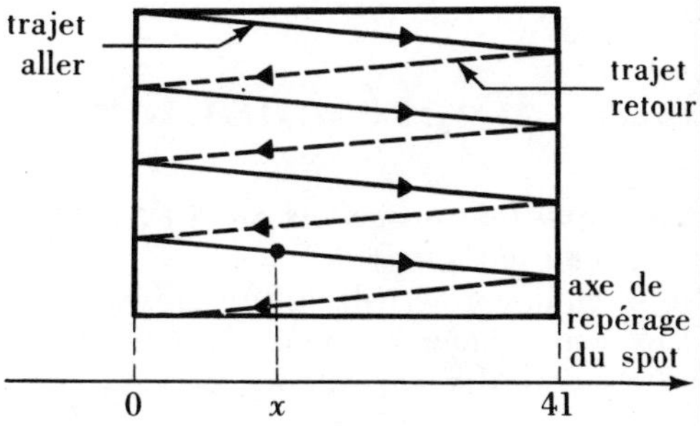

(D'après « Comprendre et s'exercer ». Seconde. Études vivantes.)

CHAPITRE
8

FONCTION : $x \longmapsto x^2$ PARABOLE

1. Pour prendre un bon départ

1.1. Vérifiez vos connaissances

Vous utiliserez *les règles de calcul sur les inégalités vues au chapitre* 1.
En particulier, à titre d'exercices, répondez aux questions suivantes, où a, b, c désignent des réels :

1. Pour quels réels c la proposition : si $a \geqslant b$ alors $ac \leqslant bc$ est-elle vraie?

2. Si $0 \leqslant a \leqslant b$, comparez a^2 et b^2.

3. Si $a^2 \geqslant 4$, quels renseignements déduisez-vous alors pour a?

4. Si $\sqrt{a} > 4$, quels renseignements déduisez-vous alors pour a?

1.2. Représentation graphique d'une fonction

Nous rappelons que, dans un repère $(O; \vec{i}, \vec{j})$, *la courbe représentative* $\mathcal{C}$ *d'une fonction* f *a pour équation* $\boldsymbol{y = f(x)}$.
Cette équation sert de critère afin de savoir si un point M appartient ou non à $\mathcal{C}$:
si les coordonnées $(x; y)$ de M dans $(O; \vec{i}, \vec{j})$ vérifient l'équation $y = f(x)$ alors M appartient à $\mathcal{C}$; sinon M n'appartient pas à $\mathcal{C}$.

EXERCICE

f est la fonction définie sur $\mathbb{R}$ telle que $x \longmapsto x^2$.
$\mathcal{C}$ est sa représentation graphique dans un repère $(O; \vec{i}, \vec{j})$.
Le point O appartient-il à $\mathcal{C}$?
Et le point A de coordonnées $(2; 6)$?

2. Approche

Lorsqu'une grandeur varie proportionnellement en fonction du carré d'une autre grandeur, la fonction qui traduit ces variations est du type : $x \longmapsto ax^2$.
Les exemples sont nombreux, nous en donnons quelques-uns ci-après. D'où la nécessité de connaître les propriétés de cette fonction : c'est l'objet de ce chapitre et du suivant.

2.1. Aire d'un disque

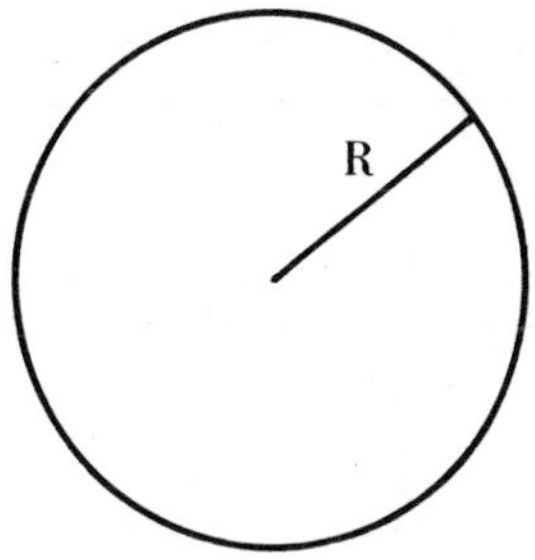

Vous savez que l'aire S d'un disque de rayon R est

$$S = \pi R^2.$$

La fonction qui permet l'étude des variations de l'aire en fonction du rayon est la fonction définie sur $[0; +\infty[$ par :

$$\mathbf{R \longmapsto \pi R^2.}$$

2.2. En électricité

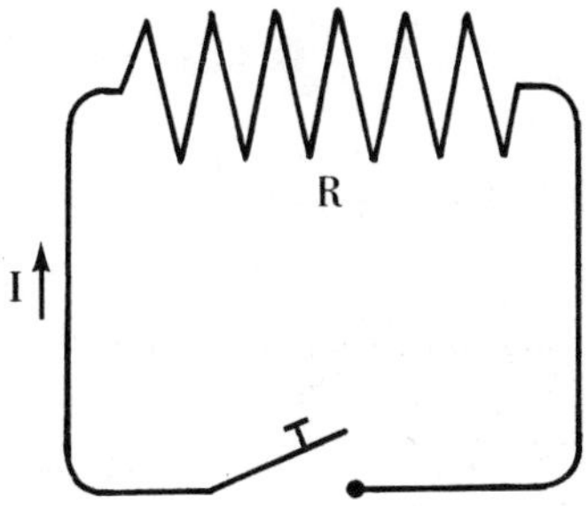

Un circuit électrique est constitué d'une résistance de valeur R.
La puissance moyenne P consommée pour une intensité I est :

$$P = RI^2.$$

Étudier les variations de la puissance en fonction de l'intensité c'est étudier la fonction :

$$\mathbf{I \longmapsto RI^2.}$$

2.3. En mécanique : la chute des corps

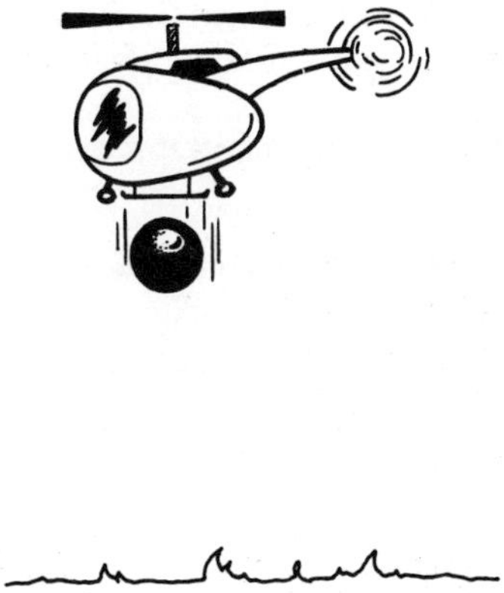

Un hélicoptère est fixe à une altitude de 300 mètres. Il lâche une bille d'acier *sans vitesse initiale.*
Les physiciens savent que la distance d parcourue par la bille à l'instant t est :

$$d = \frac{1}{2} g t^2$$

lorsque l'origine des temps est l'instant du lâcher, et que la distance est comptée à partir de l'altitude de l'hélicoptère.
g est la constante universelle de gravitation. On prendra $g = 9{,}8\ \mathrm{m \cdot s^{-2}}$. En exprimant le temps en secondes, on obtient la distance en mètres.

On note f la fonction : $\boldsymbol{t \longmapsto \frac{1}{2} g t^2}$.

$f(t)$ est donc la distance parcourue pendant t secondes.

EXERCICE

a. Quelle est la distance parcourue en 2 secondes? en 4 secondes? en 5 secondes?

b. Dans un repère orthogonal, placez quelques points de la courbe représentative de f. **Attention,** choisissez convenablement vos unités.

c. Ces points sont-ils alignés? Trois points de la courbe peuvent-ils être alignés?

d. Pensez-vous que la fonction f est croissante?

3. Cours. Applications

3.1. Étude de la fonction $f : x \longmapsto x^2$

a. Premières propriétés

- f est définie sur $\mathbb{R}$.
- Pour tout réel x *non nul :* $f(x)>0$.
- $f(x)=0$, *si et seulement si* $x=0$.
- $f(x)=1$, *si et seulement si* $x=1$ ou $x=-1$.

b. Parité

Pour tout réel x, $f(x)=x^2$ et $f(-x)=(-x)^2=x^2$.
Donc : $f(x)=f(-x)$.

Puisque, de plus, f est définie sur $\mathbb{R}$ (ensemble symétrique par rapport à 0), **f est une fonction paire.**

c. Sens de variations

f est paire, **il suffit donc de mener l'étude sur $[0; +\infty[$** par exemple.
Choisissons deux réels u et v dans cet intervalle, tels que $u<v$, et comparons $f(u)=u^2$ et $f(v)=v^2$.
Or, nous avons établi au chapitre 1 que :

$$\text{si } 0 \leqslant u < v \quad \text{alors} \quad u^2 < v^2.$$

Ainsi : **f est strictement croissante sur $[0; +\infty[$.**
En utilisant la parité de f (exercice résolu page 85) on en déduit que :

f est strictement décroissante sur $]-\infty; 0]$.

Commentaire

La proposition : si $0 \leqslant a < b$ alors $a^2 < b^2$, peut se retenir maintenant en disant que la fonction carré est strictement croissante sur $[0; +\infty[$. De même : si $a < b \leqslant 0$ alors $a^2 > b^2$, se traduit par la fonction carré est strictement décroissante sur $]-\infty; 0]$.

d. Comparaison avec la fonction identité de $\mathbb{R}$: $x \longmapsto x$

La courbe représentative dans un repère $(O; \vec{i}, \vec{j})$ de la fonction $x \longmapsto x$ est la droite D d'équation $y=x$. Dans ce même repère, $\mathcal{C}$ est la courbe représentative de f.

• *Points d'intersection de $\mathcal{C}$ et* D
Un point M de coordonnées $(x; y)$ appartient à $\mathcal{C}$ *si et seulement si* $y=x^2$.
Ce même point M est sur D *si et seulement si* $y=x$.
M est à l'intersection de D et $\mathcal{C}$ *si et seulement si* son abscisse est solution de l'équation $x^2=x$.
Cette équation s'écrit successivement : $x^2-x=0$; $x(x-1)=0$.
Les solutions sont donc : $x=0$; $x=1$.
La courbe $\mathcal{C}$ rencontre donc la droite D *à l'origine* O *du repère, de coordonnées* (0; 0) *et au point* A *de coordonnées* (1; 1).

• *Positions de $\mathcal{C}$ et* D
Si on a $0<x<1$, alors en multipliant par x qui est positif on déduit $x^2<x$. De même $x>1$ implique $x^2>x$. D'où :
pour tout réel x tel que $0<x<1$ on a $x^2<x$
pour tout réel x tel que $x>1$ on a $x^2>x$.

• *Traduction graphique :*
— sur [0; 1], la droite D d'équation $y=x$ est **au-dessus** de $\mathcal{C}$;
— sur [1; +∞[, la droite D est **au-dessous** de $\mathcal{C}$.
La courbe $\mathcal{C}$ représentant $x \longmapsto x^2$ est donc dans la partie hachurée sur le dessin ci-contre.

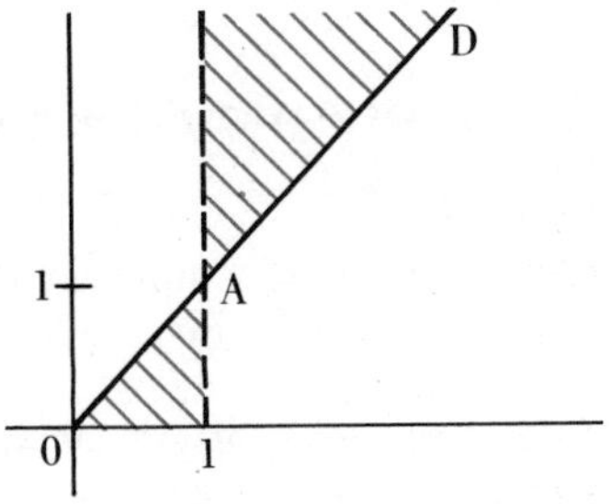

EXERCICE Comparez x et x^2 dans chacun des cas :

a. $-1<x<0$ **b.** $x<-1$.

Commentaire

Vous démontrerez à l'exercice d'entraînement 1, page 95, que pour tout réel $a>0$, et pour tout réel x tel que $x>a$ on a alors $x^2>ax$.
Ce qui se traduit graphiquement ainsi :
si l'on trace une droite d'équation $y=ax$ (avec $a>0$), alors, sur l'intervalle $[a; +\infty[$, cette droite est au-dessous de la représentation de f.

e. Étude pour les grandes valeurs de x

• *La fonction f peut-elle prendre de grandes valeurs?*
Peut-elle prendre des valeurs aussi grandes qu'on le souhaite?
Nous avons vu que l'on a **pour tout réel $x>1$:** $x^2>x$, soit : $\boldsymbol{f(x)>x}$.
Il est évident alors que $f(x)$ est grand dès que x est grand.
De façon plus précise pour avoir : $x^2>10^{50}$, il *suffit* de choisir x supérieur à 10^{50}.
En fait, pour tout $x>10^{50}$, on a : $x^2>10^{50}$, car les inégalités :

$$x^2>x \quad \text{et} \quad x>10^{50} \text{ impliquent : } x^2>10^{50}.$$

Plus généralement, si A est un réel quelconque supérieur à 1, et aussi grand soit-il, alors : pour tout réel $x>A$ on a : $x^2>A$.
Ainsi, à tout réel $A>1$, on associe un réel B (ici B = A) tel que pour tout $x>B$ on a : $f(x)>A$.
On traduit ce fait en disant que : **la fonction f a pour limite $+\infty$ en $+\infty$.**

• *Interprétation graphique*

Si l'on se donne une droite d'équation $y = A$, et cela quel que soit le réel $A > 1$, les points de coordonnées $(x; f(x))$ sont au-dessus de cette droite pour *tous* les réels $x > A$.

La courbe représentative de f se trouve donc dans la partie hachurée sur le dessin ci-contre.

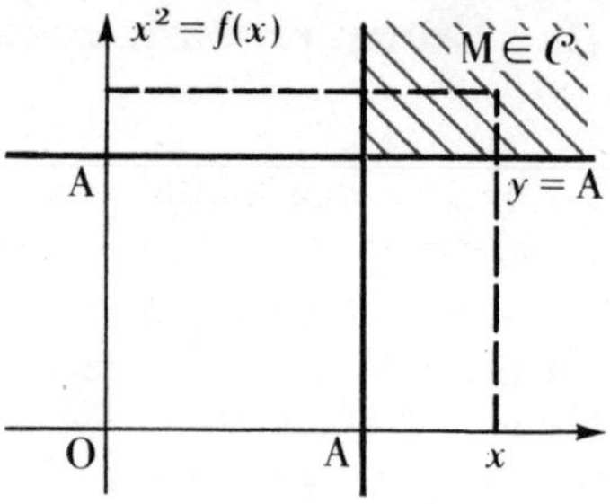

Commentaire

Nous savons que si A est un réel positif, l'ensemble des solutions *positives* de l'inéquation : $x^2 > A$ est $]\sqrt{A}; +\infty[$.
Ainsi, pour tout $x > \sqrt{A}$, on a :

$$x^2 > A.$$

Nous aurions pu utiliser ce résultat pour mener l'étude précédente.

f. Étude pour les petites valeurs de x

L'objet de cette étude est de savoir comment se comporte f lorsque x prend des valeurs négatives très petites, telles que -10, -10^{50}, -125^{12}, ...
Nous vous proposons de répondre à ces questions aux exercices 2 à 7 page 95. Vous y montrerez, en utilisant la parité de f (ou bien directement), que pour tout réel $A > 0$, aussi grand que l'on veut, alors : pour tout réel $x < -A$, on a $x^2 > A$.
On traduit ce fait en disant que : **la fonction f a pour limite $+\infty$ en $-\infty$.**

g. Tableau de variations et représentation graphique de f

Dans le tableau de variations de f on indique aussi que f a pour limite $+\infty$ en $+\infty$ et a pour limite $+\infty$ en $-\infty$, de la façon suivante :

x	$-\infty$	0	$+\infty$
f	$+\infty$ ↘	0	↗ $+\infty$

Voici ci-contre la courbe représentative de f dans un repère orthonormé.
Les exercices 8 et 9 page 95 reviennent sur cette représentation.

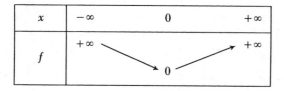

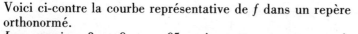

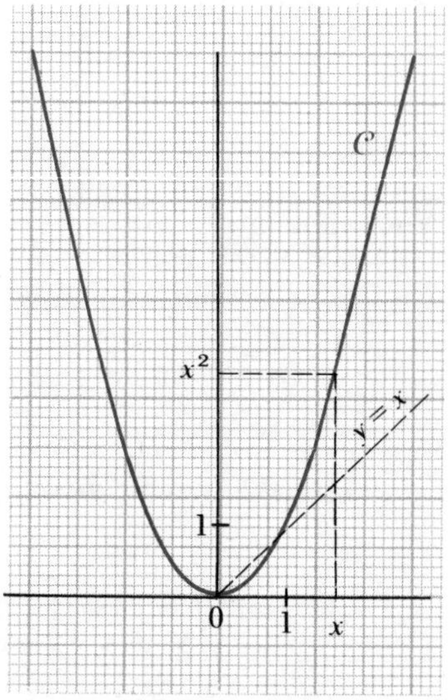

Définition

La courbe représentative de $f : x \longmapsto x^2$ dans un repère orthogonal est une *parabole*.

Commentaire

La parabole est une courbe du plan qui peut se définir **géométriquement** comme l'ensemble des points équidistants d'un point et d'une droite donnés.
L'exercice 11, page 96, donne en particulier un moyen simple pour construire la parabole point par point.

3.2. Applications

Les résultats suivants sont connus; nous les illustrons graphiquement.

a. Résolution dans $\mathbb{R}$ de $x^2 = a$, a réel donné

Graphiquement, les solutions sont les abscisses des points d'intersection de la parabole représentant

$$f : x \longmapsto x^2$$

et de la droite d'équation

$$y = a.$$

Si $a < 0$, l'équation n'a pas de solution.
Si $a = 0$, l'équation a une solution unique : 0.
Si $a > 0$, l'équation a deux solutions $\sqrt{a}$ et $-\sqrt{a}$.

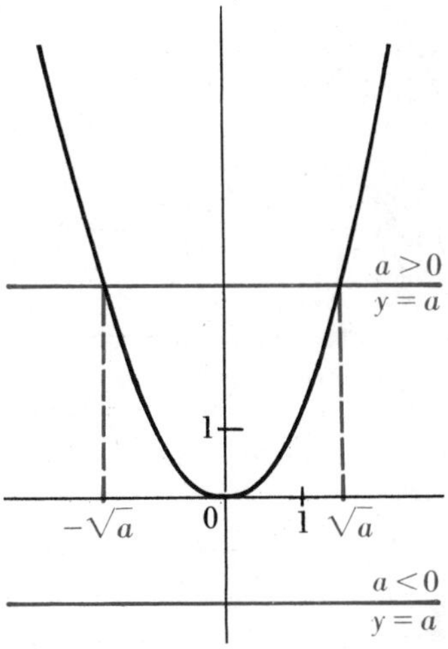

b. Résolutions dans $\mathbb{R}$ de $x^2 > a$ et $x^2 < a$

Graphiquement, les solutions de l'inéquation $x^2 > a$ sont les abscisses des points de la représentation graphique de

$$f : x \longmapsto x^2$$

qui sont au-dessus de la droite d'équation

$$y = a.$$

Si $a < 0$, l'inéquation $x^2 > a$ est vérifiée pour tout réel x.
Si $a \geqslant 0$, l'ensemble des solutions de $x^2 > a$ est $]-\infty; -\sqrt{a}[\,\cup\,]\sqrt{a}; +\infty[$.

Il en résulte pour **l'inéquation $x^2 < a$:**

Si $a \leqslant 0$, pas de solution.
Si $a > 0$, l'ensemble des solutions est $]-\sqrt{a}; \sqrt{a}[$.

4. Pour aller plus loin

Approximation de $(1+h)^2$ au voisinage de 0

a. De quoi s'agit-il?

f est la fonction carré : $x \longmapsto x^2$.
On a immédiatement $f(1)=1$.
Si $a=1{,}0197$, c'est déjà un peu plus long de calculer $f(a)$, et c'est peut-être inutile de calculer exactement a^2 selon la précision que l'on souhaite.
Si $a=1+\sqrt{0{,}978\times 10^{-5}}$, le calcul de a^2 est encore plus compliqué.
A une époque où les calculatrices n'existaient pas, on a cherché et trouvé des moyens pour calculer plus facilement.
Malgré l'apparition des calculatrices, ces moyens restent en mathématiques des outils puissants.
Étant donné que *l'on calcule très facilement avec des* **fonctions affines,** l'idée est de remplacer localement la fonction f par une fonction affine dont la droite représentative passe par le point A de coordonnées (1; 1).

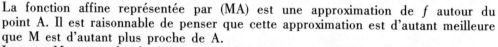

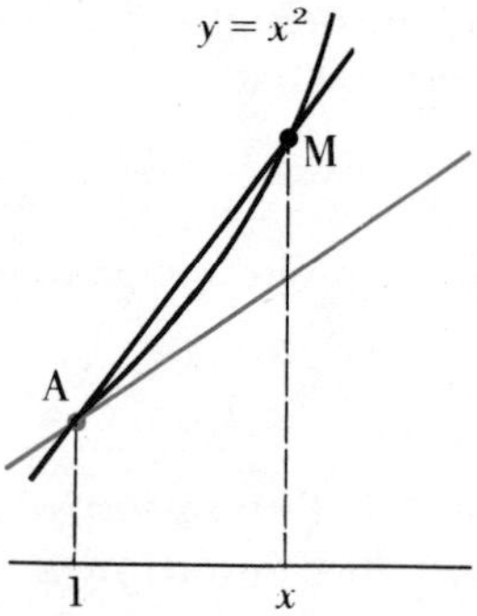

b. Quelle droite prendre?

Toute droite qui passe par A et qui rencontre la parabole en un point M est une *sécante.*
Si M a pour abscisse x, nous savons que le coefficient directeur de (MA) est le taux de variation de f entre x et 1 (théorème 2, page 74).
Nous notons ce taux $t(x;\,1)$.

$$t(x;\,1)=\frac{f(x)-f(1)}{x-1}=\frac{x^2-1}{x-1}=x+1.$$

La fonction affine représentée par (MA) est une approximation de f autour du point A. Il est raisonnable de penser que cette approximation est d'autant meilleure que M est d'autant plus proche de A.
Lorsque M est proche de A, x est proche de 1, et $t(x;\,1)$ est proche de 2.
Aussi choisit-on *la droite de coefficient directeur* 2 *et qui passe par* A *:* on l'appelle **la tangente** en A à la parabole.
Vous vérifierez que son équation est : $\boldsymbol{y=2x-1}$.
Lorsque x est proche de 1, on a donc x^2 proche de $2x-1$.
L'erreur commise en remplaçant x^2 par $2x-1$ est

$$x^2-(2x-1)=x^2-2x+1=(x-1)^2.$$

c. Approximation de $(1+h)^2$ au voisinage de 0

Si x est proche de 1, écrivons $x=1+h$ *avec* h *proche de* 0.
Alors : $$2x-1=2(1+h)-1=2h+1.$$
Ainsi, **lorsque h est proche de 0, $(1+h)^2$ est proche de $2h+1$.**

L'erreur commise en remplaçant $(1+h)^2$ par $2h+1$ est égale à h^2.
Elle est d'autant plus petite que h est proche de 0.
Nous écrirons

pour h proche de 0, $(1+h)^2\simeq 1+2h$.

EXERCICES

Pour tester vos connaissances

1. Connaissez-vous une situation qui fasse intervenir la fonction : $x \longmapsto x^2$?

Pour les exercices 2 à 9, utilisez les variations de $x \longmapsto x^2$ pour déduire des renseignements sur x^2 dans chaque cas.

2 Si $x < -5$ alors...

3. Si $-3 < x < 3$ alors...

4. Si $|x| > \frac{1}{2}$ alors...

5. Si $x < 10^{-30}$ alors...

6. Si $x > \sqrt{y}$ alors...

7. Si $x < -a$ alors...

8. Si $x > \sqrt{-a}$ alors...

9. Si $x < -12^{20}$ alors...

10. Avec un minimum de calculs, trouvez un réel B tel que pour tout $x > \text{B}$ on ait $x^2 > 1\,259^{120}$.

11. Avec un minimum de calculs, trouvez un réel B tel que pour tout $x > \text{B}$ on ait $x^2 > 127{,}5 \times 10^{1\,000}$.

12. Déterminez un réel x tel que le point M de coordonnées $(x; x^2)$ soit à la distance 10^{59} au-dessus du point P de coordonnées $(x; x)$.

Exercices d'entraînement

1. ***a)*** Résolvez, dans $\mathbb{R}$, l'inéquation $x^2 > ax$, où a est un réel donné strictement positif.

b) Déduisez-en que la représentation graphique de la restriction de la fonction : $x \longmapsto x^2$ à l'intervalle $[a; +\infty[$ est au-dessus de la droite d'équation $y = ax$.

Pour les exercices 2 à 7, déterminez un réel B tel que pour tout $x < \text{B}$ on ait :

2. $x^2 > 10$.

3. $x^2 > 10^{50}$.

4. $x^2 > 125^{12}$.

5. $3x^2 > 26 \times 10^{41}$.

6. $x^2 - 600 > 10^{18}$.

7. $10^{-6}x^2 > 10^{15} + 692$.

8. $(O; \vec{i}, \vec{j})$ est un repère orthogonal, avec 1 cm pour unité de longueur sur chaque axe.
f est la fonction : $x \longmapsto x^2$.

a) Tabulez la fonction f sur l'intervalle $[-2; 2]$ avec le pas $h = 1$ (c'est-à-dire calculez $f(-2)$, $f(-1)$, $f(0)$, $f(1)$, $f(2)$).

b) Placez les points obtenus dans le repère $(O; \vec{i}, \vec{j})$. A et B sont les points d'abscisses respectives 1 et 2.

c) Écrivez une équation de la droite (AB), et montrez que le segment [AB] n'appartient pas à la représentation graphique $\mathcal{C}$ de f.

d) Tabulez la fonction f sur l'intervalle [1; 2] avec le pas $h = 0{,}1$. Placez les points ainsi obtenus dans le repère $(O; \vec{i}, \vec{j})$.
Intuitivement, la courbe $\mathcal{C}$ recoupe-t-elle le segment [AB] en d'autres points que A et B?

9. f est la fonction : $x \longmapsto x^2$; $(O; \vec{i}, \vec{j})$ est un repère orthonormé.

a) Représentez f sur $[-1; 1]$ dans $(O; \vec{i}, \vec{j})$ avec 5 cm pour unité.

b) Même question avec 10 cm pour unité.

c) Représentez f sur $[-0{,}1; 0{,}1]$ dans $(O; \vec{i}, \vec{j})$ avec 1 m pour unité.

d) Même question avec 10 m pour unité.

10. ***a)*** A et B sont les points d'abscisses respectives 1 et 3 de la parabole $\mathcal{C}$ représentant $x \longmapsto x^2$ dans le repère orthogonal $(O; \vec{i}, \vec{j})$.
Quel est le coefficient directeur de la droite (AB)?

b) M_1 et M_2 sont les points de $\mathcal{C}$ d'abscisses respectives x_1 et x_2 telles que $x_1 + x_2 = 4$.
Démontrez que les droites (M_1M_2) et (AB) sont parallèles.

11. La parabole en géométrie.

A. ***a)*** Tracez dans un repère **orthonormé** $(O; \vec{i}, \vec{j})$ la parabole P d'équation $y = x^2$.

b) Dessinez la droite D d'équation $y = -\dfrac{1}{4}$ et placez le point F de coordonnées $\left(0; \dfrac{1}{4}\right)$.

c) Pour un point M du plan on note H la projection orthogonale de M sur la droite D.
Si M est un point de P, démontrez que MF = MH.

d) Inversement, M est un point de coordonnées $(x; y)$ tel que MF = MH.
Démontrez qu'alors $y = x^2$, et donc que M est sur P.

B. La parabole P est donc l'ensemble des points du plan équidistants de la droite D et du point F.
Sachant cela, voici un procédé géométrique pour obtenir des points de P :

a) tracez la droite D d'équation $y = -\dfrac{1}{4}$;

b) placez le point F de coordonnées $\left(0; \dfrac{1}{4}\right)$;

c) placez un point K sur D et tracez la droite Δ perpendiculaire en K à D. Cette perpendiculaire coupe l'axe des abscisses en H;

d) tracez la médiatrice de [FH]; elle coupe Δ en M.

e) vérifiez que MF = MH; donc M est sur P.

Pour les exercices 12 à 15, résolvez dans $\mathbb{R}$ les inéquations :

12. $x^2 < 3$.

13. $x^2 > 10^{-24}$.

14. $x^2 < \sqrt{a}$ $(a > 0)$.

15. $x^2 > 10^{400}$.

Pour les exercices 16 à 19, donnez une approximation et une majoration de l'erreur commise, pour chacun des réels :

16. $(1{,}000\,3)^2$.

17. $(0{,}998\,1)^2$.

18. $(1 - 21 \times 10^{-7})^2$.

19. $(1 + 10^{-5} \times \sqrt{3})^2$.

Pour les exercices 20 à 22, trouvez un réel $a > 0$, tel que pour tout h de $]-a; a[$ on puisse prendre $1 + 2h$ comme approximation de $(1 + h)^2$ avec une erreur inférieure au réel précisé.

20. 10^{-6}.

21. 4×10^{-4}.

22. 3×10^{-5}.

23. Donnez une approximation de $(4{,}002\,31)^2$
$\left(\text{on pourra écrire } 4{,}002\,31 = 4\left(1 + \dfrac{0{,}002\,31}{4}\right)\right)$.

FONCTIONS : $x \longmapsto ax^2$ ET $x \longmapsto ax^2 + bx + c$

1. Pour prendre un bon départ

1.1. Repères et coordonnées

• $(O; \vec{i}, \vec{j})$ est un repère; M est un point du plan.
Si les coordonnées de M sont $(x; y)$, alors on a :

$$\overrightarrow{OM} = x\vec{i} + y\vec{j}.$$

Inversement, si l'on a $\overrightarrow{OM} = x\vec{i} + y\vec{j}$, alors $(x; y)$ est le couple des coordonnées de M.

• Dans $(O; \vec{i}, \vec{j})$:

O' est le point de coordonnées (2; 2);

M est le point de coordonnées (3; 4).

Quelles sont les coordonnées de M *dans* $(O'; \vec{i}, \vec{j})$?

On lit sur le dessin ci-contre que les coordonnées sont **(1; 2).**

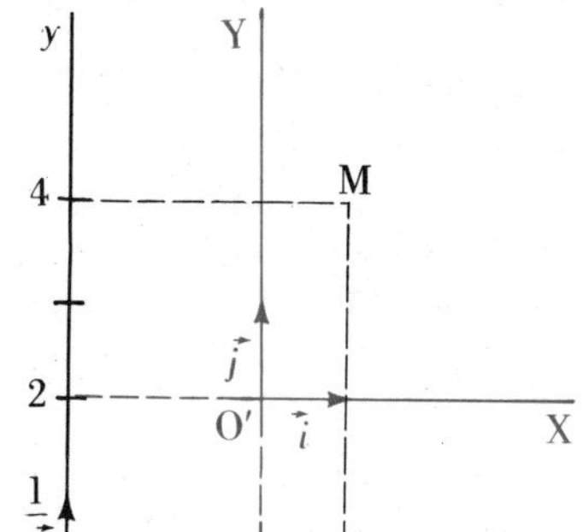

Conclusion

Les coordonnées d'un point du plan dépendent du repère choisi. Si l'on change de repère, on change de coordonnées.

EXERCICE

Placez sur le dessin précédent le point de coordonnées (1; 1) dans le repère $(O'; \vec{i}, \vec{j})$.
Quelles sont ses coordonnées dans le repère $(O; \vec{i}, \vec{j})$?

• $(O; \vec{i}, \vec{j})$ est un repère.
Considérons le repère $(O; 2\vec{i}, 3\vec{j})$.

M est le point de coordonnées (1; 1) dans $(O; \vec{i}, \vec{j})$.
On lit sur le dessin ci-contre que les coordonnées de ce même point M, mais dans $(O; 2\vec{i}, 3\vec{j})$ sont $\left(\frac{1}{2}; \frac{1}{3}\right)$.

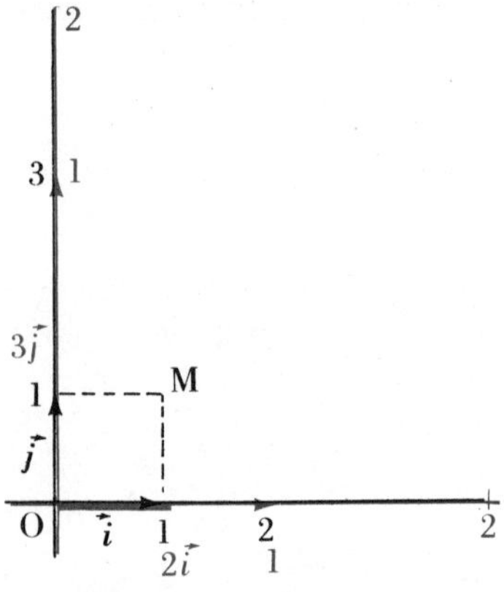

EXERCICE N est le point de coordonnées (2; 3) dans $(O; \vec{i}, \vec{j})$.
Lire sur le dessin ses coordonnées dans $(O; 2\vec{i}, 3\vec{j})$?

1.2. Repères et équations de courbes

• Puisque les coordonnées d'un point du plan dépendent du repère choisi, **l'équation d'une courbe dépendra du repère choisi.**

Prenons un exemple des plus simples : le cas d'une droite.
$(O; \vec{i}, \vec{j})$ est un repère
et D la droite du plan ayant pour équation $y = x$ dans ce repère.
O′ est le point de coordonnées (1; 0) dans $(O; \vec{i}, \vec{j})$.

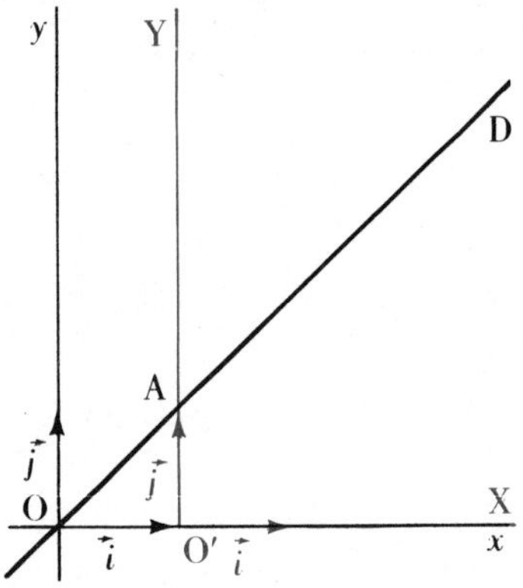

Dans $(O'; \vec{i}, \vec{j})$:
O a pour coordonnées (−1; 0);
A a pour coordonnées (0; 1).
Pour écrire une équation de D dans $(O'; \vec{i}, \vec{j})$, il suffit d'écrire que les points O et A appartiennent à D.

EXERCICE Vérifiez qu'une équation de D dans $(O'; \vec{i}, \vec{j})$ est $y = x + 1$.

Conclusion

Dans $(O; \vec{i}, \vec{j})$, la droite D représente la fonction : $x \longmapsto x$.
Dans $(O'; \vec{i}, \vec{j})$ cette même droite représente la fonction : $x \longmapsto x + 1$.

Une même courbe du plan peut représenter deux fonctions différentes dans des repères différents.

2. Approche

2.1. Incidence d'un changement d'origine sur les coordonnées d'un point

$(O; \vec{i}, \vec{j})$ est un repère du plan.
O' est le point de coordonnées (4; 2) dans ce repère.
Considérons le repère $(\mathbf{O'}; \vec{i}, \vec{j})$.

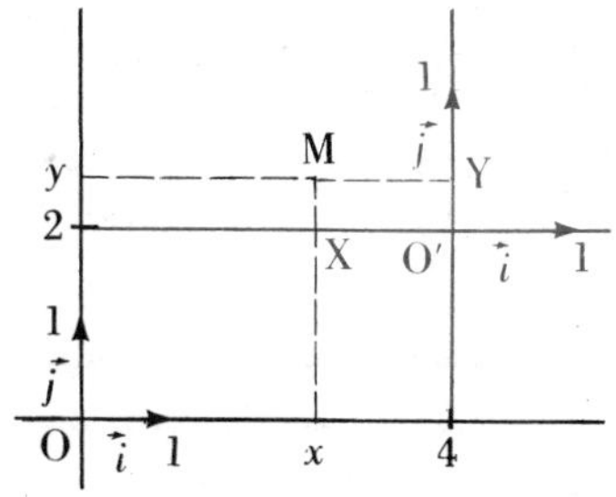

Si M *est un point de coordonnées* $(x; y)$ *dans* $(O; \vec{i}, \vec{j})$, *comment trouver ses coordonnées* (X; Y) *dans* $(O'; \vec{i}, \vec{j})$?
D'après la relation de Chasles :

$$\overrightarrow{O'M} = \overrightarrow{O'O} + \overrightarrow{OM}.$$

Dans la base $(\vec{i}, \vec{j})$:
le vecteur $\overrightarrow{O'M}$ a pour coordonnées (X; Y);
le vecteur $\overrightarrow{O'O}$ a pour coordonnées $(-4; -2)$;
le vecteur $\overrightarrow{OM}$ a pour coordonnées $(x; y)$.
On en déduit que le vecteur $\overrightarrow{O'O} + \overrightarrow{OM}$ a pour coordonnées : $(x-4; y-2)$.

Donc : $\begin{cases} \mathbf{X = x - 4} \\ \mathbf{Y = y - 2} \end{cases}$

Commentaire

Notez que les deux repères ont la même base $(\vec{i}, \vec{j})$ du plan vectoriel, mais ont des origines O et O' différentes.
D'où le nom : **changement d'origine.**

2.2. Incidence d'un changement d'échelle sur les coordonnées d'un point

$(O; \vec{i}, \vec{j})$ est un repère et k un réel **non nul.** Considérons le repère $(\mathbf{O}; k\vec{i}, \vec{j})$.
Notez que ce repère a même origine que $(O; \vec{i}, \vec{j})$, mais que le vecteur $\vec{i}$ a été changé en un vecteur colinéaire (non nul) $k\vec{i}$; le vecteur $\vec{j}$ étant inchangé.

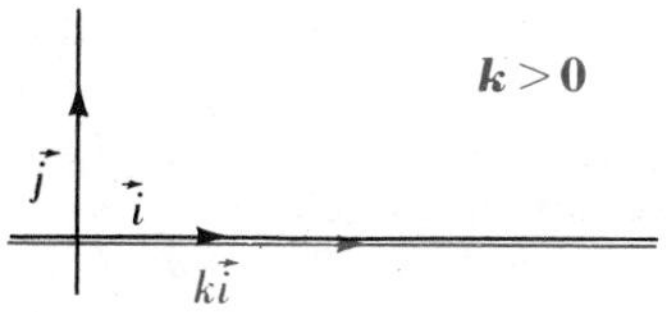

M *est un point de coordonnées* $(x; y)$ *dans* $(O; \vec{i}, \vec{j})$; *comment trouver ses coordonnées* (X; Y) *dans* $(O; k\vec{i}, \vec{j})$?

Nous savons que : $\overrightarrow{OM} = x\vec{i} + y\vec{j}$

mais aussi que : $\overrightarrow{OM} = X(k\vec{i}) + Y\vec{j} = kX\vec{i} + Y\vec{j}$.

Dans une base, un vecteur admet un unique couple de coordonnées,

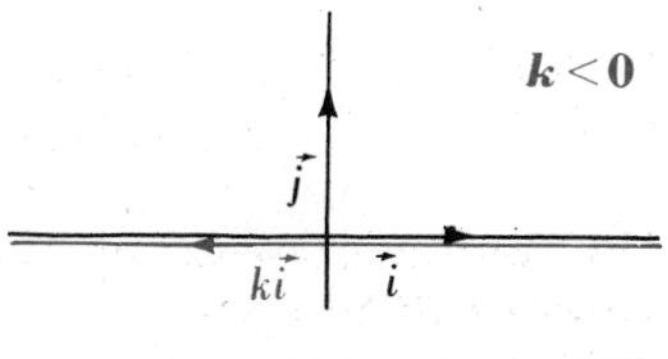

donc : $\begin{cases} x = kX \\ y = Y \end{cases}$ soit : $\begin{cases} \mathbf{X = \dfrac{x}{k}} \\ \mathbf{Y = y} \end{cases}$

Commentaire

Remplacer dans $(O; \vec{i}, \vec{j})$ le vecteur $\vec{i}$ par un vecteur colinéaire (non nul) $k\vec{i}$, c'est, **géométriquement,** changer la graduation de l'axe des abscisses.
L'unité de longueur est devenue $|k|$, et l'orientation a été conservée si k est positif, et changée si k est négatif.

EXERCICE

On peut aussi considérer le nouveau repère $(O; k\vec{i}, k'\vec{j})$ où k et k' sont des réels non nuls.
Si $(x; y)$ sont les coordonnées de M dans $(O; \vec{i}, \vec{j})$ et (X; Y) celles de M dans $(O; k\vec{i}, k'\vec{j})$, montrez que :

$$X = \frac{x}{k} \quad \text{et} \quad Y = \frac{y}{k'}.$$

3. Cours et applications

3.1. Étude de fonctions : $x \longmapsto ax^2$, avec a réel donné non nul

a. Exemples

EXERCICE résolu 1

f est la fonction : $x \longmapsto 4x^2$.
Tracez la représentation graphique de f dans un repère orthogonal $(O; \vec{i}, \vec{j})$ et donnez son tableau de variations.

Solution □□□

$\mathcal{C}$ est la courbe représentative de f dans le repère $(O; \vec{i}, \vec{j})$ choisi.
Dans ce repère, l'équation de $\mathcal{C}$ est $y = 4x^2$.
Cette équation est du type $Y = X^2$ avec $Y = y$ et $X = 2x$.
Cela suggère un changement d'échelle sur l'axe des abscisses. Plus précisément, considérons le repère $(O; k\vec{i}, \vec{j})$ avec k réel non nul.
Comment choisir *k*?
M est un point de coordonnées $(x; y)$ dans $(O; \vec{i}, \vec{j})$ et (X; Y) dans $(O; k\vec{i}, \vec{j})$.

De $\qquad \overrightarrow{OM} = x\vec{i} + y\vec{j}$

et $\qquad \overrightarrow{OM} = X(k\vec{i}) + Y\vec{j}$

on déduit que $x = kX$ et $y = Y$.

Si l'on veut $X = 2x$ et $Y = y$, on doit choisir $\boldsymbol{k = \frac{1}{2}}$.

Considérons donc le repère $\left(\mathbf{O}; \frac{1}{2}\vec{i}, \vec{j}\right)$.

Dans $(O; \vec{i}, \vec{j})$, M de coordonnées $(x; y)$ appartient à $\mathcal{C}$ *si et seulement si* $y = 4x^2$.

Dans $\left(O; \frac{1}{2}\vec{i}, \vec{j}\right)$, M a pour coordonnées ($X=2x$; $Y=y$) : il est sur $\mathcal{C}$ *si et seulement si* $Y=4\left(\frac{X}{2}\right)^2=X^2$.

Une équation de $\mathcal{C}$ dans $\left(O; \frac{1}{2}\vec{i}, \vec{j}\right)$ est donc :

$$\mathbf{Y=X^2.}$$

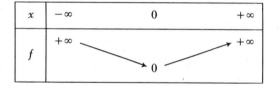

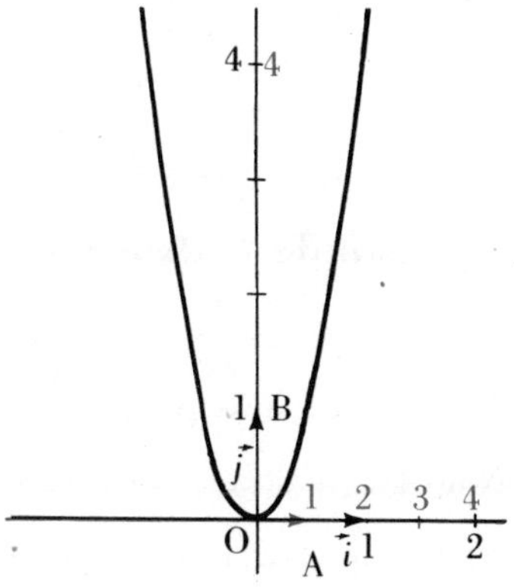

Ainsi, dans $\left(O; \frac{1}{2}\vec{i}, \vec{j}\right)$, $\mathcal{C}$ représente la fonction

$$X \longmapsto X^2;$$

$\mathcal{C}$ est donc **une parabole.**
Pour la tracer, nous plaçons quelques points de coordonnées (X; X^2) dans $\left(O; \frac{1}{2}\vec{i}, \vec{j}\right)$, et nous les joignons de façon à donner à $\mathcal{C}$ l'allure connue de la parabole.

Attention! N'oubliez pas que dans $\left(O; \frac{1}{2}\vec{i}, \vec{j}\right)$ le point de coordonnées (1; 0) est le point A et celui de coordonnées (0; 1) est le point B.
Nous en déduisons le tableau de variations de f.

x	$-\infty$	0	$+\infty$
f	$+\infty$ ↘	0	↗ $+\infty$

□□□□□□□□□

Commentaire

Vous démontrerez à l'exercice 14 page 107 que les courbes représentant respectivement **dans le même repère** les fonctions $x \longmapsto x^2$ et $x \longmapsto 4x^2$ se déduisent l'une de l'autre par une **homothétie** de centre O.

EXERCICE résolu 2

f est la fonction $x \longmapsto -3x^2$.

Tracez la représentation graphique de f dans un repère orthogonal $(O; \vec{i}, \vec{j})$ et donnez son tableau de variations.

Solution □□□

$\mathcal{C}$ est la courbe représentative de f dans le repère $(O; \vec{i}, \vec{j})$ choisi.
Dans ce repère une équation de $\mathcal{C}$ est $y=-3x^2$.
$-3x^2$ ne peut être le carré d'un réel; on écrit alors l'équation de $\mathcal{C}$: $-y=3x^2$.
Cette forme suggère $Y=X^2$ avec $Y=-y$ et $X=\sqrt{3}x$.
D'où l'idée de changer les échelles sur les deux axes.
Plus précisément, considérons le repère $\left(\mathbf{O}; k\vec{i}, k'\vec{j}\right)$ avec k et k' réels non nuls.

Comment choisir k et k'?
M a pour coordonnées $(x; y)$ dans $(O; \vec{i}, \vec{j})$ et $(X; Y)$ dans $(O; k\vec{i}, k'\vec{j})$:

$$\overrightarrow{OM} = x\vec{i} + y\vec{j} \quad \text{et} \quad \overrightarrow{OM} = X(k\vec{i}) + Y(k'\vec{j}).$$

D'où :

$$X = \frac{x}{k} \quad \text{et} \quad Y = \frac{1}{k'}y.$$

Pour avoir $X = \sqrt{3}x$ et $Y = -y$, il faut choisir

$$k = \frac{1}{\sqrt{3}} \quad \text{et} \quad k' = -1.$$

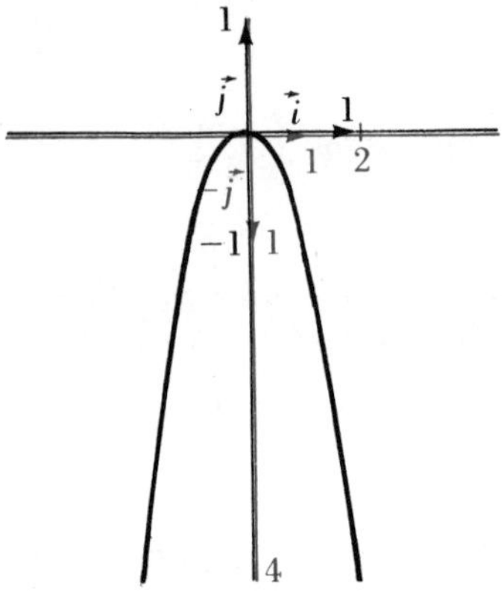

Comme dans l'exercice précédent, on établit qu'**une équation de $\mathcal{C}$ dans $\left(O; \frac{1}{\sqrt{3}}\vec{i}, -\vec{j}\right)$ est :**

$$\mathbf{Y = X^2.}$$

$\mathcal{C}$ est donc **une parabole.**

Nous l'avons tracée ci-contre dans le repère $\left(O; \frac{1}{\sqrt{3}}\vec{i}, -\vec{j}\right)$.

Nous obtenons le tableau de variations suivant :

x	$-\infty$	0	$+\infty$
f	$-\infty$ ↗	0	↘ $-\infty$

□□□□□□□□□□

b. Cas général : fonction $x \longmapsto ax^2$ $(a \neq 0)$

Vous démontrerez à l'exercice 15 page 107, que **la courbe représentative d'une telle fonction est une parabole.** Plus précisément, voici les tableaux de variations et les courbes de ces fonctions :

Si $a > 0$:

x	$-\infty$	0	$+\infty$
f	$+\infty$ ↘	0	↗ $+\infty$

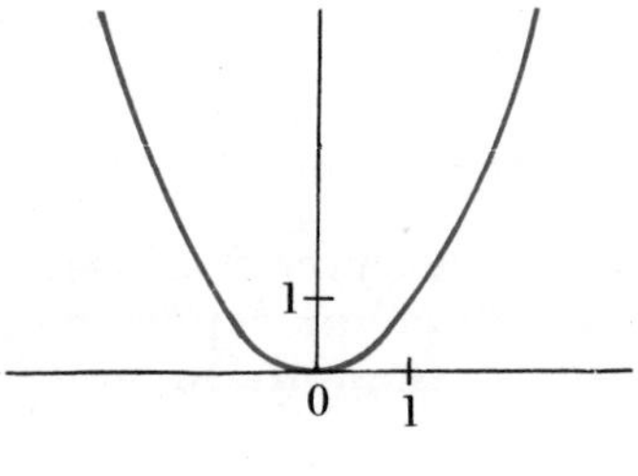

Si $a < 0$

x	$-\infty$	0	$+\infty$
f	$-\infty$ ↗	0	↘ $-\infty$

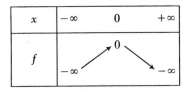

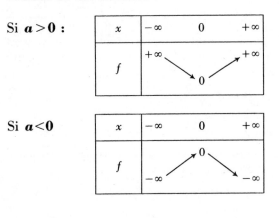

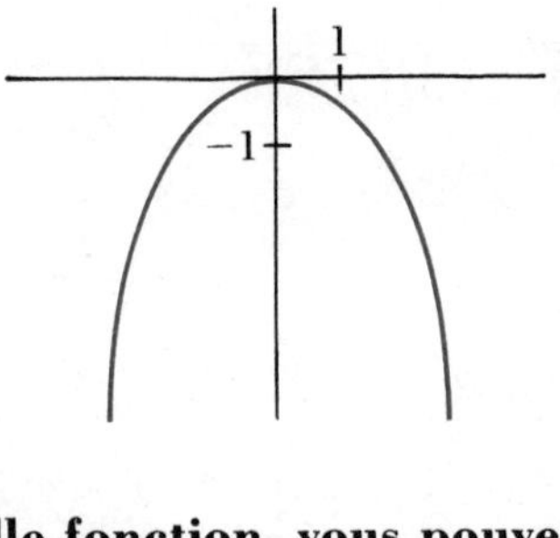

Remarque importante

Pour tracer rapidement la parabole représentant une telle fonction, vous pouvez tracer directement la parabole dans le repère donné $(O; \vec{i}, \vec{j})$ sans effectuer un changement de repère.
Il suffit de placer des points de coordonnées $(x; ax^2)$ dans $(O; \vec{i}, \vec{j})$ et les joindre de façon à donner l'allure d'une parabole.

3.2. Étude sur des exemples de fonctions $x \longmapsto ax^2+bx+c$ (avec a, b, c réels et $a \neq 0$)

EXERCICE résolu 3

f est la fonction : $x \longmapsto 2x^2-5x+1$.

a. Dressez le tableau de variations de f; tracez sa représentation graphique dans un repère $(O; \vec{i}, \vec{j})$.

b. Résolvez dans $\mathbb{R}$ l'équation $f(x)=0$.

Solution □ □ □

a. $\mathcal{C}$ est la courbe représentative de f dans $(O; \vec{i}, \vec{j})$.
Nous allons montrer que $\mathcal{C}$ est **une parabole :**

RETENEZ LA MÉTHODE EMPLOYÉE.

Une équation de $\mathcal{C}$ dans $(O; \vec{i}, \vec{j})$ est $\boldsymbol{y=2x^2-5x+1}$.
Écrivons : $y=2\left(x^2-\frac{5}{2}x\right)+1$.

Considérons $x^2-\frac{5}{2}x$ comme le début du développement de $\left(x-\frac{5}{4}\right)^2$.
En effet :

$$\left(x-\frac{5}{4}\right)^2=x^2-\frac{5}{2}x+\frac{25}{16} \quad \text{et} \quad x^2-\frac{5}{2}x=\left(x-\frac{5}{4}\right)^2-\frac{25}{16}.$$

D'où :

$$y=2\left[\left(x-\frac{5}{4}\right)^2-\frac{25}{16}\right]+1$$

$$y=2\left(x-\frac{5}{4}\right)^2-\frac{25}{8}+1$$

$$\boldsymbol{y=2\left(x-\frac{5}{4}\right)^2-\frac{17}{8}}.$$

Pour faire apparaître la forme $Y=aX^2$, on écrit cette équation

$$y+\frac{17}{8}=2\left(x-\frac{5}{4}\right)^2$$

et on prend $Y=y+\frac{17}{8}$, $\quad X=x-\frac{5}{4}$.

Plus précisément, considérons le repère $(\mathbf{O'}; \vec{i}, \vec{j})$ où O′ est le point de coordonnées $\left(\frac{5}{4}; -\frac{17}{8}\right)$ dans le repère $(O; \vec{i}, \vec{j})$.
M est un point de coordonnées $(x; y)$ dans $(O; \vec{i}, \vec{j})$ et $(X; Y)$ dans $(O'; \vec{i}, \vec{j})$.
La relation de Chasles donne :

$$\overrightarrow{O'M}=\overrightarrow{O'O}+\overrightarrow{OM}.$$

Dans la base $(\vec{i}, \vec{j})$: $\overrightarrow{O'M}$ a pour coordonnées $(X; Y)$
$\overrightarrow{OM}$ a pour coordonnées $(x; y)$
$\overrightarrow{O'O}$ a pour coordonnées $\left(-\frac{5}{4}; \frac{17}{8}\right)$.

Donc : $\quad X=x-\frac{5}{4} \quad$ et $\quad Y=y+\frac{17}{8}$.

Ce point M appartient à $\mathcal{C}$ *si et seulement si*

$$y=2\left(x-\frac{5}{4}\right)^2-\frac{17}{8}$$

ou encore : $\mathbf{Y=2X^2}$.

Ainsi dans le repère $(O'; \vec{i}, \vec{j})$ **la courbe $\mathcal{C}$ représente la fonction :**

$$\mathbf{X \longmapsto 2X^2}.$$

$\mathcal{C}$ est donc **une parabole** que nous traçons dans le repère $(O'; \vec{i}, \vec{j})$ comme il a été dit au paragraphe 3.1. en remarque. Nous obtenons le dessin et le tableau de variations ci-contre.

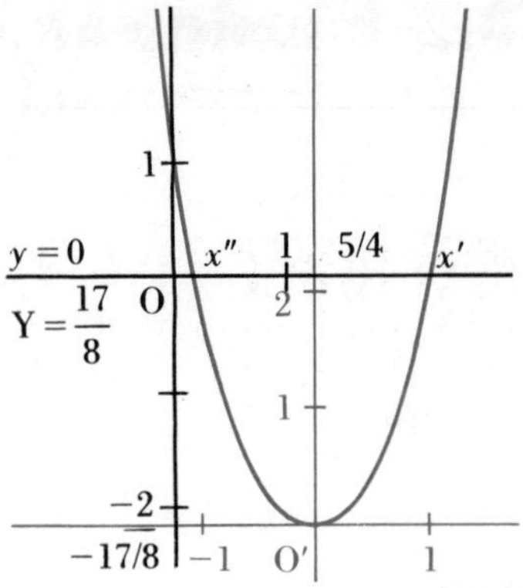

Axe de symétrie de la courbe $\mathcal{C}$.
$\mathcal{C}$ représente dans $(O'; \vec{i}, \vec{j})$ la fonction $X \longmapsto 2X^2$; or cette fonction est **paire.**
L'axe des ordonnées de $(O'; \vec{i}, \vec{j})$ est donc axe de symétrie de $\mathcal{C}$; or cet axe a pour équation $x=\frac{5}{4}$ dans $(O; \vec{i}, \vec{j})$.

x	$-\infty$		$\frac{5}{4}$		$+\infty$
f	$+\infty$	↘	$-\frac{17}{8}$	↗	$+\infty$

Commentaires

- Pour trouver le changement de repère adéquat, retenez que l'objectif de la méthode est d'arriver à mettre l'équation sous la forme :

$$y=a(x-b)^2+c$$

afin de poser $X=x-b$ et $Y=y-c$, et d'aboutir à $Y=aX^2$.

- Remarquez que dans le cas qui nous intéresse $\mathcal{C}$ coupe l'axe des ordonnées de $(O; \vec{i}, \vec{j})$ au point d'abscisse 0 et d'ordonnée $f(0)=1$.
- Notez que la fonction $f : x \longmapsto 2x^2-5x+1$ n'est pas paire et que pourtant sa représentation graphique admet un axe de symétrie.
- Pour démontrer qu'une courbe $\mathcal{C}$ admet un axe de symétrie, une méthode consiste à montrer que *dans un certain repère* elle représente une fonction paire.

b. Résolution dans $\mathbb{R}$ de $f(x)=0$.
Résoudre cette équation c'est trouver **les abscisses** *dans* $(O; \vec{i}, \vec{j})$ *des points qui sont à la fois sur la courbe $\mathcal{C}$ d'équation $y=f(x)$ et l'axe des abscisses d'équation $y=0$.*

Dans $(O'; \vec{i}, \vec{j})$ cet axe a pour équation $Y=\frac{17}{8}$ et la courbe $\mathcal{C}$ a pour équation $Y=2X^2$.

Trouver les points d'intersection de $\mathcal{C}$ et de cette droite, c'est résoudre le système :

$$\begin{cases} Y=\frac{17}{8} \\ Y=2X^2 \end{cases}$$

d'où :

$$\begin{cases} X=\sqrt{\frac{17}{16}}=\frac{\sqrt{17}}{4} \quad \text{ou} \quad X=-\frac{\sqrt{17}}{4} \\ Y=\frac{17}{8}. \end{cases}$$

Sachant que $X=x-\frac{5}{4}$, nous en déduisons les abscisses dans $(O; \vec{i}, \vec{j})$ de ces points d'intersection :

$$x'=\frac{5}{4}+\frac{\sqrt{17}}{4}=\frac{5+\sqrt{17}}{4} \quad \text{et} \quad x''=\frac{5-\sqrt{17}}{4}.$$

L'ensemble des solutions de $f(x)=0$ est donc : $\mathcal{S}=\left\{\frac{5-\sqrt{17}}{4}; \frac{5+\sqrt{17}}{4}\right\}$.

□□□□□□□□□

EXERCICE résolu 4

f est la fonction : $x \longmapsto -2x^2+x-1$.

a. Dressez le tableau de variations de f et tracez la représentation graphique de f dans un repère $(O; \vec{i}, \vec{j})$.

b. Résolvez dans $\mathbb{R}$, l'équation $f(x)=0$.

Solution □□□

Nous la donnons plus rapidement; la démarche est la même qu'à l'exercice précédent. A titre d'exercices, vérifiez certaines des affirmations.

a. Une équation de la courbe représentative $\mathcal{C}$ de f dans le repère $(O; \vec{i}, \vec{j})$ est $y=-2x^2+x-1$.

Nous écrivons successivement :

$$y=-2\left(x^2-\frac{x}{2}\right)-1$$

$$y=-2\left[\left(x-\frac{1}{4}\right)^2-\frac{1}{16}\right]-1$$

$$y=-2\left(x-\frac{1}{4}\right)^2-\frac{7}{8}$$

$$y+\frac{7}{8}=-2\left(x-\frac{1}{4}\right)^2.$$

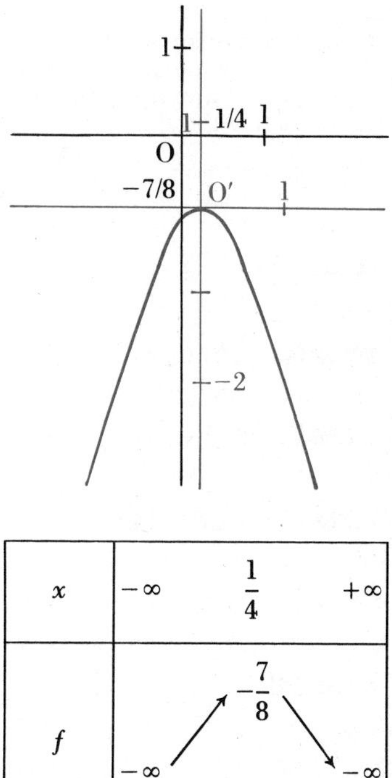

En considérant le repère $(O'; \vec{i}, \vec{j})$ où O′ est le point de coordonnées $\left(\frac{1}{4}; -\frac{7}{8}\right)$ dans $(O; \vec{i}, \vec{j})$, nous vous laissons vérifier qu'une équation de $\mathcal{C}$ dans ce nouveau repère est $\mathbf{Y=-2X^2}$.

$\mathcal{C}$ est donc **une parabole.**

Ci-contre figurent le tableau de variations de f et la représentation graphique.

x	$-\infty$	$\frac{1}{4}$	$+\infty$
f	$-\infty$ ↗	$-\frac{7}{8}$	↘ $-\infty$

L'axe des ordonnées de $(O'; \vec{i}, \vec{j})$ est axe de symétrie de $\mathcal{C}$; **dans $(O; \vec{i}, \vec{j})$ cet axe a pour équation $x=\frac{1}{4}$.**

b. Résolution dans $\mathbb{R}$ de $f(x)=0$.

Comme à l'exercice précédent, on ramène la résolution de cette équation à celle du système :

$$\begin{cases} Y=-2X^2 \\ Y=\frac{7}{8}. \end{cases}$$

Ce système n'a pas de solution, car l'équation : $-2X^2=\frac{7}{8}$, soit $X^2=-\frac{7}{16}$ n'en a pas.

Donc *l'équation $f(x)=0$ n'a pas de solution dans* $\mathbb{R}$.

Remarquez sur le dessin précédent que la courbe $\mathcal{C}$ *ne coupe pas* l'axe des abscisses du repère $(O; \vec{i}, \vec{j})$.

□□□□□□□□□

EXERCICES

Pour tester vos connaissances

Pour les exercices 1 à 4, complétez les égalités de la façon la plus simple qui soit.

1. $(\bullet + 2x)^2 = 4x^2 + \bullet x + 1$

2. $(3 - \bullet)^2 = x^2 - \bullet\bullet + 9$

3. $(x + \bullet)^2 = \bullet + 6x + \bullet$

4. $(\bullet - \bullet)^2 = 4x^2 - \bullet\bullet + y^2$

Pour les exercices 5 à 10, écrivez chacun des réels comme le début du développement d'un carré et ajoutez le terme complémentaire pour obtenir l'égalité.

Exemple : $x^2 + 3x = \left(x + \frac{3}{2}\right)^2 - \frac{9}{4}$.

5. $x^2 - 3x =$

6. $u^2 + 6u =$

7. $2u^2 - 5u =$

8. $-2x^2 + 14x =$

9. $\sqrt{3}x^2 - 8x =$

10. $\sqrt{3}y^2 - \sqrt{2}y =$

Pour les exercices 11 à 18, dressez le tableau de variations et tracez rapidement la représentation graphique de chacune des fonctions.

11. $x \longmapsto 0{,}4x^2$.

12. $x \longmapsto 2x^2$.

13. $x \longmapsto -\sqrt{3}x^2$.

14. $x \longmapsto 0{,}25x^2$.

15. $x \longmapsto -4x^2$.

16. $x \longmapsto -4x^2 + 1$.
(Montrez que la courbe de cette fonction se déduit de la courbe de l'exercice 15 par une translation de vecteur $\vec{u}$ de coordonnées (0; 1).)

17. $x \longmapsto (x - 1)^2$.
(Montrez que la courbe de cette fonction se déduit de celle de la fonction $x \longmapsto x^2$ par une translation de vecteur $\vec{u}$ de coordonnées (1; 0).)

18. $x \longmapsto (x + 3)^2$.
(Quelle transformation géométrique peut-on utiliser pour déduire la courbe de cette fonction de celle de la fonction $x \longmapsto x^2$?)

Exercices d'entraînement

Pour les exercices 1 à 13, étudiez et représentez graphiquement la fonction donnée.

1. $x \longmapsto 2x^2 + 3$.

2. $x \longmapsto -\frac{1}{3}x^2 + 2$.

3. $x \longmapsto -x^2 + 3$.

4. $x \longmapsto 4x - 5x^2$.

5. $x \longmapsto \frac{1}{2}x^2 + 3x$.

6. $x \longmapsto 0{,}4x^2+0{,}2x.$

7. $x \longmapsto 2x^2-3x+1.$

8. $x \longmapsto (x-2)^2-4.$

9. $x \longmapsto -3x^2+5x-1.$

10. $x \longmapsto -x^2+2x+1.$

11. $x \longmapsto -\sqrt{2}x^2+3x-1.$

12. $x \longmapsto 2(x-1)^2+5.$

13. $x \longmapsto \frac{1}{3}x^2-4x+1.$

14. Utilisation de l'homothétie. h est l'homothétie de centre O et rapport 2. Montrez que l'image par h de la parabole P d'équation $y=x^2$ dans un repère orthonormé $(O; \vec{i}, \vec{j})$ est la parabole d'équation $y'=\frac{x'^2}{2}$.

15. Étude de la fonction $f: x \longmapsto ax^2$ (a réel, $a \neq 0$).
$\mathcal{C}$ est la représentation graphique de f dans un repère $(O; \vec{i}, \vec{j})$.

a) Déterminez un repère $(O; k\vec{i}, k'\vec{j})$ (k et k' réels non nuls) dans lequel $\mathcal{C}$ représente la fonction $x \longmapsto x^2$ (envisagez les cas $a>0$ et $a<0$).

b) Représentez la fonction f dans $(O; \vec{i}, \vec{j})$.

Pour les exercices 16 à 18, représentez graphiquement dans un repère orthonormé $(O; \vec{i}, \vec{j})$ la fonction donnée.

16. $x \longmapsto |x^2+x|.$

17. $x \longmapsto |x^2-x+1|.$

18. $x \longmapsto |-2x^2-x+4|.$

19. La puissance utile P d'une pile et l'intensité I du courant débité par cette pile, dans une résistance réglable, sont liées par la relation $P=-0{,}3I^2+1{,}5I$.

a) Tracez la courbe représentant la fonction f telle que :

$$f(I)=-0{,}3I^2+1{,}5I.$$

b) Calculez les valeurs de I pour lesquelles : $P=0$, puis $P=1$.

20. Un arrêté d'application du code de la route fixe la distance de freinage jusqu'à l'arrêt pour une voiture automobile en fonction de la vitesse par la formule

$$d=0{,}75v^2+2{,}5v,$$

v étant la vitesse exprimée en myriamètres/heure (1 myriamètre représente 10 kilomètres).
Quelle doit être la vitesse d'une voiture pour qu'elle s'arrête sur une distance de 50 mètres?
Étudiez et représentez graphiquement la fonction définie par $d=0{,}75v^2+2{,}5v$ pour $v \geqslant 0$.

21. Lorsqu'un projectile est lancé verticalement de bas en haut avec une vitesse initiale de 245 m/s, sa distance e (en mètres) du point de départ et sa vitesse v (en m/s) à un instant t (secondes) compté à partir de l'instant du départ, sont données par les formules :

$$e=245t-\frac{1}{2}\times 9{,}8t^2 \qquad v=245-9{,}8t.$$

a) Étudiez et représentez graphiquement sur deux repères différents les fonctions :

$$t \longmapsto v(t) \quad \text{et} \quad t \longmapsto e(t).$$

Déterminez graphiquement et vérifiez par le calcul :

b) Au bout de combien de temps le projectile atteint son point culminant?

c) Au bout de combien de temps il repasse au point de départ?

d) Quelle est la hauteur du point culminant?

e) Quelle est la vitsse du projectile au point culminant?

f) Quelle est la vitesse du projectile au moment où il repasse au point de départ?

Comparaison des fonctions $x \longmapsto ax^2+bx+c$ avec les fonctions $x \longmapsto a'x^2$.

22. f est la fonction

$$x \longmapsto 5x^2+6x+15.$$

a) Montrez que pour tout $x>0$, on a

$$f(x)>5x^2.$$

b) Trouvez un réel $B>0$ tel que pour tout $x>B$ on ait $f(x)>10^{30}$.

23. f est la fonction

$$x \longmapsto -x^2+5x+17.$$

a) Montrez que pour tout $x>13$ on a

$$f(x)<\frac{x^2}{3}.$$

b) Trouvez un réel $B>0$ tel que pour tout $x>B$ on ait $f(x)<10^{15}$.

CHAPITRE
10

FONCTION : $x \longmapsto \frac{a}{x}$ HYPERBOLE

1. Pour prendre un bon départ

1.1. Inverse d'un réel non nul

Si x est un réel non nul, $\frac{1}{x}$ est son **inverse** car :

$$x \cdot \frac{1}{x} = 1.$$

Cette égalité montre que **x et $\frac{1}{x}$ sont de même signe** (car leur produit est positif).

Et aussi que **x est l'inverse de $\frac{1}{x}$.**

EXERCICE

Sans calculatrice, déterminez les inverses des réels suivants :

$$0{,}3; \quad 10^{-3}; \quad \frac{1}{2{,}1}; \quad \frac{4}{7}; \quad -10^{5}; \quad -10^{-6}; \quad \frac{1}{\frac{1}{10}}.$$

1.2. Inégalités

Soit à résoudre dans $\mathbb{R}$ *l'inéquation :* $\frac{1}{x} > 10^2$.

Si x_0 est solution, $\frac{1}{x_0}$ est supérieur à 10^2 donc est positif non nul, donc x_0 aussi.

Puisque $x_0 > 0$, de $\frac{1}{x_0} > 10^2$, on déduit, $1 > 10^2 \cdot x_0$, soit : $\frac{1}{10^2} > x_0$, soit : $x_0 < \frac{1}{10^2}$ et $x_0 < 10^{-2}$.

Donc si x_0 est solution, on a : $0 < x_0 < 10^{-2}$.

Inversement, vous pouvez vérifier que si : $0 < x < 10^{-2}$; alors on a : $\frac{1}{x} > 10^2$.

L'ensemble des solutions est donc : **$]0; 10^{-2}[$.**

EXERCICES

1. Résolvez dans $\mathbb{R}$ l'inéquation : $0 < \frac{1}{x} < 10^{-2}$.

2. Résolvez dans $\mathbb{R}$ l'inéquation : $\frac{1}{x} < -10^3$.

2. Approche

Dire qu'une grandeur Y varie de façon **inversement proportionnelle** à une grandeur X, signifie que pour toutes mesures x_0, x_1, x_2, ... de X, les mesures correspondantes y_0, y_1, y_2, ... de Y sont telles que :

$$x_0 y_0 = x_1 y_1 = x_2 y_2 = \dots$$

En notant a la valeur commune de ces réels, on en déduit qu'entre une mesure x de X et la mesure correspondante y de Y on a l'égalité :

$$xy = a, \quad \text{soit} \quad y = \frac{a}{x}.$$

Ainsi, pour décrire des variations de grandeurs inversement proportionnelles, on fait intervenir des fonctions du type :

$$x \longmapsto \frac{a}{x} \quad (a \text{ réel non nul}).$$

Voici deux exemples.

2.1. Une histoire de champ

Une personne possède un champ rectangulaire de 300 mètres sur 400 mètres.
Cette personne s'apprête à en vendre une partie.
Cette partie doit être de 16 000 mètres carrés, et le côté AI (avec les notations de la figure ci-contre) doit être compris entre 100 mètres et 250 mètres.
La longueur x du côté [AI] et celle y du côté [AK] sont des grandeurs inversement proportionnelles.

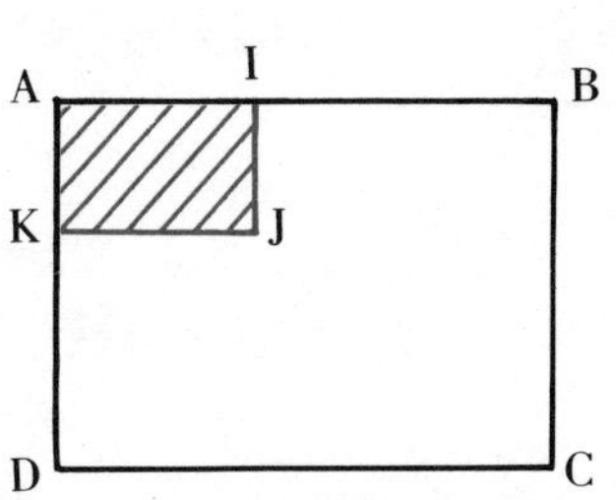

En effet : $\boldsymbol{xy = 16\,000}$.

De plus : $\boldsymbol{100 \leqslant x \leqslant 250}$.

L'acheteur souhaite que y soit minimal. Comment choisir x?

Introduisons la fonction $\boldsymbol{f : x \longmapsto \frac{16\,000}{x}}$ définie sur l'intervalle [100; 250].

$\mathcal{C}$ est la courbe représentative de f dans un repère orthogonal $(O; \vec{i}, \vec{j})$.
Les points A de coordonnées (100; 160), B de coordonnées (160; 100), E de coordonnées (250; 64) sont des points de $\mathcal{C}$.

EXERCICE

a. Montrez que le segment [AB] n'est pas inclus dans la courbe $\mathcal{C}$.

b. Même question pour le segment [BE].

c. Placez d'autres points de la courbe $\mathcal{C}$ et indiquez l'allure de $\mathcal{C}$.

d. Pouvez-vous répondre au souhait de l'acheteur?

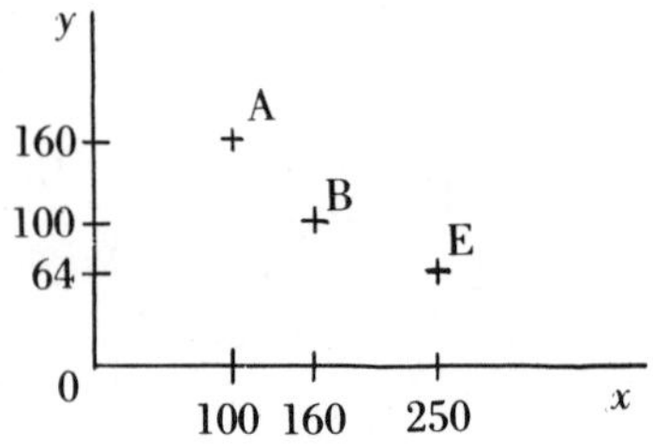

2.2. La loi de Mariotte

L'abbé Edme Mariotte (vers 1620; 1684) a étudié la compressibilité des gaz et énoncé la loi qui porte son nom :
à température constante, le volume d'une masse gazeuse est inversement proportionnel à la pression que l'on exerce.
Si p désigne la pression et v le volume correspondant, avec des unités appropriées, la loi de Mariotte s'écrit :

$$pv = k, \text{ où } k \text{ est un réel.}$$

Étudier les variations de v en fonction de p, c'est étudier la fonction

$$\boldsymbol{p \longmapsto \frac{k}{p}}.$$

L'exercice 12 page 119 traite de ce sujet.

EXERCICE

Connaissez-vous d'autres situations où interviennent des fonctions du type $x \longmapsto \frac{a}{x}$?

3. Cours et applications

3.1. Étude de la fonction $f : x \longmapsto \frac{1}{x}$

a. Premières propriétés

- L'ensemble de définition de f est $\mathbb{R}^*$, c'est-à-dire $]-\infty; 0[\cup]0; +\infty[$.

- Pour tout réel $x>0$, on a $\frac{1}{x}>0$.

- Pour tout réel $x<0$, on a $\frac{1}{x}<0$.

- Pour tout réel $\boldsymbol{r \neq 0}$, il existe un réel x et un seul tel que $f(x)=r$.

Ce réel est $x=\frac{1}{r}$.

Graphiquement, cela se traduit par le fait que *toute droite horizontale d'équation $y=r$ (avec $r \neq 0$) rencontre la représentation graphique de f en un point et un seul.*

b. Parité

Pour tout réel $x \neq 0$, donc dans $\mathbb{R}^*$, on a $-x \neq 0$, donc dans $\mathbb{R}^*$.

De plus : $\frac{1}{-x}=-\frac{1}{x}$, soit :

$$\boldsymbol{f(-x)=-f(x).}$$

La fonction *f* est donc impaire.
Nous ne l'étudions que sur $]0; +\infty[$.

c. Sens de variations

u et v sont des réels tels que $0<u<v$. On a : $\frac{1}{u}-\frac{1}{v}=\frac{v-u}{uv}$.
Les inégalités $0<u<v$ impliquent : $v-u>0$ et $uv>0$.

Donc $\frac{1}{u}-\frac{1}{v}>0$, soit :

pour tous réels u et v tels que $0<u<v$, on a $f(u)>f(v)$.
Ainsi :
f est strictement décroissante sur $]0; +\infty[$.
En utilisant le fait que f est impaire on en déduit que :
f est strictement décroissante sur $]-\infty; 0[$.
Application : nous venons de démontrer les résultats importants suivants.

Si $0<a<b$ alors $\frac{1}{a}>\frac{1}{b}$.
Si $a<b<0$ alors $\frac{1}{a}>\frac{1}{b}$.

Vous pouvez mémoriser ces résultats en disant que la fonction « passage à l'inverse » est strictement décroissante sur chaque intervalle où elle est définie.

EXERCICE Il est faux d'affirmer que f est strictement décroissante sur $\mathbb{R}-\{0\}$. Pourquoi?

d. Étude de *f* pour les grandes valeurs de *x*

- Remarquez que pour tout réel $x \neq 0$, $x \cdot \frac{1}{x}=1$.

Donc si x est grand, $\frac{1}{x}$ doit être petit pour que son produit par x soit égal à 1.

Par exemple, si $x = 10^{10}$ alors $\frac{1}{x} = 10^{-10} = 0{,}000\,000\,000\,1$!!

De plus, comme f est strictement décroissante sur $]0; +\infty[$, pour tout $x > 10^{10}$, on a $\frac{1}{x} < 10^{-10}$.
Autrement dit, pour tous les $x > 10^{10}$, $f(x)$ reste entre 0 et 10^{-10}.

• Comment choisir un réel B tel que : pour tout $x > B$ on ait $\frac{1}{x} < 10^{-100}$?
Il est clair que $f(10^{100}) = 10^{-100}$.
Comme f est strictement décroissante sur $]0; +\infty[$:

$$\text{pour tout } x > 10^{100}, \quad \text{on a } \frac{1}{x} < \frac{1}{10^{100}}.$$

Il suffit donc de choisir $B = 10^{100}$.

• Il semble donc qu'on puisse avoir $\frac{1}{x}$ aussi petit que l'on veut, à condition de choisir x suffisamment grand.
De façon plus précise, si p est un naturel, pour tout réel $x > 10^p$, on a :

$$0 < \frac{1}{x} < \frac{1}{10^p}.$$

Cela résulte directement de la décroissance de f sur $]0; +\infty[$.

• **Graphiquement,** cela signifie que si l'on trace la droite d'équation $y = 10^{-p} = \frac{1}{10^p}$, alors pour tous les réels $x > 10^p$, le point de coordonnées $\left(x; \frac{1}{x}\right)$ est entre cette droite et l'axe des abscisses.
Donc, la courbe représentative de f restreinte à $]10^p; +\infty[$ est dans la partie hachurée sur la figure ci-contre.

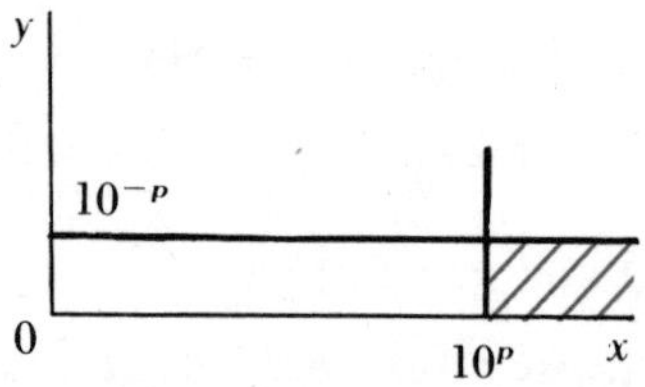

Et cela est vrai *pour tout naturel p, aussi grand soit-il.*
On traduit ce fait en disant que **f a pour limite 0 en $+\infty$.**
Intuitivement, il apparaît que la courbe se rapproche sans cesse de l'axe des abscisses.
On dit que **l'axe des abscisses est asymptote à la représentation graphique de f.**

e. Étude de f pour les petites valeurs positives de x

• *Remarquez* que si x est petit (proche de 0), $\frac{1}{x}$ doit être grand pour que $x \cdot \frac{1}{x}$ soit égal à 1.

Par exemple, si $x = \frac{1}{10^{10}} = 10^{-10}$, alors $\frac{1}{x} = 10^{10} = 10\,000\,000\,000$!!
De plus, comme f est strictement décroissante sur $]0; +\infty[$, pour tout réel x tel que $0 < x < 10^{-10}$ on a $\frac{1}{x} > 10^{10}$.

• Comment choisir un réel B tel que : pour tout x tel que $0 < x < B$ on ait $\frac{1}{x} > 10^{100}$?
Il est clair que $f(10^{-100}) = 10^{100}$.
f est strictement décroissante sur $]0; +\infty[$, donc :

$$\text{pour tout réel } x, \quad 0 < x < 10^{-100} \text{ on a } \frac{1}{x} > 10^{100}.$$

Il suffit donc de choisir $B = 10^{-100}$.

• Il semble qu'on puisse avoir $\frac{1}{x}$ aussi grand que l'on veut, à condition de choisir x suffisamment petit et positif.

De façon plus précise, si p est un naturel, pour tout réel x tel que $0<x<10^{-p}$, on a $\frac{1}{x}>10^p$.

Cela résulte directement de la décroissance de f sur $]0; +\infty[$.

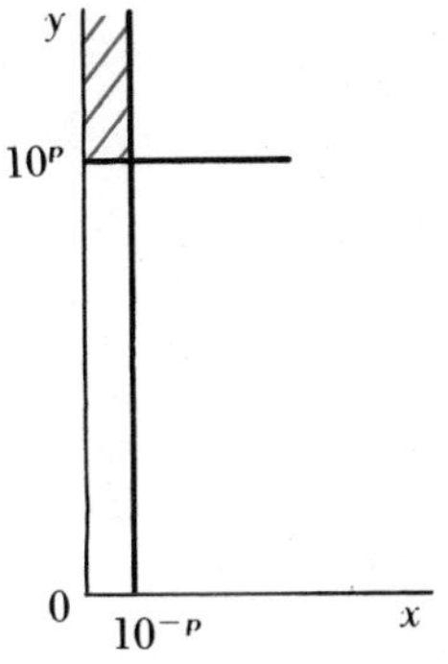

• **Graphiquement,** cela signifie que si l'on trace la droite d'équation $y=10^p$, alors pour tout réel x de l'intervalle $\left]0; \frac{1}{10^p}\right[$, le point de coordonnées $\left(x; \frac{1}{x}\right)$ est au-dessus de cette droite.
La partie correspondante de la courbe représentant f est dans la partie hachurée du dessin ci-contre.
Et cela *pour tout naturel p, aussi grand soit-il.*
On traduit ce fait en disant que **f a pour limite $+\infty$ à droite en 0.**
Intuitivement, il apparaît que lorsqu'on donne à x des valeurs positives de plus en plus petites, la courbe se rapproche sans cesse de l'axe des ordonnées.
On dit que **l'axe des ordonnées est asymptote à la représentation graphique de f.**

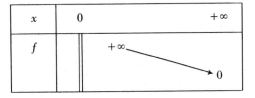

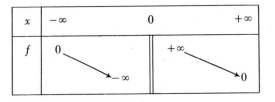

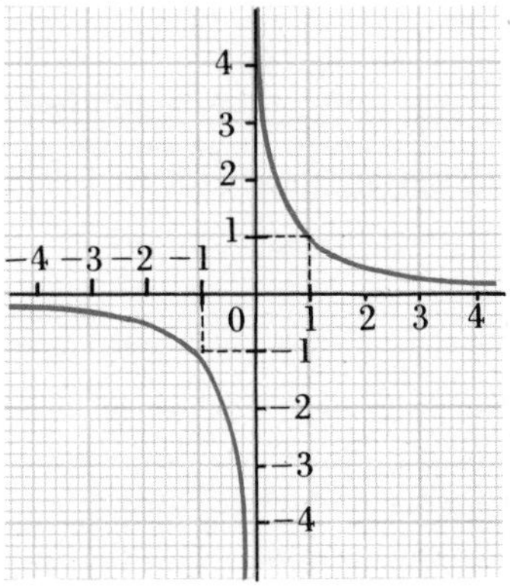

f. Tableau de variations et représentation graphique

L'étude précédente se résume par le tableau suivant :

x	0	$+\infty$
f	‖ $+\infty$ ↘	0

En utilisant le fait que f est impaire on en déduit le tableau de variations de f :

x	$-\infty$	0	$+\infty$
f	0 ↘ $-\infty$	‖ $+\infty$ ↘	0

D'où la courbe représentative $\mathcal{C}$ de f sur le dessin précédent.
L'origine O du repère est **centre de symétrie de $\mathcal{C}$.**

Définition

> **La courbe représentative de la fonction : $x \longmapsto \frac{1}{x}$ dans un repère orthogonal est une *hyperbole.***

Commentaires

• Dans un repère orthonormé, les droites d'équations $y=x$ et $y=-x$ sont chacune des axes de symétrie de la représentation graphique de $x \longmapsto \frac{1}{x}$.

• **L'hyperbole est aussi une courbe qui se définit géométriquement** (voir exercice 15 page 119).

3.2. Application : étude des fonctions du type $x \longmapsto \frac{a}{x}$, avec a réel non nul

$(O; \vec{i}, \vec{j})$ est un repère orthogonal.

$\mathcal{C}$ est la courbe de la fonction $f : x \longmapsto \frac{a}{x}$, dans ce repère.

Une équation de $\mathcal{C}$ dans $(O; \vec{i}, \vec{j})$ est :

$$y = \frac{a}{x}.$$

Comme au chapitre 9, en utilisant un changement d'échelle sur l'axe des abscisses, vous montrerez à l'exercice 16 page 120 que, dans le repère $(O; a\vec{i}, \vec{j})$, la courbe $\mathcal{C}$ a pour équation :

$$Y = \frac{1}{X}.$$

Dans ce repère $(O; a\vec{i}, \vec{j})$, $\mathcal{C}$ représente la fonction $X \longmapsto \frac{1}{X}$.

$\mathcal{C}$ est donc **une hyperbole.**

Voici l'allure de la courbe représentative de f suivant les valeurs de a, ainsi que son tableau de variations :

$a > 0$

x	$-\infty$		0		$+\infty$
f	0	↘ $-\infty$	‖	$+\infty$ ↘	0

$a < 0$

x	$-\infty$		0		$+\infty$
f	0	↗ $+\infty$	‖	$-\infty$ ↗	0

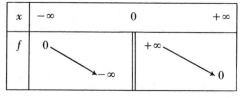

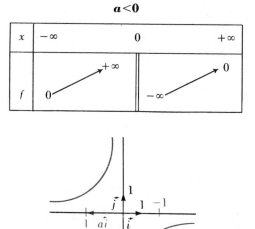

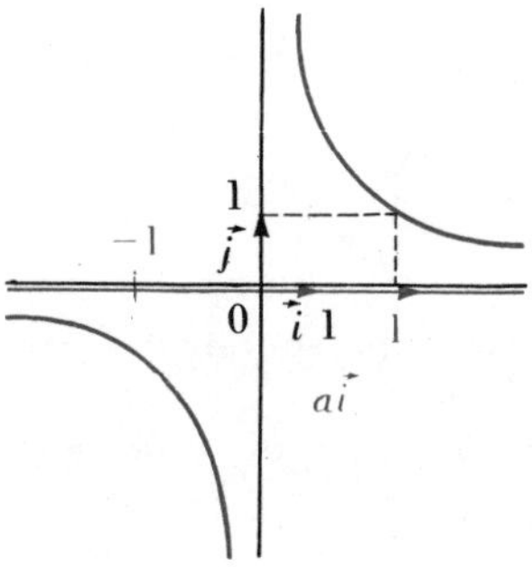

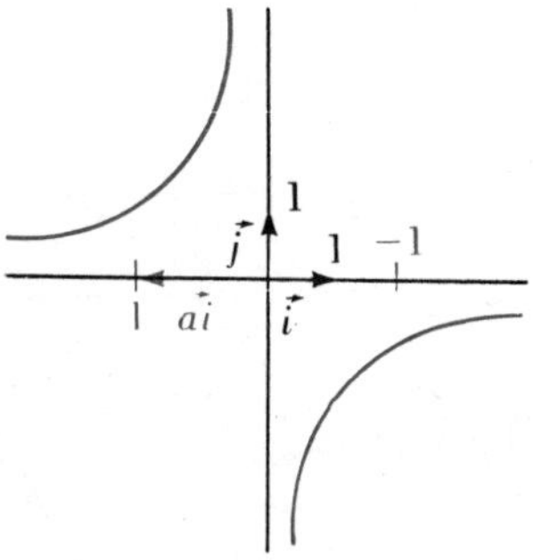

Remarque pratique importante

On sait maintenant que la représentation graphique d'une fonction du type $x \longmapsto \frac{a}{x}$ (avec $a \neq 0$) est une hyperbole.

Il est conseillé de ne pas changer d'échelle.

Il suffit, dans le repère que vous avez choisi, de placer quelques points de coordonnées $\left(x; \frac{a}{x}\right)$ et de joindre ces points de façon à obtenir l'allure d'une hyperbole.

EXERCICE résolu 1

Donnez le tableau de variations et représentez graphiquement la fonction $f : x \longmapsto -\frac{4}{x}$.

Solution □□□

$(O; \vec{i}, \vec{j})$ est un repère orthonormé.
$\mathcal{C}$ est l'hyperbole représentant f dans ce repère.
Plaçons quelques points appartenant à $\mathcal{C}$.

x	$\frac{1}{2}$	1	2	3	4	8
$f(x)$	-8	-4	-2	$-\frac{4}{3}$	-1	$-\frac{1}{2}$

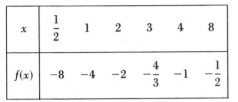

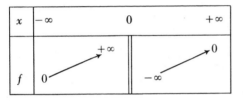

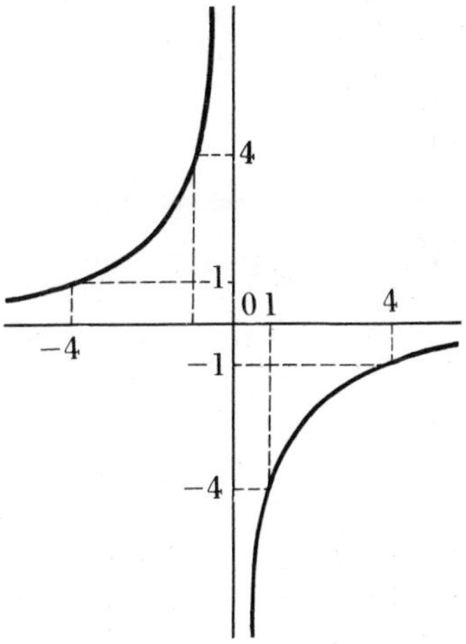

La courbe $\mathcal{C}$ est tracée ci-contre.
O est **centre de symétrie de** $\mathcal{C}$.
Le tableau de variations de f est :

x	$-\infty$		0		$+\infty$
f	0	↗	$+\infty$ ‖ $-\infty$	↗	0

□□□□□□□□□□

3.3. Exemple d'autre fonction dont la représentation graphique est une hyperbole

EXERCICE résolu 2

f est la fonction : $x \longmapsto \frac{x}{x+1}$.
Donnez le tableau de variations de f et tracez sa représentation graphique.

Solution □□□

- *L'ensemble de définition* de f est $\mathbb{R}-\{-1\}=$ **]−∞; −1[∪]−1; +∞[.**
- $(O; \vec{i}, \vec{j})$ est un repère orthogonal; $\mathcal{C}$ est la courbe représentative de f dans ce repère.

Une équation de $\mathcal{C}$ dans $(O; \vec{i}, \vec{j})$ est :

$$\boldsymbol{y=\frac{x}{x+1}}.$$

On souhaite pour $\mathcal{C}$ une équation de la forme $Y=\frac{a}{X}$ dans un autre repère; d'où l'idée de « poser » : $X=x+1$, à savoir $x=X-1$.

Avec ce choix : $y=\frac{X-1}{X}=1-\frac{1}{X}$, soit $y-1=-\frac{1}{X}$.

Prenons $Y=y-1$, et alors $Y=-\frac{1}{X}$.

Nous voyons que pour présenter convenablement la solution, on est conduit à considérer le repère $(O'; \vec{i}, \vec{j})$ où O′ est le point de coordonnées $(-1; 1)$ dans $(O; \vec{i}, \vec{j})$.
En effet : M est un point de coordonnées $(x; y)$ dans $(O; \vec{i}, \vec{j})$ et $(X; Y)$ dans $(O', \vec{i}, \vec{j})$.
La relation de Chasles donne :

$$\overrightarrow{O'M}=\overrightarrow{O'O}+\overrightarrow{OM}.$$

Dans la base $(\vec{i}, \vec{j})$:
$\overrightarrow{O'M}$ a pour coordonnées $(X; Y)$
$\overrightarrow{O'O}$ a pour coordonnées $(1; -1)$
$\overrightarrow{OM}$ a pour coordonnées $(x; y)$.

D'où :
$$\begin{cases} \mathbf{X=x+1} \\ \mathbf{Y=y-1} \end{cases}$$

Si ce point M appartient à $\mathcal{C}$ on a $y=\frac{x}{x+1}$, soit encore :

$$Y+1=\frac{X-1}{X}=1-\frac{1}{X}, \text{ à savoir } \mathbf{Y=-\frac{1}{X}}.$$

Donc, dans le repère $(O'; \vec{i}, \vec{j})$ la courbe $\mathcal{C}$ est **une hyperbole.**

Nous avons représenté la fonction $X \longmapsto -\frac{1}{X}$ dans le repère $(O'; \vec{i}, \vec{j})$.

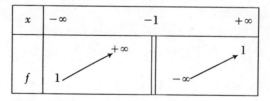

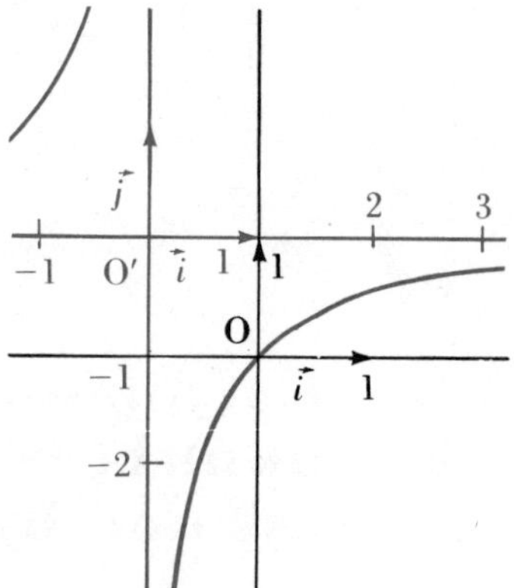

- *Centre de symétrie*

La fonction $X \longmapsto -\frac{1}{X}$ est **impaire,** donc l'origine O′ du repère $(O'; \vec{i}, \vec{j})$ est **centre de symétrie** de $\mathcal{C}$.

- *Asymptotes*

Les asymptotes de l'hyperbole $\mathcal{C}$ sont les axes des abscisses et des ordonnées du repère $(O'; \vec{i}, \vec{j})$.
Donc, ce sont les droites d'équations :

$$\mathbf{x=-1} \quad \text{et} \quad \mathbf{y=1}$$

du repère $(O; \vec{i}, \vec{j})$.
Le tableau de variations de f est donné ci-dessous.

x	$-\infty$ ↗ −1	−1 ↗ $+\infty$
f	1 ↗ $+\infty$	$-\infty$ ↗ 1

□□□□□□□□□□

Commentaire

Notez que la fonction f n'est pas impaire (vérifiez-le), et pourtant sa représentation graphique admet un centre de symétrie.

4. Pour aller plus loin

Approximation de $\frac{1}{1+h}$ au voisinage de 0

a. Approximation de $\frac{1}{x}$ au voisinage de 1

$(O; \vec{i}, \vec{j})$ est un repère orthogonal, $\mathcal{C}$ est la représentation graphique de la fonction $f : x \longmapsto \frac{1}{x}$ restreinte à $]0; +\infty[$.

A est le point de $\mathcal{C}$ de coordonnées (1; 1).
Toute droite qui passe par A et rencontre l'hyperbole $\mathcal{C}$ en un point M est une sécante.
Si M a pour abscisse x, nous savons que le coefficient directeur de la sécante (AM) est le taux de variation de f entre 1 et x.

Nous vous laissons vérifier que : $\boldsymbol{t(1; x) = -\frac{1}{x}}$.

La fonction affine représentée par la droite (AM) est une approximation de f.
Il est raisonnable de penser que cette approximation est d'autant meilleure que M est d'autant plus proche de A.
Lorsque M est proche de A, x est proche de 1 et $t(1; x)$ est proche de -1.
Considérons alors la droite D passant par A et de coefficient directeur -1.
Vérifiez que son équation est $\boldsymbol{y = -x + 2}$.
On dit que la fonction affine $x \longmapsto -x+2$ est une approximation de f au voisinage de 1. Et on écrit :

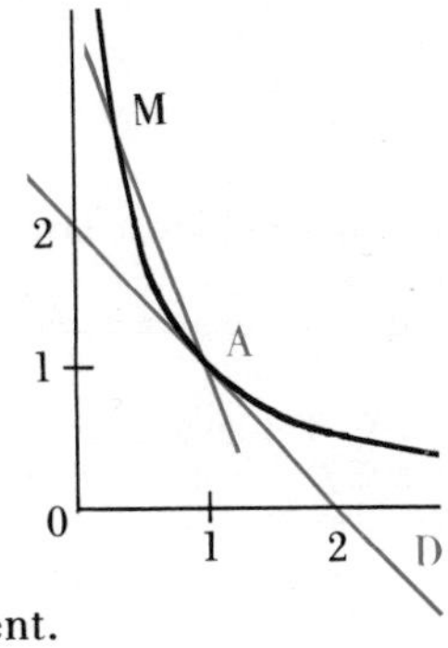

pour x proche de 1, $\frac{1}{x} \simeq -x+2$.

b. Approximation de $\frac{1}{1+h}$ au voisinage de 0

Avec les notations précédentes, posons $x = 1+h$.
Lorsque x est proche de 1, h est proche de 0 et réciproquement.

Alors : $\frac{1}{x} = \frac{1}{1+h}$ et $-x+2 = -(1+h)+2 = 1-h$.

Ainsi, **lorsque h est proche de 0 : $\frac{1}{1+h} \simeq 1-h$.**

c. Erreur commise

Pour tout réel $h \neq -1$, $\frac{1}{1+h} - (1-h) = \frac{h^2}{1+h}$ (vérifiez-le).

Supposons que h appartienne à l'intervalle $\left]-\frac{1}{2}; \frac{1}{2}\right[$, alors $-\frac{1}{2} < h < \frac{1}{2}$.

D'où : $\frac{1}{2} < 1+h < \frac{3}{2}$ et $\frac{1}{1+h} < 2$. Donc : $\frac{h^2}{1+h} < 2h^2$.

En conclusion :

pour tout réel h de l'intervalle $\left]-\frac{1}{2}; \frac{1}{2}\right[$, $1-h$ est une approximation de $\frac{1}{1+h}$ avec une erreur inférieure à $2h^2$.

EXERCICES

Pour tester vos connaissances

1. f est la fonction : $x \longmapsto \dfrac{1}{x}$.

Trouvez dans chaque cas, les réels x tels que :

a) $f(x) > 10^6$.

b) $5 \times 10^8 < f(x)$.

c) $f(x) < -10^5$.

2. f est la fonction : $x \longmapsto \dfrac{2}{x}$.

Trouvez, dans chaque cas, les réels x tels que :

a) $0 < f(x) < 10^{-1}$.

b) $0 < f(x) < 6 \times 10^{-2}$.

c) $0 < f(x) < 7 \times 10^{-5}$.

d) $-0{,}2 < f(x) < 0$.

e) $-63 < f(x) < -41$.

f) $-4 \times 10^{-6} < f(x) < -3 \times 10^{-5}$.

3. f est la fonction : $x \longmapsto -\dfrac{1}{x}$.

a) Trouvez un réel $B > 0$ tel que pour tout $x > B$ on ait $-10^{10} < f(x) < 0$.

b) Trouvez un réel $B > 0$ tel que pour tout $x \in]0; B[$ on ait $f(x) < 10^{12}$.

c) Trouvez un réel $B < 0$ tel que pour tout $x \in]B; 0[$ on ait $f(x) > 10^{16}$.

d) Trouvez un réel $B < 0$ tel que pour tout $x < B$ on ait $0 < f(x) < 10^{-18}$.

Pour les exercices 4 à 9, donnez le tableau de variations et tracez la représentation graphique de la fonction donnée.

4. $x \longmapsto \dfrac{3}{x}$.

5. $x \longmapsto \dfrac{1}{3x}$.

6. $x \longmapsto \dfrac{10^4}{x}$.

7. $x \longmapsto -\dfrac{2}{x}$.

8. $x \longmapsto -\dfrac{0{,}2}{7x}$.

9. $x \longmapsto \dfrac{10^{-5}}{x}$.

Exercices d'entraînement

1. f est la fonction : $x \longmapsto \dfrac{3}{x} + 4$.

Montrez que la représentation graphique de f se déduit de celle de la fonction $g : x \longmapsto \dfrac{3}{x}$ par une translation que vous déterminerez.

2. f est la fonction : $x \longmapsto -\dfrac{2}{x}$;

g est la fonction : $x \longmapsto -\dfrac{2}{x} - 5$.

Comment représenter graphiquement la fonction g à partir de la représentation de f?

3. $\mathcal{C}$ est la représentation graphique de la fonction

$$f : x \longmapsto \frac{1}{x}$$

dans un repère orthogonal $(O; \vec{i}, \vec{j})$.
Γ est la représentation graphique de la fonction

$$g : x \longmapsto \frac{3}{x}$$

dans $(O; \vec{i}, \vec{j})$.
Par quelle transformation géométrique déduit-on la courbe Γ à partir de la courbe $\mathcal{C}$?

Pour les exercices 4 à 7, reprenez l'exercice 3 lorsque g est la fonction :

4. $x \longmapsto -\frac{1}{x}$.

5. $x \longmapsto -\frac{3}{x}$.

6. $x \longmapsto \frac{2}{x}-1$.

7. $x \longmapsto 1-\frac{1}{x}$.

Pour les exercices 8 à 10, résolvez **graphiquement** les systèmes suivants.

8. $\begin{cases} y=\frac{3}{x} \\ y=x-2 \end{cases}$

Indications : représentez graphiquement les fonctions :

$$x \longmapsto \frac{3}{x} \quad \text{et} \quad x \longmapsto x-2.$$

Quels sont les points du plan qui correspondent aux solutions du système?

9. $\begin{cases} y=\frac{12}{x} \\ y=\frac{x}{2}+1 \end{cases}$

10. $\begin{cases} xy=4 \\ x+y=4. \end{cases}$

11. ***a)*** Représentez dans un même repère orthonormé (1 cm pour unité), les fonctions $f : x \longmapsto \frac{4}{x}$ et $g : x \longmapsto x^2-x$.

b) Déterminez graphiquement les coordonnées du point A d'intersection de ces deux courbes.

c) Déterminez une équation de la droite D passant par C et B de coordonnées respectives $(-1; 2)$ et $(3; 6)$.
Tracez cette droite sur le schéma précédent.

12. Loi de Mariotte.
A température constante, le produit de la pression p par le volume v d'une masse gazeuse donnée est constant.

a) Représentez graphiquement, en fonction de sa pression, les variations du volume d'une masse d'air occupant un volume de 30 cm^3 à la pression de 76 cm de mercure à la température de l'expérience.

b) Déterminez la pression correspondant à un volume de 40 cm^3, puis le volume correspondant à une pression de 144 cm de mercure.

13. La relation $V=\frac{\pi DN}{1000}$ permet de calculer la vitesse de coupe d'une fraise (V : vitesse de coupe en m/min; D : diamètre de la fraise en mm; N : vitesse de rotation de la broche en tr/min).

a) Sachant que V = 10 m/min, exprimez N en fonction de D $\left(\text{on prendra } \frac{1}{\pi} \simeq 0{,}32\right)$.

b) Tracez la courbe représentant les variations de N en fonction de D sachant que $N \in]0; 140]$.

14. On dispose de deux résistances, l'une fixe de 10 Ω, l'autre pouvant varier de façon continue de 0 à 10 Ω. On désigne par x la valeur de la résistance variable.

A. On associe ces deux résistances en série $(R = R_1 + R_2)$.

a) Quelle est la valeur y_1 de la résistance exprimée en fonction de x?

b) Étudiez graphiquement les valeurs de la résistance équivalente en fonction de x.

c) Calculez la valeur de x pour laquelle la résistance équivalente vaut 14 Ω.

B. On associe ces deux résistances en parallèle $\left(\frac{1}{R}=\frac{1}{R_1}+\frac{1}{R_2}\right)$.

a) Quelle est la valeur y_2 de la résistance équivalente en fonction de x?

b) Étudiez et représentez graphiquement les valeurs de la résistance équivalente en fonction de x.

c) Déterminez la valeur x pour laquelle la résistance équivalente vaut 4Ω.

15. Droites sécantes à une hyperbole.
Dans un repère orthogonal $(O; \vec{i}, \vec{j})$, H est l'hyperbole d'équation $y=\frac{1}{x}$. M_1 et M_2 sont les points de H d'abscisses x_1 et x_2 (avec $x_1 < x_2$). La sécante (M_1M_2) coupe l'axe des abscisses en I et l'axe des ordonnées en J.

a) Représentez cette situation dans chacun des cas : x_1 et x_2 de même signe; x_1 et x_2 de signes contraires.

b) Déterminez les coordonnées de M_1, M_2, I et J.

c) Montrez que les segments [IJ] et $[M_1M_2]$ ont même milieu. Déduisez-en que $\overrightarrow{JM_1} = \overrightarrow{M_2I}$.

d) *Construction de l'hyperbole* H *à la règle et au compas.*
M_1 est un point du plan; D est une droite qui passe par M_1 et coupe l'axe des abscisses en I, l'axe des ordonnées en J.
Placez le point M_2 tel que $\overrightarrow{JM_1} = \overrightarrow{M_2I}$.
Choisissez d'autres points M_1 et construisez les points M_2 correspondants. Recommencez un grand nombre de fois pour construire avec précision l'hyperbole H.

16. Étude de $x \longmapsto \frac{a}{x}$ $(a \neq 0)$.

$\mathcal{C}$ est la représentation graphique de la fonction $f : x \longmapsto \frac{a}{x}$ dans un repère orthogonal $(O; \vec{i}, \vec{j})$.

a) Montrez que dans le repère $(O; a\vec{i}, \vec{j})$, $\mathcal{C}$ représente la fonction $x \longmapsto \frac{1}{x}$.

b) Pourquoi $\mathcal{C}$ admet-elle le point O pour centre de symétrie?

c) Quelles sont les asymptotes de la courbe $\mathcal{C}$?

d) Dressez le tableau de variations de f en justifiant vos résultats (envisagez deux cas : $a > 0$, $a < 0$).

Pour les exercices 17 à 24, dressez le tableau de variations et tracez la représentation graphique de la fonction.

17. $x \longmapsto \frac{5}{x+2}$.

18. $x \longmapsto \frac{-3}{2x+1}$.

19. $x \longmapsto \frac{x}{2x+1}$.

20. $x \longmapsto 2 + \frac{1}{x+3}$.

21. $x \longmapsto 2 - \frac{1}{x}$.

22. $x \longmapsto \frac{2x+3}{x+1}$.

23. $x \longmapsto \frac{x+5}{x-3}$.

24. $x \longmapsto \frac{2x-1}{x+2}$.

Pour les exercices 25 à 28, résolvez graphiquement le système proposé ou l'inéquation proposée.

25. $x^2 - x > -\frac{2}{x}$.

26. $\begin{cases} xy \geqslant 2 \\ y > 2x - 3. \end{cases}$

27. $\begin{cases} y > x^2 + 2x - 1 \\ xy \geqslant 2. \end{cases}$

28. $\frac{3x+1}{x-2} \geqslant x^2 + x - 6$.

Pour les exercices 29 à 32, résolvez dans $\mathbb{R}$ les inéquations :

29. $\frac{2}{x} > 3$.

30. $\frac{x-1}{x-3} < 2$.

31. $\frac{1}{x+1} < \frac{1}{2x+3}$.

32. $\frac{x}{x+3} - \frac{x}{x-1} \leqslant \frac{1}{(x+3)(x-1)}$.

33. Un aréomètre plongé dans l'eau a sa tige enfoncée jusqu'à un repère indiquant 0° Baumé et $d = 1$ (densité), et qui servira d'origine des graduations.
Dans un liquide plus dense que l'eau, la tige s'enfonce moins d'une distance y en centimètres correspondant à x degrés Baumé et à une densité d.
Dans une solution à 15 %, la hauteur libérée y est 3 cm, la densité 1,116 et cette solution titre 15° Baumé.

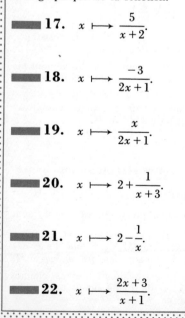

I. A. Calcul : La densité d et la hauteur y sont liées par la relation :

$$y = 28,864 - \frac{28,864}{d}.$$

a) Calculez les valeurs du réel $\frac{28,864}{d}$ pour d variant de 0,25 en 0,25 de 1 à 3,25.

b) Calculez y à $\frac{1}{100}$ près pour chaque valeur de d.

II. A. Construisez la courbe représentative de la fonction y pour d variant de 1 à 3,25.

B. Les graduations en degrés Baumé x sont équidistantes.

a) Trouvez la hauteur y en fonction de x.

b) Représentez y pour x variant de 0 à 100.

C. Trouvez d en fonction de x.

D. Graphiquement, indiquez comment on trouve la densité d'un liquide à 66° Baumé et quelle sera la hauteur y sur la tige.

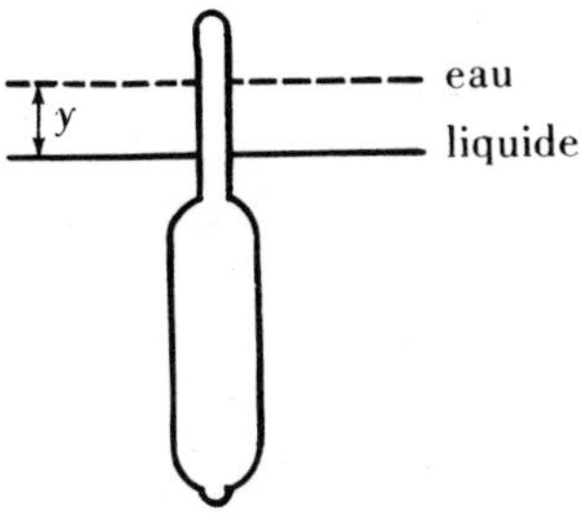

34. A partir de vos connaissances sur la fonction : $x \longmapsto \frac{1}{x}$, étudiez la fonction : $x \longmapsto \frac{1}{x^2}$.

En particulier, pour l'étude des grandes valeurs de x, et l'étude des petites valeurs positives de x, comparez $\frac{1}{x}$ et $\frac{1}{x^2}$.

Pour les exercices 35 à 40, donnez une approximation du réel proposé et un majorant de l'erreur commise.

35. $\frac{1}{1,0012}$.

36. $\frac{1}{10,213}$.

37. $\frac{100}{9,981}$.

38. $\frac{1}{0,9976}$.

39. $\frac{1}{(1,0131)^2}$.

40. $\frac{576}{0,9965}$.

Majorations

41. ***a)*** Montrez que pour tout réel $x > 0$ on a $2x^2 + 5x + 1 > 5x$.

b) Déduisez-en que pour tout $x > 0$, $\frac{1}{2x^2 + 5x + 1} < \frac{1}{5x}$.

c) Trouvez un réel B tel que pour tout $x > B$ on ait : $\frac{1}{2x^2 + 5x + 1} < 10^{-10}$.

42. f est la fonction

$$x \longmapsto 2x^2 - 8x + 1.$$

a) Montrez que pour tout $x > 10$, on a

$$1 - \frac{4}{x} + \frac{1}{2x^2} > \frac{1}{2}.$$

b) Déduisez-en que pour tout $x > 10$, on a

$$f(x) > x^2 > x.$$

c) Trouvez un réel B tel que pour tout $x > B$ on ait : $0 < \frac{1}{f(x)} < 10^{-20}$.

43. f est la fonction

$$x \longmapsto -2x^2 + 3x - 1.$$

a) Montrez que pour tout $x > 10$ on a

$$1 - \frac{3}{2x} + \frac{1}{2x^2} > \frac{1}{2}.$$

b) Déduisez-en que pour tout $x > 10$ on a

$$f(x) < -x^2.$$

c) Trouvez un réel B tel que pour tout $x > B$ on ait : $10^{-15} < \frac{1}{f(x)} < 0$.

CHAPITRE
11

FONCTIONS : $x \longmapsto \sqrt{x}$ ET $x \longmapsto x^3$

1. Pour prendre un bon départ

1.1. Racine carrée

EXERCICE

Reportez-vous au chapitre 1, page 15, si nécessaire.

Soit à résoudre dans $\mathbb{R}$ l'inéquation :
$\sqrt{x} > a$ où a est un réel donné. $\mathcal{S}$ désigne l'ensemble des solutions.

a. Justifiez la proposition suivante :
si $a < 0$ alors tout réel x est solution. $\mathcal{S} = \mathbb{R}$.

b. Justifiez la proposition suivante :
si $a \geqslant 0$ alors $\mathcal{S} =]a^2; +\infty[$.

1.2. Autres identités remarquables

Pour **tous** réels ***a* et *b***, on a :

$$\boldsymbol{(a+b)^3 = a^3 + 3a^2b + 3ab^2 + b^3}$$
$$\boldsymbol{a^3 - b^3 = (a-b)(a^2 + ab + b^2).}$$

EXERCICES

1. Démontrez les égalités précédentes.

2. Démontrez que pour tous réels a et b :

$$(a-b)^3 = a^3 - 3a^2b + 3ab^2 - b^3.$$

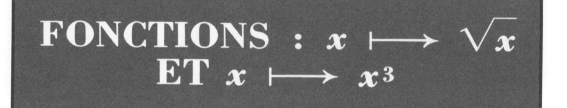

2. Cours et applications

2.1. Étude de la fonction racine carrée, $f : x \longmapsto \sqrt{x}$

a. Ensemble de définition

L'ensemble de définition de f est : $[0; +\infty[$.

b. Sens de variations

Vous savez que pour tous réels u et v tels que : $0 \leqslant u < v$, on a : $\sqrt{u} < \sqrt{v}$ (chapitre 1, page 15).
Cela prouve que **f est strictement croissante sur $[0; +\infty[$.**

c. Étude de f pour les grandes valeurs de x

x et A étant des réels *positifs*, vous savez que l'inégalité : $\sqrt{x} > A$ est équivalente à : $x > A^2$.
Ainsi, quel que soit le réel positif A que l'on se donne, pour tout $x > A^2$ on a : $\sqrt{x} > A$.
Donc à tout réel $A > 0$, on peut associer un réel B (ici $B = A^2$) tel que pour tout $x > B$ on ait : $\sqrt{x} > A$.
On traduit ce fait en disant que **f a pour limite $+\infty$ en $+\infty$.**

EXERCICE Trouvez un réel B tel que pour tout x supérieur à B on ait : $\sqrt{x} > 10^{20}$.

d. Tableau de variations et représentation graphique

x	0	1	$+\infty$
f	0 ↗	1 ↗	$+\infty$

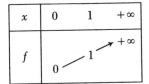

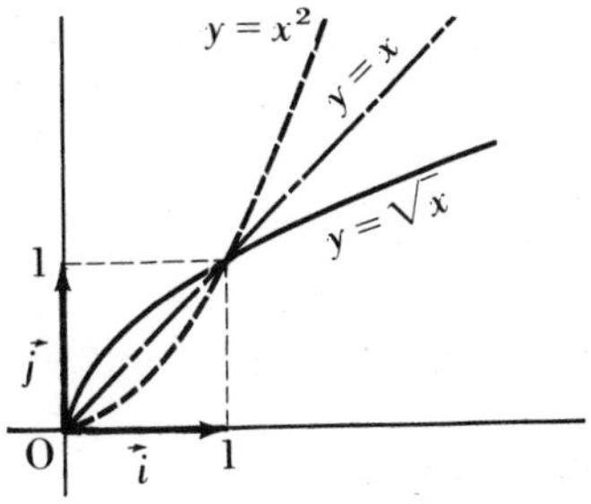

A l'aide de ce tableau et de la mise en place de quelques points de coordonnées $(x; \sqrt{x})$ dans un repère $(O; \vec{i}, \vec{j})$, on déduit l'allure de cette courbe.

Commentaire

$\mathcal{C}$ est la courbe d'équation $y = \sqrt{x}$ dans un repère **orthonormé.** $\mathcal{C}'$ est la courbe d'équation : $y = x^2$, $x \geqslant 0$ dans ce même repère (en pointillés sur le dessin).
Alors $\mathcal{C}$ et $\mathcal{C}'$ sont symétriques par rapport à la droite d'équation : $y = x$.
Ce résultat sera justifié dans les classes ultérieures.

2.2. Applications

a. Résolution d'équations et d'inéquations

EXERCICE résolu 1

Résolvez dans $\mathbb{R}$ l'équation $\sqrt{x+1}=\sqrt{2x-3}$.

Solution □□□

Si x_0 est un réel solution de l'équation, alors on a :

$$x_0+1\geqslant 0, \quad \text{soit} \quad x_0\geqslant -1, \quad \text{et} \quad 2x_0-3\geqslant 0, \quad \text{soit} \quad x_0\geqslant \frac{3}{2}.$$

Les deux inégalités $x_0\geqslant -1$ et $x_0\geqslant \frac{3}{2}$, peuvent être remplacées par : $x_0\geqslant \frac{3}{2}$, car $\frac{3}{2}\geqslant -1$.
D'autre part on a : $\sqrt{x_0+1}=\sqrt{2x_0-3}$.

Cette égalité conduit à :

$$x_0+1=2x_0-3, \quad \text{soit :} \quad -x_0=-4,\ x_0=4.$$

Donc si x_0 est solution, alors $x_0=4$.
Inversement, il est facile de vérifier, et nous vous invitons à le faire, que 4 est solution.
Donc si $\mathcal{S}$ est l'ensemble des solutions de l'équation : $\mathcal{S}=\{4\}$.

□□□□□□□□□□

EXERCICE résolu 2

Résolvez dans $\mathbb{R}$ l'inéquation : $\sqrt{2x-1}\geqslant\sqrt{x-5}$.

Solution □□□

L'inéquation donnée équivaut au système :

$$\begin{cases} 2x-1\geqslant 0 \\ x-5\geqslant 0 \\ 2x-1\geqslant x-5 \end{cases}$$

lui-même équivalent à :

$$\begin{cases} x\geqslant \frac{1}{2} \\ x\geqslant 5 \\ x\geqslant -4. \end{cases}$$

L'ensemble $\mathcal{S}$ des solutions de l'inéquation donnée est donc l'intervalle $[5\,;+\infty[$.

□□□□□□□□□□

b. Représentation graphique de fonctions se ramenant à celle de la fonction racine carrée

EXERCICE résolu 3

Représentez graphiquement la fonction

$$f : x \longmapsto \sqrt{x}+3.$$

Solution □ □ □

$\mathcal{C}$ est la courbe représentative de f dans un repère $(O; \vec{i}, \vec{j})$.
Son équation est : $y = \sqrt{x} + 3$, soit $y - 3 = \sqrt{x}$.
Elle est de la forme : $Y = \sqrt{X}$ avec $y - 3 = Y$, $x = X$.
La méthode de changement de repère a été très souvent utilisée dans les chapitres précédents. O′ est le point de coordonnées (0; 3) dans $(O; \vec{i}, \vec{j})$. Nous vous laissons donc vérifier que dans le repère $(O'; \vec{i}, \vec{j})$ la courbe $\mathcal{C}$ représente la fonction : $X \longmapsto \sqrt{X}$, que nous savons tracer.

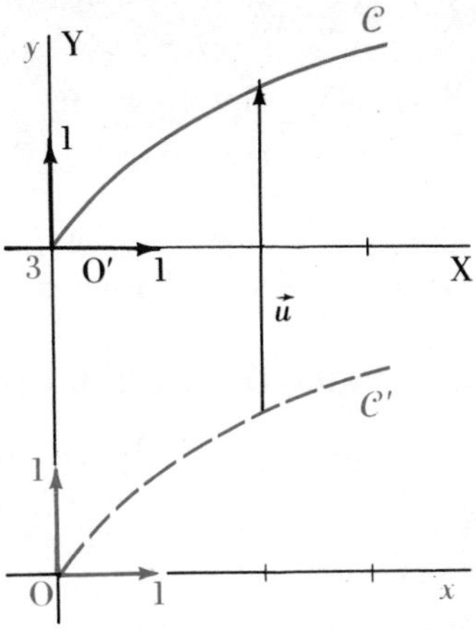

□ □ □ □ □ □ □ □ □

Commentaire

Désignons par $\mathcal{C}'$ la courbe représentant : $x \longmapsto \sqrt{x}$, dans $(O; \vec{i}, \vec{j})$. Alors $\mathcal{C}$ se déduit de $\mathcal{C}'$ pour la translation de vecteur $\vec{u}$ de coordonnées (0; 3).

EXERCICE résolu 4

Représentez graphiquement la fonction

$$f : x \longmapsto \sqrt{-x}.$$

Solution □ □ □

$\mathcal{C}$ est la courbe représentative de f dans le repère $(O; \vec{i}, \vec{j})$.
Son équation est $y = \sqrt{-x}$. Elle est de la forme :

$$Y = \sqrt{X} \quad \text{avec :} \quad Y = y,\ X = -x.$$

Cela suggère un « changement d'échelle », c'est-à-dire l'utilisation du repère $(O; \vec{i}\,', \vec{j}\,')$ avec $\vec{i}\,' = -\vec{i}$.
Nous vous laissons le soin de montrer que, dans ce repère, $\mathcal{C}$ représente la fonction $X \longmapsto \sqrt{X}$.

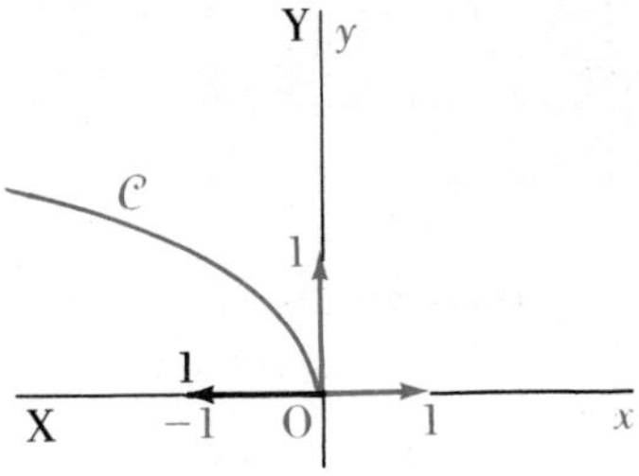

□ □ □ □ □ □ □ □ □ □

EXERCICE

$\mathcal{C}'$ désignant la courbe représentant $x \longmapsto \sqrt{x}$ dans $(O; \vec{i}, \vec{j})$, donnez une transformation du plan qui transforme $\mathcal{C}'$ en $\mathcal{C}$.

2.3. Étude de la fonction cube, $f : x \longmapsto x^3$

a. Premières propriétés

L'ensemble de définition est $\mathbb{R}$.
L'équation $x^3 = 0$ a pour seule solution $x = 0$.
L'équation $x^3 = 1$ a pour seule solution $x = 1$.

b. Parité

Pour tout réel x on a : $f(-x)=(-x)^3=-x^3$

$$f(x)=x^3$$

Donc, $f(x)=-f(-x)$.

Comme l'ensemble de définition est $\mathbb{R}$, on conclut : ***f* est impaire.**
On peut donc se borner à l'étudier sur $[0;\ +\infty[$.

c. Sens de variations

u et v sont des réels tels que $0 \leqslant u < v$.
On a : $f(u)-f(v)=u^3-v^3=(u-v)(u^2+uv+v^2)$. (Voir paragraphe 1.2.).
On a : $u^2 \geqslant 0$, $v^2 \geqslant 0$ et les hypothèses faites sur u et v impliquent : $uv>0$, et $u-v<0$.
Donc on a : $u^2+uv+v^2>0$ et $u-v<0$.
Il en résulte que : $f(u)-f(v)<0$ soit $f(u)<f(v)$.

Cela étant vrai pour tous réels u et v tels que $0 \leqslant u < v$, on en déduit que f est strictement croissante sur $[0;\ +\infty[$.
f étant impaire, il en résulte que : ***f* est strictement croissante sur $\mathbb{R}$.**

d. Comparaison de x et x^3

x étant un réel, on déduit de l'inégalité : $x>1$, en multipliant les deux membres par x^2, que $x^3>x^2$. Mais on a vu que pour $x>1$, on a $x^2>x$.
Donc **pour $x>1$, on a $x^3>x$.**
x étant un réel, on déduit des inégalités : $0 \leqslant x < 1$ que $0 \leqslant x^3 < x^2$. Mais on a vu que pour : $0<x<1$, on a : $x^2<x$. Donc :

pour $0 \leqslant x < 1$, on a $x^3<x$.

EXERCICE

Prouvez que, pour :
$-1<x \leqslant 0$, on a : $x^3>x$.
Prouvez que, pour :
$x<-1$, on a : $x^3<x$.

e. Étude de *f* pour les grandes valeurs de x

Puisque pour $x>1$, on a $x^3>x$, on voit que lorsque x est grand, x^3 l'est aussi.
De façon *précise :* à tout réel $A>1$, on peut associer un réel B (ici $B=A$) tel que pour tout x supérieur à B on ait : $x^3>A$.
En effet, si l'on a $x>A$, alors on a $x>1$, donc $x^3>x$ et donc $x^3>A$.
On traduit cela par :
***f* a pour limite $+\infty$ en $+\infty$.**
En utilisant le fait que f est impaire, nous en déduisons que : ***f* a pour limite $-\infty$ en $-\infty$.**

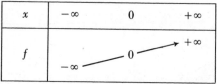

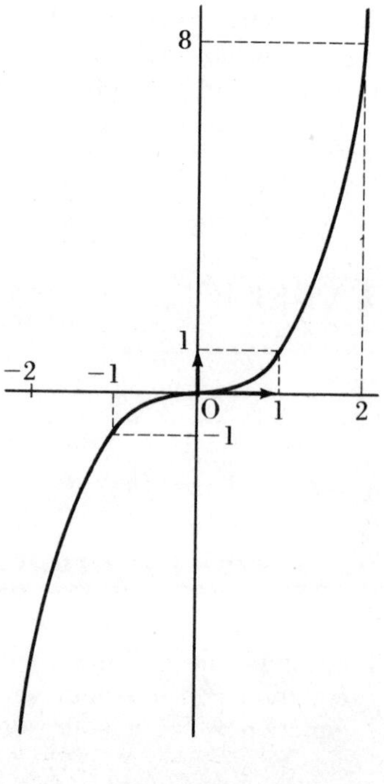

f. Tableau de variations et représentation graphique

x	$-\infty$	0	$+\infty$
f	$-\infty$ ↗	0	↗ $+\infty$

2.4. Applications : représentations graphiques de fonctions se ramenant à celle de $x \longmapsto x^3$

EXERCICE résolu 5

f est la fonction : $x \longmapsto (x+2)^3$.
Tracez sa courbe représentative $\mathcal{C}$ dans un repère $(O; \vec{i}, \vec{j})$.

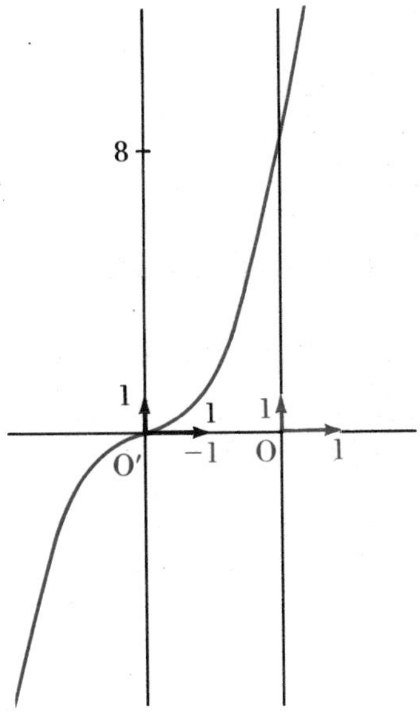

Solution □ □ □

Une équation de la courbe $\mathcal{C}$ dans $(O; \vec{i}, \vec{j})$ est $y=(x+2)^3$.
Elle est de la forme :
$Y=X^3$, avec $y=Y$, $X=x+2$.
Considérons alors le point O′ de coordonnées $(-2; 0)$ dans $(O; \vec{i}, \vec{j})$.
On montre, comme cela a été fait dans les chapitres précédents, qu'une équation de $\mathcal{C}$ dans le nouveau repère $(O'; \vec{i}, \vec{j})$ est : $\mathbf{Y=X^3}$.
Ainsi, $\mathcal{C}$ représente la fonction cube dans le repère $(O'; \vec{i}, \vec{j})$.
Pour tracer $\mathcal{C}$ on peut donc placer quelques points de coordonnées $(X; X^3)$ dans $(O'; \vec{i}, \vec{j})$ et les joindre en respectant l'allure connue de la courbe de la fonction cube.
La courbe $\mathcal{C}$ cherchée est représentée ci-contre.

□ □ □ □ □ □ □ □ □ □

3. Pour aller plus loin

A l'aide de la technique mise en place aux paragraphes 4 des chapitres 8 et 10, on peut déterminer des approximations de $\sqrt{1+h}$ et $(1+h)^3$ au voisinage de 0; néanmoins, nous admettrons que :

1. Pour h voisin de 0, $\sqrt{1+h} \simeq \dfrac{h}{2}+1$.

Pour tout $h \geqslant -1$, l'erreur ainsi commise est inférieure à $\dfrac{h^2}{2}$.

2. Pour h voisin de 0, $(1+h)^3 \simeq 3h+1$.
L'erreur ainsi commise est inférieure à $4h^2$.

EXERCICES

Pour tester vos connaissances

Représentations graphiques

Pour les exercices 1 à 7, représentez graphiquement la fonction f donnée par :

1. $x \longmapsto 2\sqrt{x}$.

2. $x \longmapsto \sqrt{2x}$.

3. $x \longmapsto \sqrt{x+1}$.

4. $x \longmapsto \sqrt{x}+3$.

5. $x \longmapsto \sqrt{-x}+1$.

6. $x \longmapsto 2x^3$.

7. $x \longmapsto (x-1)^3$.

Résolution d'inéquations et d'équations

Pour les exercices 8 à 11, résolvez dans $\mathbb{R}$ les équations et inéquations suivantes :

8. $\sqrt{x-1}=\sqrt{x+3}$.

9. $\sqrt{-3x+5}=\sqrt{2x-1}$.

10. $\sqrt{7x-1}>\sqrt{x+7}$.

11. $\sqrt{2y}<\sqrt{y^2+1}$.

12. Comparaison de x et de $\sqrt{x}$ pour x réel *positif* :

a) x désignant un réel *positif*, montrez que l'inégalité $x>\sqrt{x}$ est vraie pour $x>1$, mais qu'elle est fausse si $x<1$. (**Rappels :** $x^2>x$ pour $x>1$.)

b) Pour quels réels $x>0$ a-t-on $\sqrt{x}>x$?

Exercices d'entraînement

Représentations graphiques

Pour les exercices 1 à 14, représentez graphiquement les fonctions suivantes :

1. $x \longmapsto -\sqrt{x}$.

2. $x \longmapsto 3\sqrt{x}+4$.

3. $x \longmapsto \sqrt{2x}+5$.

4. $x \longmapsto \sqrt{3x+1}$.

5. $x \longmapsto \sqrt{|x|}$.

6. $x \longmapsto \sqrt{-x+1}$.

7. $x \longmapsto -\sqrt{3x}$.

8. $x \longmapsto \sqrt{-x-1}$.

9. $x \longmapsto -\sqrt{x+1}$.

10. $x \longmapsto \sqrt{x^6}$.

11. $x \longmapsto 2(x-1)^3$.

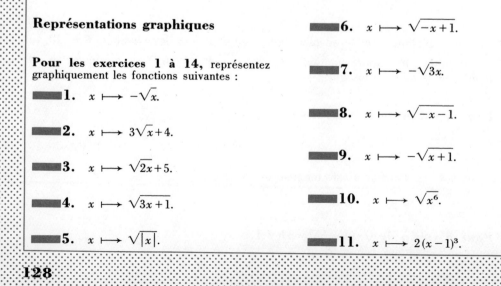

12. $x \longmapsto (2x+1)^3$.

13. $x \longmapsto |x|^3$.

14. $x \longmapsto x^2|x|$.

15. f est la fonction :

$$x \longmapsto \sqrt{x^2+1}.$$

a) Quel est son ensemble de définition?

b) Montrez que f est paire.

c) Montrez, en utilisant la définition d'une fonction strictement croissante, et les résultats connus sur les fonctions $x \longmapsto x^2$ et $x \longmapsto \sqrt{x}$, que f est strictement croissante sur $[0; +\infty[$.

d) Montrez que pour tout réel x positif on a : $f(x) > x$. (Utilisez : $x^2+1 > x^2$.)

e) Déduisez que f a pour limite $+\infty$ en $+\infty$. (Étude pour les grandes valeurs de x.)

f) Donnez le tableau de variations de f sur $[0; +\infty[$, puis le tableau complet en utilisant la parité.

g) Donnez l'allure de la courbe représentant f dans un repère $(O; \vec{i}, \vec{j})$.

16. Soit une tige métallique de longueur l_0 à 0° Celsius.
La longueur de cette tige à t °C est donnée par

$$l = l_0(1+\lambda t)$$

λ est le coefficient de dilatation linéaire du métal considéré.
Si un cube métallique a pour volume V_0 à 0 °C, donnez le volume V de ce cube à t°.
Déterminez une approximation de V, de la forme :

$$V = V_0(1+kt).$$

Le métal considéré est l'invar avec

$$\lambda = 1{,}2 \times 10^{-6}.$$

Majorez l'erreur commise.

Pour les exercices 17 à 20, résolvez graphiquement les équations :

17. $\sqrt{x} = x + \frac{1}{2}$.

18. $x + \frac{9}{4} - 3\sqrt{x} = 0$.

19. $x^3 = 4x$.

20. $|x|^3 - x = 3$.

Majorations

21. f est la fonction

$$x \longmapsto \sqrt{x^2+3x+1}.$$

a) Montrez que pour $x > 0$, on a :

$$f(x) > \sqrt{3}\cdot\sqrt{x} > \sqrt{x}.$$

b) Trouvez un réel B tel que pour tout $x > B$ on ait :

$$f(x) > 10^{10}.$$

22. f est la fonction

$$x \longmapsto \sqrt{x^2-x-1}.$$

a) Vérifiez que : $f(x) = \sqrt{x^2\left(1-\frac{1}{x}-\frac{1}{x^2}\right)}$.

b) Montrez que pour $x > 10$ on a :

$$\left(1-\frac{1}{x}-\frac{1}{x^2}\right) > \frac{1}{2} > 0.$$

c) Justifiez alors que l'on peut écrire, pour $x > 10$:

$$f(x) = x\sqrt{1-\frac{1}{x}-\frac{1}{x^2}} \quad \text{et} \quad f(x) > \frac{x}{2}.$$

d) Trouvez un réel B tel que pour $x > B$ on ait : $f(x) > 10^{30}$.

e) Peut-on dire que f a pour limite $+\infty$ en $+\infty$?

Approximations

23. Donnez une valeur approchée des réels suivants et donnez pour chacun d'eux une majoration de l'erreur commise :

$$\sqrt{1{,}012};\ \sqrt{0{,}998};\ \sqrt{101{,}1};\ \sqrt{9\,899}.$$

24. Mêmes questions pour les réels suivants :

$$(1{,}013)^3; \quad (0{,}999\,8)^3; \quad (3+0{,}001\,4)^3.$$

CHAPITRE
12

FONCTIONS TRIGONOMÉTRIQUES

1. Pour prendre un bon départ

1.1. Dans un triangle rectangle

ABH est un triangle rectangle en H. En classe de Troisième ont été définis le cosinus et sinus des angles $\widehat{A}$ et $\widehat{B}$ du triangle.
Par *définition* :

$$\cos \widehat{A} = \frac{AH}{AB}; \quad \sin \widehat{A} = \frac{BH}{AB}.$$

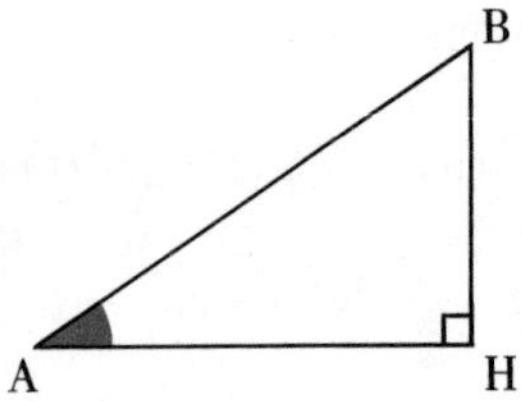

[AH] est le côté adjacent à A, [BH] le côté opposé à A, [AB] est l'hypoténuse.

EXERCICE Écrivez $\cos \widehat{B} = \ldots$; $\sin \widehat{B} = \ldots$

En fait ce qu'on appelle cosinus de l'angle $\widehat{A}$, c'est le *cosinus du réel* qui exprime en radians la mesure de l'angle $\widehat{A}$; si x est ce réel on a :

$$\cos x = \cos \widehat{A} \qquad \sin x = \sin \widehat{A}.$$

EXERCICE En vous inspirant du dessin ci-contre, trouvez $\cos \frac{\pi}{4}$ et $\sin \frac{\pi}{4}$.

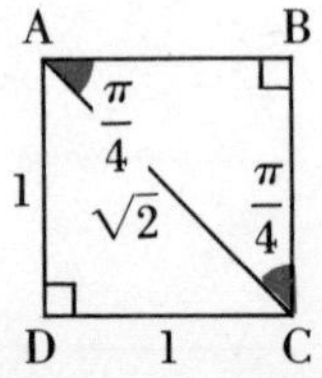

1.2. Définitions du cosinus et du sinus d'un réel entre 0 et π

Dans un repère orthonormé $(O; \vec{i}, \vec{j})$, $\mathcal{C}$ est le demi-cercle de centre O et de rayon 1 dessiné ci-contre.
A tout point M de $\mathcal{C}$ est associé un seul réel x, mesure en radians de l'angle géométrique $\widehat{AOM}$.
Avec les notations du dessin ci-contre, nous avons défini en classe de Troisième :

$$\cos x = \overline{OP}$$
$$\sin x = \overline{OQ}.$$

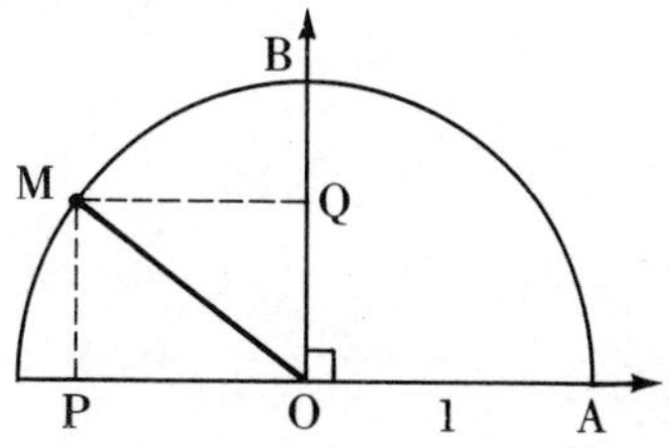

EXERCICE

En vous inspirant du dessin ci-contre, et connaissant $\cos \frac{\pi}{4}$, $\sin \frac{\pi}{4}$, trouvez : $\cos \frac{3\pi}{4}$; $\sin \frac{3\pi}{4}$.

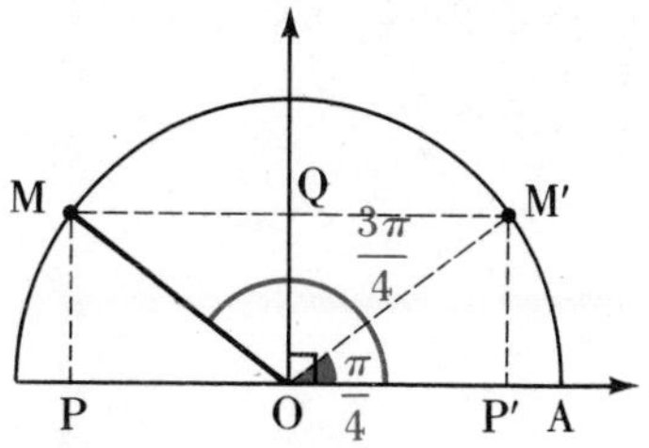

Le but de ce chapitre est de définir, pour tout réel x, le cosinus de x et le sinus de x, et d'étudier ensuite les fonctions ainsi définies, qui sont dites *fonctions trigonométriques.* Pour ce faire, il est nécessaire de connaître les notions **d'arcs et angles orientés** (chapitre 21).

2. Approche

2.1. Cosinus et sinus d'un réel

$\mathcal{C}$ est le cercle trigonométrique de centre O. Rappelons que *le rayon de $\mathcal{C}$ est* 1 et que $\mathcal{C}$ est orienté positivement.
A et B sont deux points de $\mathcal{C}$ tels que :

$$(\widehat{\overrightarrow{OA}, \overrightarrow{OB}}) = +\frac{\pi}{2}.$$

A un réel x on associe le point M de $\mathcal{C}$ tel que :

$$(\widehat{\overrightarrow{OA}, \overrightarrow{OM}}) = x \quad \text{(radians)}.$$

Nous admettons l'existence d'un tel point M (chapitre 21, page 244).
M se projette orthogonalement en P sur l'axe des abscisses et en Q sur l'axe des ordonnées.
Par définition, on pose :

$$\cos x = \overline{OP}$$
$$\sin x = \overline{OQ}.$$

Ainsi, $(\cos x; \sin x)$ sont les coordonnées de M dans le repère $(O; \overrightarrow{OA}, \overrightarrow{OB})$.

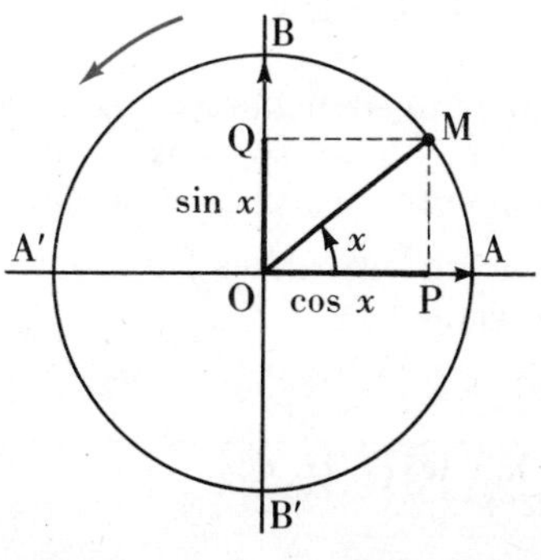

EXERCICES

1. *a.* Vérifiez que pour tout x :

$$-1 \leq \cos x \leq 1$$
$$-1 \leq \sin x \leq 1.$$

b. Vérifiez que pour tout x :

$$\cos(x+2\pi) = \cos x$$
$$\sin(x+2\pi) = \sin x.$$

Indications : appelez M′ le point tel que $(\widehat{\overrightarrow{OA}, \overrightarrow{OM'}}) = x + 2\pi$. Vérifiez que M′ = M.

c. Vérifiez que pour tout x :

$$\cos x = \cos(-x)$$
$$\sin x = -\sin(-x).$$

2. En utilisant la définition, trouvez $\cos \frac{3\pi}{2}$; $\sin \frac{3\pi}{2}$.

2.2. Usage de la calculatrice

a. Touches de la calculatrice

Sur la calculatrice, les touches correspondant aux fonctions cosinus et sinus sont symbolisées par les touches [COS] et [SIN].
Il faut cependant prendre garde aux unités choisies (degrés, grades ou radians). Consultez le mode d'emploi de votre calculatrice.

EXERCICE

A l'aide de votre **calculatrice,** l'unité étant le radian :

a. Donnez $\cos 3$; $\cos \pi$; $\cos 10^{-1}$; $\cos 708$; $\sin \frac{\pi}{2}$.

b. Donnez $\sin \frac{\pi}{4}$. Pourquoi ne trouvez-vous pas $\frac{\sqrt{2}}{2}$ comme dans l'exercice fait en 1.1?

b. Résolution d'équations

a étant un réel donné, on peut être amené à chercher un réel x tel que $\cos x = a$.

EXERCICE

Pourquoi l'équation $\cos x = 3$ n'a-t-elle pas de solution?

Avec une calculatrice qui possède la touche [INV], on peut répondre à la question : *trouver un réel x tel que* $\cos x = a$.
On entre le réel a et on appuie successivement sur les touches [INV] et [COS]. (Attention encore aux unités.) Si votre calculatrice ne possède pas la touche [INV], lisez son mode d'emploi.

EXERCICE

a. Trouvez x tel que : $\cos x = -0{,}2526$ (unité le radian).
b. Trouvez x tel que : $\cos x = 0{,}5$ (unité le degré).

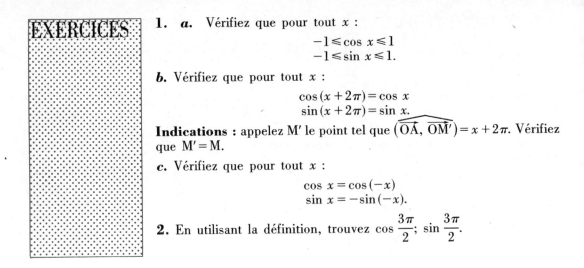

3. Cours et applications

3.1. Préliminaires

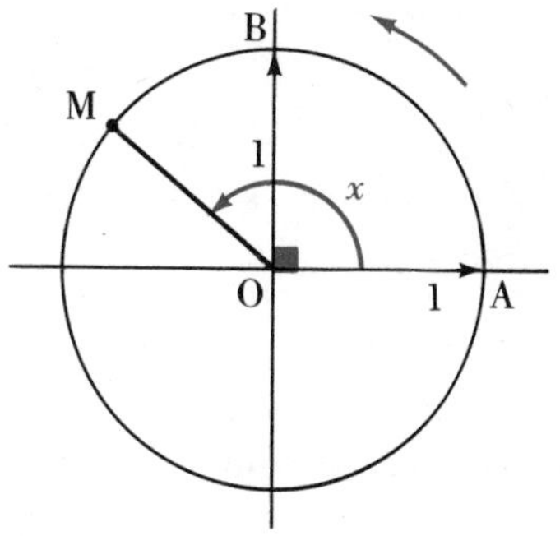

Le plan est orienté et muni d'une distance.
Dans toute la suite, $\mathcal{C}$ désignera un cercle trigonométrique de centre O.
Nous rappelons qu'un cercle trigonométrique est un cercle de rayon 1, orienté dans le sens positif.
A et B sont deux points de $\mathcal{C}$ tels que

$$\widehat{(\overrightarrow{OA}, \overrightarrow{OB})} = +\frac{\pi}{2}.$$

$(O; \overrightarrow{OA}, \overrightarrow{OB})$ est donc un repère orthonormé positif.
A un réel x nous associons un point M et un seul de $\mathcal{C}$ tel que x est une mesure en RADIANS de $\widehat{(\overrightarrow{OA}, \overrightarrow{OM})}$. M est alors associé aussi à tous les réels qui s'écrivent $x + 2k\pi$, $k \in \mathbb{Z}$, et à ceux-là seulement (voir chapitre 21, page 245).
Dans ce qui suit, lorsque nous dirons qu'un **point M de $\mathcal{C}$ est associé à un réel x, cela signifiera que x est une mesure en radians de l'angle $\widehat{(\overrightarrow{OA}, \overrightarrow{OM})}$.**

3.2. Définitions de la fonction cosinus et de la fonction sinus

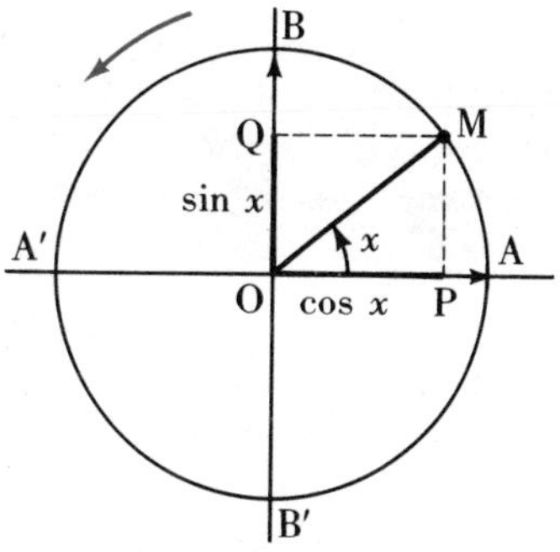

x est un réel, M est le point de $\mathcal{C}$ associé à x. P est la projection orthogonale de M sur l'axe des abscisses.
Q est la projection orthogonale de M sur l'axe des ordonnées.

Définition 1

$\cos x = \overline{OP}$.	(On lit cosinus x.)
$\sin x = \overline{OQ}$.	(On lit sinus x.)

A **tout** réel x nous pouvons associer, comme il a été dit, l'unique réel noté $\cos x$; et aussi l'unique réel noté $\sin x$. Nous définissons ainsi deux fonctions : la fonction **cosinus,** notée **cos,** et la fonction **sinus,** notée **sin.**
Chacune de ces fonctions est définie sur $\mathbb{R}$.

Commentaires

Notez que si nous savons dire ce qu'est le cosinus du réel x, nous ne savons pas donner le développement décimal de $\cos x$ avec suffisamment de précision; par exemple, pour connaître $\cos(3,12)$, il faudrait placer le point M correspondant, puis le point P et mesurer $\overline{OP}$. Le réel ainsi obtenu donnerait $\cos(3,12)$ avec une précision extrêmement médiocre! Les mathématiciens ont trouvé des méthodes permettant d'obtenir pour chaque $\cos x$ des approximations décimales aussi précises que l'on veut. Ce travail a duré des siècles. C'est grâce à lui et à celui des physiciens en électronique qu'il vous suffit maintenant d'appuyer sur des touches de calculatrice pour lire $\cos x$ avec six, sept ou huit décimales exactes.

3.3. Premières conséquences de la définition

La situation est celle du paragraphe 3.2.

a. Encadrement

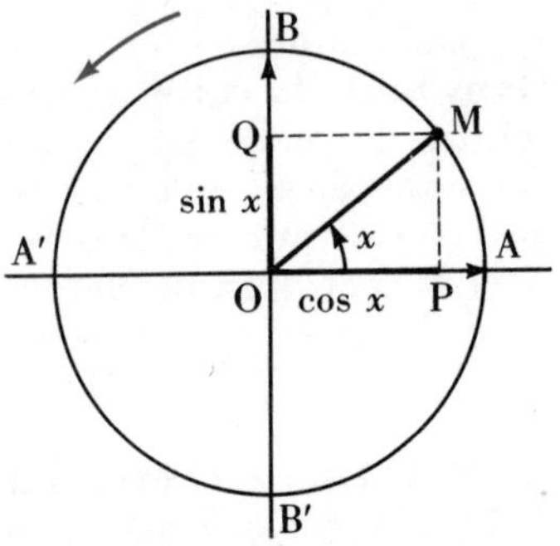

Le point P, projection orthogonale de M sur l'axe des abscisses, est nécessairement sur le segment [AA'] (voir figure).
Les abscisses des points A' et A étant respectivement -1 et $+1$, on a :

$$-1 \leqslant \overline{OP} \leqslant 1.$$

Ainsi, **pour tout réel x :**

$$\mathbf{-1 \leqslant \cos x \leqslant 1.}$$

Vous vérifierez de même que, **pour tout réel x :**

$$\mathbf{-1 \leqslant \sin x \leqslant 1.}$$

EXERCICES

1. Quels sont les réels x qui vérifient $\cos x = 1$? $\cos x = -1$?

2. Quels sont les réels x qui vérifient $\sin x = 1$? $\sin x = -1$?

b. Relation dite fondamentale

Il résulte du théorème de Pythagore que : $OM^2 = OP^2 + PM^2$.
Or : $|\overline{OP}| = OP$ car $\overrightarrow{OA}$ est un vecteur unitaire de (OA).
D'où : $|\overline{OP}|^2 = OP^2$ et $|\overline{OP}|^2 = |(\overline{OP})^2| = (\overline{OP})^2 = (\cos x)^2$.
De même, on a : $OQ^2 = (\sin x)^2$.
Et $OM^2 = 1$, car M appartient à $\mathcal{C}$ qui est de rayon 1. D'où, pour tout réel x :

$$(\cos x)^2 + (\sin x)^2 = 1.$$

L'usage est d'écrire $\cos^2 x$ pour $(\cos x)^2$ et $\sin^2 x$ pour $(\sin x)^2$. Avec ces notations usuelles nous avons le théorème suivant.

Théorème 1

Pour tout réel x : $\cos^2 x + \sin^2 x = 1$.

Commentaire

Puisque : $-1 \leqslant \sin x \leqslant 1$, nous avons : $0 \leqslant \sin^2 x \leqslant 1$. Donc $1 - \sin^2 x \geqslant 0$. Donc :

$$\cos x = \sqrt{1 - \sin^2 x} \quad \text{ou} \quad \cos x = -\sqrt{1 - \sin^2 x}.$$

Nous ne pouvons donc pas déduire $\cos x$ connaissant $\sin x$. A moins de connaître aussi le signe de $\cos x$. **Par exemple,** si $0 \leqslant x \leqslant \frac{\pi}{2}$, alors $\cos x \geqslant 0$ (vérifiez). Donc, dans ce cas, $\cos x = \sqrt{1 - \sin^2 x}$.

c. Périodicité des fonctions cosinus et sinus

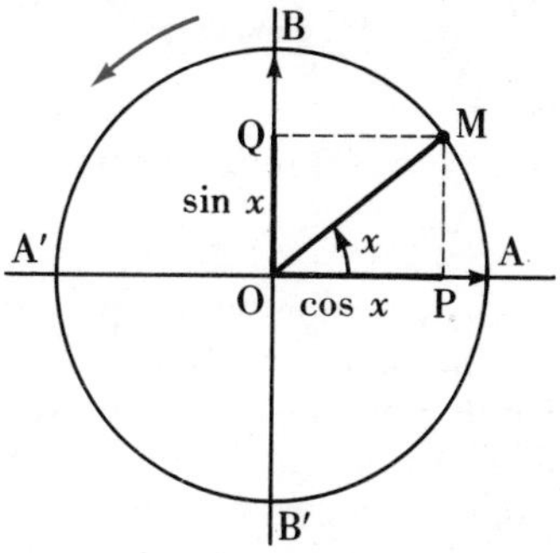

M étant associé à x qui est une mesure de $(\widehat{\overrightarrow{OA}, \overrightarrow{OM}})$ en radians, M est aussi associé à tous les réels qui s'écrivent : $x+2k\pi$, avec $k \in \mathbb{Z}$.
Nous avons donc :

$$\cos(x+2k\pi)=\overline{OP}=\cos x$$
$$\sin(x+2k\pi)=\overline{OQ}=\sin x.$$

En particulier, pour $k=1$:

$$\cos(x+2\pi)=\cos x$$
$$\sin(x+2\pi)=\sin x.$$

Cela étant vrai pour tout réel x, et les fonctions sinus et cosinus étant définies sur $\mathbb{R}$, on en déduit que chacune de ces fonctions est périodique de période 2π. Nous **admettons** que $\boldsymbol{2\pi}$ est la plus petite *période* positive de chacune de ces fonctions.

Théorème 2

Chacune des fonctions sinus et cosinus est périodique de période $\boldsymbol{2\pi}$.
Donc, pour tout réel $\boldsymbol{x}$ et tout $\boldsymbol{k}$ dans $\mathbb{Z}$:

$$\boldsymbol{\cos(x+2k\pi)=\cos x, \quad \sin(x+2k\pi)=\sin x.}$$

d. Parité des fonctions cosinus et sinus

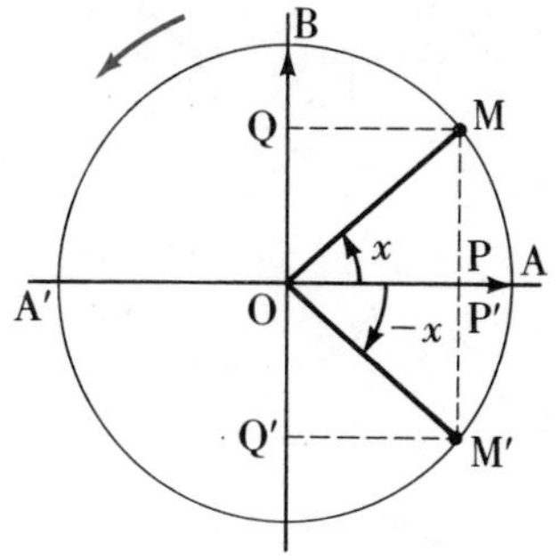

x est un réel, M est le point de $\mathcal{C}$ associé à x.
M′ est le symétrique de M par rapport à l'axe des abscisses.
Nous savons alors que $-x$ est une mesure en radians de $(\widehat{\overrightarrow{OA}, \overrightarrow{OM'}})$.
En outre, P est aussi la projection de M′ sur l'axe des abscisses.
Notons Q′ la projection orthogonale de M′ sur l'axe des ordonnées.
D'après les définitions, nous avons :

$\overline{OP}=\cos x;\quad \overline{OP}=\cos(-x)$ d'où : $\boldsymbol{\cos(-x)=\cos x;}$

$\overline{OQ}=\sin x;\quad \overline{OQ'}=\sin(-x)=-\overline{OQ}=-\sin x;$

d'où : $\boldsymbol{\sin(-x)=-\sin x.}$

Cela étant vrai pour tout réel x, et les fonctions étant définies sur $\mathbb{R}$, on a le théorème suivant :

Théorème 3

La fonction cosinus est paire.
La fonction sinus est impaire.

3.4. Tableaux de variations et courbes représentatives

a. Fonction sinus

Cette fonction étant périodique de période 2π, il suffit de l'étudier sur un intervalle d'amplitude 2π, par exemple $[-\pi; +\pi]$.
Cette fonction étant aussi impaire, il suffit de l'étudier sur $[0; \pi]$. Par parité, nous la connaîtrons sur $[-\pi; +\pi]$ et par périodicité, sur $\mathbb{R}$.
Pour connaître le sens de variations, utilisons la définition : imaginons qu'un mobile M parcourt l'arc $\widehat{AA'}$ dans le sens positif en partant de A, et regardons les variations de l'ordonnée de M, c'est-à-dire $\overline{OQ}$.
Nous obtenons alors la courbe suivante sur $[0; \pi]$:

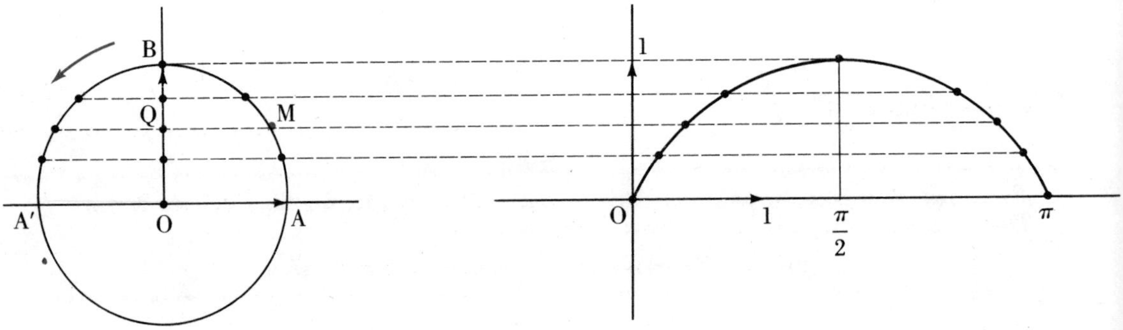

Puis, par symétrie, sur $[-\pi; \pi]$:

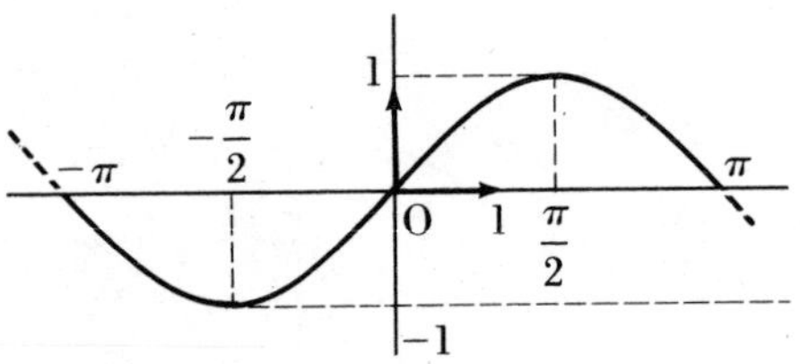

x	$-\pi$		$-\frac{\pi}{2}$		0		$\frac{\pi}{2}$		π
sin	0	↘	−1	↗	0	↗	1	↘	0

Et enfin, sur $[-2\pi; 3\pi]$ en utilisant la périodicité :

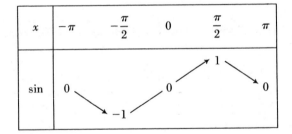

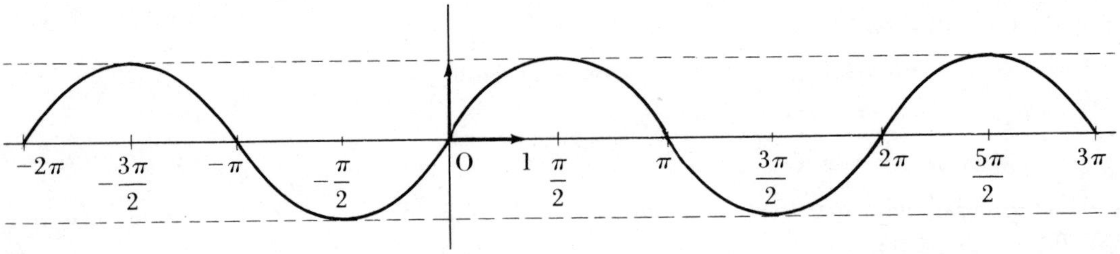

Commentaire

Toute droite d'équation $x = k\,\frac{\pi}{2}$, avec $k \in \mathbb{Z}$ est un axe de symétrie de la courbe représentative de la fonction sinus.
Tout point d'abscisse $x = k\pi$, $k \in \mathbb{Z}$, est un centre de symétrie de cette courbe.

b. Fonction cosinus

Des considérations analogues à celles développées pour la fonction sinus amènent au tableau de variations et à la courbe suivants :

x	$-\pi$		$-\frac{\pi}{2}$		0		$\frac{\pi}{2}$		π
cos	-1	↗	0	↗	1	↘	0	↘	-1

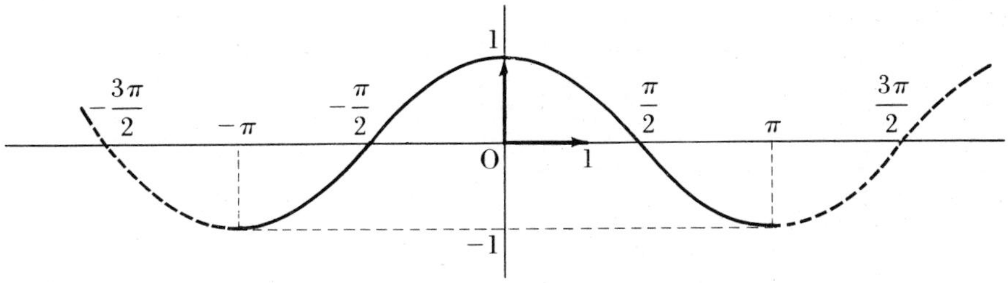

Commentaire

Toute droite d'équation $x = k\pi$, $k \in \mathbb{Z}$ est un axe de symétrie de la courbe représentative de la fonction cosinus.

Tout point d'abscisse $x = \frac{\pi}{2} + k\pi$, $k \in \mathbb{Z}$ est un centre de symétrie de cette courbe.

3.5. Formules trigonométriques usuelles

a. Réels de différence π

M est le point de $\mathcal{C}$ associé au réel x.
C'est-à-dire que x est une mesure de $(\widehat{\overrightarrow{OA}, \overrightarrow{OM}})$ (en radians). **M′ est le symétrique de M par rapport à O.**

Alors : $(\widehat{\overrightarrow{OM}, \overrightarrow{OM'}}) = \pi$.

La relation de Chasles :

$$(\widehat{\overrightarrow{OA}, \overrightarrow{OM'}}) + (\widehat{\overrightarrow{OM'}, \overrightarrow{OM}}) \equiv (\widehat{\overrightarrow{OA}, \overrightarrow{OM}}) \quad [2\pi]$$

permet de déduire que :

$$(\widehat{\overrightarrow{OA}, \overrightarrow{OM'}}) = x + \pi.$$

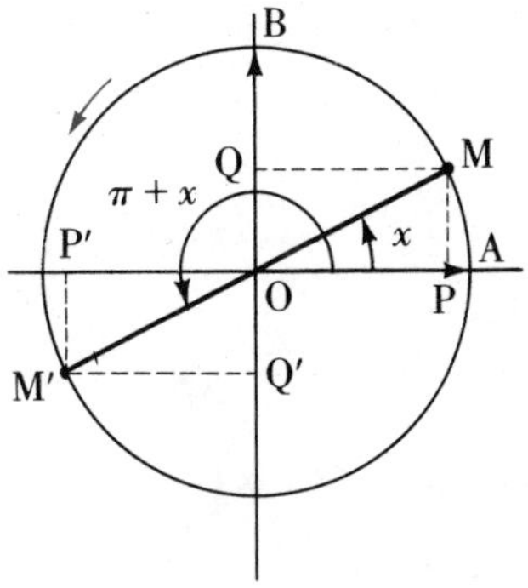

Par ailleurs, nous avons : $\cos(x+\pi) = \overline{OP}' = -\overline{OP} = -\cos x$
$\sin(x+\pi) = \overline{OQ}' = -\overline{OQ} = -\sin x$.

D'où :

Théorème 4

> **Pour tout réel x :**
>
> $$\cos(x+\pi) = -\cos x$$
> $$\sin(x+\pi) = -\sin x.$$

b. Réels de somme π

M est le point de $\mathcal{C}$ associé au réel x.
M′ est le symétrique de M par rapport à l'axe des ordonnées.
Alors : $\overline{OQ} = \overline{OQ'}$; $\overline{OP'} = -\overline{OP}$.
Par ailleurs, vérifiez, en utilisant la relation de Chasles, que :

$$(\widehat{\overrightarrow{OA}, \overrightarrow{OM'}}) = \pi - x.$$

D'où :

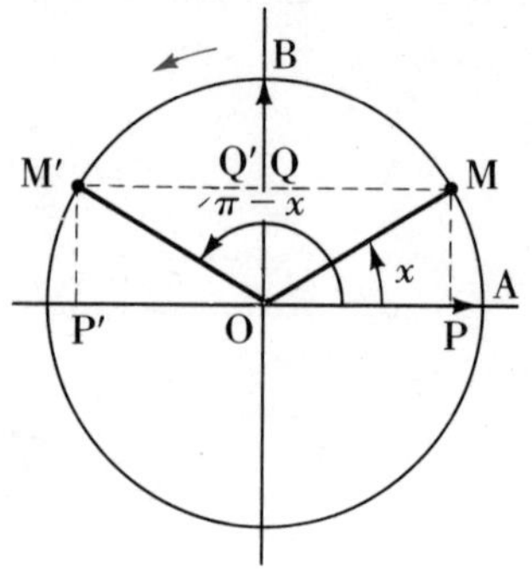

Théorème 5

> **Pour tout réel x :**
>
> $$\cos(\pi - x) = -\cos x$$
> $$\sin(\pi - x) = \sin x.$$

c. Réels de somme $\frac{\pi}{2}$

M est le point de $\mathcal{C}$ associé à x. M′ est le symétrique de M par rapport à la droite Δ d'équation $y = x$.
Nous avons donc :

$\overline{OP'} = \overline{OQ} = \sin x$
$\overline{OQ'} = \overline{OP} = \cos x$.

En outre la symétrie par rapport à Δ a transformé l'angle $(\widehat{\overrightarrow{OA}, \overrightarrow{OM}})$ en l'angle $(\widehat{\overrightarrow{OB}, \overrightarrow{OM'}})$.
Nous savons alors qu'une mesure de $(\widehat{\overrightarrow{OB}, \overrightarrow{OM'}})$ est $-x$, celle de $(\widehat{\overrightarrow{OA}, \overrightarrow{OM}})$ étant x (chapitre 21, page 243).
Par ailleurs de la relation

$(\widehat{\overrightarrow{OA}, \overrightarrow{OM'}}) = (\widehat{\overrightarrow{OA}, \overrightarrow{OB}}) + (\widehat{\overrightarrow{OB}, \overrightarrow{OM'}})$ et de $(\widehat{\overrightarrow{OA}, \overrightarrow{OB}}) = +\frac{\pi}{2}$

nous déduisons que $\frac{\pi}{2} - x$ est une mesure de $(\widehat{\overrightarrow{OA}, \overrightarrow{OM'}})$.

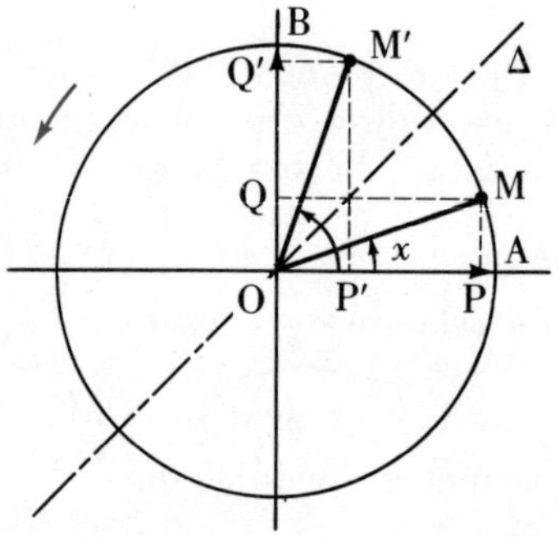

D'où : $\overline{OP'} = \cos\left(\frac{\pi}{2} - x\right)$; $\overline{OQ'} = \sin\left(\frac{\pi}{2} - x\right)$.
Finalement :

Théorème 6

> **Pour tout réel x :**
>
> $$\cos x = \sin\left(\frac{\pi}{2} - x\right)$$
> $$\sin x = \cos\left(\frac{\pi}{2} - x\right).$$

d. Réels de différence $\frac{\pi}{2}$

Nous verrions de même que :

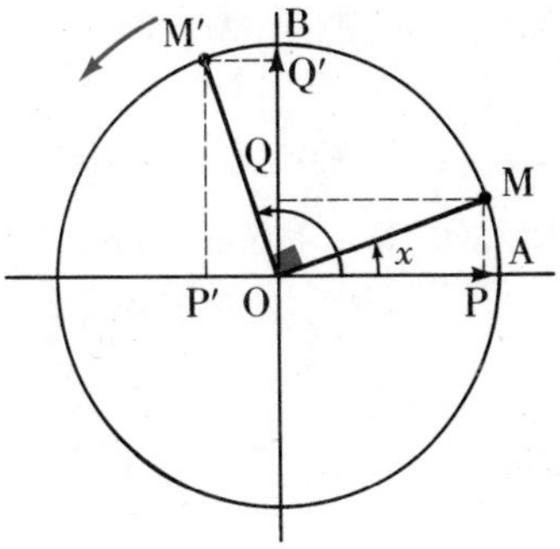

Théorème 7

Pour tout réel x :

$$\cos\left(\frac{\pi}{2}+x\right)=-\sin x$$

$$\sin\left(\frac{\pi}{2}+x\right)=\cos x.$$

Commentaires

• Cela montre que la courbe représentative de la fonction cosinus se déduit de celle de la fonction sinus par une translation de vecteur $\vec{u}=-\frac{\pi}{2}\vec{i}$.

• Si vous mémorisez toutes ces relations, tant mieux pour vous.
Sinon, n'oubliez pas que vous pouvez les retrouver rapidement; il vous suffit de faire un dessin : ayant placé M associé à x, placez ensuite le point M′ associé soit à $\pi-x$, à $\pi+x$, $\frac{\pi}{2}-x$, etc., et utilisez les définitions de sinus et cosinus.

3.6. Valeurs remarquables

• **Il résulte directement de la définition de cos x et sin x que :**

$$\cos 0=1,\quad \cos\frac{\pi}{2}=0,\quad \cos\pi=-1$$

$$\sin 0=0,\quad \sin\frac{\pi}{2}=1,\quad \sin\pi=0.$$

• **M est le point de $\mathcal{C}$ associé à $x=\frac{\pi}{4}$.**

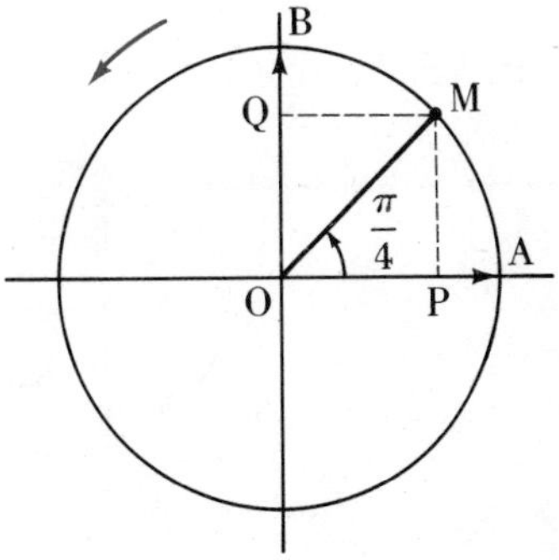

Alors le quadrilatère OQMP est un carré; donc : OP = OQ.
De plus : $\overline{OP}=OP$ et $\overline{OQ}=OQ$.

Nous avons donc : $\cos\frac{\pi}{4}=\sin\frac{\pi}{4}$.

D'après la relation fondamentale : $\cos^2\frac{\pi}{4}+\sin^2\frac{\pi}{4}=1$

soit : $2\cos^2\frac{\pi}{4}=1$; $\cos^2\frac{\pi}{4}=\frac{1}{2}$.

Comme $\cos\frac{\pi}{4}$ est positif, il en résulte : $\cos\frac{\pi}{4}=\sqrt{\frac{1}{2}}=\frac{\sqrt{2}}{2}$.

$$\mathbf{\cos\frac{\pi}{4}=\sin\frac{\pi}{4}=\frac{\sqrt{2}}{2}.}$$

• **M est le point de $\mathcal{C}$ associé à $\boldsymbol{\frac{\pi}{3}}$.**

Alors le triangle OMA est équilatéral; la hauteur [OP] est donc aussi médiane.
D'où $OP = \frac{OA}{2} = \frac{1}{2}$.

Mais $\overline{OP} = OP$. Donc $\cos\frac{\pi}{3} = \frac{1}{2}$.
D'après la relation fondamentale :

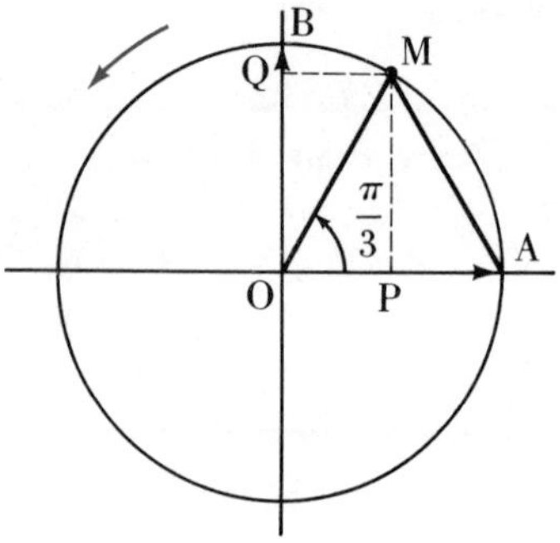

$$\sin^2\frac{\pi}{3} + \cos^2\frac{\pi}{3} = 1$$

d'où :

$$\sin^2\frac{\pi}{3} = 1 - \frac{1}{4} = \frac{3}{4}.$$

Comme $\sin\frac{\pi}{3}$ est positif, on déduit : $\sin\frac{\pi}{3} = \sqrt{\frac{3}{4}} = \frac{\sqrt{3}}{2}$.

$$\boldsymbol{\cos\frac{\pi}{3} = \frac{1}{2}; \quad \sin\frac{\pi}{3} = \frac{\sqrt{3}}{2}.}$$

• **Comme :** $\boldsymbol{\frac{\pi}{3} + \frac{\pi}{6} = \frac{\pi}{2}}$, soit : $\frac{\pi}{6} = \frac{\pi}{2} - \frac{\pi}{3}$,
nous avons, d'après le théorème 6 :

$$\cos\frac{\pi}{6} = \cos\left(\frac{\pi}{2} - \frac{\pi}{3}\right) = \sin\frac{\pi}{3} = \frac{\sqrt{3}}{2}.$$

$$\sin\frac{\pi}{6} = \sin\left(\frac{\pi}{2} - \frac{\pi}{3}\right) = \cos\frac{\pi}{3} = \frac{1}{2}.$$

D'où :

$$\boldsymbol{\cos\frac{\pi}{6} = \frac{\sqrt{3}}{2}; \quad \sin\frac{\pi}{6} = \frac{1}{2}.}$$

• **Tableau récapitulatif**

x en radians	0	$\frac{\pi}{6}$	$\frac{\pi}{4}$	$\frac{\pi}{3}$	$\frac{\pi}{2}$
$\cos x$	1	$\frac{\sqrt{3}}{2}$	$\frac{\sqrt{2}}{2}$	$\frac{1}{2}$	0
$\sin x$	0	$\frac{1}{2}$	$\frac{\sqrt{2}}{2}$	$\frac{\sqrt{3}}{2}$	1

Commentaire

L'usage de la calculatrice n'empêche pas de **retenir** les valeurs remarquables données dans le tableau ci-dessus. En effet, un inconvénient de la calculatrice est de ne donner que des approximations; et quelquefois alors on complique plus que l'on simplifie.

3.7. Applications

EXERCICE résolu 1 Trouvez le cosinus et le sinus de $77\pi + \frac{\pi}{3}$.

Solution □□□

Nous écrivons : $77\pi + \frac{\pi}{3} = (38 \times 2)\pi + \pi + \frac{\pi}{3} = 76\pi + \frac{4\pi}{3}$.

Donc $\cos\left(77\pi + \frac{\pi}{3}\right) = \cos\left[(2 \times 38)\pi + \frac{4\pi}{3}\right] = \cos\frac{4\pi}{3} = \cos\left(\pi + \frac{\pi}{3}\right)$.

D'où $\cos\left(\pi + \frac{\pi}{3}\right) = -\cos\frac{\pi}{3}$ et comme nous savons que $\cos\frac{\pi}{3} = \frac{1}{2}$:

$$\cos\left(77\pi + \frac{\pi}{3}\right) = -\mathbf{\frac{1}{2}}.$$

De même : $$\sin\left(77\pi + \frac{\pi}{3}\right) = \sin\frac{4\pi}{3} = \sin\left(\pi + \frac{\pi}{3}\right) = -\sin\frac{\pi}{3} = -\mathbf{\frac{\sqrt{3}}{2}}.$$

□□□□□□□□□

EXERCICE résolu 2 Résolvez l'équation $\cos x = a$, a étant un réel donné.

Solution □□□

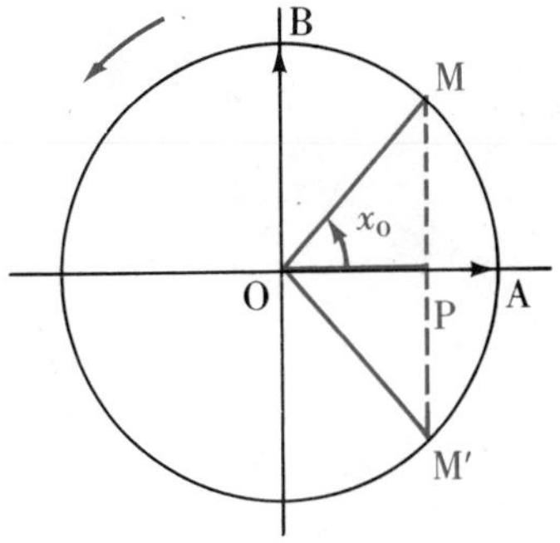

Si $|a| > 1$, l'équation n'a pas de solution puisque l'on sait que pour tout réel x, $|\cos x| \leqslant 1$.
Si $|a| \leqslant 1$, il existe au moins une solution. En effet, il existe un point P d'abscisse a (voir dessin ci-contre).
Ce point P est la projection orthogonale de deux points M et M' du cercle. M et M' sont symétriques par rapport à l'axe des abscisses.

Si x_0 est une mesure de $(\widehat{\overrightarrow{OA}, \overrightarrow{OM}})$, alors on a : $\cos x_0 = a$.

Toutes les autres mesures sont de la forme $x_0 + 2k\pi$, avec $k \in \mathbb{Z}$. Donc tout réel $x_0 + 2k\pi$, avec $k \in \mathbb{Z}$, est solution.
Puisque x_0 est une mesure de $(\widehat{\overrightarrow{OA}, \overrightarrow{OM}})$, alors $-x_0$ est une mesure de $(\widehat{\overrightarrow{OA}, \overrightarrow{OM'}})$. Ainsi, on a $\cos(-x_0) = a$. Et tous les réels $-x_0 + 2k\pi$, $k \in \mathbb{Z}$, sont solutions.
Donc, finalement, *l'ensemble des solutions est constitué des réels qui s'écrivent :* $\boldsymbol{x_0 + 2k\pi}$, $\boldsymbol{k \in \mathbb{Z}}$ ***ou*** $\boldsymbol{-x_0 + 2k\pi}$.
Reste à trouver un réel x_0 tel que $\cos x_0 = a$.
La calculatrice permet de trouver une approximation d'un tel réel en procédant comme il a été dit en 2.2.

Par exemple, si $\boldsymbol{a = \frac{2}{3}}$, on trouve, en utilisant la touche radians : 0,841 comme approximation (à 10^{-3} près) de x.
D'où les solutions approchées :

$$x = 0{,}841 + 2k\pi,\ k \in \mathbb{Z},$$
$$x = -0{,}841 + 2k\pi,\ k \in \mathbb{Z}.$$

□□□□□□□□□

EXERCICE résolu 3 Résolvez l'équation $\sin x = \frac{1}{4}$.

Solution □□□

On procède comme précédemment.

Q est le point d'*ordonnée* $\frac{1}{4}$.

Q est la projection orthogonale de deux points M et M′ symétriques par rapport à l'axe des ordonnées.

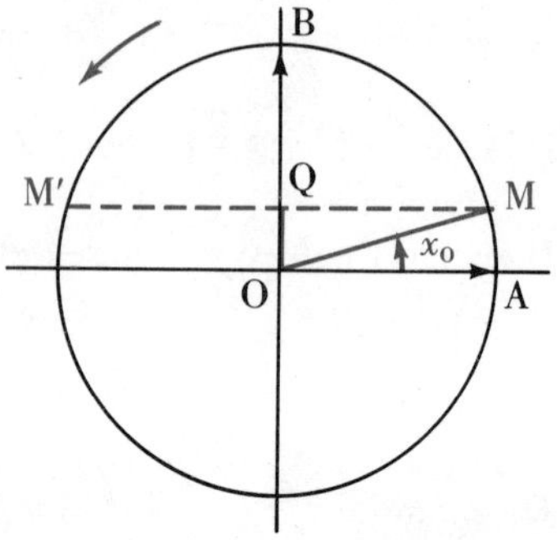

Si x_0 est une mesure en radians de $(\widehat{\overrightarrow{OA}, \overrightarrow{OM}})$, alors on a : $\sin x_0 = \frac{1}{4}$.

Toute autre mesure s'écrivant : $x_0 + 2k\pi$, tout réel $x_0 + 2k\pi$, $k \in \mathbb{Z}$ est solution de $\sin x = \frac{1}{4}$.

x_0 étant une mesure de $(\widehat{\overrightarrow{OA}, \overrightarrow{OM}})$, alors $\pi - x_0$ est une mesure de $(\widehat{\overrightarrow{OA}, \overrightarrow{OM'}})$.

Donc : $\sin(\pi - x_0) = \frac{1}{4}$; et tous les réels : $(\pi - x_0) + 2k\pi$, $k \in \mathbb{Z}$ sont solutions de $\sin x = \frac{1}{4}$.

Il ne peut y avoir d'autres solutions.

La calculatrice (touche radians) donne 0,253 comme approximation (à 10^{-3} près) de x_0.

Donc les solutions approchées sont :

$$\begin{cases} \mathbf{0{,}253 + 2k\pi,\ k \in \mathbb{Z}} \\ \mathbf{(\pi - 0{,}253) + 2k\pi,\ k \in \mathbb{Z}.} \end{cases}$$

□□□□□□□□□□

4. Pour aller plus loin

La fonction tangente

Définition

x étant un réel tel que $\cos x$ soit non nul, on appelle **tangente de x** et on note $\tan x$, le réel :

$$\tan x = \frac{\sin x}{\cos x}$$

La **fonction tangente,** notée **tan,** est la fonction :

$$x \longmapsto \tan x.$$

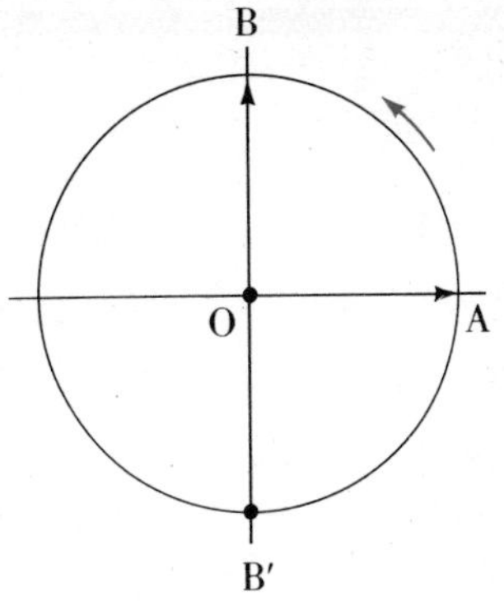

• Ensemble de définition

Cherchons les réels x tels que $\cos x = 0$, la fonction $\tan x = \dfrac{\sin x}{\cos x}$ n'étant pas définie pour $\cos x = 0$.
Si x_0 est une solution, le point M associé à x_0 est en B ou en B'.

Donc il existe un entier k dans $\mathbb{Z}$ tel que $x_0 = \dfrac{\pi}{2} + 2k\pi$, ou encore il existe un entier k dans $\mathbb{Z}$, tel que

$x_0 = -\dfrac{\pi}{2} + 2k\pi$.

On vérifie que l'ensemble de ces réels est l'ensemble $\mathcal{S}$ des réels qui s'écrivent : $\dfrac{\pi}{2} + k\pi,\ k \in \mathbb{Z}$.
Et, inversement, il est facile de voir que tout réel de $\mathcal{S}$ est solution.
On note $\mathcal{S} = \left\{\dfrac{\pi}{2} + k\pi;\ k \in \mathbb{Z}\right\}$.
L'ensemble de définition de la fonction tangente est donc :

$$\mathbb{R} - \left\{\frac{\pi}{2} + k\pi;\ k \in \mathbb{Z}\right\}.$$

• Périodicité

Soit x un réel n'appartenant pas à $\mathcal{S}$.
On a : $$\tan(x + \pi) = \frac{\sin(x + \pi)}{\cos(x + \pi)} = \frac{-\sin x}{-\cos x} = \tan x.$$

En outre, pour tout x dans $\mathbb{R} - \mathcal{S}$, on a : $x + \pi$ dans $\mathbb{R} - \mathcal{S}$ et $x - \pi$ dans $\mathbb{R} - \mathcal{S}$.
Il en résulte que la fonction tangente est périodique et que π est une période. Nous admettrons que π est LA période de cette fonction. D'où le théorème suivant :

Théorème 8

La fonction tangente est périodique.
π est LA période de la fonction tangente.

• Parité

Soit x un réel n'appartenant pas à $\mathcal{S}$.

$$\tan(-x) = \frac{\sin(-x)}{\cos(-x)} = \frac{-\sin x}{\cos x} = -\tan x.$$

Cela étant vrai pour tout x de l'ensemble de définition, et celui-ci étant symétrique par rapport à zéro, on peut énoncer le théorème suivant :

Théorème 9

La fonction tangente est impaire.

EXERCICES

Pour tester vos connaissances

1. Donnez les sinus et cosinus de chacun des réels suivants :

a) $\frac{\pi}{6}$; $\frac{5\pi}{6}$; $\frac{7\pi}{6}$; $\frac{11\pi}{6}$; $\frac{13\pi}{6}$.

b) $\frac{\pi}{4}$; $\frac{9\pi}{4}$; $\frac{5\pi}{4}$; $\frac{81\pi}{4}$; $\frac{-108\pi}{4}$.

c) $\frac{4\pi}{3}$; $\frac{\pi}{3}$; $\frac{71\pi}{3}$; $\frac{97\pi}{3}$.

2. x est un réel.
Trouvez, en fonction de $\cos x$ et de $\sin x$, les sinus et cosinus de chacun des réels suivants :

$$x-\pi;\quad x+4\pi;\quad -x+5\pi;$$
$$x-9\pi;\quad x+\frac{7\pi}{2};\quad \frac{3\pi}{2}-x.$$

3. Pour chacun des cas, à l'aide de la calculatrice, trouvez un réel x dans $[0;\ \pi]$ tel que :

a) $\cos x = 0{,}9$.

b) $\sin x = -0{,}8$.

c) $\sin x = -2$.

4. Résolvez dans $\mathbb{R}$ l'équation $\cos x = \frac{1}{2}$.

5. On donne : $\cos \frac{\pi}{8} = \frac{1}{2}\sqrt{2+\sqrt{2}}$.

Trouvez $\sin \frac{\pi}{8}$.

Exercices d'entraînement

Pour les exercices 1 à 3, donnez les ensembles de définition des fonctions :

1. $x \longmapsto \sqrt{3-\cos x}$.

2. $x \longmapsto \sqrt{1-\cos^2 x}$.

3. $x \longmapsto \sqrt{\sin x+1}$.

Pour les exercices 4 à 6, montrez que pour tout réel x :

4. $(\sin x+\cos x)^2 = 1+2\sin x\cos x$.

5. $\sin^4 x+\cos^4 x+2\sin^2 x\cos^2 x = 1$.

6. $\sin^6 x+\cos^6 x-2\sin^4 x-\cos^4 x + \sin^2 x = 0$.

Pour les exercices 7 à 12, exprimez en fonction de $\cos x$ et $\sin x$ chacun des réels :

7. $\mathrm{A} = \cos\left(\frac{\pi}{2}+x\right)+\cos(2\pi-x) + \sin(\pi-x)+\cos(\pi+x)$.

8. $\mathrm{A} = 2\cos x+3\cos(\pi+x) + 6\sin\left(\frac{\pi}{2}-x\right)$.

9. $\mathrm{A} = \cos(\pi-x)+\cos\left(\frac{\pi}{2}-x\right) - \sin\left(\frac{\pi}{2}-x\right)$.

10. $\mathrm{A} = \cos\left(\frac{5\pi}{2}-x\right)+\cos(\pi-x) + \sin(5\pi-x)$.

11. $A = \sin\left(\frac{\pi}{2} + x\right) + \sin(71\pi - x)$.

12. $A = \cos\left(\frac{\pi}{2} + x\right) + \cos(5\pi + x) - \sin(31\pi - x)$.

Pour les exercices 13 à 19, en vous aidant de la calculatrice, résolvez dans $\mathbb{R}$ les équations suivantes :

13. $5 \sin x + 1 = 0$.

14. $2 \cos x = -1$.

15. $\sin x = \frac{1}{3}$.

16. $\sin x - \cos x = 0$.

17. $\sin 2x = 0{,}5$.

18. $\sin 4x = \frac{\sqrt{2}}{2}$.

19. $\cos 3x = \frac{1}{2}$.

Pour les exercices 20 à 22, résolvez dans $\mathbb{R}$ les inéquations suivantes en vous aidant du cercle trigonométrique et des valeurs remarquables.

20. $2 \sin x - 1 \geqslant 0$.

21. $\cos x < 5$.

22. $\cos x < \frac{\sqrt{2}}{2}$.

Pour les exercices 23 à 26, en connaissant les courbes des fonctions cosinus et sinus, représentez graphiquement les fonctions suivantes :

23. $x \longmapsto \sin x + 2$.

24. $x \longmapsto |\cos x|$.

25. $x \longmapsto \sin |x|$.

26. $x \longmapsto \sin\left(x + \frac{\pi}{4}\right)$.

27. $x \longmapsto \sin 2x$.

28. ABCD est un parallélogramme articulé.
La tige AD est fixe et AD = 3.
B décrit le quart de cercle de rayon 2, de centre A du même côté que D par rapport à A.
C décrit le quart de cercle de rayon 2, de centre D, du côté opposé à A par rapport à D.
On note x la mesure en radians de $\widehat{DAB}$.

a) Exprimez l'aire S du parallélogramme en fonction de x.

b) Comment choisir x pour avoir $S = 4$?

29. $\mathcal{C}$ est le cercle trigonométrique de centre O. $(O, \vec{i}, \vec{j})$ est un repère orthonormé positif. I, J, J' sont les points tels que : $\overrightarrow{OI} = \vec{i}$, $\overrightarrow{OJ} = \vec{j}$, $\overrightarrow{OJ'} = -\vec{j}$.
(tt') est la droite tangente à $\mathcal{C}$ en I et de repère $(I, \vec{j})$.
M est un point de $\mathcal{C}$ et x une des mesures en radians de $\widehat{(\overrightarrow{OI}, \overrightarrow{OM})}$.
Lorsque $x \neq \frac{\pi}{2} + k\pi$, avec $k \in \mathbb{Z}$, T est le point d'intersection de la droite (OM) avec (tt').
Montrez que $\tan x = \overline{IT}$.

30 D est l'ensemble de définition de la fonction tangente.

a) $x \in D$ et $\frac{\pi}{2} - x \in D$; vérifiez que $\tan\left(\frac{\pi}{2} - x\right) = \frac{1}{\tan x}$.

b) $x \in D$ et $\frac{\pi}{2} + x \in D$; vérifiez que $\tan\left(\frac{\pi}{2} + x\right) = -\frac{1}{\tan x}$.

CHAPITRE
13

SYSTÈMES D'ÉQUATIONS ET D'INÉQUATIONS DU PREMIER DEGRÉ

1. Pour prendre un bon départ

Systèmes de deux équations à deux inconnues

Nous rappelons les diverses méthodes de résolution à la faveur d'exercices.

a. Résolution par substitutions

Dans une boîte se trouvent 10 billes; les unes sont rouges et les autres bleues.
Si l'on ajoute dans la boîte 3 billes bleues et 2 billes rouges, alors il y a deux fois plus de bleues que de rouges.
Combien y avait-il de billes de chaque couleur dans la boîte?

Mise en équations du problème
b et r désignent respectivement les nombres initiaux de billes de chaque couleur. Ainsi, $b+r=10$.
Lorsqu'on ajoute les billes, il y a $b+3$ billes bleues et $r+2$ billes rouges et par hypothèse :

$$b+3=2(r+2), \quad \text{ou encore} \quad b=2r+1.$$

Pour déterminer b et r, il faut résoudre *le système* (1) $\begin{cases} b+r=10 \\ b=2r+1. \end{cases}$

En *remplaçant* b par $2r+1$ dans la première équation, il vient l'équation du premier degré à *une* inconnue :

$$2r+1+r=10$$

soit : $3r=9$

et $r=3$

d'où : $b=2+1=7.$

Il est alors facile de vérifier que le couple ($r=3$; $b=7$) est solution du système.

b. Interprétation graphique

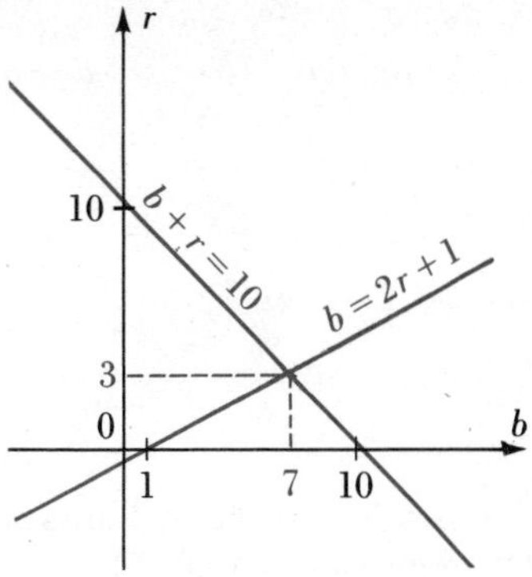

Dans le plan rapporté à un repère orthonormé, nous pouvons interpréter chacune des équations du système (1) comme une équation d'une droite de ce plan. *Les coordonnées* du point d'intersection de ces deux droites donnent la solution du système.

c. Résolution par combinaisons

Reprenons le système précédent :

$$\begin{cases} b + r = 10 \\ b - 2r = 1. \end{cases}$$

Multiplions chaque membre de la deuxième équation par -1; on obtient le système :

$$\begin{cases} b + r = 10 \\ -b + 2r = -1. \end{cases}$$

Par addition membre à membre, on obtient l'équation :

$$3r = 9 \quad \text{d'où} \quad r = 3.$$

De l'équation $b + r = 10$, on déduit que $b = 7$.

2. Approche

2.1. Systèmes à plus de deux inconnues

Dans ce qui précède, nous avons résolu des systèmes de *deux* équations à *deux* inconnues. Nous allons maintenant résoudre des systèmes à *trois* ou *quatre* inconnues.

a. Équation d'une parabole passant par trois points

f est la fonction définie sur $\mathbb{R}$ par :

$$f(x) = ax^2 + bx + c$$

où a, b, c sont trois réels.
Déterminons les réels a, b, c de sorte que :

$$f(1) = 1, \quad f(2) = 0 \quad \text{et} \quad f(4) = 4.$$

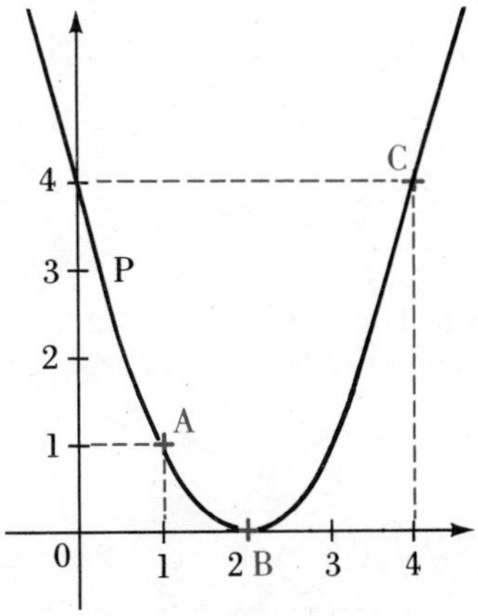

En d'autres termes, il s'agit de déterminer *la parabole* P qui passe par les points A, B, C de coordonnées respectives (1; 1), (2; 0) et (4; 4).

$f(1) = 1$ conduit à $a + b + c = 1$

$f(2) = 0$ conduit à $4a + 2b + c = 0$

$f(4) = 4$ conduit à $16a + 4b + c = 4.$

Pour calculer les réels a, b, c, il faut résoudre dans $\mathbb{R}^3$ le système

$$\begin{cases} a + b + c = 1 \\ 4a + 2b + c = 0 \\ 16a + 4b + c = 4. \end{cases}$$

A l'aide de la première équation, *éliminons* c des deuxième et troisième équations. On remplace c par $1-a-b$:

$$\begin{cases} a+\ \ b+c=1 \\ 4a+2b+(1-a-b)=0 \\ 16a+4b+(1-a-b)=4. \end{cases}$$

Ce qui conduit à :

$$\begin{cases} a+\ \ b+c=1 \\ 3a+\ \ b \qquad =-1 \\ 15a+3b \qquad =3. \end{cases}$$

A l'aide de la seconde équation de ce nouveau système, éliminons b de la troisième équation. On remplace b par $-1-3a$:

$$\begin{cases} a+b+c \qquad =1 \\ 3a+b \qquad =-1 \\ 15a+3(-1-3a)=3 \end{cases}$$

ce qui conduit au système :

$$\begin{cases} a+b+c=1 \\ 3a+b \qquad =-1 \\ 6a \qquad =6. \end{cases}$$

Nous obtenons ainsi un *système triangulaire* qui permet de calculer a, b, c en cascade : la troisième équation donne $a=1$; en portant cette valeur dans la seconde équation, il vient

$$3+b=-1, \text{ d'où } \quad b=-4;$$

en portant enfin ces deux valeurs dans la première, il vient $c=4$.

D'où : $$f(x)=x^2-4x+4=(x-2)^2.$$

Commentaire

Il n'est pas *inutile* de vérifier que $f(1)=(-1)^2=1$, $f(2)=0$ et $f(4)=2^2=4$.

b. Autre méthode

f est la fonction définie sur $\mathbb{R}$ par :

$$f(x)=p(x-4)(x-2)+q(x-4)+r$$

où p, q, r sont trois réels.
Déterminons les réels de sorte que :

$$f(1)=1, \quad f(2)=0 \quad \text{et} \quad f(4)=4.$$

Ces conditions conduisent au *système triangulaire :*

$$\begin{cases} 3p-3q+r=1 \\ \quad -2q+r=0 \\ \qquad\quad r=4 \end{cases}$$

qui donne immédiatement par substitutions successives, $r=4$, $q=2$ et $p=1$.
Il en résulte que $f(x)=(x-4)(x-2)+2(x-4)+4$.

EXERCICE Vérifiez l'égalité des fonctions trouvées par ces deux méthodes.

c. D'autres systèmes

Résolvons le système de quatre équations à quatre inconnues

$$\begin{cases} x+2y+3z+4t=30 \\ x-2y+3z+4t=22 \\ x+2y-3z+4t=12 \\ x+2y+3z-4t=-2. \end{cases}$$

On peut résoudre ce système par substitution, mais la forme particulière des équations permet, en retranchant de la première équation, successivement, la seconde, la troisième et la quatrième équation, d'obtenir le système :

$$\begin{cases} x+2y+3z+4t=30 \\ 4y=8 \\ 6z=18 \\ 8t=32 \end{cases}$$

d'où : $y=2$, $z=3$, $t=4$ et $x=30-(4+9+16)=1$.

Commentaire

Attention, il n'est pas toujours aussi aisé de résoudre un système!... en général, il exige beaucoup de calculs à sa résolution.

EXERCICE

Résolvez le système : $\begin{cases} t+u+v+w=2 \\ t+2u+3v+4w=3 \\ t+3u+4v+5w=4 \\ t+4u+5v+6w=5. \end{cases}$

2.2. Un système d'inéquations

Résolvons graphiquement le système d'inéquations :

$$(1)\begin{cases} 2x+y>-4 \\ y>-2 \\ 2x-y<-2. \end{cases}$$

Dans le plan P rapporté à un repère, représentons les droites D_1, D_2, D_3, d'équations respectives :

$$2x+y+4=0$$
$$y+2=0$$
$$2x-y+2=0.$$

Pour chacune des applications de $\mathbb{R}^2$ dans $\mathbb{R}$ définies par :

$$f(x;y)=2x+y+4$$
$$g(x;y)=y+2$$
$$h(x;y)=2x-y+2;$$

calculons leurs valeurs au point (0; 0) (coordonnées de l'origine du repère) comme indiqué page 199 au chapitre 17; il vient :

$$f(0;0)=4, \quad g(0;0)=2 \quad \text{et} \quad h(0;0)=2.$$

Il en résulte que l'ensemble des couples $(x; y)$ solutions du système (1) sont les coordonnées des points de la région non hachurée de P.

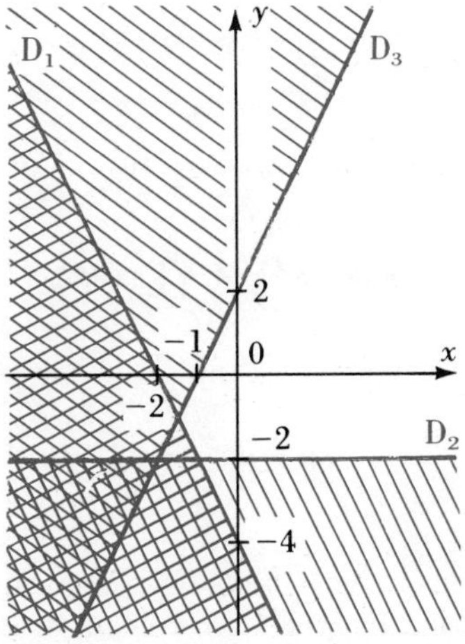

3. Cours et applications

3.1. Systèmes de deux équations affines à deux inconnues

Un système de deux *équations affines* d'inconnues x et y est de la forme :

$$\begin{cases} ax + by + c = 0 \\ a'x + b'y + c' = 0 \end{cases}$$

où a, b, c, a', b', c' sont des réels.
Résoudre ce système dans $\mathbb{R}^2$, c'est trouver l'ensemble $\mathcal{S}$ des couples de réels $(x_0; y_0)$ tels que :

$$\begin{cases} ax_0 + by_0 + c = 0 \\ a'x_0 + b'y_0 + c' = 0. \end{cases}$$

Vous avez vu en classe de Troisième que :

Le système : $\begin{cases} ax + by + c = 0 \\ a'x + b'y + c' = 0 \end{cases}$

admet une solution unique *si et seulement si* $ab' - ba'$ est *différent de zéro*. Si $ab' - ba'$ est *nul*, alors le système n'a pas de solution ou en admet une infinité.

Commentaire

Dans le cas où $ab' - ba' = 0$:
— soit les deux équations du système sont identiques, et il y a une infinité de solutions;
— soit les deux équations sont contradictoires, et il n'y a pas de solution.

3.2. Interprétation géométrique

Le plan est rapporté à un repère; associons au système :

$$\text{(A)} \quad \begin{cases} ax + by + c = 0 \\ a'x + b'y + c' = 0 \end{cases}$$

les droites D et D' d'équations respectives $ax + by + c = 0$ et $a'x + b'y + c' = 0$ (à condition que les réels a et b ne soient pas tous les deux nuls, ainsi que les réels a' et b').

Un couple $(x_0; y_0)$ est solution du système (A) *si et seulement si* le point M_0 de coordonnées $(x_0; y_0)$ *appartient aux deux droites* D *et* D'.
La figure ci-dessous indique les trois cas possibles :

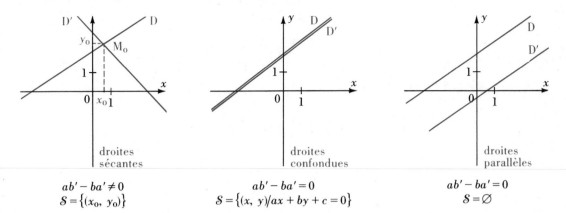

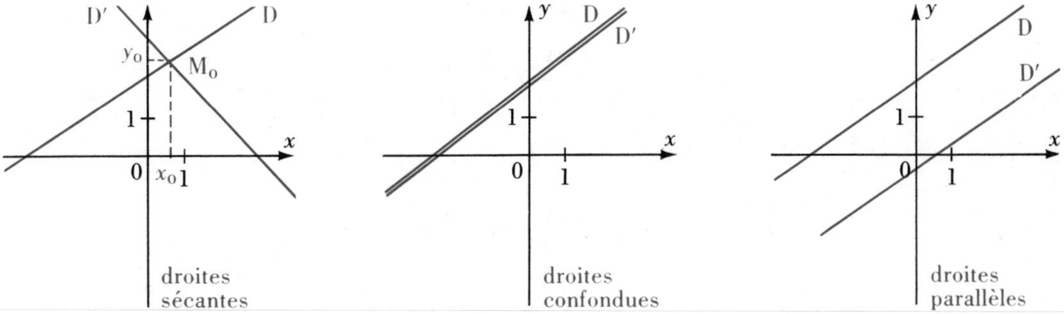

$ab' - ba' \neq 0$	$ab' - ba' = 0$	$ab' - ba' = 0$
$\mathcal{S} = \{(x_0, y_0)\}$	$\mathcal{S} = \{(x, y)/ax + by + c = 0\}$	$\mathcal{S} = \varnothing$

3.3. D'autres systèmes

EXERCICE résolu 1

Un problème de Diophante (325; 409). Ce problème a intéressé de nombreux mathématiciens : Luca Pacioli au XVe siècle, Tartaglia et Viète au XVIe siècle, Euler au XVIIIe siècle; il se trouve aussi dans la *Logistique* de Buteon (1559) : « Une somme quelconque étant donnée, trouvez trois nombres dont le premier avec la moitié des autres, le second avec le tiers et le troisième avec le quart forment la somme donnée ».

Solution □ □ □

Mettons ce problème en équations dans le cas où la « somme » est 68.
Désignons respectivement par a, b, c les nombres cherchés. Il nous faut résoudre dans $\mathbb{R}^3$ le système :

$$(S) \quad \begin{cases} a + \dfrac{1}{2}(b+c) = 68 \\ b + \dfrac{1}{3}(c+a) = 68 \\ c + \dfrac{1}{4}(a+b) = 68 \end{cases} \quad \text{ou} \quad (S_1) \quad \begin{cases} 2a + b + c = 136 \\ a + 3b + c = 204 \\ a + b + 4c = 272. \end{cases}$$

Nous allons essayer de nous ramener à un système triangulaire, comme nous l'avons fait en « Approche » (page 148) : utilisons *des combinaisons linéaires* pour annuler le coefficient de a dans la deuxième équation et les coefficients de a et b dans la troisième :

1. Divisons par 2 les deux membres de cette équation afin de rendre le coefficient de a égal à 1 :

$$(S_2) \quad \begin{cases} a + \dfrac{1}{2}\,b + \dfrac{1}{2}\,c = 68 \\ a + 3\,b + \quad c = 204 \\ a + \quad b + 4c = 272. \end{cases}$$

2. Par soustraction, annulons le coefficient de a dans les deuxième et troisième équations :

$$(S_3)\quad\begin{cases} a+\frac{1}{2}b+\frac{1}{2}c=68 \\ \frac{5}{2}b+\frac{1}{2}c=136 \\ \frac{1}{2}b+\frac{7}{2}c=204. \end{cases}$$

3. Divisons par $\frac{5}{2}$ les deux membres de la deuxième équation :

$$(S_4)\quad\begin{cases} a+\frac{1}{2}b+\frac{1}{2}c=68 \\ b+\frac{1}{5}c=\frac{272}{5} \\ \frac{1}{2}b+\frac{7}{2}c=204. \end{cases}$$

4. Divisons par $\frac{1}{2}$ les deux membres de la troisième équation et par soustraction annulons le coefficient de b dans la troisième équation :

$$(S_5)\quad\begin{cases} a+\frac{1}{2}b+\frac{1}{2}c=68 \\ b+\frac{1}{5}c=\frac{272}{5} \\ \frac{17}{5}c=\frac{884}{5}. \end{cases}$$

5. Divisons par $\frac{17}{5}$ les deux membres de la troisième équation :

$$(S_6)\quad\begin{cases} a+\frac{1}{2}b+\frac{1}{2}c=68 \\ b+\frac{1}{5}c=\frac{272}{5} \\ c=52. \end{cases}$$

Par substitutions nous obtenons la solution **(20; 44; 52).**
La méthode utilisée est appelée **méthode de GAUSS.**

□ □ □ □ □ □ □ □ □

EXERCICE résolu 2

Résolvez à l'aide de la méthode de Gauss, le système :

$$(S)\quad\begin{cases} x+y-2z=3 \\ 2x-y+z=5 \\ x+4y-7z=4. \end{cases}$$

Solution □ □ □

A l'aide de la première équation, éliminons x dans les deuxième et troisième équations :

$$(S_1)\quad\begin{cases} x+y-2z=3 \\ 3y-5z=1 \\ 3y-5z=1. \end{cases}$$

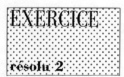

Les deux dernières équations sont *identiques :* le système (S_1) se réduit donc à un système de *deux* équations à *trois* inconnues :

$$(S_2)\begin{cases} x+y-2z=3 \\ 3y-5z=1. \end{cases}$$

Nous pouvons donner à une des trois inconnues une *valeur arbitraire,* par exemple $x=\alpha$, où α est un réel;

il vient alors :

$$(S_3)\begin{cases} y-2z=3-\alpha \\ 3y-5z=1. \end{cases}$$

C'est un système de deux équations à deux inconnues y et z qui admet pour solution :

$$y=5\alpha-13, \qquad \text{et} \qquad z=3\alpha-8$$

Le système (S) admet la solution :

$$\boldsymbol{x=\alpha}, \qquad y=5\alpha-13 \qquad \text{et} \qquad z=3\alpha-8.$$

où α est un réel quelconque. Le système (S) admet **une infinité de solutions.**

□ □ □ □ □ □ □ □ □

EXERCICE résolu 3

Résolvez à l'aide de la méthode de Gauss, le système :

$$(T)\begin{cases} x+y-2z=3 \\ 2x-y+z=5 \\ x+4y-7z=2. \end{cases}$$

Solution □ □ □

A l'aide de la première équation, éliminons x dans les autres équations :

$$(T_1)\begin{cases} x+y-2z=3 \\ 3y-5z=1 \\ 3y-5z=-1. \end{cases}$$

Les deux dernières équations sont *incompatibles :* **le système (T) n'a pas de solution.**

□ □ □ □ □ □ □ □ □

3.4. Programmation linéaire

EXERCICE résolu 4

Un pont aérien (d'après une idée d'Emma CASTELNUOVO).
On veut organiser à moindre coût un pont aérien pour transporter 1 600 personnes et 90 tonnes de bagages. Les avions disponibles sont de deux types : 12 du type A et 9 du type B; un avion A peut à pleine charge transporter 200 personnes et 6 tonnes de bagages et un avion B, 100 personnes et 15 tonnes de bagages (la location d'un avion de type A coûte 4 millions de francs et celle d'un avion de type B coûte 1 million). Combien d'avions de chaque type louer?

Solution □ □ □

Mettons en équations cette situation; si x et y désignent respectivement le nombre d'avions du type A et du type B utilisés alors :

$0\leqslant x\leqslant 12$ car on dispose au plus de 12 avions de type A;
$0\leqslant y\leqslant 9$ car on dispose au plus de 9 avions de type B.

$200x + 100y$ est le nombre de places disponibles dans ces avions; comme on veut transporter 1 600 personnes, il faut que :

$$200x + 100y \geqslant 1\,600.$$

$6x + 15y$ est le nombre de tonnes que peuvent transporter ces avions; comme on veut transporter 90 tonnes, il faut que :

$$6x + 15y \geqslant 90.$$

Ainsi, les conditions du problème sont :

$$\begin{cases} 0 \leqslant x \leqslant 12 \\ 0 \leqslant y \leqslant 9 \\ 200x + 100y \geqslant 1\,600 \\ 6x + 15y \geqslant 90 \end{cases}$$

ou encore :

$$\begin{cases} 0 \leqslant x \leqslant 12 \\ 0 \leqslant y \leqslant 9 \\ 2x + y \geqslant 16 \\ 2x + 5y \geqslant 30. \end{cases}$$

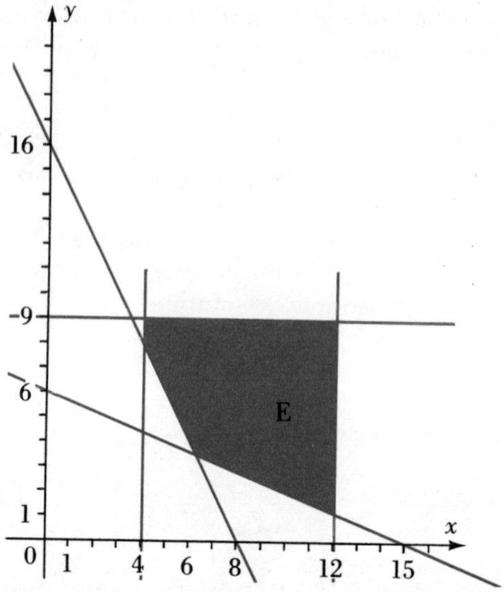

Il faut rechercher les couples de *naturels* solutions de ce système.
Tout point du domaine E de coordonnées $(x; y)$ où x et y sont des naturels correspond à un *programme réalisable.* Ainsi, le point M de coordonnées (9; 6) est dans E; il fournit un programme réalisable : avec 9 avions du type A et 6 du type B, on a

$$200 \times 9 + 100 \times 6 = 2\,400 \text{ places}$$

et

$$6 \times 9 + 15 \times 6 = 144 \text{ tonnes disponibles.}$$

Parmi toutes ces solutions, recherchons celles qui *minimisent le coût de l'opération.*
Le coût de l'opération pour la location de x avions A et y avions B est $C = 4x + y$ (en millions).
Ainsi, pour le programme (9; 6), le coût est

$$C = 4 \times 0 + 6 = 42 \text{ (en millions).}$$

A chaque coût est associé *une ligne de niveau* de l'application

$$F \left| \begin{array}{l} P \longrightarrow \mathbb{R} \\ M \longmapsto F(M) = 4x + y. \end{array} \right.$$

Pour un coût de 8 millions, on a la ligne d'équation :

$$4x + y = 8$$

qui correspond à la droite Δ_1 de la figure ci-contre qui ne rencontre aucun point du domaine E.
Lorsque C varie, les différentes lignes de niveau sont des droites parallèles à Δ_1 et coupant l'axe des ordonnées en C.
Pour un coût de 42 millions, on a la ligne :

$$4x + y = 42$$

qui correspond à la droite Δ_2 qui passe par le point (9; 6).
La ligne qui correspond au coût *minimal* pour un programme réalisable est la droite Δ qui passe par le point I de coordonnées (4; 8); il lui est associé le coût

$$C = 4 \times 4 + 8 = 24.$$

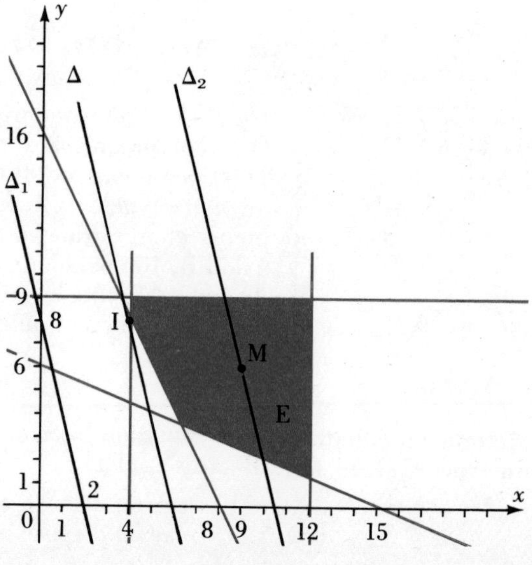

EXERCICES

Pour tester vos connaissances

1. Deux réels ont pour somme 89 et pour différence 9. Quels sont ces réels?

Pour les exercices 2 à 4, résolvez dans $\mathbb{R}^2$ les systèmes suivants :

2. $\begin{cases} 3x - 7y = 1 \\ 5x + 2y = 29. \end{cases}$

3. $\begin{cases} x - 3y = 4 \\ -2x + 6y = 7. \end{cases}$

4. $\begin{cases} u - 2v = 0{,}5 \\ v - \dfrac{1}{2}u = 0{,}25. \end{cases}$

Pour les exercices 5 à 7, résolvez dans $\mathbb{R}^3$ les systèmes suivants :

5. $\begin{cases} a + b + c = 0 \\ a + 2b + 3c = -5 \\ a + 4b + 9c = -18. \end{cases}$

6. $\begin{cases} 2x + 4y - 5z = 0 \\ x - \dfrac{3}{2}y + 2z = 2 \\ x - z = 1. \end{cases}$

7. $\begin{cases} 2x - 3y = 11 \\ 5y + z = 8 \\ 3z - 5x = 1. \end{cases}$

Pour les exercices 8 à 10, résolvez les systèmes d'inéquations suivants :

8. $\begin{cases} 4x + 15y - 60 \leqslant 0. \\ 5 \leqslant 2x + y \leqslant 8. \end{cases}$

9. $\begin{cases} x + y \geqslant 10 \\ x - y \leqslant 10. \end{cases}$

10. $\begin{cases} 2t + u > 2 \\ 3t - 4u \leqslant 3. \end{cases}$

Exercices d'entraînement

Systèmes d'équations

Pour les exercices 1 à 15, résolvez les systèmes :

1. $\begin{cases} 2x - 1 + \dfrac{1}{3}(3y - 2) + y = 2. \\ x - 1 + y = 0. \end{cases}$

2. $\begin{cases} 2a + b - 7 = 0 \\ 3a - 5b = 4. \end{cases}$

3. $\begin{cases} 2a - b = 5 \\ a - \dfrac{b}{2} = 3. \end{cases}$

4. $\begin{cases} 2(u - 3v + 1) = 4u - v - 205 \\ \dfrac{3}{4}u - \dfrac{5}{6}(v + 1) = u - \dfrac{3}{5}v - 13. \end{cases}$

5. $\begin{cases} \dfrac{1}{3}(x - y) + \dfrac{1}{2} = 2 \\ \dfrac{1}{4}(x + y) - 1 = x. \end{cases}$

6. $\begin{cases} u + v = 10 \\ u^2 - 2uv + v^2 = 16. \end{cases}$

7. $\begin{cases} (1 - x)(2 - y) = (x + 1)(y - 3) \\ (2x - 1)(3 + y) = \left(\dfrac{2}{3}y - 4\right)(3x - 1). \end{cases}$

8. $\begin{cases} \dfrac{x-1}{x-2}+\dfrac{y+1}{y+3}=2 \\ 2x-y=7. \end{cases}$

9. $\begin{cases} \dfrac{a-6}{b-1}=5 \\ \dfrac{a-3}{b+1}=\dfrac{3}{2}. \end{cases}$

10. $\begin{cases} u+v+w=4 \\ 2u-v+w=8 \\ u-3v-2w=1. \end{cases}$

11. $\begin{cases} 2\alpha+\beta+\gamma=5 \\ \alpha+2\beta+\gamma=2 \\ \alpha+\beta+2\gamma=1. \end{cases}$

12. $\begin{cases} x+4y+z=7 \\ x+4y-z=13 \\ 2x-y+2z=5. \end{cases}$

13. $\begin{cases} 2x_1+x_2+x_3+x_4=7 \\ x_1+2x_2+x_4=11 \\ x_1+x_2=3 \\ x_3+x_4=7. \end{cases}$

14. $\begin{cases} a+3b+c+d=6 \\ a+2b+2c+d=6 \\ a+b+c+d=4 \\ b+2c+d=4. \end{cases}$

15. $\begin{cases} x_1+x_2+x_3=6 \\ x_2+x_3+x_4=9 \\ x_1+x_3+x_4=8 \\ x_1+x_2+x_4=7. \end{cases}$

16. En posant $X=\dfrac{1}{1-x}$ et $Y=\dfrac{1}{y-2}$, résolvez le système :

$$\begin{cases} \dfrac{2}{3}\dfrac{1}{x-1}+\dfrac{3}{y-2}=2 \\ \dfrac{1}{1-x}+\dfrac{4}{y-2}=0. \end{cases}$$

Mise en équations

17. P est une fonction polynôme du second degré, telle que :

$$P(5)=5, \quad P(-1)=3 \quad \text{et} \quad P(-2)=-1.$$

Déterminez P en utilisant :

$$P(x)=\alpha(x-5)(x+1)+\beta(x-5)+\gamma$$

puis en utilisant :

$$P(x)=u(x-5)(x+1)+v(x+1)(x+2)+w(x+2)(x-5).$$

18. P est une fonction polynôme du troisième degré :

$$P : x \longmapsto \alpha x^3+\beta x^2+\gamma x+\delta.$$

Déterminez P de sorte que :

$P(2)=-1$, $P(-2)=2$, $P(-3)=1$ et $P(1)=-2$.

19. f est une fonction polynôme telle que $f(-1)=2$, $f(1)=4$, $f(0)=1$ et $f(2)=3$.
f peut-elle être une fonction affine? Un polynôme du second degré? du troisième degré?

20. Déterminez un naturel de trois chiffres tel que : la somme de ses chiffres soit 24; le naturel diminue de 9 lorsqu'on permute les deux derniers chiffres et diminue de 90 lorsqu'on permute les deux premiers chiffres.

21. En automobile, si je roule à 60 km/h, j'arrive à 13 h; mais si je roule à 80 km/h, j'arrive à 11 h.
Quelle distance ai-je à parcourir?
A quelle heure suis-je parti?

22. Deux villes A et B sont distantes de 150 km. Un cycliste part de A à 8 h à la vitesse moyenne de 24 km/h et va vers B. Deux heures plus tard un automobiliste part de B à la vitesse moyenne de 65 km/h et va vers A.
A quelle heure et à quelle distance de A se fait le croisement?
Est-il possible qu'un second automobiliste, partant de B vers A à vitesse constante, croise le cycliste à 11 h 30 min et dépasse l'automobiliste à 11 h 50?

23. Les deux aiguilles d'une horloge coïncident exactement à 0 h. L'aiguille des heures parcourt le cadran à vitesse uniforme à raison d'un tour en 12 h et celle des minutes à raison de 12 tours en 12 heures.
Déterminez en heures, minutes et secondes (à *une* seconde près) les instants d'une demi-journée où les deux aiguilles coïncident.

Résolution d'inéquations

24. Représentez dans un repère orthonormé l'ensemble des points M de coordonnées $(x; y)$ telles que $|x-2|\leqslant 4$.
Même exercice pour $|x-2|-|y-4|\leqslant 3$.

25. Résolvez dans R les inéquations :

$$(7a-1)(3-2a)^3(a-5)(3a+4)^2>0$$

$$\frac{b}{b+3}-\frac{b}{b-1}\leqslant\frac{1}{(b+3)(b-1)}.$$

Pour les exercices 26 et 27, résolvez graphiquement les systèmes :

26. $\begin{cases} (u+v)(u-2v)<0 \\ u+v-1<0. \end{cases}$

27. $\begin{cases} 30x+15y \geqslant 20 \\ 13x+8y \geqslant 10 \\ 40x+60y \geqslant 51 \\ x+y=1. \end{cases}$

28. Dans un repère orthonormé, A et B sont les points de coordonnées respectives (1; 0) et (−1; 0).
Au point M de coordonnées $(x; y)$, on associe le point M′ de coordonnées $(x'; y')$, barycentre des points massifs (A, x), (B, y) et (M, 3).

a) Calculez x' et y' en fonction de x et y.

b) Déterminez graphiquement l'ensemble des points M tels que $-1<x'<1$.

Programmation linéaire

29. Une usine produit deux modèles de machines : l'une exige 2 kg de matière première et 30 heures de fabrication et donne un bénéfice de 40 F; l'autre exige 4 kg de matière première et 15 heures de fabrication et donne 30 F de bénéfice.
On dispose de 200 kg de matière première et de 1 200 heures de travail.
Que faut-il produire pour avoir un bénéfice maximal?

30. Un pépiniériste dispose de 350 jeunes plants de poiriers, de 250 jeunes plants de pommiers et de 60 plants de pêchers. Il veut proposer deux sortes de lots :
— « verger complet », 20 poiriers, 15 pommiers et 8 pêchers à 2 500 F le lot;
— « quelques arbres fruitiers » : 3 poiriers, 2 pommiers et 1 pêcher à 300 F le lot.
Comment doit-il répartir ses plants pour faire le chiffre d'affaires maximal?

31. Une usine produit deux types de radios à transistors A et B. Tous les composants sont fabriqués sur place, sauf trois types de transistors T_1, T_2 et T_3 qui proviennent d'un sous-traitant.
Un accident survient chez celui-ci; la livraison des transistors est suspendue pour un certain temps. Un inventaire montre alors qu'il y a en stock 4 500 transistors T_1, 3 000 transistors T_2 et 1 100 transistors T_3.
Le modèle A exige $6T_1$, $2T_2$ et $1T_3$ et rapporte 20 F.
Le modèle B exige $3T_1$, $3T_2$ et $1T_3$ et rapporte 12 F.
Il n'y a pas d'impératif commercial pour fabriquer un modèle plutôt qu'un autre. Cependant, l'usine veut produire un bénéfice maximal avec le stock dont elle dispose.
Combien de radios de chaque type doit-elle construire?

32. Un investisseur veut se constituer un portefeuillle avec des obligations garanties par l'État et des actions de sociétés. Avec l'aide d'un conseiller, il a estimé que, pour les obligations, le taux de rendement moyen est de 10 %, la durée de placement 10 ans et le facteur de risque 0,01; pour les actions, le rendement est de 8 %, le temps de placement 5 ans et le facteur de risque 0,05.
Déterminez les pourcentages du portefeuille à investir dans chaque catégorie pour que la durée moyenne de placement ne dépasse pas 4 ans, le facteur de risque moyen ne dépasse pas 0,2, mais que le taux de rendement soit maximal.

33. E est l'ensemble des points du plan dont les coordonnées sont solution du système :

$$\begin{cases} 6x+7y \leqslant 84 \\ 2x+3y \leqslant 24 \\ 4x+3y \leqslant 36 \\ x \leqslant 6 \\ y \leqslant 7. \end{cases}$$

Parmi les points de E, quels sont ceux qui :

a) maximisent la fonction F définie par $F(M)=3(x+y)$?

b) maximisent la fonction G définie par $G(M)=2y+x$.

Parmi les points de E, quels sont ceux qui ont des coordonnées entières et qui :

a) maximisent la fonction H définie par $H(M)=2x+y$?

b) maximisent la fonction K définie par $K(M)=4x+3y$?

CHAPITRE
14

ANALYSE DES DONNÉES

1. Statistique et vie quotidienne

Sans le savoir, tout le monde fait de *la statistique :* vous en faites lorsque vous prévoyez *la durée d'un trajet* en fonction *du jour* et de *l'heure de la journée;* vous tenez compte de votre expérience concernant la circulation.

De même, lorsqu'on dit *«En avril, ne te découvre pas d'un fil»*, la sagesse populaire utilise des observations transmises *oralement* de génération en génération, observations qui vous incitent à vous méfier du mois d'avril.

Cependant, que pensez-vous de votre voisin, qui avant *de faire son jeu* de Loto, consulte attentivement les numéros qui sont sortis lors des tirages précédents et qui vous dit *«les numéros 7 et 9 sont actuellement très en forme!»?*

Vous serez sans doute surpris d'apprendre qu'il y a environ 4000 ans, existaient déjà des embryons de statistique en Chine et que les Chinois utilisaient à cette époque *des tables de statistiques agricoles!*

A l'origine, la statistique rassemblait et étudiait des informations données sous forme numérique et qui concernaient l'État *(Status).*
Actuellement, tous les États ont un Service national de la Statistique, chargé de recueillir des informations économiques, sociales, ... et de les présenter aux responsables politiques qui *décident...*

Aujourd'hui, la statistique ne se limite plus à l'étude de la démographie et à l'économie, mais son champ d'application s'est élargi à **l'analyse des données** en physique, biologie, psychologie, industrie, météorologie... et dans des domaines aussi surprenants que *la structure du langage et l'étude des formes littéraires.*

2. Approche

Analyse d'un tableau de données

Le tableau ci-dessous donne, selon l'âge et le sexe, *la population disponible à la recherche d'un emploi* (en d'autres termes, le nombre de chômeurs) en France pour le mois d'octobre 1981 :

Classe d'âges	Hommes	Femmes	Total
Moins de 25 ans	388 000	535 000	923 000
25 à 49 ans	323 000	419 000	742 000
50 ans et plus	147 000	109 000	256 000
Total	858 000	1 063 000	1 921 000

(Source I. N. S. E. E.)

Pour extraire *des informations* de ce tableau, il faut lire attentivement les valeurs numériques; cependant, il reste difficile de s'en faire *une idée globale*. Pour présenter ces données de manière plus suggestive, il suffit de les traduire par *des représentations graphiques*.

Le tableau précédent pose plusieurs questions; en particulier : comment *comparer* le nombre de chômeurs par classe d'âges et par sexe?
Pour effectuer graphiquement ces comparaisons, voici deux **graphiques à barres;** *les longueurs des barres sont proportionnelles au nombre de chômeurs de chacune des catégories.*

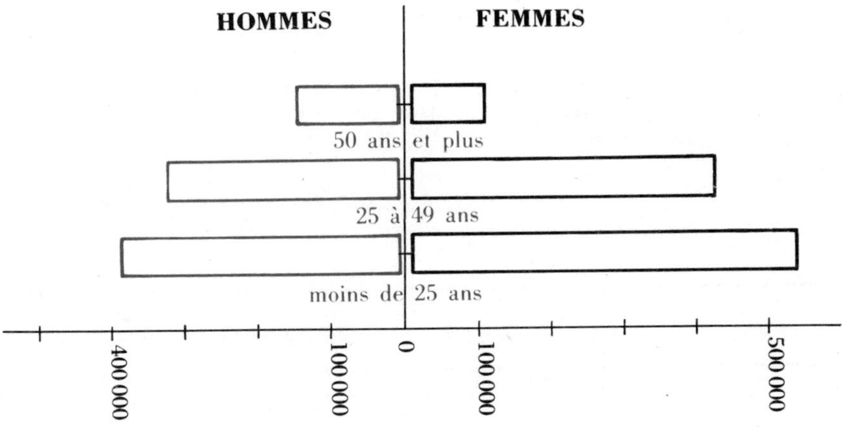

EXERCICE Sur le dessin précédent, 100 000 chômeurs sont représentés par 1 cm. Expliquez comment on trouve la longueur de chaque barre.

La juxtaposition des deux graphiques à barres s'appelle **une pyramide :** elle permet de visualiser *le nombre total* de chômeurs par classe, mais aussi le nombre de chômeurs par classe et par sexe.
Par contre, pour mettre en évidence **les différences** entre sexes et par classe d'âges, il est préférable d'utiliser la représentation ci-contre.

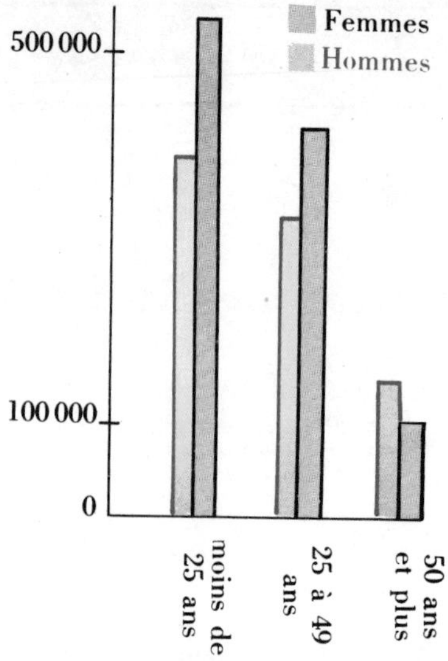

Il est aussi intéressant, à l'intérieur de l'ensemble des hommes par exemple, de comparer l'importance relative de chaque classe d'âges.
Pour cela, déterminons **les pourcentages :**

- des moins de 25 ans : $\frac{388 \times 100}{858} \simeq 45$;
- des chômeurs de 25 à 49 ans : $\frac{323 \times 100}{858} \simeq 38$;
- des chômeurs de 50 ans et plus : $\frac{147 \times 100}{858} \simeq 17$.

Le graphique suivant rend compte de ces trois résultats.

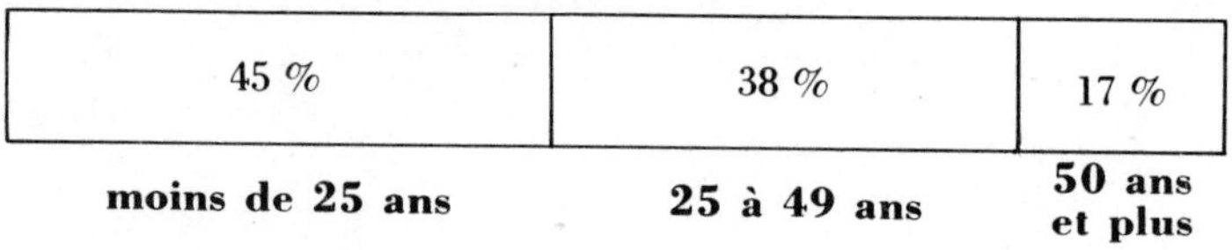

Pour représenter ces pourcentages, il est aussi possible d'utiliser **un graphique circulaire.**
Aux 45 % de chômeurs de moins de 25 ans, correspond un secteur angulaire d'angle 162°, en effet :

$$360 \times \frac{45}{100} = 162.$$

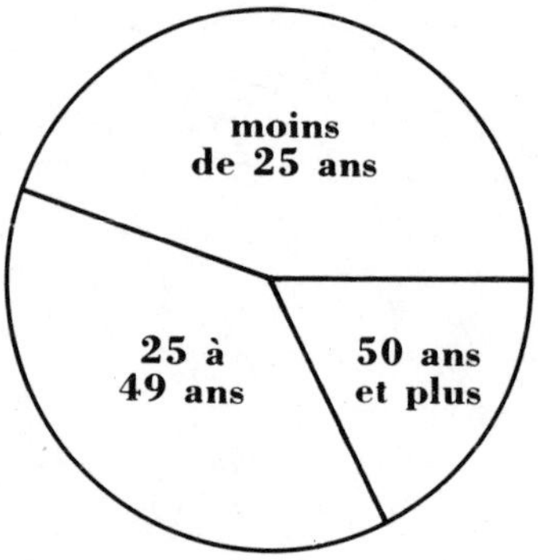

EXERCICES

1. Déterminez les angles des secteurs associés aux autres classes d'âges.

2. Donnez deux représentations analogues aux précédentes pour l'ensemble des chômeurs en octobre 1981.

3. Cours et applications

3.1. Fabrication de diverses séries statistiques

Page ci-contre, en haut, figure un tableau de données :

Age en années révolues	Hommes				Femmes			
	Célibataires	Mariés	Veufs	Divorcés	Célibataires	Mariées	Veuves	Divorcées
15-29	4 519	1 871	2	76	3 578	2 539	11	121
30-39	558	3 104	11	158	356	2 991	41	189
40-49	337	2 641	30	134	214	2 543	127	163
50-59	300	2 561	79	104	254	2 427	385	141
60-69	153	1 535	122	52	179	1 320	648	89
70-79	114	1 074	247	33	205	783	1 155	70
80-89	26	227	156	6	106	122	727	21
90 et plus	3	10	23	ε	13	4	114	2
Total	6 010	13 023	670	563	4 905	12 729	3 208	796

(effectifs en milliers) *(Source I. N. S. E. E.)*

Remarquez le symbole ε pour indiquer le nombre d'hommes de 90 ans et plus, divorcés : il signifie que ce nombre, en milliers, est très petit.
Ce tableau fournit plusieurs **séries statistiques** sur **la population** des Français de 15 ans et plus au 1er janvier 1981, par sexe, groupe d'âges et état matrimonial.
Nous pouvons extraire de ce tableau la série statistique sur *la population des femmes célibataires*, où l'on étudie **le caractère âge,** et où l'on donne **l'effectif** de chaque classe.
Voici cette série :

Valeur du caractère	Effectif en milliers
15-29	3 578
30-39	356
40-49	214
50-59	254
60-69	179
70-79	205
80-89	106
90 et plus	13
Total	4 905

La fréquence des femmes célibataires entre 50 et 59 ans est

$$\frac{254}{4\,905} \simeq 0{,}052.$$

A partir de la série d'effectifs précédente on fabrique **la série des fréquences :**

Valeur du caractère	Fréquence
15-29	0,729
30-39	0,073
40-49	0,044
50-59	0,052
60-69	0,036
70-79	0,042
80-89	0,022
90 et plus	0,002
Total	1

1. Une série d'effectifs est une série du type :

Valeur du caractère	x_1	x_2	...	x_i	...	x_p
Effectif	n_1	n_2	...	n_i	...	n_p

L'effectif total de la population est :

$$N = n_1 + n_2 + \ldots + n_i + \ldots + n_p.$$

2. La fréquence de la valeur x_i du caractère est :

$$f_i = \frac{n_i}{N}.$$

Notez que $0 \leqslant f_i \leqslant 1$ et $f_1 + f_2 + \ldots + f_p = 1$.

La série des fréquences est :

Valeur du caractère	x_1	x_2	...	x_i	...	x_p
Fréquence	f_1	f_2	...	f_i	...	f_p

La série d'effectifs permet aussi de déterminer, par exemple, **le nombre de femmes célibataires qui ont au plus 39 ans :**

$$3\,578 + 356 = 3\,934 \text{ (milliers).}$$

C'est **l'effectif cumulé** jusqu'à la valeur 39 du caractère.
Voici la série des effectifs cumulés.

Valeur du caractère	**Effectif cumulé** en milliers
15-29	3 578
15-39	3 934
15-49	4 148
15-59	4 402
15-69	4 581
15-79	4 786
15-89	4 892
15 et plus	4 905

3. L'effectif cumulé jusqu'à la valeur x_i du caractère est :

$$N_i = n_1 + n_2 + \ldots + n_i.$$

La série des effectifs cumulés est :

Valeur du caractère	**Effectif cumulé jusqu'à la valeur x_i**
x_1	$N_1 = n_1$
x_2	$N_2 = n_1 + n_2$
...	...
x_i	$N_i = n_1 + n_2 + \ldots + n_i$
...	...
x_p	$N_p = n_1 + n_2 + \ldots + n_i + \ldots + n_p$

Notez que :

$$N_p = n_1 + n_2 + \ldots + n_p = N$$

(effectif total).

A partir de la série des fréquences, on peut construire la série des fréquences cumulées jusqu'à la valeur x_i du caractère.
Par exemple, la fréquence cumulée jusqu'à 49 ans est :

$$0{,}729 + 0{,}073 + 0{,}044 = 0{,}846.$$

Voici cette série :

Valeur du caractère	**Fréquence cumulée jusqu'à x_i**
15-29	0,729
15-39	0,802
15-49	0,846
15-59	0,898
15-69	0,934
15-79	0,976
15-89	0,998
15 et plus	1

4. La fréquence cumulée jusqu'à la valeur x_i du caractère est :

$$F_i = f_1 + f_2 + \ldots + f_i = \frac{n_1 + n_2 + \ldots + n_i}{N}.$$

La série des fréquences cumulées est :

Valeur du caractère	**Fréquence cumulée jusqu'à la valeur x_i**
x_1	$F_1 = f_1$
x_2	$F_2 = f_1 + f_2$
...	...
x_i	$F_i = f_1 + f_2 + \ldots + f_i$
...	...
x_p	$F_p = f_1 + f_2 + \ldots + f_i + \ldots + f_p = 1$

Notez que :

$$F_p = f_1 + f_2 + \ldots + f_p = \frac{n_1}{N} + \frac{n_2}{N} + \ldots + \frac{n_p}{N} = \frac{N}{N} = 1.$$

EXERCICE A partir de la série d'effectifs des hommes mariés, construisez les séries de fréquences, d'effectifs cumulés et de fréquences cumulées.

3.2. Diverses représentations

Nous avons déjà utilisé des *graphiques à barres* et des *graphiques circulaires*. Voici d'autres types de représentations.

a. Les histogrammes

On utilise les histogrammes lorsque les valeurs du caractère sont regroupées en classe.

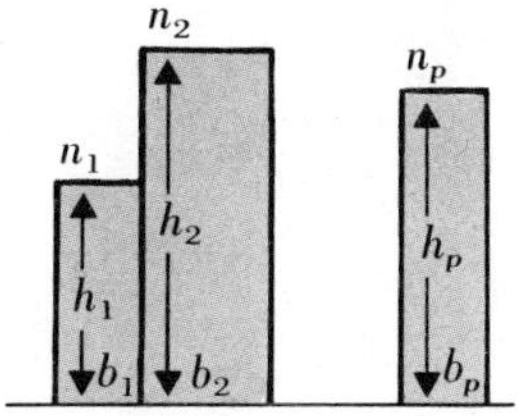

Un histogramme est constitué par une série de **rectangles.**

- Les bases b_1, b_2, ..., b_p sont les longueurs de segments de l'axe des abscisses d'un repère, **proportionnelles aux amplitudes des classes.**

- Les hauteurs h_1, h_2, ..., h_p sont les longueurs de segments de l'axe des ordonnées telles que **les aires des rectangles soient proportionnelles aux effectifs des classes.**

Si n_1, n_2, ..., n_p sont les effectifs de chaque classe, **il faut choisir** un réel k (coefficient de proportionnalité) tel que :

$$h_1 b_1 = k n_1; \quad h_2 b_2 = k n_2; \quad \ldots; \quad h_p b_p = k n_p.$$

Ce choix étant fait, il faut calculer les hauteurs des rectangles : $h_i = k \dfrac{n_i}{b_i}$.

Exemple

Le tableau suivant donne, en pourcentages, la répartition des salaires pour les salariés à temps complet (au nombre de 12 490 700) au 1er janvier 1980, dans l'industrie et le commerce.

Salaire mensuel	Hommes	Femmes	Ensemble
Moins de 1 370 F	4,15	7,03	5,08
De 1 370 à 2 055 F	5,39	13,95	8,17
De 2 055 à 2 680 F	15,38	29,48	19,96
De 2 680 à 3 900 F	36,54	32,09	35,09
De 3 900 à 5 200 F	18,13	11,06	15,83
De 5 200 à 6 350 F	8,17	3,63	6,70
De 6 350 à 7 620 F	4,15	1,32	3,23
De 7 620 à 8 890 F	2,38	0,62	1,81
De 8 890 à 10 160 F	1,47	0,30	1,09
De 10 160 à 15 240 F	2,68	0,39	1,93
De 15 240 à 19 000 F	0,71	0,07	0,50
Plus de 19 000 F	0,84	0,08	0,59

(*Source :* Le Monde, Bilan Économique et Social 1979.)

Prenons $k = 100\,000$ et calculons les hauteurs des rectangles pour la série des salaires des hommes. Le tableau suivant présente les résultats.

Classe	Effectif n_i	Base b_i du rectangle	Hauteur h_i du rectangle
]0; 1 370[	4,15	1 370	303
[1 370; 2 055[	5,39	685	787
[2 055; 2 680[	15,38	625	2 461
[2 680; 3 900[	36,54	1 220	2 995
[3 900; 5 200[	18,13	1 300	1 395
[5 200; 6 350[	8,17	1 150	710
[6 350; 7 620[	4,15	1 270	327
[7 620; 8 890[	2,38	1 270	187
[8 890; 10 160[	1,47	1 270	116
[10 160; 15 240[	2,68	5 080	53
[15 240; 19 000[	0,71	3 760	19

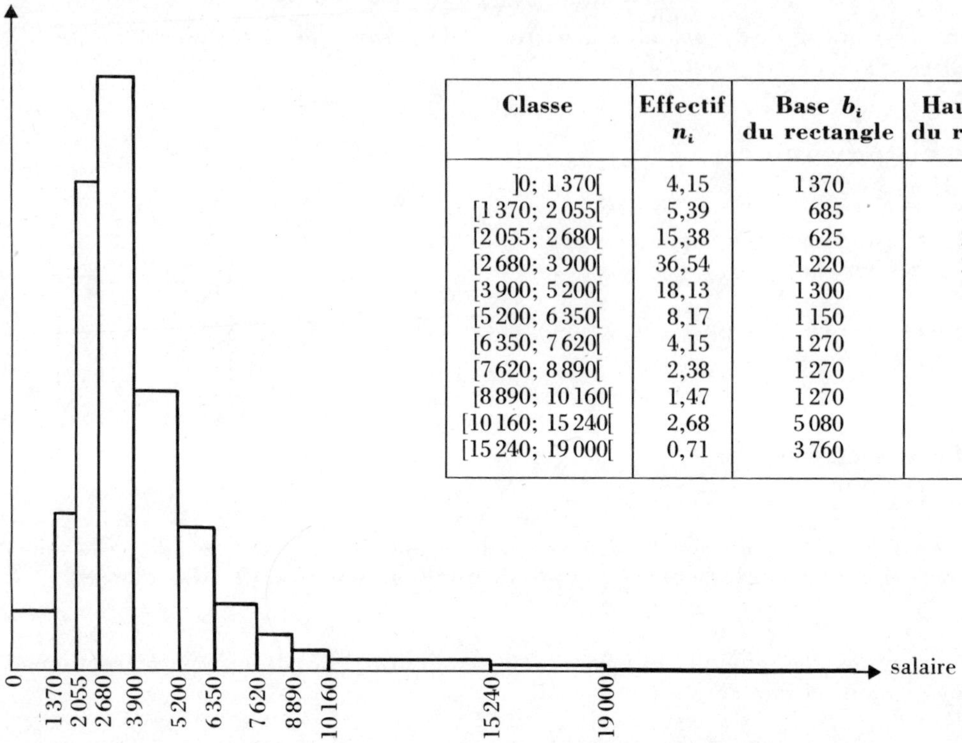

Nous avons représenté ci-dessus l'histogramme de la répartition des salaires masculins. Notez qu'il n'est pas possible de représenter la classe des salaires de plus de 19 000 F, car on ne connaît pas son amplitude!...

Les histogrammes de deux séries statistiques de même caractère et de classes identiques peuvent être accolés par leurs bases pour former **une pyramide.**
Ci-dessous est représentée la pyramide des répartitions des salaires (hommes et femmes) au 1er janvier 1980.
Une telle représentation permet des comparaisons utiles. Notons, ici, *l'inégalité flagrante.* des salaires entre les hommes et les femmes : un tiers des salariés (environ 4 150 000), *une femme sur deux* et *un homme sur quatre* gagnent moins de 2 680 F par mois.

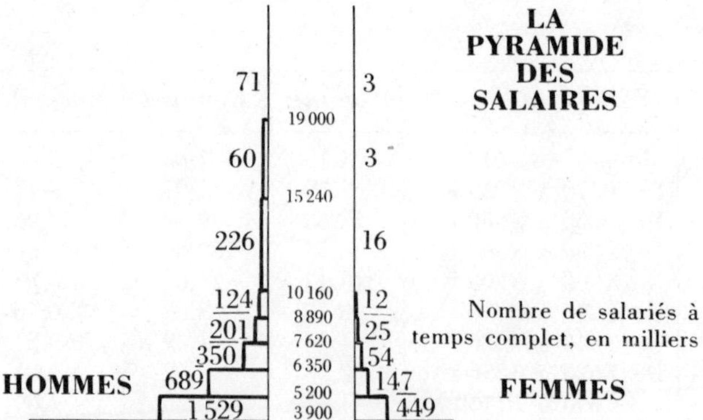

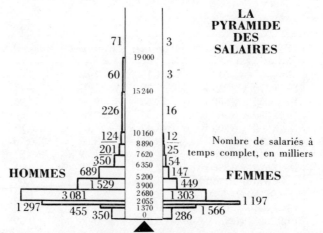

Salaires mensuels (chiffres annuels divisés par 12) nets
c'est-à-dire après déduction des cotisations sociales, au 1er janvier 1980

b. Les diagrammes polaires

Ces diagrammes sont surtout utilisés pour représenter **des séries chronologiques,** c'est-à-dire dont le caractère est **le temps** (année, mois, semaine, jour, ...).
Nous allons présenter les diagrammes polaires à propos de l'évolution du nombre de mariages de 1970 à 1973 en France.

	1970	1971	1972	1973
Janvier	17716	19001	18888	16906
Février	19004	19642	19557	19230
Mars	28308	24955	29206	29293
Avril	38263	45716	46534	44216
Mai	22347	23096	21156	19766
Juin	42649	42658	43854	52791
Juillet	50818	61472	61297	48296
Août	45813	37514	36383	36536
Septembre	36557	39849	47514	46261
Octobre	36667	38634	34769	31897
Novembre	21850	21101	20618	19947
Décembre	33694	32778	36745	35598
Total	393686	406416	416521	400737

(Source : I. N. S. E. E.)

A la lecture de ce tableau, la première constatation que nous pouvons faire est que *les mariages ne sont pas uniformément répartis* au cours de l'année : il y a plus de mariages en juin-juillet qu'en janvier-février. Y a-t-il *stabilité* d'une année sur l'autre?

Le premier travail à faire consiste à rendre *comparables* les quatre séries statistiques : il suffit de ramener tous les totaux annuels à 10000 par exemple.

Ainsi, pour le mois de juillet 1970, il y a eu 50818 mariages sur un total annuel de 393686.
Il y a donc eu environ 1291 mariages sur un total de 10000.
En effet :

$$\frac{50818}{393686} \times 10000 \simeq 1290{,}83.$$

La table ci-contre donne les résultats mois par mois pour 1970.

	1970
Janvier	450
Février	483
Mars	719
Avril	972
Mai	568
Juin	1083
Juillet	1291
Août	1164
Septembre	929
Octobre	931
Novembre	555
Décembre	856

EXERCICE Faites les calculs analogues pour les années 1971, 1972 et 1973.

A une période (ici une année) est associé un angle de 360°. A chacun des douze mois est associée une demi-droite : prenons une demi-droite x d'origine O pour représenter « janvier » et imaginons une demi-droite mobile m d'origine O; si m se déplace à partir de x dans *le sens contraire du déplacement des aiguilles d'une montre,* « février » est la position de m telle que $\widehat{xOm} = 30°$, « mars » est la position de m telle que $\widehat{xOm} = 60°$, etc.
A chacune de ces demi-droites est associée une graduation identique. L'effectif n des mariages est représenté sur la demi-droite associée au mois correspondant par le point d'abscisse n.
Nous obtenons ainsi **le diagramme polaire ci-contre :**

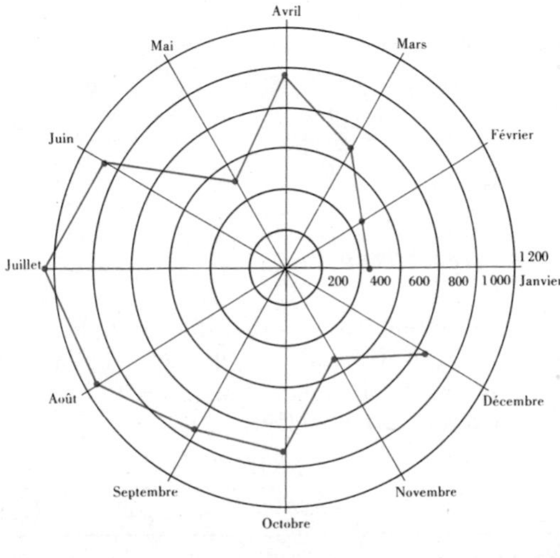

EXERCICE Complétez ce diagramme en portant les effectifs des années 1971, 1972 et 1973.
Décelez-vous une certaine *périodicité?* Si oui, essayez d'en donner une explication.

3.3. Moyenne

Voici la série chronologique de l'évolution du S. M. I. C. *(Salaire Minimum Interprofessionnel de Croissance)* pour l'année 1982.

Date	1.1.82	1.3.82	1.5.82	1.7.82	1.12.82
S. M. I. C. en F	18,15	18,62	19,03	19,64	20,29

Lorsqu'on étudie l'évolution du S. M. I. C. sur plusieurs années, il est fréquent que l'on associe à chaque année un S. M. I. C. « moyen » afin d'avoir à travailler avec moins de données.
Par exemple, ici, pour l'année 1982, on résume l'ensemble de ces données par une seule : **la moyenne.**

Pour la calculer, il nous faut savoir pendant combien de mois la valeur du S. M. I. C. est restée inchangée.
D'où la série :

Nombre de mois	2	2	2	5	1
S. M. I. C. en F	18,15	18,62	19,03	19,64	20,29

Pour la série statistique d'effectifs :

Valeur du caractère	x_1	x_2	...	x_i	...	x_p
Effectif	n_1	n_2	...	n_i	...	n_p

la moyenne, notée $\bar{x}$, est le réel

$$\bar{x} = \frac{n_1x_1 + n_2x_2 + \ldots + n_px_p}{n_1 + n_2 + \ldots + n_p}.$$

La moyenne de cette série est

$$\bar{x} = \frac{(2 \times 18{,}15) + (2 \times 18{,}62) + (2 \times 19{,}03) + (5 \times 19{,}64) + (1 \times 20{,}29)}{2+2+2+5+1} = \frac{230{,}09}{12} \simeq \mathbf{19{,}17} \text{ (francs).}$$

Commentaire

Cette situation est comparable à celle d'un candidat à un examen dont les notes sur 20 sont : 15 en français (coefficient 2), 11 en mathématiques (coefficient 3), 9 en anglais (coefficient 2), 10 en histoire (coefficient 1).
Sa moyenne est en effet :

$$\frac{(15 \times 2) + (11 \times 3) + (9 \times 2) + (10 \times 1)}{2+3+2+1} = \frac{91}{8} \simeq 11{,}38.$$

EXERCICES

Pour tester vos connaissances

Dans le bulletin trimestriel de la Banque de France, n° 48 de septembre 1983, on trouve la table **1** donnant en milliards de francs les crédits annuels accordés pour le financement de ventes à tempérament par les banques et établissements financiers pour l'acquisition de biens à usages domestiques et particuliers :

Table **1**

	1971	1972	1973	1974	1975	1976	1977	1978	1979	1980	1981	1982
Voitures de tourisme												
Neuves	3,3	3,4	3,7	3,6	4,5	7,6	8,1	8,7	11,3	11,2	12,1	15,3
D'occasion	1,6	1,6	1,8	3,2	4,8	5,0	5,0	5,3	6,9	7,9	8,9	9,9
Véhicules à deux roues	0,1	0,1	0,2	0,2	0,2	0,3	0,3	0,3	0,4	0,4	0,3	0,4
Appareils ménagers	0,8	0,7	0,7	0,7	0,8	1,0	1,0	0,9	1,1	1,1	1,1	1,3
Radio-télévision	0,5	0,6	0,6	0,7	1,0	1,2	1,4	1,5	1,8	1,8	1,9	2,3
Meubles	1,1	1,1	1,3	1,5	1,8	2,2	2,4	2,4	3,5	4,0	4,1	4,7
Divers	0,7	1,0	1,2	1,4	1,6	1,9	2,0	2,0	3,1	3,8	4,9	6,3
Total	8,1	8,5	9,5	11,3	14,7	19,2	20,2	21,1	28,1	30,2	33,3	40,2

1. A l'aide de graphiques à barres, comparez les crédits alloués aux voitures neuves et d'occasion pour la période 1971-1982.

2. Calculez les crédits moyens accordés aux voitures neuves, d'occasion et aux véhicules à deux roues pour la période 1971-1982.

3. Pour les appareils ménagers, déterminez la série des fréquences pour la période 1971-1982.

4. Pour les radios et téléviseurs, déterminez la série des effectifs cumulés pour la période 1971-1982, puis déterminez les séries des fréquences et celles des fréquences cumulées.

5. Construisez l'histogramme des crédits sur les meubles.

Exercices d'entraînement

1. La table **2** donne la population des 96 départements métropolitains, pour l'année 1975 :

Table **2**

376,5	534	378,4	112,2	97,4	816,7	257,1	309,3	137,9	284,8	272,4	278,3
1 633	561	166,5	337,1	497,9	316,4	240,4	128,6	161,2	456,1	525,6	146,2
373,2	471,1	361,8	423	335,2	804,1	494,6	777,4	175,4	1 061,5	648,2	702,2
248,5	478,6	860,4	238,9	288,3	283,7	742,4	205,5	934,5	490,2	150,7	2 510,7
74,8	629,8	451,7	530,4	212,3	261,8	722,6	203,9	563,6	1 006,4	245,2	569,8
606,3	293,5	1 403	580	534,7	227,2	299,5	882,1	635,2	1 429,6	222,3	626,1
490,4	305,1	447,8	2 299,8	1 172,7	755,8	1 082,3	335,8	538,5	338	183,3	840,9
390,4	450,6	357,4	352,1	398	299,9	128,1	923,1	1 438,9	1 322,1	1 215,7	292,6

(en milliers) *(Source I. N. S. E. E.)*

a) Effectuez le dépouillement de ces données, en les répartissant en classes d'amplitude 50.

b) Répartissez-les ensuite en classes d'amplitude 100.

c) Puis enfin en classes d'amplitude 500.

d) Quelles critiques pouvez-vous faire envers chacune des trois présentations des données précédentes?

Quelle amélioration proposez-vous pour la constitution des classes?

e) Représentez à l'aide d'histogrammes la série d'effectifs (amplitude 100), et celle qui est améliorée.

f) Représentez dans les deux cas les graphiques à barres.

g) Représentez dans les deux cas sur un même graphique les effectifs cumulés.

2. La table **3** fournit pour 1975 et 1976 les effectifs de nés vivants et mort-nés par sexe ou légitimité *(source : I. N. S. E. E.)*

Table **3**

	1975				1976			
	Garçons	**Filles**	**Légitimes**	**Illégitimes**	**Garçons**	**Filles**	**Légitimes**	**Illégitimes**
Nés vivants	381 804	363 261	681 636	63 429	369 439	350 956	658 926	61 469
Mort-nés	4 406	3 819	7 217	1 008	3 892	3 630	6 551	971

a) Quelle est la population de cette statistique?

b) Quels sont les caractères étudiés sur cette population?

c) Déterminez les séries statistiques à *un* caractère que l'on peut déduire à partir de celle qui est donnée.
Est-il possible en repartant des séries à *un* caractère, de reconstruire la série initiale? Pourquoi?

3. P est une population de 120 ménages.

Parmi ses membres nous dénombrons :
60 femmes qui habitent la province et qui n'aiment pas le cinéma;
40 hommes qui habitent la province et n'aiment pas le cinéma;
40 hommes qui habitent la province et qui aiment le cinéma;
30 femmes qui habitent Paris et qui n'aiment pas le cinéma;
20 hommes qui habitent Paris et qui n'aiment pas le cinéma;
20 hommes qui habitent Paris et qui aiment le cinéma;
20 femmes qui habitent la province et qui aiment le cinéma;
10 femmes qui habitent Paris et qui aiment le cinéma.

a) Déterminez les séries statistiques définies dans P par ces observations.

b) Pour chacune d'elles, étudiez la série des fréquences, la série des effectifs cumulés et la série des fréquences cumulées.

4. Le diagramme polaire ci-dessous indique les notes d'un élève pour diverses disciplines.

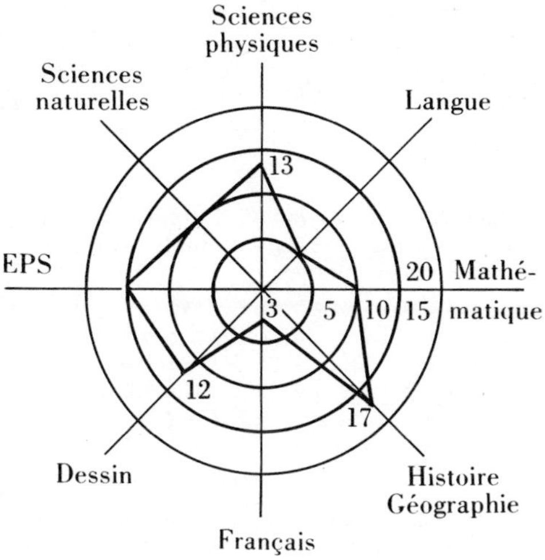

a) Représentez la série de notes par :

- un histogramme;
- un graphique circulaire.

b) Faites apparaître sur ces trois graphiques la moyenne de l'élève.

5. « Le budget 1978 pour l'Éducation représente environ 15,8 % du budget de l'État. Il représente 2,97 % du produit intérieur brut (PIB). Ce pourcentage, qui permet de mesurer l'effort financier de l'État par rapport à la ressource économique de la Nation, est en augmentation régulière sur les cinq budgets de cette législature. En cinq ans, la progression de ce rapport est de 15 % alors que l'augmentation globale du nombre d'élèves n'a été que de 3 % » (Le « Courrier de l'Éducation »).
Représentez graphiquement cette évolution en portant les années en abscisse, les pourcentages en ordonnée, avec les échelles :
Graphique 1 : 2 cm pour 1 an, 2 cm pour 1 % et de 0 à 3 %.
Graphique 2 : 1,5 cm pour 1 an, 20 cm pour 1 % et de 2,5 à 3 %.
Graphique 3 : 1 cm pour 1 an, 40 cm pour 1 % et de 2,5 à 3 %.

Année	%
1974	2,59
1975	2,66
1976	2,72
1977	2,92
1978	2,97

Quel graphique auriez-vous choisi pour illustrer l'article ci-dessus?

6. Le ministère de l'Agriculture a publié en 1973, pour la Guadeloupe, le nombre d'exploitations et la superficie correspondante :

Superficie	Nombre d'exploitations
moins d'1 ha	3 903
1 à 2 ha	4 520
2 à 5 ha	6 696
5 à 10 ha	1 818
10 à 25 ha	352
25 à 50 ha	68
50 à 100 ha	24
plus de 100 ha	30

Construisez l'histogramme correspondant et la série des effectifs cumulés.

7. Dans un document du ministère de l'Économie, relatif aux comptes de l'Administration, on relève l'évolution de la pression fiscale (en % du PIB, voir exercice 5).

Moyenne 1970-73	Moyenne 1974-77	1978	1979	1980
22,2	22,8	22,9	23,4	23,6

Préparez un graphique susceptible d'illustrer un article de presse intitulé :

a) « Stabilisation de la pression fiscale de l'État. »

b) « Forte croissance de la pression fiscale de l'État. »

8. Le ministère de l'Agriculture a publié la série statistique suivante correspondant aux taux de la redevance des adductions d'eau (tarif au 1er janvier 1975).
Représentez l'histogramme de cette série.

Diamètre du branchement (en mm)	Redevance en francs par an
moins de 16	4,875
17 à 20	9,75
21 à 30	19,50
31 à 40	52,00
plus de 40	65,00

9. Le S. M. I. C.

Tout le monde parle du S. M. I. C., mais sait-on vraiment ce que c'est? La définition officielle : *Salaire Minimum Interprofessionnel de Croissance.* Il fixe, *en principe,* le seuil du salaire horaire au-dessous duquel un travailleur ne peut pas être payé.
La série statistique ci-dessous est la série chronologique de l'évolution du S. M. I. C. depuis le 1.1.75.

Date	S. M. I. C. en F	Date	S. M. I. C. en F
1. 1.75	6,75	1. 5.80	13,66
1. 3.75	6,95	1, 7.80	14,00
1. 6.75	7,12	1. 9.80	14,29
1. 7.75	7,55	1.12.80	14,79
1.10.75	7,71		
1. 1.76	7,89	1. 3.81	15,20
1. 4.76	8,08	1. 6.81	16,72
1. 7.76	8,58	1. 9.81	17,34
1.10.76	8,76	1.11.81	17,76
1.12.76	8,94		
1. 4.77	9,14	1. 1.82	18,15
1. 6.77	9,34	1. 3.82	18,62
1. 7.77	9,58	1. 5.82	19,03
1.10.77	9,79	1. 7.82	19,64
1.12.77	10,06	1.12.82	20,29
1. 5.78	10,45	1. 3.83	21,02
1. 7.78	10,85	1. 6.83	21,65
1. 9.78	11,07	1. 7.83	21,89
1.12.78	11,31	1.10.83	22,33
1. 4.79	11,60	1. 1.84	22,78
1. 7.79	12,15		
1. 9.79	12,42		
1.12.79	12,93		

a) Construisez le diagramme polaire (mois par mois) et le graphique cartésien : en abscisse figurent les mois de l'année et en ordonnée la valeur du S. M. I. C. correspondant.
Imaginez un tel graphique, où les mois sont indiqués une seule fois pour toutes les années considérées.
Quelles observations pouvez-vous faire?

Bien souvent, au lieu de donner le S. M. I. C. mois par mois, on donne le S. M. I. C. *annuel moyen;* voici quelques valeurs moyennes :

1969	3,16
1970	3,42
1971	3,76
1972	4,19
1973	4,95
1974	6,10

b) Complétez cette série statistique en calculant, à l'aide de moyennes, le S. M. I. C. moyen des années 1975 à 1983.

c) Représentez à l'aide d'un histogramme l'évolution du S. M. I. C. moyen depuis 1969. Construisez également le graphique à barres.

d) Vous constatez que le S. M. I. C. moyen augmente d'année en année, mais est-ce que cette croissance est régulière ou non?
Que pensez-vous de l'évolution du S. M. I. C. au cours de ces dernières années?

10. On a lancé 100 fois un dé à 6 faces et on a noté dans la table suivante les résultats successifs :

2 1 2 1 4 5 1 1 5 3 6 2 4 2 5 6 5 6 6 5
3 1 3 4 2 1 6 5 1 4 5 3 1 6 1 4 4 3 5 4
6 6 3 5 2 3 2 4 3 4 1 1 2 6 3 5 6 3 2 6
6 3 5 5 1 5 2 2 5 5 2 5 1 3 2 3 4 1 4 6
2 4 6 3 2 6 1 5 2 3 4 2 3 2 6 5 4 4 4 3

a) Déterminez la série des effectifs, puis la série des fréquences de cette expérience.

b) Déterminez la moyenne de cette série d'effectifs.

11. L'Office National d'Immigration (O. N. I.) donne pour l'année 1976 les effectifs (en milliers) d'immigrés permanents.

a) Représentez à l'aide d'une pyramide la série des effectifs par sexe et tranche d'âges.

b) Calculez par sexe, les effectifs cumulés.

c) Calculez l'âge moyen pour les hommes, pour les femmes.

Age	Homme	Femme
[0; 20[	1985	1050
[20; 25[	5519	2446
[25; 30[	5076	1564
[30; 35[	2739	754
[35; 40[	1728	481
[40; 45[	1176	342
45 et plus	1579	510

13. Recherchez dans la presse, dans des documents divers ou dans des livres des séries statistiques et faites-en une étude.

CHAPITRE
15

TRIANGLES ET QUADRILATÈRES. THÉORÈME DE THALÈS

1. Introduction

Dans ce chapitre, nous nous bornons à rappeler quelques savoir-faire ainsi que certains résultats à savoir absolument.
Nous concevons ce chapitre 15 comme un formulaire concis et c'est la raison pour laquelle nous n'y proposons pas les rubriques habituelles : « Pour prendre un bon départ » et « Approche ».

2. Cours et applications

2.1. Ce qu'il faut savoir sur les configurations élémentaires

a. La médiatrice

Savoir

Définition 1

**I est le milieu du segment [BC].
La droite perpendiculaire en I à la droite (BC) est la médiatrice du segment [BC].**

Propriété caractéristique

M est un point de la médiatrice de [BC] *si et seulement si*

MB = MC.

Savoir-faire

Tracer la médiatrice de [BC] *à la règle et au compas.*

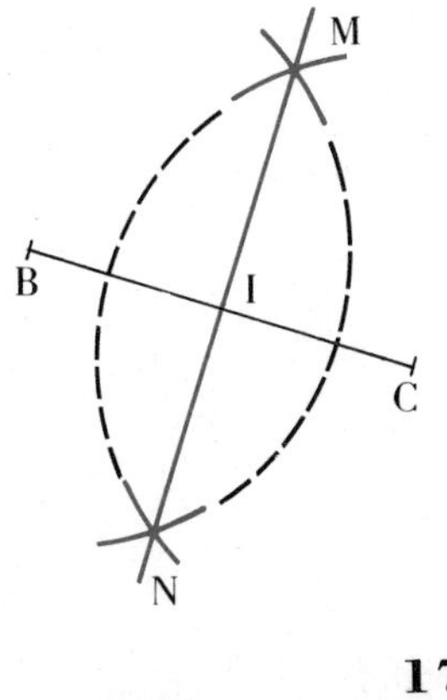

b. Les triangles

★ *Droites particulières*

Savoir

• ABC est un triangle; I est le milieu du segment [BC]. La droite (AI) est **une médiane** du triangle.

Propriété

Les trois médianes d'un triangle sont concourantes, c'est-à-dire ont un point commun G.
G est **le centre de gravité** du triangle.
G est le point de la médiane [AI] tel que AG = 2GI.

Nous vous proposons de démontrer ces propriétés au chapitre 20, page 231.

• ABC est un triangle.
La droite qui passe par A et perpendiculaire à la droite (BC) est **une hauteur** du triangle.

Propriété

Les trois hauteurs d'un triangle sont concourantes en un point H.
H est **l'orthocentre** du triangle.

Vous trouverez l'occasion de démontrer cette propriété aux exercices 5, *page 118 et 2, page 222.*

• **Les trois médiatrices des côtés d'un triangle sont concourantes** en un point O.
O est **le centre du cercle circonscrit** au triangle.

EXERCICES

1. Prouvez que les trois médiatrices sont concourantes.

2. Pourquoi O est-il centre du cercle qui passe par A, B, C?

Savoir-faire

Construire le centre de gravité de ABC.

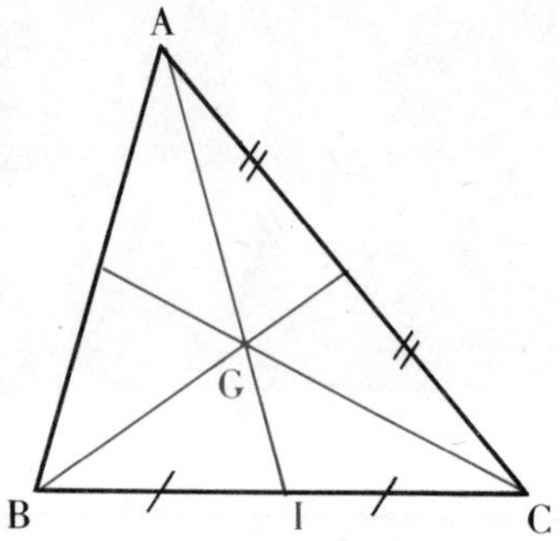

Construire l'orthocentre d'un triangle à l'aide d'une équerre.

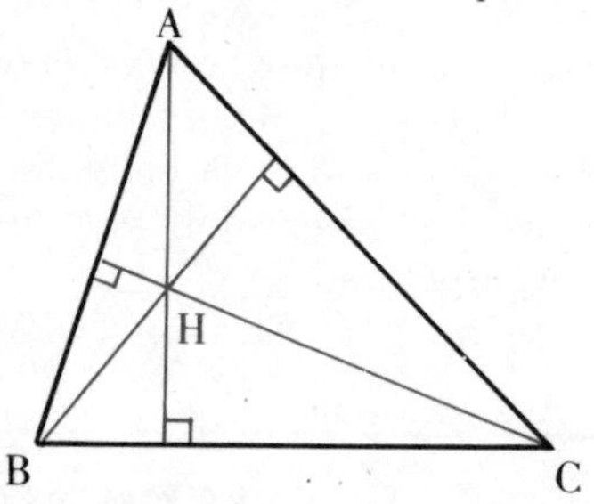

Construire le cercle circonscrit à un triangle.

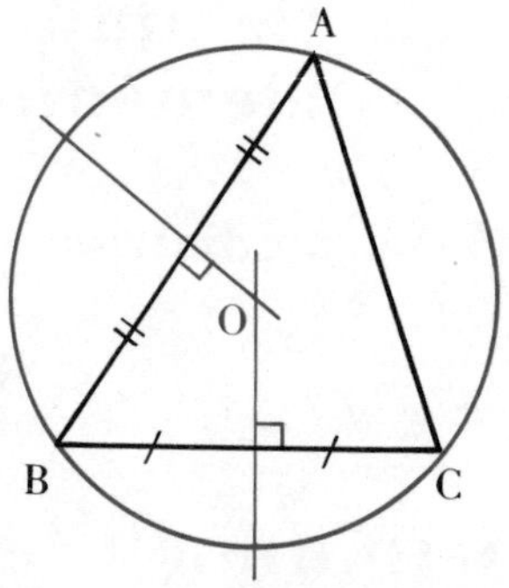

★ *Triangles particuliers*

Un triangle ABC est :	**rectangle** en A	**isocèle** en A	**équilatéral**
si et seulement si :	(AB) ⊥ (AC)	AB = AC	AB = AC = BC
ou	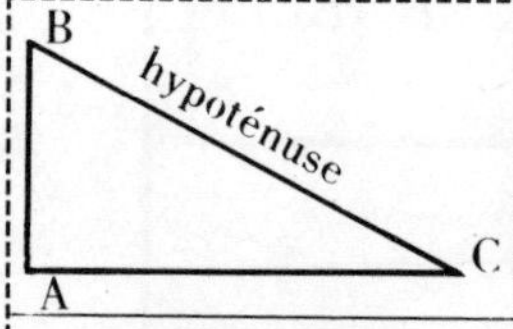	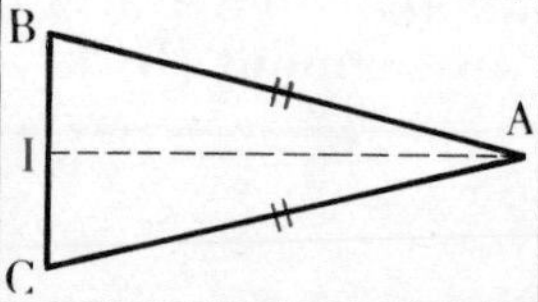	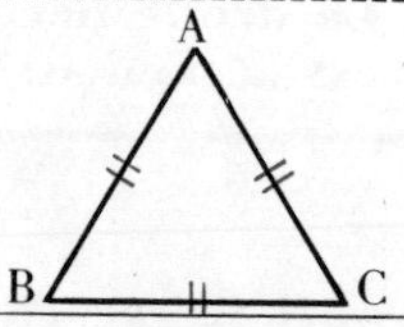
si et seulement si :	A appartient au cercle de diamètre [BC]	la médiane (AI) est aussi hauteur	deux médianes sont aussi hauteurs

c. Les parallélogrammes

Savoir

Définition 2

A, B, C, D sont quatre points non alignés.
Dire que le quadrilatère ABCD est un parallélogramme signifie que :
(AB) // (CD) et (AD) // (BC).

Propriétés caractéristiques

▶ABCD est un parallélogramme, *si et seulement si* **les diagonales [AC] et [BD] ont même milieu.**

▶ABCD est un parallélogramme, *si et seulement si* AB = CD et AD = BC avec B et C du même côté de la droite (AD).

Savoir-faire

Comment démontrer qu'un parallélogramme est :

— un losange?

1. deux côtés consécutifs ont même longueur;

ou **2.** les diagonales sont perpendiculaires.

— un rectangle?

1. deux côtés consécutifs sont perpendiculaires;

ou **2.** les diagonales ont même longueur.

— un carré?

c'est un rectangle ET un losange.

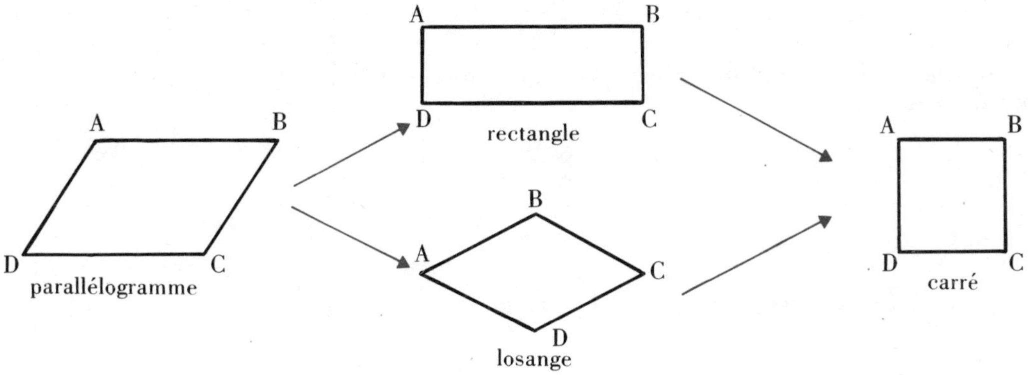

2.2. Projections

Savoir

Définition 3

D et Δ sont deux droites non parallèles d'un plan P.
La projection *p* sur D parallèlement à Δ est l'application du plan P dans lui-même qui, à chaque point M, associe le point M′ intersection de D avec la parallèle à Δ qui passe par M.
M′ = *p*(M) est le projeté de M.

Savoir-faire

1. *Construire le projeté d'un point.*

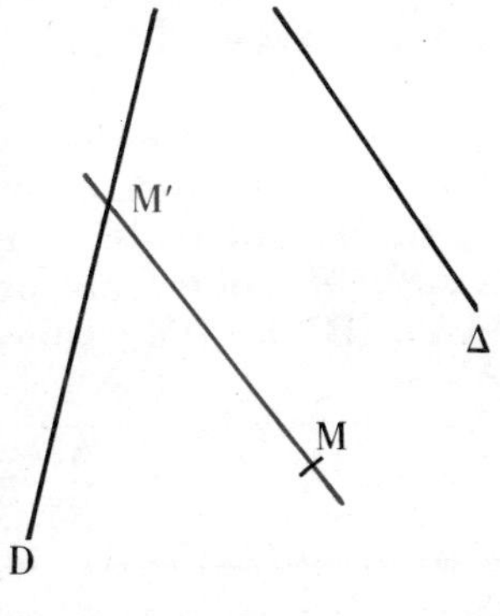

Commentaires

- La parallèle à Δ par M est **unique.** Le projeté de M est donc **unique.**
- En fait, le projeté de tout point est un point de D, donc p est une application de P dans D.
- Lorsque D et Δ sont perpendiculaires, p est **la projection orthogonale sur D.**

Propriétés

► **La projection p ne conserve pas la distance.**
C'est-à-dire que si $M' = p(M)$ et $N' = p(N)$, alors $d(M', N')$ n'est pas nécessairement égal à $d(M, N)$.
L'exemple suivant le montre :

(MN) // Δ
MN ≠ 0
et M'N' = 0.

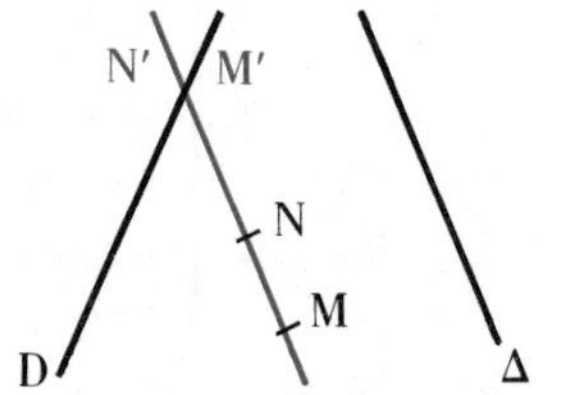

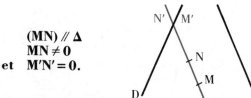

► **L'image d'une droite n'est pas nécessairement une droite.**

2. *Répondre à quelques questions.*

a. Quels sont les points M tels que $p(M) = M$?

b. D et Δ sont sécantes en I. Quels sont les points M tels que $p(M) = I$?

c. $M' = p(M)$.
Existe-t-il d'autres points X tels que $p(X) = M'$?

3. *Construire l'image d'une droite.*

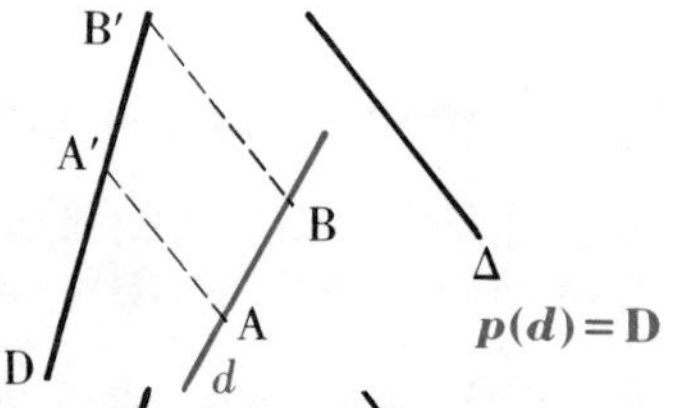

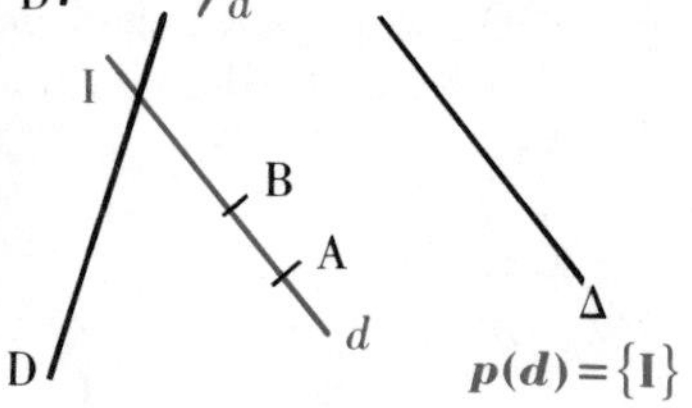

2.3. Théorème de Thalès

Nous ne faisons que rappeler les situations les plus fréquentes où intervient le théorème de Thalès.

a. Les situations « trapèzes »

Savoir

Théorème 1 (de THALÈS)

> **Δ et Δ' sont deux droites distinctes.**
> **A, B, M sont trois points de Δ;**
> **A', B', M' sont trois points de Δ' de sorte que (AA'), (BB'), (MM') soient parallèles.**
> **Alors :**
>
> $$\frac{\overline{AM}}{\overline{AB}} = \frac{\overline{A'M'}}{\overline{A'B'}}.$$

Savoir-faire

Reconnaître ces situations.

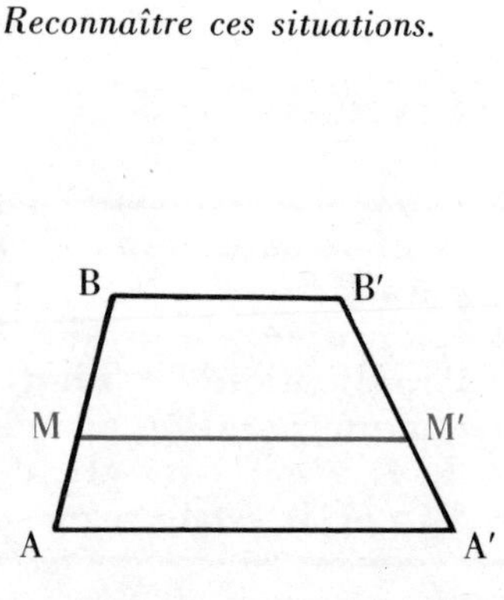

Dans les classes antérieures, vous avez établi le théorème réciproque; nous vous proposons de le démontrer à l'exercice 9 page 178.

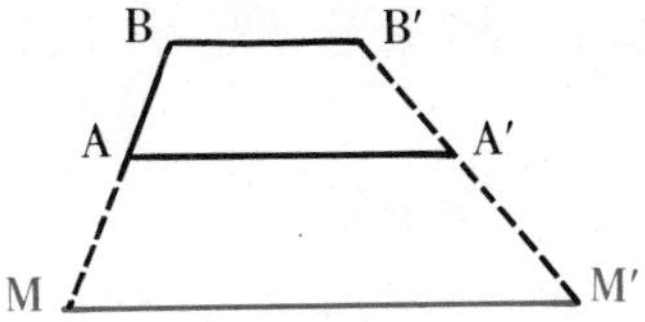

Théorème 2

> **Δ et Δ' sont deux droites distinctes.**
> **A, B, M sont des points de Δ;**
> **A', B', M' sont des points de Δ' de sorte que :**
>
> $$(AA') /\!/ (BB') \quad \text{et} \quad \frac{\overline{AM}}{\overline{AB}} = \frac{\overline{A'M'}}{\overline{A'B'}}.$$
>
> **Alors** $(AA') /\!/ (MM')$.

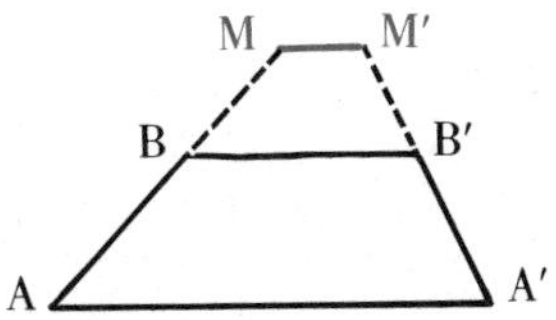

Commentaires

• Si deux réels sont égaux, il en est de même de leurs valeurs absolues; de plus $|\overline{AM}| = AM$. Le théorème de Thalès permet donc d'affirmer que : si (AA'), (BB'), (MM') sont parallèles, alors : $\frac{AM}{AB} = \frac{A'M'}{A'B'}$ (en longueurs).

• Au théorème 2, l'égalité des rapports en mesures algébriques est *nécessaire*, comme le montre l'exemple ci-contre :
$\frac{AM}{AB} = \frac{A'M'}{A'B'} = \frac{1}{2}$, et pourtant (AA') et (MM') ne sont pas parallèles.

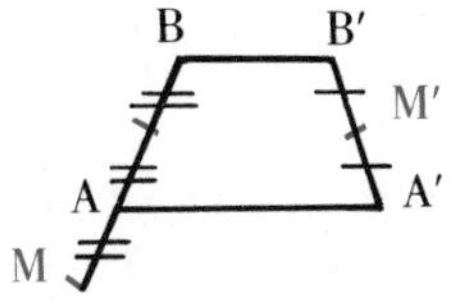

b. Les situations « triangles »

Savoir

Voici une autre forme du théorème de Thalès.

Théorème 3

> **M est un point de la droite (AB) et M' un point de la droite (A'B').**
>
> ***Si*** **(BB') // (MM')** ***alors*** $\frac{\overline{AM}}{\overline{AB}} = \frac{\overline{AM'}}{\overline{AB'}}$;
>
> ***et si*** $\frac{\overline{AM}}{\overline{AB}} = \frac{\overline{AM'}}{\overline{AB'}}$ ***alors*** **(BB') // (MM').**

Savoir-faire

Reconnaître ces situations.

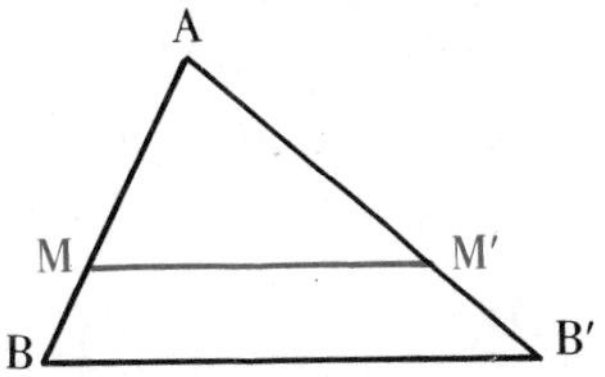

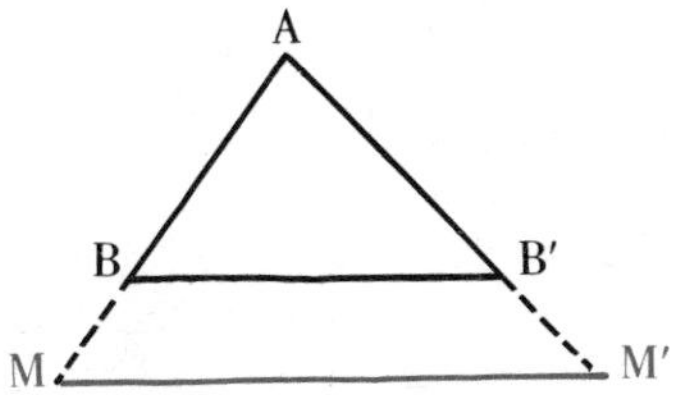

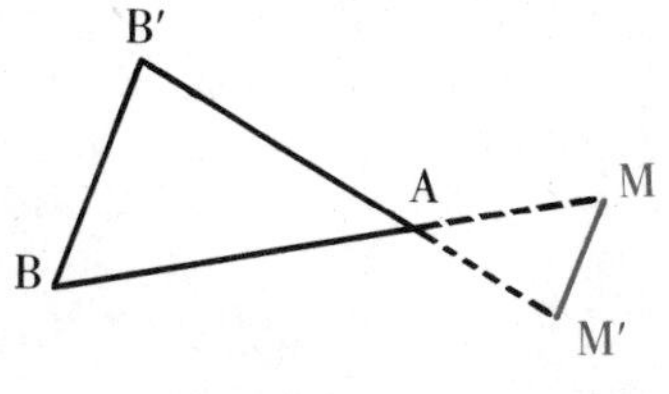

Conséquences

• *Si* (BB')∥(MM'), *alors* : $\frac{\overline{AM}}{\overline{AB}}=\frac{\overline{MM'}}{\overline{BB'}}$.

Nous vous proposons de démontrer cette propriété à l'exercice 10 page 178.

• **Cas des milieux**

Théorème 4

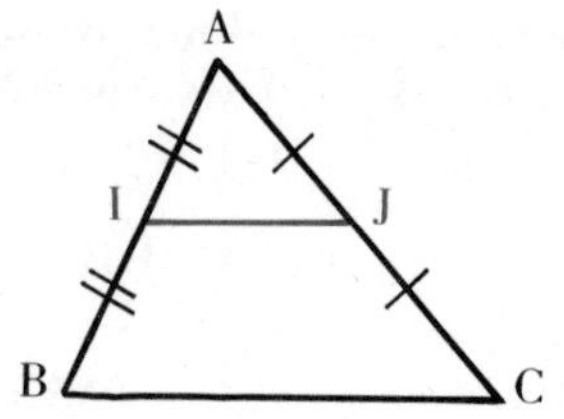

> ***Si* I et J sont les milieux des côtés [AB] et [AC] du triangle ABC, *alors* (IJ)∥(BC).**

EXERCICE — Démontrez le théorème précédent.

c. Application à la vie courante : la croix du bûcheron

Elle est constituée de deux baguettes perpendiculaires AC et BD de même longueur (20 centimètres environ).
Le bûcheron la tient de telle sorte qu'ayant un œil en A, AC est horizontale et BD verticale.
Il s'éloigne de l'arbre jusqu'au moment où il vise à la fois le pied et la cime.
Il affirme alors :
« la hauteur de l'arbre est égale à la distance entre moi et l'arbre ».
Pourquoi?

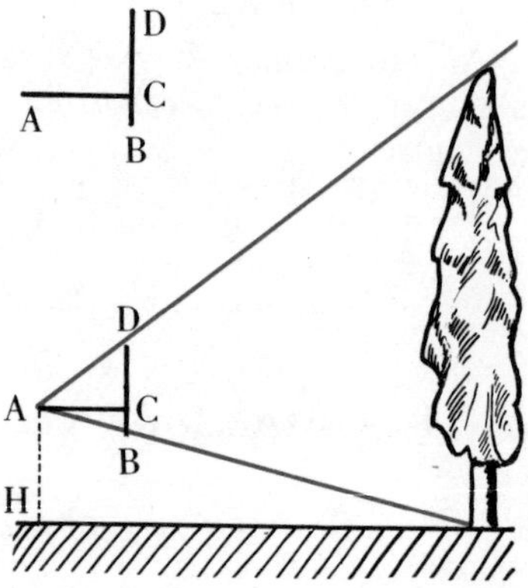

Commençons par bâtir un modèle mathématique de cette situation. Pour cela, on assimile l'arbre à un segment parallèle à (BD) et on dessine la figure ci-dessous.
Appliquons le théorème de Thalès au triangle AIF, en utilisant des rapports de longueurs :

$$\frac{AD}{AF}=\frac{AC}{AI}.$$

Faisons de même dans le triangle AEF :

$$\frac{AD}{AF}=\frac{BD}{EF}.$$

Nous en déduisons que :

$$\frac{AC}{AI}=\frac{BD}{EF}.$$

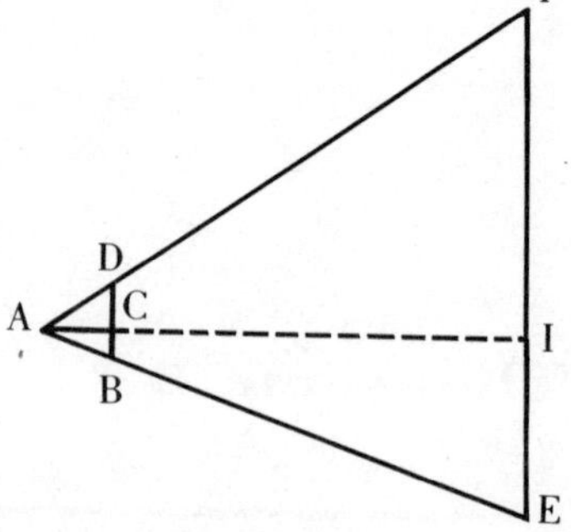

Par construction même de la croix du bûcheron, on sait que AC = BD; les rapports égaux conduisent donc à **AI = EF**.
Mesurer la hauteur de l'arbre revient donc à mesurer la longueur AI, c'est-à-dire la distance entre le bûcheron et l'arbre.
Pratiquement, cette méthode n'est pas d'une grande précision; nous vous laissons imaginer pourquoi. Mais cette précision est suffisante pour le bûcheron.

EXERCICES

Pour tester vos connaissances

1. A, B, M, N sont des points disposés de telle sorte que (AB) soit médiatrice du segment [MN] et (MN) médiatrice du segment [AB].
Quelle est la nature du quadrilatère AMBN?

2. ABCD et BEDF sont deux parallélogrammes.
Démontrez que AECF est un parallélogramme.

3. Quel est le point d'intersection des médiatrices des côtés d'un triangle rectangle?

4. Construisez à la règle et au compas un triangle dont les côtés ont pour longueurs : 4 cm, 5 cm et 7 cm.

5. Prouvez que dans un triangle isocèle le centre du cercle circonscrit, le centre de gravité et l'orthocentre sont alignés.

6. A, B, C sont trois points non alignés d'un plan P.
p est la projection sur une droite D parallèlement à une droite d (d et D non parallèles).
Déterminez la droite D et proposez une parallèle à d dans le cas où $p(A) = A$ et $p(B) = C$.

7. (OA), (OB), (OC) sont des droites concourantes en O.
A′ est un point de la droite (OA), distinct de O et A.
La parallèle à (AB) passant par A′, coupe (OB) en B′.
La parallèle à (BC) passant par B′, coupe (OC) en C′.

a) Démontrez que $\dfrac{\overline{OA}}{\overline{OA'}} = \dfrac{\overline{OB}}{\overline{OB'}} = \dfrac{\overline{OC}}{\overline{OC'}}$.

b) Déduisez-en que les droites (AC) et (A′C′) sont parallèles.

8. d_1, d_2, d_3, d_4 sont des droites parallèles entre elles.
Calculez les six distances non indiquées, sur le dessin ci-dessous.

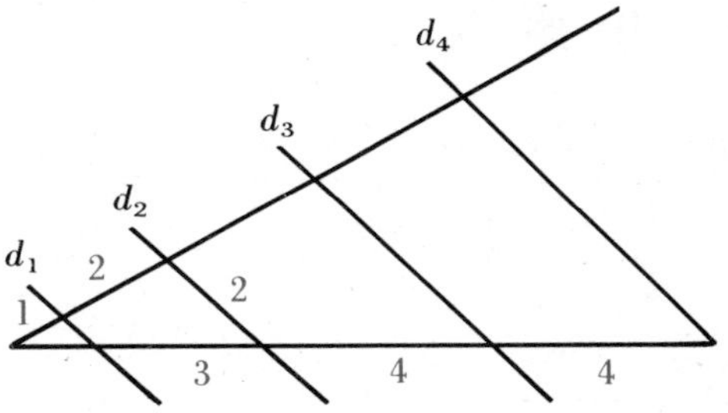

9. ABCD est un quadrilatère dont les diagonales se coupent en O.
La parallèle par O à la droite (BC) coupe (AB) en E.
La parallèle par O à la droite (CD) coupe (AD) en F.
Montrez que : (EF)∥(BD).

Exercices d'entraînement

Triangles et quadrilatères

1. H est l'orthocentre du triangle ABC.
Quel rôle joue le point C pour le triangle ABH?

2. ***a)*** ABC est un triangle.
P est le point tel que (BC) soit médiatrice du segment [AP].
O est le point commun aux segments [BC] et [AP].
Construisez les droites : Δ parallèle à (AC) qui passe par P et Δ′ parallèle à (AB) qui passe par P.
Δ coupe (AB) en R et Δ′ coupe (AC) en S.
Montrez que les points R, O, S sont alignés.

b) D et D′ sont deux droites sécantes; A est un point.
Une droite d qui passe par A coupe D en B et D′ en C.

Construisez d pour que A soit le milieu du segment [BC].

3. ABC est un triangle. I, J, K sont les milieux respectifs des segments [BC], [AC], [AB].

a) H est le point de la droite (BC) tel que (AH) soit une hauteur du triangle ABC.
Montrez que le quadrilatère IJKH est un trapèze isocèle.

b) F et G sont les points respectivement des droites (AB) et (AC) tels que (CF) et (BG) soient des hauteurs de ABC.
Montrez que I est un point de la médiatrice de [FG].

4. ABCD est un parallélogramme. Δ est la parallèle à (BD) qui passe par A.

a) Pourquoi Δ et (BC) sont-elles sécantes en un point M?

b) Démontrez que AMBD est un parallélogramme.

Existence de l'orthocentre d'un triangle

5. *On suppose avoir déjà montré que les médiatrices d'un triangle sont concourantes* (voir à ce sujet page 172).
ABC est un triangle; D, D′, D″ sont les droites qui passent respectivement par A, B, C et parallèles à chacun des côtés opposés à ces sommets.
D et D′ se coupent en C′; D et D″ en B′; D′ et D″ en A′.

a) H est le point de (BC) tel que [AH] soit une hauteur de ABC.
Montrez que (AH) est la médiatrice du segment [B′C′].

b) Qu'en déduisez-vous pour les autres hauteurs de ABC?

c) Prouvez que ces trois hauteurs sont concourantes.

Projections

6. I est le milieu du segment [AB]. p est la projection sur la droite D parallèlement à la droite Δ (non parallèle à D).
Montrez que I′, image de I dans cette projection, est le milieu de [A′B′], image de [AB].

7. D et Δ sont deux droites sécantes; A et B deux points du plan.
A′ et B′ sont les images de A et B dans la projection sur D parallèlement à Δ.
Comment faut-il choisir le segment [AB] pour que A′B′ = AB?

8. δ et Δ sont des droites perpendiculaires.

1. Trouvez des points A, B, C, D tels que les projetés orthogonaux sur δ soient a, b, c, d; les projetés orthogonaux sur Δ soient a', b', c', d' et vérifient les conditions suivantes :

a) $a = b$, $c = d$, $a' = b'$, $c' = d'$.

b) $a = c$, c milieu de $[bd]$, $b' = d'$, d' milieu de $[a'c']$.

2. Dans chaque cas, ABCD est-il un parallélogramme? un rectangle? un losange?

3. Comment choisir les projetés pour que ABCD soit un carré dans chaque cas?

Théorème de Thalès

9. AA′B′B est un trapèze tel que : (AA′)∥(BB′).
M est un point de la droite (AB) et M″ le point de la droite (A′B′) tel que (MM″)∥(AA′).
M′ est le point de (A′B′) tel que $\frac{\overline{AM}}{\overline{AB}} = \frac{\overline{A'M'}}{\overline{A'B'}}$.
Démontrez que M′ et M″ sont confondus.

10. ABC est un triangle. M est un point de (AB) et M′ le point de (AC) tel que (MM′)∥(BC).
D est le projeté de M′ sur (BC) parallèlement à (AB).

a) Démontrez que $\frac{\overline{MM'}}{\overline{BC}} = 1 - \frac{\overline{CD}}{\overline{CB}}$.

b) Déduisez-en que $\frac{\overline{AM}}{\overline{AB}} = \frac{\overline{MM'}}{\overline{BC}}$.

11. ABCD est un quadrilatère; M, N, P, Q sont les milieux de [AB], [BC], [CD], [AD] et H, K les milieux des diagonales [AC] et [BD].

a) Quelle est la nature du quadrilatère MNPQ?

b) A quelle condition ABCD doit-il satisfaire pour que MNPQ soit : un rectangle? un losange? un carré?

c) Montrez que les segments [MP], [NQ], [HK] se coupent en un point O qui est le milieu de chacun d'eux.

12. ABCD est un trapèze tel que $\overline{DC} = \frac{10}{3}\overline{AB}$.
I et J sont les points de la droite (AD) tels que :

$$\overline{IA} = -\frac{4}{3}\overline{ID} \quad \text{et} \quad \overline{JA} = \frac{4}{3}\overline{JD}.$$

Les parallèles à (AB) qui passent par I et J coupent (BC) en N et Q.

La parallèle à (AD) qui passe par B coupe (DC) en E, (IN) en K, (JQ) en H.

Déterminez : $\frac{\overline{AI}}{\overline{AD}}, \frac{\overline{AJ}}{\overline{AD}}, \frac{\overline{EC}}{\overline{AB}}, \frac{\overline{KN}}{\overline{AB}}, \frac{\overline{HQ}}{\overline{AB}}, \frac{\overline{IN}}{\overline{AB}}, \frac{\overline{JQ}}{\overline{AB}}$.

13. ABCD est un parallélogramme; E le milieu de [AB], F celui de [BC].
Démontrez que la droite qui passe par E et parallèle à (AD), et que la droite qui passe par F et parallèle à (CD), coupent la diagonale [BD] au même point.

14. ABCD est un parallélogramme, M est le milieu de [AD], N celui de [BC].

a) La droite (BM) coupe (AC) en P; la droite (DN) coupe (AC) en Q.
Montrez que AP = PQ = QC.

b) Quelle est la nature du quadrilatère MPNQ?

15. A′, B′, C′ sont les milieux des segments [BC], [CA], [AB] du triangle ABC.
Montrez que ABC et A′B′C′ ont le même centre de gravité.

16. ABC est un triangle, D et E sont les points des droites (CA) et (AB) tels que [BD] et [CE] soient des hauteurs de ABC.
F et H sont les pieds des hauteurs du triangle ADE issues de D et E.
Démontrez que : (FH)//(BC).

17. D est une droite et I le milieu d'un segment [AB].
Trois droites parallèles passent par A, B, I et coupent D en A′, B′, I′.
La droite (I′A) coupe (BB′) en Q; la droite (I′B) coupe (AA′) en P.
Quelle est la nature du quadrilatère APQB?

18. ABCD est un quadrilatère; M est un point de la droite (AB).
N est le point commun à (BC) et à la parallèle par M à (AC).
P est le point commun à (CD) et à la parallèle par N à (BD).
Q est le point commun à (AD) et à la parallèle par P à (AC).
R est le point commun à (AB) et à la parallèle par Q à (BD).
Prouvez que M et R sont confondus.

19. ABC est un triangle isocèle en A. M est un point de [BC]. La parallèle à (AB) par M coupe [AC] en E et la parallèle à (AC) par M coupe [AB] en F.

a) Quelle est la nature des triangles BFM et MEC?

b) Démontrez que le parallélogramme AEMF a un périmètre constant lorsque M décrit [BC].

c) Les projetés orthogonaux de A, E, F sur [BC] sont respectivement A′, E′, F′.

Démontrez que MF′ = A′E′.

20. ABCD est un parallélogramme de centre O.
B et D se projettent orthogonalement en B′ et D′ sur (AC).
A et C se projettent orthogonalement en A′ et C′ sur (BD).
Démontrez que A′B′C′D′ est un parallélogramme.

21. ABC est un triangle isocèle tel que : CA = CB.
[AA′] et [BB′] sont deux hauteurs de ce triangle.
D est le point d'intersection de (AC) et de la perpendiculaire en B à (BC).
Démontrez que : $AC^2 = \overline{CB'} \cdot \overline{CD}$.

22. M est le milieu du côté [BC] d'un triangle ABC.
Par un point P de la médiane [AM] on trace les parallèles aux droites (AB) et (AC); ces parallèles coupent respectivement (BC) en D et E.

a) Montrez que M est le milieu du segment [DE].

b) Où doit-on choisir P pour que

BD = DE = CE?

CHAPITRE
16

CALCUL VECTORIEL. TRANSLATIONS. SYMÉTRIES

1. Introduction

Dans ce chapitre nous nous bornons à rappeler quelques savoir-faire, ainsi que certains résultats à bien connaître.
Nous concevons ce chapitre 16 comme un formulaire concis et c'est la raison pour laquelle nous n'y proposons pas les rubriques « Pour prendre un bon départ » et « Approche ».

2. Cours et applications

2.1. Vecteurs

a. Quelques définitions

Savoir

A, B, C, D sont des points du plan P.
Dire que les bipoints (A, B) et (C, D) sont **équipollents** signifie que :

ABDC *est un parallélogramme.*

Savoir-faire

Construire le représentant d'origine M *du vecteur* $\vec{u} = \overrightarrow{AB}$.

(M, N) est un représentant de $\vec{u}$, *si et seulement si* ABNM est un parallélogramme.

Le vecteur $\overrightarrow{AB}$ est l'ensemble des bipoints équipollents à (A, B).
Chacun de ces bipoints est un **représentant** du vecteur $\overrightarrow{AB}$.
A est l'*origine*, B l'*extrémité* du bipoint (A; B).
Ci-contre figurent quelques autres représentants :

$$\overrightarrow{AB} = \overrightarrow{CD} = \overrightarrow{EF} = \ldots$$

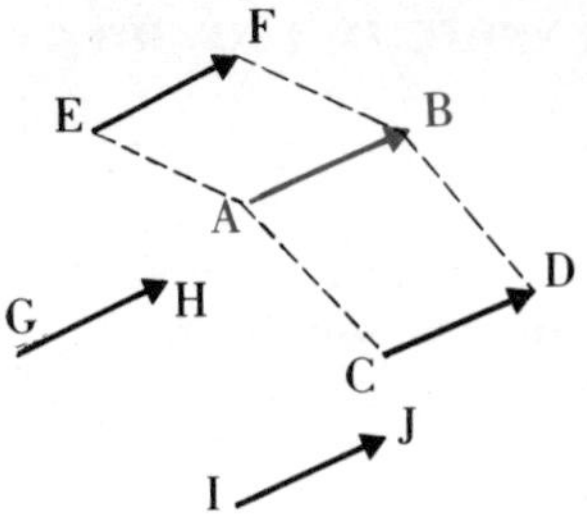

L'ensemble des vecteurs ainsi définis est le **plan vectoriel,** noté $\mathcal{V}$.

- **Le vecteur nul,** noté $\vec{0}$, est l'ensemble des bipoints de la forme (A, A) :

$$\vec{0} = \overrightarrow{AA} = \overrightarrow{MM} = \ldots$$

- Le plan est muni d'une distance.

Si $\vec{u} = \overrightarrow{AB}$, **la norme** du vecteur $\vec{u}$ est la distance des points A et B : $\|\vec{u}\| = d(\mathrm{A}, \mathrm{B})$.

N est à l'intersection de :
— la parallèle Δ à (AB) passant par M;
— la parallèle Δ′ à (AM) passant par B.
Le point N est **unique.**

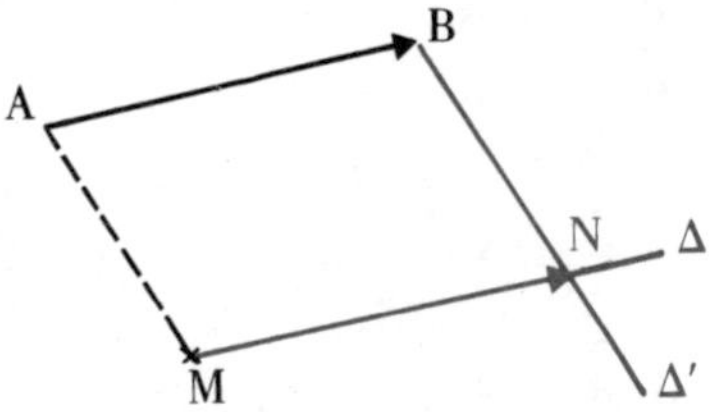

b. Addition des vecteurs

Savoir

Dans le plan vectoriel $\mathcal{V}$, il existe une addition qui possède les propriétés suivantes :

- Pour tout vecteur $\vec{u}$, $\vec{u} + \vec{0} = \vec{u}$.
- Pour tout vecteur $\vec{u}$, il existe un unique vecteur $\vec{x}$ tel que $\vec{u} + \vec{x} = \vec{0}$.

On le note, $\vec{x} = -\vec{u}$, c'est **l'opposé de $\vec{u}$.**

- **Relation de Chasles :**

Pour tous points A, B, C *du plan*

$$\overrightarrow{AB} + \overrightarrow{BC} = \overrightarrow{AC}.$$

Remarquez que d'après cette relation, pour tous points A et B : $\overrightarrow{AB} + \overrightarrow{BA} = \overrightarrow{AA} = \vec{0}$ donc $\overrightarrow{BA}$ est l'opposé de $\overrightarrow{AB}$, et

$$\overrightarrow{BA} = -\overrightarrow{AB}.$$

D'autre part, pour tous points A, B, O : $\overrightarrow{AB} = \overrightarrow{AO} + \overrightarrow{OB}$

donc : $$\overrightarrow{AB} = \overrightarrow{OB} - \overrightarrow{OA}.$$

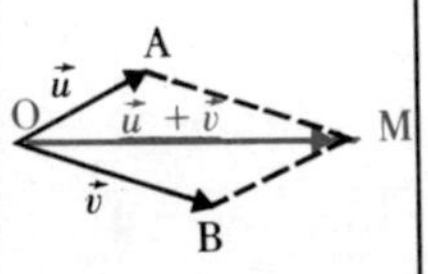

Figure 1

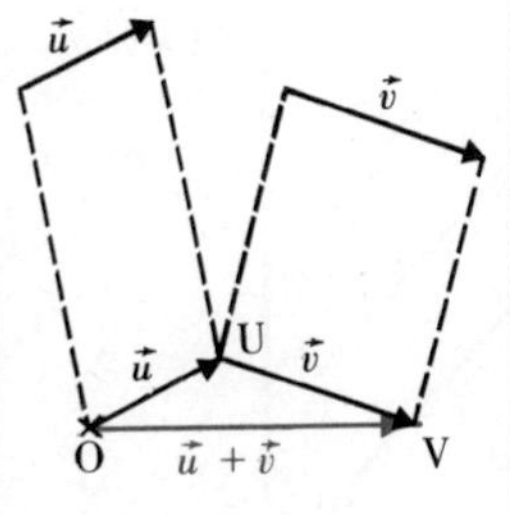

Figure 2

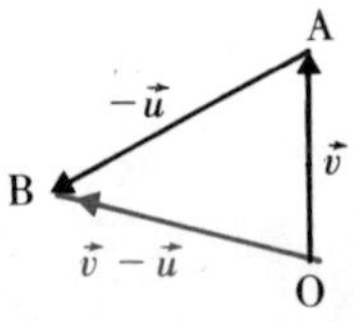

Figure 3

Savoir-faire

1. *Représenter le vecteur $\vec{u} + \vec{v}$.*

- *Les représentants de $\vec{u}$ et $\vec{v}$ ont même origine :*

$$\vec{u} = \overrightarrow{OA}; \quad \vec{v} = \overrightarrow{OB}$$

— on construit le point M tel que OAMB soit un parallélogramme *(voir figure 1);*
— alors $\vec{u} + \vec{v} = \overrightarrow{OM}$.

- *Les représentants n'ont pas même origine :*

— on choisit un point O;
— on construit U tel que

$$\vec{u} = \overrightarrow{OU};$$

— on construit V tel que

$$\vec{v} = \overrightarrow{UV};$$

— alors $\vec{u} + \vec{v} = \overrightarrow{OV}$ *(voir figure 2).*

2. *Représenter le vecteur $\vec{v} - \vec{u}$ (voir figure 3).*
— on choisit un point O du plan,
— on construit A tel que

$$\vec{v} = \overrightarrow{OA};$$

— on construit B tel que

$$\overrightarrow{BA} = \vec{u}, \text{ soit } \overrightarrow{AB} = -\vec{u}\,;$$

— alors :

$$\vec{v} - \vec{u} = \vec{v} + (-\vec{u}) = \overrightarrow{OB}.$$

c. Multiplication d'un vecteur par un réel

Savoir

A un réel k et un vecteur $\vec{u}$, on associe le vecteur $k\vec{u}$. **Les vecteurs $\vec{u}$ et $k\vec{u}$ sont dits colinéaires.**

Propriétés

▶ Pour tout vecteur $\vec{u}$,

$$(-1)\vec{u} = -\vec{u}, \quad \text{c'est l'opposé de } \vec{u}.$$

▶ Pour tout réel k et tout vecteur $\vec{u}$,

$$k\vec{u} = \vec{0}, \quad \textit{si et seulement si} \quad k = 0 \text{ ou } \vec{u} = \vec{0}.$$

▶ Pour tout réel k et tout vecteur $\vec{u}$,

$$\|k\vec{u}\| = |k| \, \|\vec{u}\|$$

où $|k|$ est la valeur absolue de k.
Par exemple

$$\|2\vec{u}\| = 2\,\|\vec{u}\|$$

et

$$\|-1{,}5\vec{u}\| = 1{,}5\,\|\vec{u}\|.$$

Savoir-faire

Représenter le vecteur $k\vec{u}$,
— on choisit un point O;
— U est le point tel que $\vec{u} = \overrightarrow{OU}$;
— sur la droite de repère (O, U) on place **le** point M d'abscisse k;
— alors $\overrightarrow{OM} = k\vec{u}$.

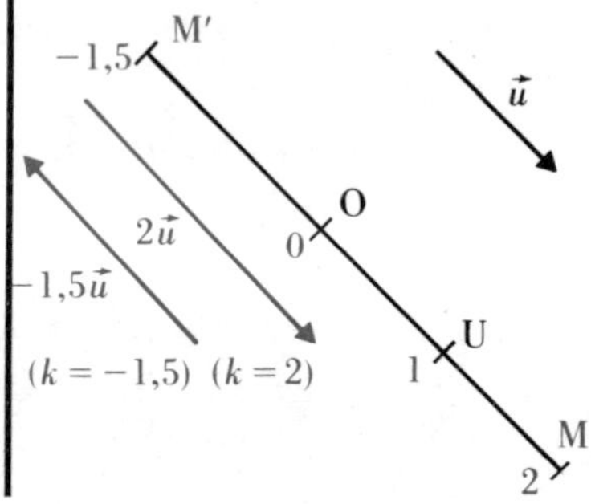

d. Vecteurs colinéaires. Applications au parallélisme de droites et à l'alignement de points

Savoir

• Dire que $\vec{u} \neq \vec{0}$ est **un vecteur directeur** d'une droite D, signifie que D *contient des points* O *et* U *tels que :*

$$\vec{u} = \overrightarrow{OU}.$$

Le couple $(\mathbf{O}; \vec{u})$ est alors **un repère** de la droite D.

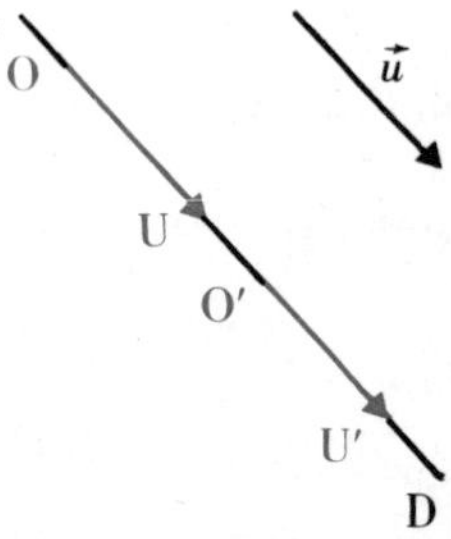

Notez que *si $\vec{u}$ est un vecteur directeur de* D, *alors tout vecteur $k\vec{u}$* (où k est un réel non nul) *est un vecteur directeur de* D.

• **Parallélisme de deux droites**
D et D′ sont les droites de repères respectifs $(O; \vec{u})$ et $(O'; \vec{u}\,')$.

D∥D′ *si et seulement si* **$\vec{u}$ et $\vec{u}\,'$ sont colinéaires;** c'est-à-dire :

D∥D′ *si et seulement s'***il existe un réel k tel que $\vec{u}\,' = k\vec{u}$.**

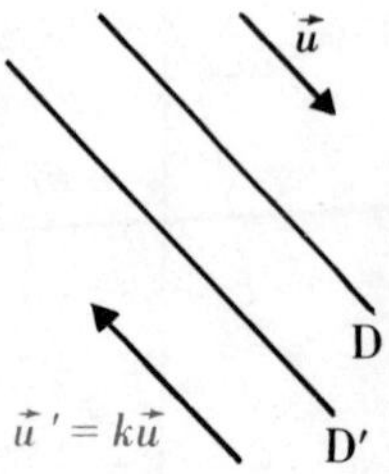

Savoir-faire

Démontrer le parallélisme de droites à l'aide de la colinéarité.

EXERCICE **résolu**

[BJ], [CK], [AI] sont les médianes d'un triangle ABC. L est le point tel que $\overrightarrow{KL} = \overrightarrow{BJ}$.

Démontrez que : (CL)∥(AI).

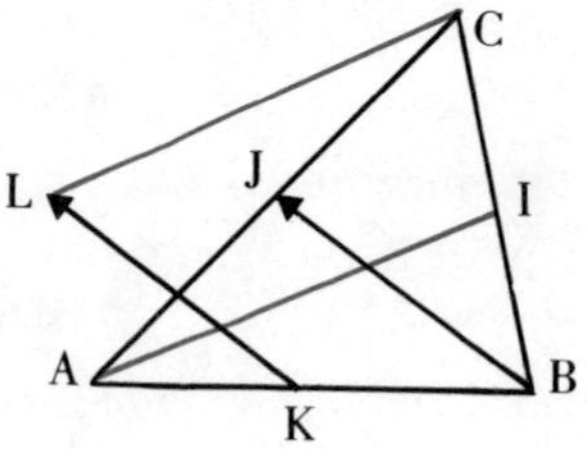

Solution □ □ □

Montrons que les vecteurs $\overrightarrow{CL}$ et $\overrightarrow{IA}$ sont colinéaires.
D'après la relation de Chasles :

$$\overrightarrow{CL} = \overrightarrow{CI} + \overrightarrow{IA} + \overrightarrow{AK} + \overrightarrow{KL}$$
$$= \frac{1}{2}\overrightarrow{CB} + \overrightarrow{IA} + \frac{1}{2}\overrightarrow{AB} + \overrightarrow{BJ}.$$

Or : $\overrightarrow{BJ} = \frac{1}{2}\overrightarrow{BJ} + \frac{1}{2}\overrightarrow{BJ}$;

en quoi cela est-il avantageux?

• **Alignement de trois points**

Les points A, B, C sont alignés *si et seulement si* **les vecteurs $\overrightarrow{AB}$ et $\overrightarrow{AC}$ sont colinéaires.**

$$\overrightarrow{CL} = \frac{1}{2}\overrightarrow{CB} + \frac{1}{2}\overrightarrow{BJ} + \overrightarrow{IA} + \frac{1}{2}\overrightarrow{AB} + \frac{1}{2}\overrightarrow{BJ}$$

$$= \frac{1}{2}\overrightarrow{CJ} + \overrightarrow{IA} + \frac{1}{2}\overrightarrow{AJ}.$$

Donc $\overrightarrow{\mathbf{CL}} = \overrightarrow{\mathbf{IA}}$, car $\overrightarrow{CJ} = -\overrightarrow{AJ}$.

□ □ □ □ □ □ □ □ □ □

e. Bases de $\mathcal{V}$ et repères de P

Savoir

$\vec{i}$ et $\vec{j}$ sont des vecteurs du plan vectoriel $\mathcal{V}$.
Dire que le couple $(\vec{i}, \vec{j})$ est **une base** de $\mathcal{V}$ signifie que :

$$\boldsymbol{\vec{i}} \textbf{ et } \boldsymbol{\vec{j}} \textbf{ ne sont pas colinéaires}$$

O est un point du plan P.
Le triplet $(O; \vec{i}, \vec{j})$ est **un repère** de P.
La droite de repère $(O; \vec{i})$ est **l'axe des abscisses.**
La droite de repère $(O; \vec{j})$ est **l'axe des ordonnées.**

Dans ce repère, tout point M du plan P, admet **un unique** couple de réels tel que :

$$\overrightarrow{\mathbf{OM}} = x\vec{i} + y\vec{j}.$$

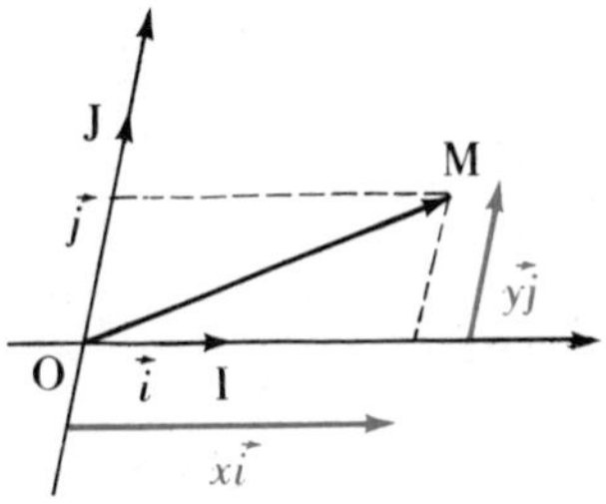

$(x; y)$ est le couple des coordonnées de M *dans le repère* $(O; \vec{i}, \vec{j})$: x **abscisse,** y **ordonnée** de M. *$(x; y)$ est aussi le couple des coordonnées de* $\overrightarrow{OM}$ *dans la base* $(\vec{i}, \vec{j})$.

Propriétés

▶ Si, dans le repère $(O; \vec{i}, \vec{j})$
A a pour coordonnées $(\boldsymbol{a}; \boldsymbol{a'})$
B a pour coordonnées $(\boldsymbol{b}; \boldsymbol{b'})$
alors, dans la base $(\vec{i}, \vec{j})$:
$\overrightarrow{\mathbf{AB}}$ a pour coordonnées $(\boldsymbol{b - a}; \boldsymbol{b' - a'})$.

▶ Dans la base $(\vec{i}; \vec{j})$,
si $\vec{u}$ a pour coordonnées $(x; y)$
$\vec{u}\,'$ a pour coordonnées $(x'; y')$
alors $\vec{u} + \vec{u}\,'$ a pour coordonnées $(x + x'; y + y')$
$k\vec{u}$ a pour coordonnées $(kx; ky)$
où k est un réel.

$$\vec{u} = \vec{u}\,', \textit{ si et seulement si } x = x' \textbf{ et } y = y'.$$

Cette dernière propriété **permet de remplacer l'égalité de deux vecteurs du plan vectoriel par deux égalités entre leurs coordonnées respectives.**

Savoir-faire

EXERCICE résolu

$(O; \vec{i}, \vec{j})$ est un repère du plan.
$\vec{u}$ est le vecteur de coordonnées $(-2; 3)$ dans la base $(\vec{i}, \vec{j})$.

a. Construisez le point A tel que $\vec{u} = \overrightarrow{OA}$.

b. Le point V a pour coordonnées $(1; 2)$.
Construisez et trouvez les coordonnées du point U tel que $\overrightarrow{UV} = \vec{u}$.

Solution □ □ □

a.

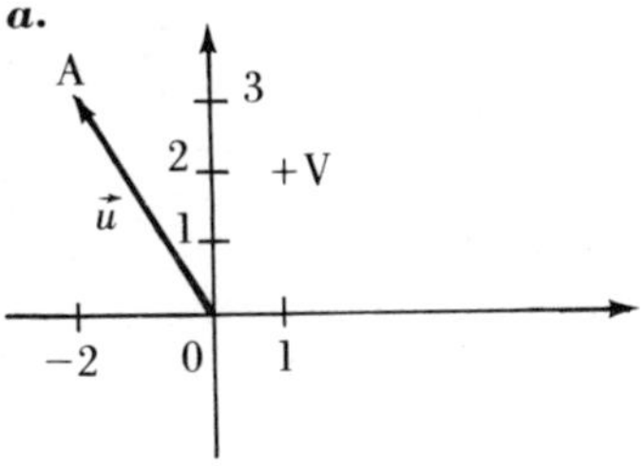

b. Notons $(x; y)$ les coordonnées de U. Le vecteur $\overrightarrow{UV}$ a pour coordonnées :

$$(1 - x; 2 - y).$$

Celles de $\vec{u}$ sont : $(-2; 3)$.
$\vec{u} = \overrightarrow{UV}$, si et seulement si

$$1 - x = -2 \text{ et } 2 - y = 3$$

soit : $\boldsymbol{x = 3}$ et $\boldsymbol{y = -1}$.

□ □ □ □ □ □ □ □ □ □

EXERCICE

Dans un repère $(O; \vec{i}, \vec{j})$ les points M et N ont pour coordonnées respectives $(x; y)$ et $(x'; y')$. I est le milieu du segment [MN].

a. Exprimez $\overrightarrow{IM}$ à l'aide de $\overrightarrow{IN}$.

b. Déterminez les coordonnées de I.

2.2. Translations

a. Qu'est-ce qu'une translation?

Savoir

Définition 1

> **La translation de vecteur $\vec{u}$, notée $t_{\vec{u}}$, est l'application du plan P dans lui-même qui, à chaque point M, associe le point M′ tel que :**
> $$\overrightarrow{MM'} = \vec{u}.$$

Commentaires

- M′ est **l'image** de M par la translation $t_{\vec{u}}$; on note
$$M' = t_{\vec{u}}(M).$$
- Dans le cas où $\vec{u} = \vec{0}$, $M' = t_{\vec{0}}(M)$ signifie que $\overrightarrow{MM'} = \vec{0}$, donc $M = M'$.

$t_{\vec{0}}$ est l'application identité Id_p du plan P : tout point a lui-même pour image.

Savoir-faire

Construire l'image de M *par* $t_{\vec{u}}$.

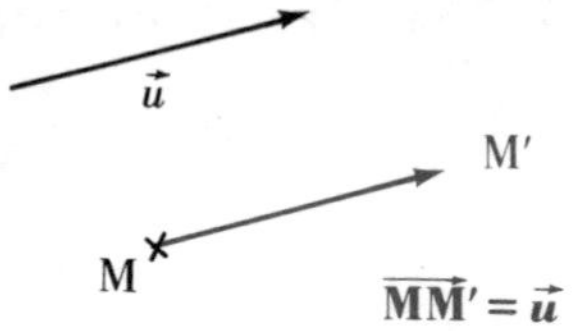

b. Propriétés des translations

Toutes les propriétés énoncées ci-dessous ont été établies dans les classes antérieures. Nous vous proposons de démontrer les deux premières propriétés, ainsi que d'autres aux exercices 18 *à* 23 *page* 190.

Savoir

▶ **L'image d'une droite par une translation est une droite parallèle.**
On traduit cette propriété par :
une translation conserve le parallélisme.

▶ **Deux droites perpendiculaires ont pour images, par une translation, deux droites perpendiculaires.**
On traduit cette propriété par :
une translation conserve l'orthogonalité.

▶ **Une translation conserve la distance.**
Cela signifie que :

si $\mathbf{M' = t_{\vec{u}}(M)}$ **et** $\mathbf{N' = t_{\vec{u}}(N)}$

alors $\mathbf{d(M, N) = d(M', N')}$.

En effet : $\vec{u} = \overrightarrow{MM'} = \overrightarrow{NN'}$, donc MM′N′N est un parallélogramme et alors $\overrightarrow{MN} = \overrightarrow{M'N'}$.

D'où : $\|\overrightarrow{MN}\| = \|\overrightarrow{M'N'}\|$.

Soit : $d(M, N) = d(M', N')$.

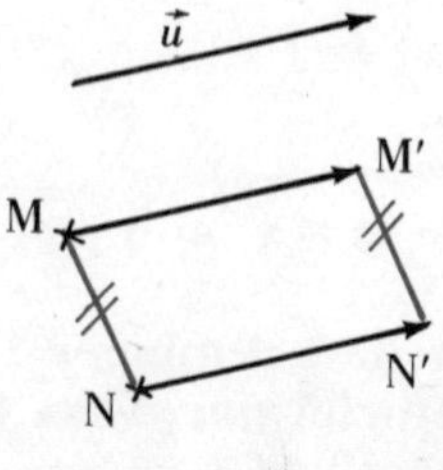

Savoir-faire

1. *Construire l'image d'une droite.*

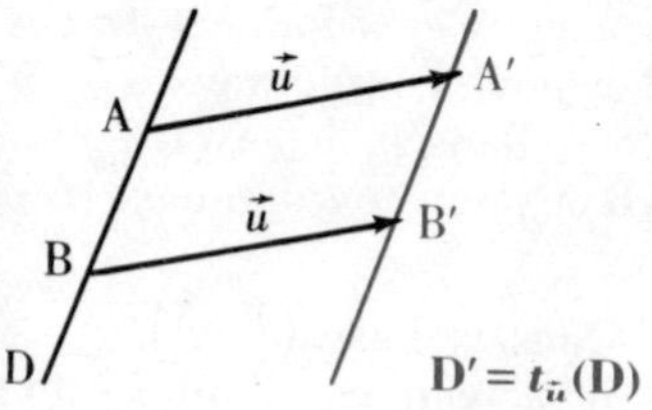

2. *Construire l'image d'une figure.*

EXERCICE

Construisez l'image par la translation de vecteur $\vec{u}$, de chacune des figures représentées page ci-contre, en haut.

Commentaire

On montre également que **les translations conservent l'aire.**
C'est-à-dire que si F est une partie du plan d'aire $\mathcal{A}$, alors $t_{\vec{u}}(F)$ est une partie d'aire $\mathcal{A}$.

Suite de l'exercice

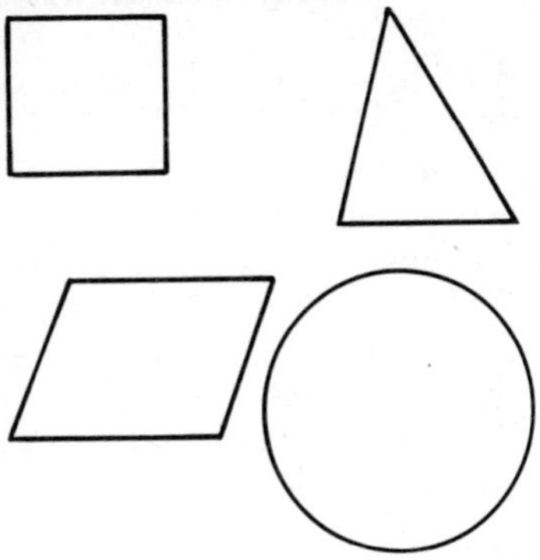

c. Expression analytique d'une translation

Savoir

$(O; \vec{i}, \vec{j})$ est un repère du plan P.

Déterminer l'expression analytique dans $(O; \vec{i}, \vec{j})$ d'une translation $t_{\vec{u}}$ c'est exprimer les coordonnées de $M' = t_{\vec{u}}(M)$ à l'aide des coordonnées de M.

Dans $(O; \vec{i}, \vec{j})$:
coordonnées de M,

$(x;\ y)$

coordonnées de M',

$(x';\ y')$.

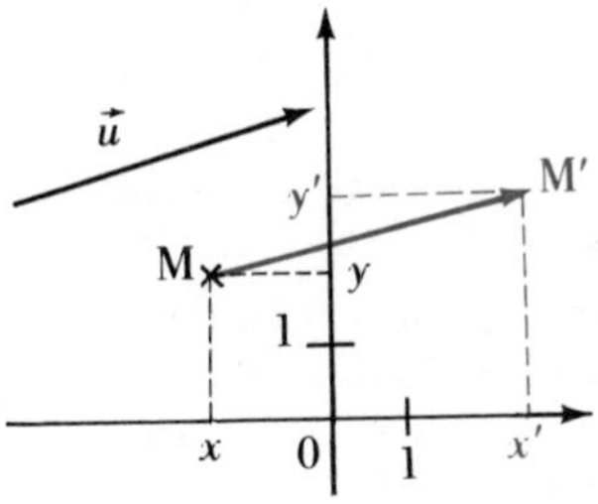

Dans $(\vec{i}, \vec{j})$:
coordonnées de $\overrightarrow{MM'}$,

$(x' - x;\ y' - y)$

coordonnées de $\vec{u}$: $(a;\ b)$,
$M' = t_{\vec{u}}(M)$ signifie que

$\overrightarrow{MM'} = \vec{u}$.

Traduisons cette égalité entre vecteurs à l'aide de deux égalités entre leurs coordonnées, il vient :

$$x' - x = a \quad \text{et} \quad y' - y = b$$

donc :

$M' = t_{\vec{u}}(M)$, *si et seulement si :*

$$\begin{cases} x' = x + a \\ y' = y + b. \end{cases}$$

Commentaire

L'expression analytique est si simple qu'il est possible de la mémoriser : « **aux coordonnées de M on ajoute celles de $\vec{u}$** ».

Savoir-faire

1. *Trouver les coordonnées d'une image.*

L'expression analytique de la translation de vecteur de coordonnées $(-4;\ 2)$ est

$$\begin{cases} x' = x - 4 \\ y' = y + 2. \end{cases}$$

Il est alors aisé de trouver les coordonnées de l'image du point de coordonnées $(1;\ -3)$ par exemple :

$$x' = 1 - 4 = \mathbf{-3}$$

et $\quad y' = -3 + 2 = \mathbf{-1}$.

2. *Reconnaître une translation.*

Au point M de coordonnées $(x;\ y)$ est associé le point M' de coordonnées $(x';\ y')$ telles que

$$\begin{cases} x' = x + 4 \\ y' = y - 1. \end{cases}$$

On en déduit que

$$x' - x = 4 \text{ et } y' - y = -1,$$

donc $\overrightarrow{MM'} = \vec{u}$, où $\vec{u}$ a pour coordonnées $(4;\ -1)$.
L'application ci-dessus est donc la translation de vecteur $\vec{u}$ de coordonnées $(4;\ -1)$.

d. Exemple d'utilisation des translations

A et B sont deux points distincts du plan P, et Δ une droite de ce plan.
A tout point M de Δ on associe le point M′ tel que ABMM′ soit un parallélogramme.
Lorsque M se déplace sur Δ, sur quel ensemble M′ se déplace-t-il?
Sur le dessin ci-contre, nous avons construit les points D et D′ correspondant respectivement aux points C et C′ de Δ. Prenez un autre point C″ sur Δ, construisez le point D″ qui lui est associé.

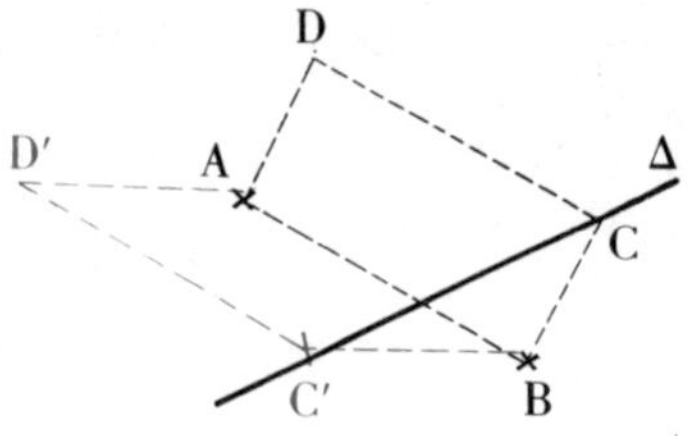

Que remarquez-vous pour D, D′, D″?
De façon générale, ABMM′ est un parallélogramme, donc $\overrightarrow{MM'} = \overrightarrow{BA}$.
Le point M′ est alors l'image de M par la translation de vecteur $\overrightarrow{BA}$.
Le point M′ appartient à l'image de Δ par $t_{\overrightarrow{AB}}$, c'est-à-dire à une droite parallèle à Δ.
Nous vous laissons représenter cette droite sur le dessin précédent.
Lorsque A et B sont sur Δ, quel est l'ensemble cherché?
Lorsque A est sur Δ, mais pas B, qu'a de particulier l'ensemble cherché?

2.3. Symétries orthogonales

a. Qu'est-ce qu'une symétrie orthogonale?

Savoir

Définition 2

D est une droite du plan P.
La symétrie orthogonale par rapport à la droite D est l'application de P dans lui-même qui, à chaque point M, associe le point M′ tel que D est la médiatrice du segment [MM′].

Cette symétrie orthogonale se note S_D.
$M' = S_D(M)$ est le symétrique orthogonal de M par rapport à D.

Savoir-faire

Construire le symétrique d'un point.

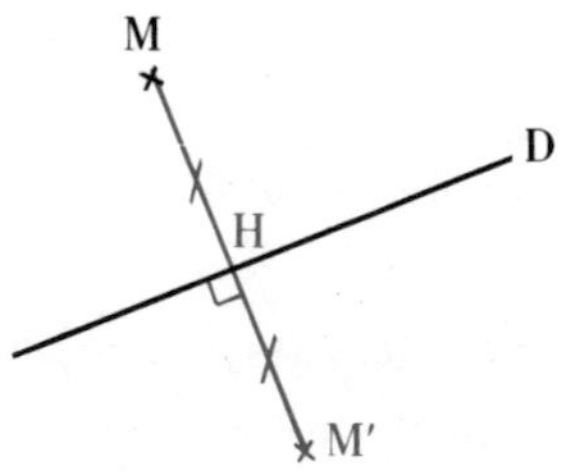

— on trace la perpendiculaire Δ à D qui passe par M;
— H est le point commun à D et Δ;
— M′ est le point de Δ tel que :

$$\overrightarrow{MH} = \overrightarrow{HM'}.$$

b. Propriétés des symétries orthogonales

Savoir

▶ **S_D conserve la distance**

$M' = S_D(M)$ et $N' = S_D(N)$

donc

$M'N' = MN$.

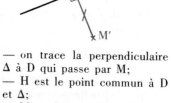

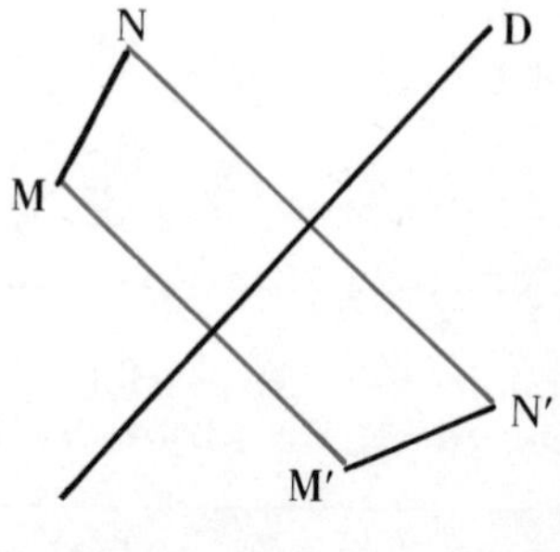

Savoir-faire

Construire l'image d'une droite.

▶ **L'image d'une droite par S_D est une droite.**
S_D *conserve le parallélisme*
(voir exercice 28 page 191).

▶ **S_D conserve l'orthogonalité** (voir exercice 29, page 191).

▶ Les points de D sont invariants par S_D : ils sont leur propre image.

EXERCICE
Construisez l'image de Δ à la règle et au compas, dans chacun des cas suivants :

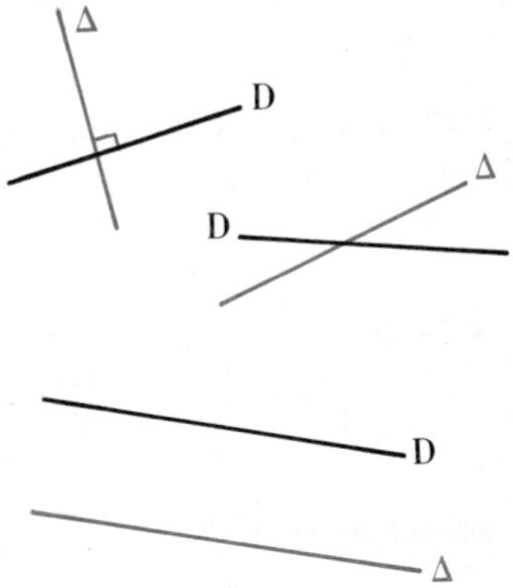

c. Axes de symétrie

Savoir

F est une partie du plan P.
Dire que F est **globalement invariante** par la symétrie orthogonale par rapport à D, signifie que :
pour tout point M de F, $S_D(M)$ est un point de F.
On dit alors que
D est un axe de symétrie de F.

Exemple

Les axes de symétrie d'une droite sont la droite elle-même et les droites qui lui sont perpendiculaires.

Commentaire

Il faut aussi savoir qu'un point O est **centre de symétrie** d'une partie F du plan lorsque pour tout point M de F son image M′ par la symétrie de centre O appartient à F.

Savoir-faire

Trouver un axe de symétrie.

EXERCICE
Proposez, s'ils existent, les axes de symétrie des figures suivantes :

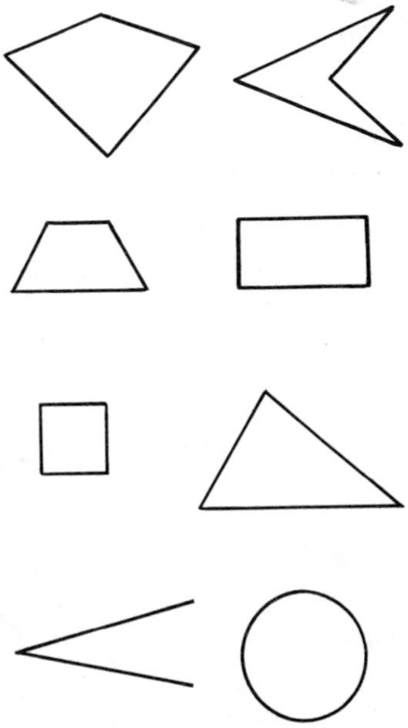

EXERCICES

Pour tester vos connaissances

1. Déterminez un représentant du vecteur :

$$\overrightarrow{AB}-\overrightarrow{CD}-(\overrightarrow{AC}-\overrightarrow{BA}).$$

2. A, B, C, D sont des points du plan. Quel est le point M tel que :

$$\overrightarrow{CM}-\overrightarrow{MD}+\overrightarrow{AB}=\overrightarrow{AM}-\overrightarrow{BC}?$$

3. A, B, C, D sont des points du plan. Montrez que :

$$\overrightarrow{AD}+\overrightarrow{BC}=\overrightarrow{AC}+\overrightarrow{BD}.$$

4. ABCD est un carré.

a) Construisez le représentant d'origine B du vecteur :

$$\vec{U}=\overrightarrow{AB}+\overrightarrow{AC}-\overrightarrow{DB}+\overrightarrow{CB}.$$

b) Que remarquez-vous? Prouvez-le.

5. Simplifiez l'écriture de :

$$\vec{U}=2\vec{u}-4(2\vec{v}-\vec{u})-\frac{3}{2}\vec{v}+3\left(\frac{4}{3}\vec{u}+\vec{v}\right).$$

6. Dans un repère $(O;\ \vec{i}, \vec{j})$, les points A et B ont pour coordonnées respectives $(\sqrt{2};\ 1)$ et $\left(\frac{1}{3};\ 4\right)$.

Déterminez les coordonnées du point M tel que :

$$\overrightarrow{AM}=3\overrightarrow{AB}.$$

7. $\mathcal{C}$ est le cercle de centre O et rayon r.
Quelle est l'image de $\mathcal{C}$ par la translation de vecteur $\vec{u}$?

8. Dans un repère $(O;\ \vec{i}, \vec{j})$, les points A et M ont pour coordonnées respectives $\left(-3;\ \frac{5}{2}\right)$ et $(x;\ y)$.

a) Quelles sont les coordonnées des images de A et M par la translation de vecteur $4\vec{i}-2\vec{j}$?

b) Quelles sont les coordonnées du point N dont l'image par la translation précédente a pour coordonnées $(-1;\ 2{,}7)$?

9. Dans un repère orthonormé $(O;\ \vec{i}, \vec{j})$, déterminez les expressions analytiques des symétries orthogonales par rapport à l'axe des abscisses, puis par rapport à l'axe des ordonnées.

10. S est la symétrie orthogonale par rapport à une droite D.

$$M'=S(M) \quad \text{et} \quad m=S(M').$$

Qu'en concluez-vous?

Exercices d'entraînement

Calcul vectoriel

1. $\vec{a}=\vec{i}+2\vec{j};\quad \vec{b}=3\vec{i}-2\vec{j};\quad \vec{c}=\frac{1}{2}\vec{i}.$
Calculez en fonction de $\vec{i}$ et $\vec{j}$ les vecteurs :

$$\vec{a}+\vec{b}+\vec{c}\ ;\ 3\vec{a}+2\vec{b}-\vec{c}\ ;\ \frac{1}{2}\vec{a}+\frac{1}{3}\vec{b}-\vec{c}.$$

2. EFGH est un carré; O est le point d'intersection de ses diagonales.
Représentez le vecteur :

$$\overrightarrow{OE}+\overrightarrow{OF}+\overrightarrow{OG}+\overrightarrow{OH}.$$

Démontrez ce que vous remarquez.

3. OAB est un triangle; $\vec{a} = \overrightarrow{OA}$ $\vec{b} = \overrightarrow{OB}$.
Trouvez des représentants de vecteurs $\vec{u}$ et $\vec{v}$ tels que :

$$\vec{u} + \vec{v} = \vec{a} \quad \text{et} \quad \vec{u} - \vec{v} = \vec{b}.$$

4. A, B, C, D sont quatre points du plan P.

a) Construisez le point M tel que :

$$\overrightarrow{AM} = \overrightarrow{AB} + \overrightarrow{AC} - \overrightarrow{BC}.$$

b) Construisez le point N tel que :

$$\overrightarrow{AN} = \overrightarrow{AB} - \overrightarrow{AC} + \overrightarrow{AD}.$$

c) Démontrez que :

$$\overrightarrow{NM} = \overrightarrow{AC} + \overrightarrow{DB}.$$

5. ABCD est un parallélogramme.
I est le milieu du segment [BC].

M est le point tel que $\overrightarrow{AI} = \overrightarrow{IM}$.
Montrez que les points D, C, M sont alignés.

6. ABCD est un parallélogramme.
E et F sont les points tels que :

$$\overrightarrow{AE} = \frac{1}{3}\overrightarrow{AB} \quad \text{et} \quad \overrightarrow{CF} = \frac{1}{3}\overrightarrow{CD}.$$

O est le milieu du segment [AC].
Montrez que O, E, F sont alignés.

7. ABCD est un parallélogramme.

a) Construisez les points M, N, P, Q tels que :

$$\overrightarrow{AM} = \frac{3}{2}\overrightarrow{AB}, \quad \overrightarrow{BN} = \frac{3}{2}\overrightarrow{BC},$$

$$\overrightarrow{CP} = \frac{3}{2}\overrightarrow{CD}, \quad \overrightarrow{DQ} = \frac{3}{2}\overrightarrow{DA}.$$

b) Démontrez que $\overrightarrow{MN} = \overrightarrow{QP}$.
Qu'en déduisez-vous pour le quadrilatère MNPQ?

8. ABC est un triangle; A', B', C' les milieux respectifs des segments [BC], [AC], [AB].

a) Démontrez que :

$$\overrightarrow{AA'} + \overrightarrow{BB'} + \overrightarrow{CC'} = \vec{0}.$$

b) I est un point du plan.
J et K sont les points tels que :

$$\overrightarrow{IJ} = \overrightarrow{CC'}, \quad \overrightarrow{IK} = -\overrightarrow{BB'}.$$

Démontrez que le milieu E du segment [JK] est tel que :

$$\overrightarrow{IE} = \frac{3}{4}\overrightarrow{CB}.$$

9. A, B, C, D sont des points du plan P; E et F les milieux respectifs des segments [AC] et [BD].

a) Exprimez $\overrightarrow{AB} + \overrightarrow{CD}$ et $\overrightarrow{BC} + \overrightarrow{DA}$ à l'aide du vecteur $\overrightarrow{EF}$.

b) x et y sont des réels;

$$\vec{U} = x(\overrightarrow{AB} + \overrightarrow{CD}) + y(\overrightarrow{BC} + \overrightarrow{DA}).$$

Exprimez $\vec{U}$ à l'aide du vecteur $\overrightarrow{EF}$.

c) A quelles conditions avez-vous $\vec{U} = \vec{0}$?

Bases. Repères

10. $(\vec{i}, \vec{j})$ est une base du plan vectoriel $\mathcal{V}$.

$$\vec{u} = 2\vec{i} + 3\vec{j}\,;\ \vec{v} = \frac{1}{3}\vec{i} - 2\vec{j}\,;\ \vec{w} = -\vec{i} + 6\vec{j}.$$

Parmi les couples $(\vec{u}, \vec{v})$, $(\vec{v}, \vec{w})$, $(\vec{u}, \vec{w})$, quels sont ceux qui sont des bases de $\mathcal{V}$:

a) en utilisant des représentants de ces vecteurs?

b) sans utiliser de représentants?

11. Dans une base $(\vec{i}, \vec{j})$ du plan vectoriel $\mathcal{V}$, un vecteur $\vec{u}$ a pour coordonnées $(-3; 4)$.

a) Démontrez que $(\vec{j}, \vec{i})$, $(-\vec{i}, \vec{j})$, $(\vec{i}, -\vec{j})$, $(-\vec{i}, -\vec{j})$ sont des bases de $\mathcal{V}$.

b) Quelles sont les coordonnées de $\vec{u}$ dans chacune de ces bases?

12. Dans la base $(\vec{i}, \vec{j})$, $\vec{u}, \vec{v}, \vec{w}$ sont les vecteurs de coordonnées respectives $(-1; 3)$, $\left(2; \frac{5}{4}\right)$, $\left(-\frac{1}{2}; 5\right)$.

a) Déterminez des réels x et y tels que :

$$x\vec{u} + y\vec{v} = \vec{w}.$$

b) Déterminez des réels a et b tels que :

$$a\vec{u} + b\vec{w} = \vec{0}.$$

13. Dans un repère $(O; \vec{i}, \vec{j})$ du plan P; A, B, C sont les points de coordonnées respectives $(1; 2)$, $(-5; 2)$, $(\sqrt{3}; 1)$.
Calculez les coordonnées de E, F, G, H tels que :

$$\overrightarrow{CE} = \overrightarrow{AB}; \quad \overrightarrow{AF} = \frac{3}{4}\overrightarrow{BC};$$

$$\overrightarrow{CG} = -\frac{2}{3}\overrightarrow{CB}; \quad \overrightarrow{AB} + \overrightarrow{CH} = \vec{0}.$$

14. $(O; \vec{i}, \vec{j})$ est un repère du plan P; A, B, C sont les points de coordonnées respectives $\left(\frac{7}{4}; -2\right)$, $\left(\frac{1}{2}; \frac{9}{4}\right)$, $(3; -1)$.

a) Trouvez les coordonnées de E tel que $\overrightarrow{AB} = \overrightarrow{CE}$.

b) Trouvez les coordonnées de D tel que ABCD soit un parallélogramme.

c) Quelles sont les coordonnées du milieu du [ED]?

d) H est le point tel que C soit le milieu de [BH]; K le point tel que C soit le milieu de [AK].
Quelles sont les coordonnées de H et K?

15. Dans le repère $(O; \vec{i}, \vec{j})$, A, B, C, D sont les points de coordonnées respectives $\left(-3; \frac{2}{3}\right)$, $\left(-2; \frac{11}{3}\right)$, $(0; 3)$, $(1; 6)$.

a) Démontrez que ABCD est un parallélogramme.

b) E a pour coordonnées $(-2; -3)$.
Trouvez les coordonnées du point F tel que ABFE soit un parallélogramme.

c) Calculez les coordonnées des milieux de [BF] et [AC].
Qu'en déduisez-vous?

d) Démontrez que E, F, C, D sont alignés, puis que EFDC est un parallélogramme aplati.

Changements de repère

16. Dans le repère $(O; \vec{i}, \vec{j})$, A, B, C ont pour coordonnées respectives $(1; 2)$, $(3; 0)$, $(0; -1)$.

a) Démontrez que $(A; \overrightarrow{AB}, \overrightarrow{AC})$ est un repère du plan.

b) Quelles sont les coordonnées de A, B, C dans ce nouveau repère?

c) E a pour coordonnées $(-4; 3)$ dans $(O; \vec{i}, \vec{j})$.
Quelles sont les coordonnées de E dans $(A; \overrightarrow{AB}, \overrightarrow{AC})$?

d) Quelles sont les coordonnées de O dans $(A; \overrightarrow{AB}, \overrightarrow{AC})$?

e) M a pour coordonnées $(x; y)$ dans $(O; \vec{i}, \vec{j})$.
Déterminez ses coordonnées $(x'; y')$ dans $(A; \overrightarrow{AB}, \overrightarrow{AC})$ à l'aide de x et y (pensez à écrire $\overrightarrow{AM} = \overrightarrow{AO} + \overrightarrow{OM}$).

17. $(\vec{i}, \vec{j})$ est une base du plan vectoriel $\mathcal{V}$.
$\vec{i}'$ et $\vec{j}'$ sont tels que :

$$\vec{i}' = \vec{i} + \vec{j}, \quad \vec{j}' = 2\vec{i} - \vec{j}.$$

a) Montrez que $(\vec{i}', \vec{j}')$ est une base de $\mathcal{V}$.

b) O est un point du plan P.
$\mathcal{R}$ est le repère $(O; \vec{i}, \vec{j})$ et $\mathcal{R}'$ le repère $(O; \vec{i}', \vec{j}')$.
A est le point de coordonnées $(-2; 3)$ dans $\mathcal{R}$.
Quelles sont les coordonnées de A dans $\mathcal{R}'$?

c) B a pour coordonnées $(2; -1)$ dans $\mathcal{R}'$.
Quelles sont ses coordonnées dans $\mathcal{R}$?

Translations

18. D est la droite de repère $(A; \vec{i})$.

a) Écrivez une condition nécessaire et suffisante pour qu'un point M soit sur D.

b) t est la translation de vecteur $\vec{u}$ et $t(M) = M'$, $t(A) = A'$.
Montrez que M' appartient à la droite de repère $(A'; \vec{i})$.

19. Démontrez que si D et D' sont deux droites perpendiculaires, alors les images de D et D' par une translation sont des droites perpendiculaires.

20. Déterminez l'image d'un segment par une translation.

21. ABC est un triangle; A'B'C' est son image par une translation.
Montrez que ABC et A'B'C' ont même aire.

22. I est le milieu du segment [AB].
Montrez que si t est la translation de vecteur $\vec{u}$ et $I' = t(I)$, $A' = t(A)$, $B' = t(B)$, alors I' est le milieu de [A'B'].

23. Quels sont les points M du plan tels que $t(M) = M$, où t est la translation de vecteur $\vec{u}$ (envisagez deux cas pour le vecteur $\vec{u}$)?
Un tel point M est dit *invariant* par t.

24. ABC est un triangle, t la translation de vecteur $\overrightarrow{AB}$ et t' la translation de vecteur $\overrightarrow{BC}$.
A'B'C' est l'image de ABC par t et A''B''C'' l'image de A'B'C' par t'.
Prouvez que C est le milieu de [AC''].

25. D et D' sont des droites sécantes, A et B des points du plan.
Déterminez un point M de D et un point M' de D' tel que ABMM' soit un parallélogramme.

Symétries orthogonales

26. Construisez un quadrilatère ayant D_1 et D_2 pour axes de symétrie et dont un sommet est A.

27. Construisez un quadrilatère ayant D_1 et D_2 pour axes de symétrie et dont un sommet est B.

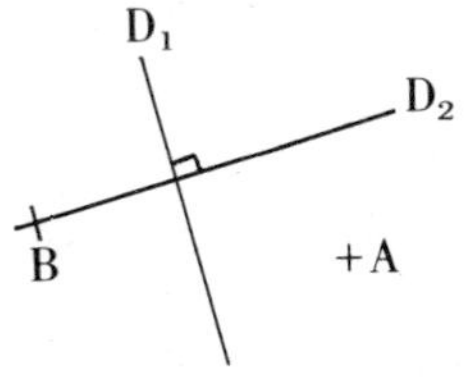

(exercices 26 et 27)

28. S est la symétrie orthogonale par rapport à une droite D.
A et B sont deux points d'une droite Δ.

a) Démontrez qu'une condition nécessaire et suffisante pour que M appartienne à Δ est :

$$MA + MB = AB \quad \text{ou} \quad |MA - MB| = AB.$$

b) Déduisez-en que l'image de Δ par S est une droite.

29. Δ et Δ′ sont deux droites perpendiculaires.
Montrez que leurs images par une symétrie orthogonale sont des droites perpendiculaires.

30. D et Δ sont des droites sécantes en I.
Prouvez que l'image de Δ dans la symétrie orthogonale par rapport à D passe par I.

31. S est la symétrie orthogonale par rapport à une droite D.
I est le milieu d'un segment [AB]; $I' = S(I)$, $A' = S(A)$, $B' = S(B)$.
Prouvez que I′ est le milieu de [A′B′].

32. Axes de symétrie d'un triangle.
ABC est un triangle. Le problème est le suivant : **peut-il admettre un axe de symétrie?**
Si D est un tel axe, notons $A' = S_D(A)$, $B' = S_D(B)$, $C' = S_D(C)$.

a) *Cas où* $A' = A$, $B' = B$, $C' = C$: prouvez l'incompatibilité avec le fait que ABC soit un triangle.

b) *Cas où* $A' = A$, $B' = C$, $C' = B$: déterminez D et la nature de ABC.

c) *Cas où* $A' = B$, $B' = C$, $C' = A$: montrez que cette transformation n'est pas une symétrie.

d) Montrez que les autres cas se ramènent aux trois précédents.
Quel théorème venez-vous de prouver?

Expressions analytiques

33. Dans un repère $(O; \vec{i}, \vec{j})$, A, B, C sont les points de coordonnées respectives $(3; -5)$, $(2; 4)$, $(-1; 6)$.

Dans la base $(\vec{i}, \vec{j})$, $\vec{u}$ et $\vec{v}$ sont les vecteurs de coordonnées respectives $(2; 5)$ et $(-3; 4)$.
A′, B′, C′ sont les images de A, B, C par la translation t de vecteur $\vec{u}$.
A″, B″, C″ sont les images de A′, B′, C′ par la translation T de vecteur $\vec{v}$.

a) Déterminez les coordonnées de A′, B′, C′, A″, B″, C″.

b) Démontrez qu'il existe une translation r de vecteur $\vec{w}$ telle que A″, B″, C″ soient les images de A, B, C par r.
Déterminez $\vec{w}$. Comparez ses coordonnées à celles de $\vec{u}$ et $\vec{v}$.
Qu'en déduisez-vous?

34. Dans le repère $(O; \vec{i}, \vec{j})$ du plan P, t est la translation de vecteur $\vec{u} = 2\vec{i} + \vec{j}$.
D est la droite dont une équation est $y = 3x - 4$.
Déterminez une équation de D′ image de D par t.

35. $(O; \vec{i}, \vec{j})$ est un repère; $\vec{u}$ est le vecteur de coordonnées $(2; 3)$.
T est l'application telle que l'image de M est le point M′ ainsi défini :
$m = t(M)$ où t est la translation de vecteur $\vec{u}$;
$M' = S(m)$ où S est la symétrie orthogonale par rapport à la droite de repère $(O; \vec{j})$.
Quelle est l'expression analytique de T?

36. Dans $(O; \vec{i}, \vec{j})$, T est l'application de P dans lui-même, d'expression analytique :

$$\begin{cases} x' = -x + 3 \\ y' = y - 1. \end{cases}$$

Déterminez T à l'aide d'une translation et d'une symétrie orthogonale.

CHAPITRE
17

ÉQUATIONS DE DROITES

1. Pour prendre un bon départ

1.1. Quelques rappels

a. Équations cartésiennes d'une droite

Vous avez établi en classe de Troisième que dans un repère $(O; \vec{i}, \vec{j})$ du plan :

si $\boldsymbol{a}$ **et** $\boldsymbol{b}$ **sont des réels non tous deux nuls,** et c un réel, alors :

l'ensemble D *des points du plan dont les coordonnées* $(x; y)$ *vérifient l'égalité*

$$\boldsymbol{ax + by + c = 0}$$

est une droite.
On dit que $ax + by + c = 0$ est **une équation cartésienne** de la droite D dans $(O; \vec{i}, \vec{j})$.

Équations d'une même droite

$2x - 5y + 10 = 0$
$54x - 135y + 270 = 0$
$0{,}4x - y + 2 = 0$
$x - 2{,}5y + 5 = 0$
$\frac{x}{5} - \frac{y}{2} + 1 = 0$
$y = 0{,}4x + 2.$

EXERCICE

Justifiez le fait que toutes les égalités de l'encadré ci-dessus sont des équations d'une même droite dans un même repère.

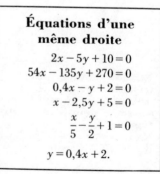

Cas particuliers :

Les droites parallèles à l'axe des abscisses (et seulement celles-ci) ont une équation de la forme $\boldsymbol{y = k}$, où k est un réel.
Les droites parallèles à l'axe des ordonnées (et seulement celles-ci) ont une équation de la forme $\boldsymbol{x = k}$, où k est un réel.

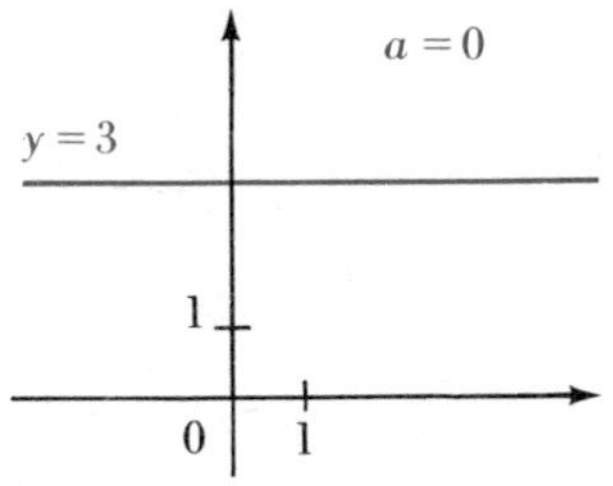

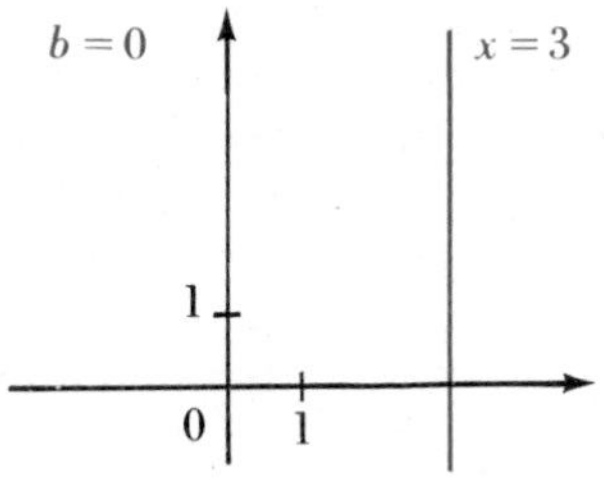

b. Équations réduites d'une droite non parallèle à l'axe des ordonnées

Dans ce cas, $b \neq 0$ et l'équation $ax + by + c = 0$ est la même que $y = -\frac{a}{b}x - \frac{c}{b}$.
Cette équation est de la forme : $\boldsymbol{y = ux + v}$ (avec u et v réels);
on dit que c'est **une équation réduite** de D.

EXERCICE Dans un repère orthonormé $(O; \vec{i}, \vec{j})$, les points A et B ont pour coordonnées respectives (2; 3) et (1; −1).
Déterminez une équation réduite de la droite (AB).

1.2. Vecteurs directeurs

a. Comment déterminer un vecteur directeur d'une droite?

1. Dans un repère donné du plan, D est la droite dont une équation est :

$$2x - 3y + 1 = 0.$$

Si A et B sont deux points **distincts** de D, alors le vecteur $\overrightarrow{AB}$ est **un vecteur directeur** de D : il indique la direction de D.
Pour déterminer un vecteur directeur par ses coordonnées il est simple de *choisir :*

- $\boldsymbol{x = 0}$, on obtient $-3y + 1 = 0$, soit $y = \frac{1}{3}$.

D'où le point A de coordonnées $\left(0; \frac{1}{3}\right)$.

- $\boldsymbol{y = 0}$, on obtient $2x + 1 = 0$, soit $x = -\frac{1}{2}$.

D'où le point B de coordonnées $\left(-\frac{1}{2}; 0\right)$.

$\overrightarrow{AB}$ est un vecteur directeur de D :
ses coordonnées sont $\left(\boldsymbol{-\frac{1}{2}}, \boldsymbol{-\frac{1}{3}}\right)$.

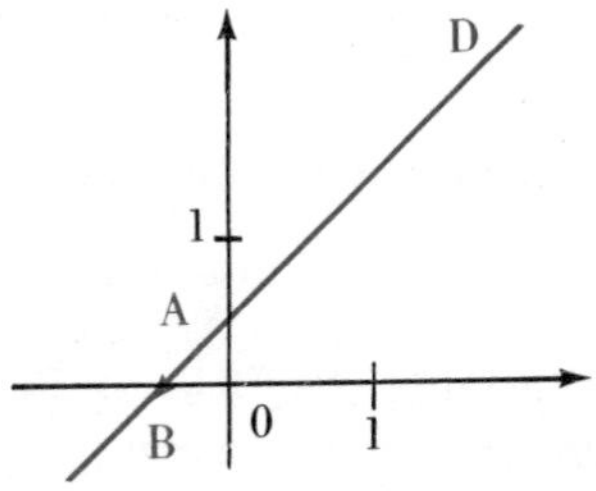

EXERCICE Trouvez d'autres vecteurs directeurs de la droite D précédente.

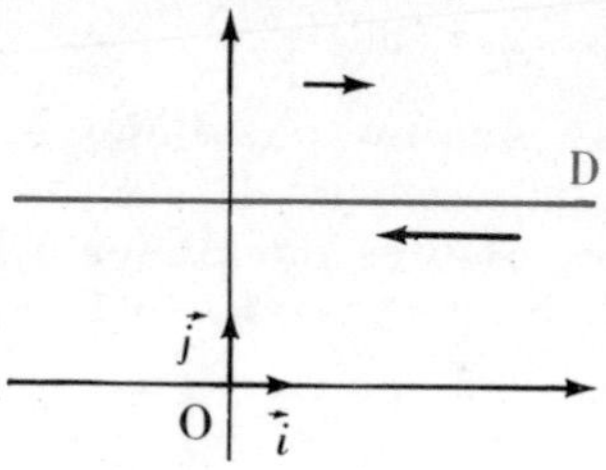

2. Dans le cas où D est une droite parallèle à l'axe des abscisses d'un repère $(O; \vec{i}, \vec{j})$, il est clair que $\vec{i}$ est un vecteur directeur de D.
Dans le cas où D est une droite parallèle à l'axe des ordonnées d'un repère $(O; \vec{i}, \vec{j})$, il est clair que $\vec{j}$ est un vecteur directeur de D.

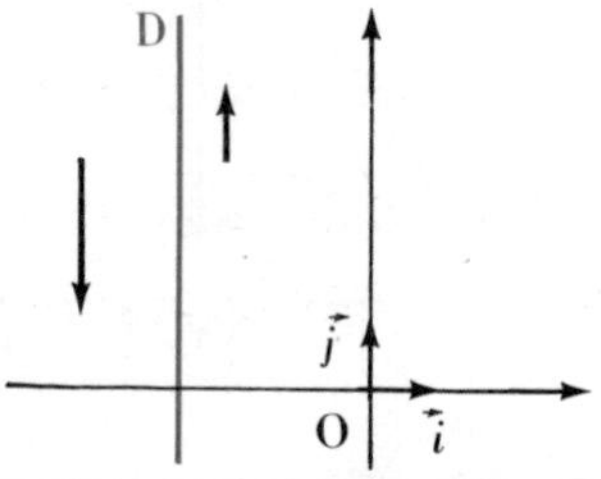

3. De façon plus générale, vous avez établi en classe de Troisième que :

> **La droite D dont une équation est $ax + by + c = 0$ (avec a et b non tous deux nuls), admet le vecteur de coordonnées $(b; -a)$ pour vecteur directeur.**

Ce résultat s'obtient comme au paragraphe *a.* 1.

EXERCICE Dans chaque cas, déterminez un vecteur directeur de la droite dont une équation est :

a. $9x - 6y + 2 = 0$. ***c.*** $y - 1 = 0$.
b. $2x = -1$. ***d.*** $200x + 150y - 1 = 0$.

b. Coefficient directeur d'une droite non parallèle à l'axe des ordonnées

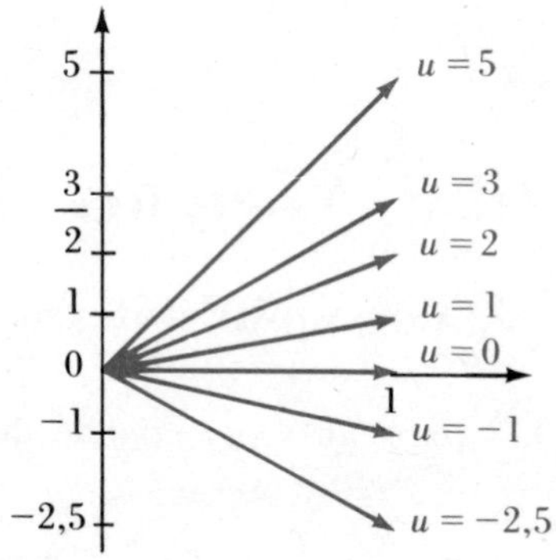

D est une droite d'équation réduite : $y = ux + v$.
Un vecteur directeur de la droite D a pour coordonnées **$(1; u)$.**
Le réel u est le coefficient directeur de D.
Comme le montre le dessin ci-contre, le coefficient directeur u indique la direction de la droite et l'« inclinaison » qu'elle fait avec l'axe des abscisses.

1.3. Droites parallèles

Dire que deux droites D et D′ sont parallèles revient à dire qu'un vecteur directeur de D est colinéaire à un vecteur directeur de D′.
Vous avez vu en classe de Troisième le résultat suivant :

> **Les droites D et D′ qui ont pour équations respectives**
> $$ax + by + c = 0 \quad \text{et} \quad a'x + b'y + c' = 0$$
> **dans un repère, sont parallèles *si et seulement si* :**
> $$ab' - a'b = 0.$$

Remarque : Si D et D′ ont pour équations : $y = ax + b$, $y' = a'x + b'$, alors D et D′ sont parallèles *si et seulement si* $a = a'$.

EXERCICE

Dans chaque cas, précisez si les droites D et D′ sont ou non parallèles :

a. D : $y=\frac{1}{2}x+5$ D′ : $3y-\frac{3}{2}x+7=0$.

b. D : $y=1$ D′ : $2x=-1$

c. D : $5x+3y=0$ D′ : $x+\frac{2}{5}y=0$.

2. Approche

2.1. Diverses façons de définir une droite

Une droite D est définie, c'est-à-dire qu'on la connaît de façon précise, si l'on se donne :

— deux points de D;

— ou un point et un vecteur directeur de D.

Envisageons par exemple dans un repère $(O; \vec{i}, \vec{j})$ du plan, la droite D qui :

- passe par le point A de coordonnées $(-1; -3)$;
- et a pour vecteur directeur le vecteur $\vec{u}$ de coordonnées $(3; 2)$.

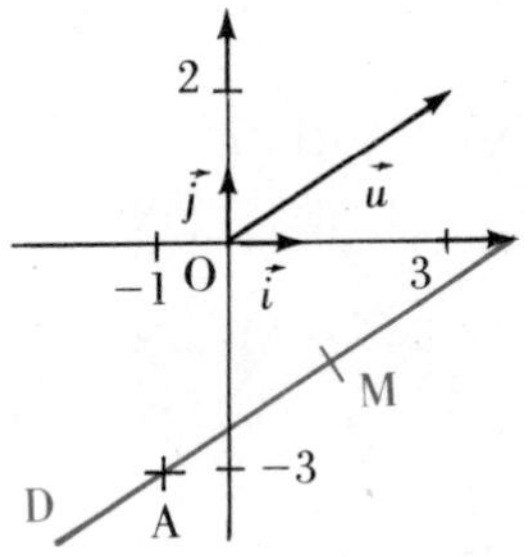

Un point M est sur D *si et seulement si* **les vecteurs $\overrightarrow{AM}$ et $\vec{u}$ sont colinéaires.**

Autrement dit,

$M \in D$ *si et seulement* **s'il existe un réel k tel que $\overrightarrow{AM}=k\vec{u}$.**

Traduisons cette égalité vectorielle à l'aide des coordonnées. Notons $(x; y)$ les coordonnées de M; les coordonnées du vecteur $\overrightarrow{AM}$ sont : $(x+1; y+3)$.

Les coordonnées du vecteur $k\vec{u}$ sont :

$$(3k; 2k).$$

Le point M de coordonnées $(x; y)$ est donc sur D, *si et seulement* s'il existe un réel k tel que :

$$\begin{cases} x+1=3k \\ y+3=2k, \end{cases}$$

à savoir

$$\begin{cases} \boldsymbol{x=-1+3k} \\ \boldsymbol{y=-3+2k} \end{cases} \qquad (\text{avec } k \in \mathbb{R}).$$

Ce système d'équations se nomme **une représentation paramétrique** de D.
A tout réel k, on associe le point de coordonnées $(-1+3k; -3+2k)$ sur la droite D.
Réciproquement, à tout point M_0 de coordonnées $(x_0; y_0)$ est associé un seul réel k tel que $x_0=-1+3k$ et $y_0=-3+2k$.
On dit que *ce réel k est le paramètre associé au point* M_0.

EXERCICE

D est la droite définie ci-dessus.

a. Quel est le point M_0 de D de paramètre 0? de paramètre 1?

b. B est le point tel que $\overrightarrow{AB} = \vec{u}$.
Quel est le paramètre de B?

c. C est le point de D de coordonnées (2; −1).

- A partir de C et de $\vec{u}$, déterminez une autre représentation paramétrique de D.
- Proposez d'autres représentations paramétriques de D.

2.2. Partition du plan

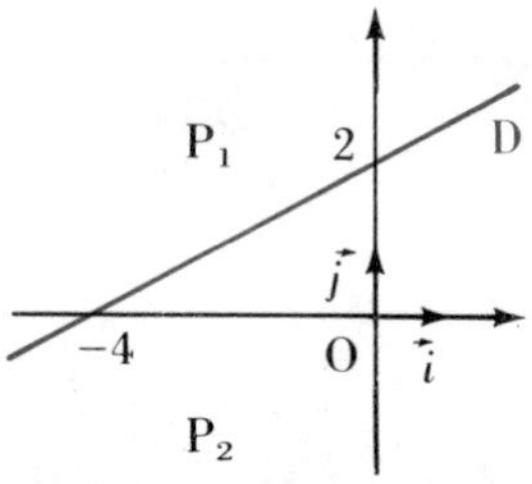

$(O; \vec{i}, \vec{j})$ est un repère du plan.
D est la droite dont une équation est $x - 2y + 4 = 0$.
Il est clair que cette droite partage le plan en trois régions : la droite D, le demi-plan P_1 des points « au-dessus » de D, le demi-plan P_2 des points « au-dessous » de D.
Cherchons à traduire à l'aide de ses coordonnées l'appartenance d'un point à P_1.
Considérons l'application F du plan dans $\mathbb{R}$ qui à chaque point M de coordonnées $(x; y)$ associe le réel :

$$\mathbf{F(M) = x - 2y + 4.}$$

EXERCICE

a. Sur le dessin précédent, placez les points suivants de coordonnées

A(2; 1)	B(−5; 0)	$C\left(3; -\frac{3}{2}\right)$
R(−1; 2)	S(−1; 1)	T(2; 6)
$U\left(-1; \frac{3}{2}\right)$	V(3; 1,1)	W(29; −2).

b. Calculez F(A), F(B), F(C), F(R), F(S), F(T), F(U), F(V), F(W).
Comparez à chaque fois la position du point sur P_1, P_2 ou sur D, avec le signe de son image par F.

Les résultats des exercices précédents conduisent **à conjecturer** que les coordonnées $(x; y)$ de tout point M du demi-plan P_1 vérifient : $\boldsymbol{x - 2y + 4 < 0}$
et que celles de tout point M du demi-plan P_2 vérifient : $\boldsymbol{x - 2y + 4 > 0}$.

3. Cours et applications

3.1. Représentations paramétriques d'une droite

$(O; \vec{i}, \vec{j})$ est un repère du plan.
D est la droite qui passe par le point A de coordonnées $(x_0; y_0)$ et de vecteur directeur $\vec{u}$ de coordonnées $(p; q)$.

Un point M appartient à D *si et seulement si* les vecteurs $\overrightarrow{AM}$ et $\vec{u}$ sont *colinéaires.*
Autrement dit :
M∈**D** *si et seulement* s'il existe un réel k tel que :

$$\overrightarrow{AM} = k\vec{u}.$$

Si $(x; y)$ est le couple des coordonnées de M, les coordonnées de $\overrightarrow{AM}$ sont $(x - x_0; y - y_0)$, donc :
M∈**D** *si et seulement* s'il existe un réel k tel que :

$$\begin{cases} x - x_0 = kp \\ y - y_0 = kq \end{cases}$$

soit :

$$\begin{cases} \boldsymbol{x = x_0 + kp} \\ \boldsymbol{y = y_0 + kq.} \end{cases}$$

Ce système d'équations est **une représentation paramétrique** de la droite D.

Commentaires

- Remarquez dans cette représentation paramétrique la place des coordonnées $(x_0; y_0)$ du point A, et celle des coordonnées $(p; q)$ du vecteur $\vec{u}$.
Avec un peu d'habitude, cette remarque permet de donner rapidement une représentation paramétrique.
- A chaque réel k correspond un unique point M et réciproquement. On définit ainsi une application de $\mathbb{R}$ dans D telle que $k \longmapsto$ M. On dit que l'on a paramétré la droite D à l'aide de $\mathbb{R}$.
- Une droite admet différentes représentations paramétriques, car par exemple elle admet *plusieurs* vecteurs directeurs.

3.2. Passage d'une représentation paramétrique à une équation cartésienne

EXERCICE résolu 1

D est la droite dont une représentation paramétrique est :

$$\begin{cases} x = -3 + k \\ y = -2 + 3k \end{cases} \quad (k \in \mathbb{R}).$$

Déterminez une équation cartésienne de D.

Solution □□□

Pour déterminer une équation cartésienne de D, **il suffit d'éliminer le réel *k* entre les deux équations du système.**
En effet, un point M de coordonnées $(x; y)$ est sur D *si et seulement* s'il existe un réel k tel que :

$$\begin{cases} x + 3 = k \\ \dfrac{1}{3}(y + 2) = k. \end{cases}$$

Et ce réel k existe *si et seulement si* :

$$x+3=\frac{1}{3}(y+2)$$
$$x+3-\frac{1}{3}y-\frac{2}{3}=0$$
$$3x-y-7=0.$$

Donc un point M de coordonnées $(x; y)$ est sur D, *si et seulement si* $3x-y-7=0$.
Donc $3x-y-7=0$ est une équation cartésienne de D.

□□□□□□□□□□

Commentaire

Dans le cas où une représentation paramétrique d'une droite D est par exemple :

$$\begin{cases} x=1 \\ y=3+k \end{cases} \quad (k \in \mathbb{R}).;$$

on peut déterminer plus rapidement que ci-dessus une équation cartésienne de D.
En effet, il est clair qu'une équation de D est $\boldsymbol{x=1}$, et que D est une droite parallèle à l'axe des ordonnées d'un repère.

3.3. Passage d'une équation cartésienne à une représentation paramétrique

EXERCICE résolu 2

Dans un repère $(O; \vec{i}, \vec{j})$, D est la droite dont une équation cartésienne est :

$$-\frac{1}{2}x+4y+\frac{7}{3}=0.$$

Donnez une représentation paramétrique de D.

Solution □□□

Il suffit pour cela de trouver un point de D et un vecteur directeur de D.
En faisant $x=0$, on obtient $y=-\frac{7}{12}$, *d'où le point* A *de coordonnées* $\left(0; -\frac{7}{12}\right)$.

Un vecteur directeur de D a pour coordonnées $\left(4; \frac{1}{2}\right)$.

D'où une représentation paramétrique de D.

$$\begin{cases} \boldsymbol{x = 4t} \\ \boldsymbol{y=-\frac{7}{12}+\frac{1}{2}t} \end{cases} \quad \text{(où } t \text{ est un réel).}$$

□□□□□□□□□□

Commentaire

Dans le cas où une équation cartésienne de D est par exemple $x=3$, un vecteur directeur de D est le vecteur $\vec{j}$ du repère $(O; \vec{i}, \vec{j})$: il a pour coordonnées (0; 1); et tout point d'abscisse 3 est sur D; par exemple le point de coordonnées $(3; -\sqrt{2})$.
D'où une représentation paramétrique de D :

$$\begin{cases} x=3 \\ y=-\sqrt{2}+t \end{cases} \quad \text{(où } t \text{ est un réel).}$$

3.4. Inéquations du premier degré à deux inconnues

Vous avez établi en classe de Troisième et nous vous proposons de démontrer à l'exercice 34 page 202, le théorème suivant :

Théorème

Si une droite D admet pour équation dans un repère $(O; \vec{i}, \vec{j})$

$$ax+by+c=0$$

alors les demi-plans de bord D sont :

1. l'ensemble des points de coordonnées $(x; y)$ tels que :

$$ax+by+c>0;$$

2. l'ensemble des points de coordonnées $(x; y)$ tels que :

$$ax+by+c<0.$$

EXERCICE résolu 3 Résolvez graphiquement l'inéquation $3x-5y+4>0$.

Solution □□□

D'après le théorème précédent, l'ensemble des solutions de cette inéquation est *représenté* par l'un des demi-plans de bord la droite D d'équation $3x-5y+4=0$.
Lequel de ces demi-plans est le bon?
Remarquons que pour l'origine O de coordonnées (0; 0), on a : $3\times 0-5\times 0+4>0$.

Donc (0; 0) est une solution et l'ensemble des solutions est représenté par le demi-plan de bord D qui contient O : c'est le demi-plan qui **n'est pas** colorié sur le dessin ci-contre.
□□□□□□□□□□

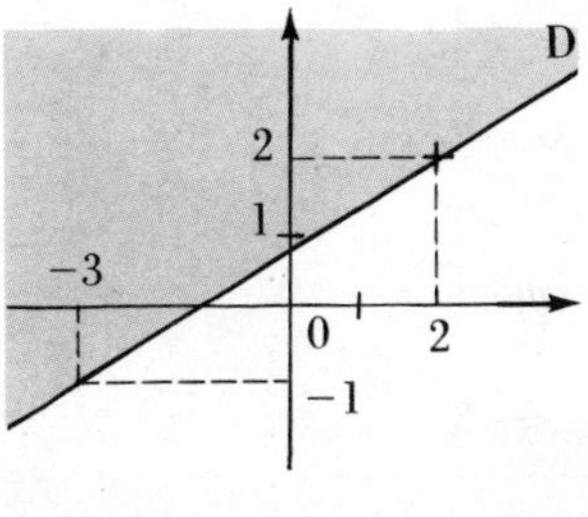

EXERCICES

Pour tester vos connaissances

Dans tous les exercices suivants, $(O; \vec{i}, \vec{j})$ est un repère du plan.

1. Déterminez une équation cartésienne de la droite définie par les points A de coordonnées $(-1; 2)$ et B de coordonnées $(0; 4)$.

2. La droite D a pour équation cartésienne $2x+3y-5=0$.
La droite Δ a pour représentation paramétrique :

$$\begin{cases} x = t+3 \\ y = -3t+1 \end{cases} \quad (t \in \mathbb{R}).$$

Les droites D et Δ sont-elles parallèles?

3. Déterminez une représentation paramétrique de l'axe des abscisses de $(O; \vec{i}, \vec{j})$; puis de l'axe des ordonnées.

4. A est le point de coordonnées $(2; 0)$ et $\vec{u}$ le vecteur de coordonnées $(-10; 20)$. Déterminez *deux* représentations paramétriques de la droite définie par A et $\vec{u}$.

5. Représentez la droite de représentation paramétrique :

$$\begin{cases} x = 1+3k \\ y = -1+5k \end{cases} \quad (k \in \mathbb{R}).$$

6. D est la droite d'équation cartésienne $3y-2x=7$.
Déterminez une représentation paramétrique de D.

Exercices d'entraînement

Dans les exercices suivants, $(O; \vec{i}, \vec{j})$ est un repère du plan.

Équations cartésiennes

1. Déterminez une équation cartésienne de la droite D qui passe par le point A de coordonnées $(2; -4)$ et parallèle à la droite Δ dont une équation est $\frac{1}{2}x+y-6=0$.

Pour les exercices 2 à 5, déterminez un repère $(A; \vec{u})$ de la droite d'équation :

2. $2x-y+3=0$.

3. $-x\sqrt{2}+4=0$.

4. $y=0$.

5. $3x+4y-5=0$.

Pour les exercices 6 à 9, déterminez une équation cartésienne de la droite qui passe par A et de coefficient directeur m :

6. $A(2; -\sqrt{3})$; $m=4$.

7. $A(0; 17)$; $m=-\frac{1}{2}$.

8. $A\left(-\frac{1}{2}, \frac{3}{4}\right)$; $m=0$.

9. $A(0; 0)$; $m=\sqrt{2}$.

Pour les exercices 10 à 12, étudiez l'intersection des droites D et D' :

10. D : $x+2y-4=0$;
D' : $3x-5y+8=0$.

11. D : $(\sqrt{2}+1)x+3y-4=0$;
D' : $x+3(\sqrt{2}-1)y-7=0$.

12. D : $x-4y+7=0$;
D' : $4x-16y=0$.

13. Déterminez une équation de la droite qui passe par le point d'intersection des droites D et D' d'équations :

$$2x+5y+1=0 \quad \text{et} \quad 3x+4y-2=0$$

et parallèle à la droite Δ d'équation $x+y=0$.

14. A tout réel m on associe la droite D_m dont une équation est :

$$(2m-1)x+(3-m)y-7m+6=0.$$

a) Déterminez m pour que :
- D passe par A de coordonnées (1; 1);
- D passe par l'origine O du repère;
- D soit parallèle à l'axe des abscisses;
- D soit parallèle à l'axe des ordonnées.

b) Montrez qu'il existe un point K qui appartient à toutes les droites D_m.

c) Déterminez m pour que D_m ait un coefficient directeur égal à un réel a donné. Toutes les droites qui passent par K sont-elles des droites D_m?

Représentations paramétriques

Pour les exercices 15 à 19, déterminez une représentation paramétrique de la droite D définie; puis trouvez-en une équation cartésienne.

15. D passe par le point A de coordonnées $(-4; 1)$ et de vecteur directeur $\vec{u}$ de coordonnées $(-5; 4)$.

16. D passe par les points A et B de coordonnées respectives $\left(\frac{1}{2}; -2\right)$ et $(0; 4)$.

17. D passe par le point A de coordonnées $(3; -7)$ et parallèle à la droite Δ d'équation cartésienne $\frac{1}{2}x-3y=0$.

18. D passe par le point A de coordonnées $(-1; 2)$ et parallèle à la droite Δ de représentation paramétrique :

$$x=1-4t; \quad y=3t-2 \quad (t\in\mathbb{R}).$$

19. D est l'image de la droite Δ d'équation $2x-y=1$, par la translation de vecteur $\vec{u}$ de coordonnées $(1; -5)$.

Pour les exercices 20 à 22, déterminez une équation cartésienne de la droite dont une représentation paramétrique est :

20. $x=1-2\lambda,\ y=3+\lambda \quad (\lambda\in\mathbb{R})$.

21. $x=2k,\ y=3k \quad (k\in\mathbb{R})$.

22. $x=2-2k,\ y=3+k \quad (k\in\mathbb{R})$.

Pour les exercices 23 à 25, déterminez une représentation paramétrique de la droite dont une équation cartésienne est :

23. $x+y=0$.

24. $3x-2y+2=0$.

25. $y-1=0$.

26. $x+\frac{2}{3}=3$.

Pour les exercices 27 à 29, déterminez si les droites données sont ou non parallèles.

27. $D\begin{cases}x=3-t\\y=2+5t\end{cases}$

$D'\begin{cases}3x=4-3k\\y=7k+\frac{5}{3}\end{cases}$ (k et t réels).

28. $D\begin{cases}x=1-4t\\y=2+t\end{cases}$ $(t\in\mathbb{R})$

D' : $x-2y+6=0$.

29. $D\begin{cases}x=1+3k\\y=4\end{cases}$ $(k\in\mathbb{R})$

D' : $2x+3=0$.

Pour les exercices 30 à 33, étudiez l'intersection des droites données :

30. D : $3x-y+2=0$

$D'\begin{cases}x=-1+3\lambda\\y=5-2\lambda\end{cases}$ $(\lambda\in\mathbb{R})$.

31. $D\begin{cases}x=1+3k\\y=2-k\end{cases}$

$D'\begin{cases}x=5+2t\\y=-1+4t\end{cases}$ (k et t réels).

32. D : $2x+y-15=0$

$$D' \begin{cases} x=t \\ y=5-\frac{2}{3}t \end{cases} \quad (t \in \mathbb{R}).$$

33. $$D \begin{cases} x=5+3k \\ y=3+k \end{cases}$$

$$D' \begin{cases} x=2+t \\ y=7+2t \end{cases} \quad (k \text{ et } t \text{ réels}).$$

Inéquations à deux inconnues

34. D est la droite dont une équation cartésienne est $ax+by+c=0$.

1. Supposons $\mathbf{b \neq 0}$; D n'est pas parallèle à l'axe des ordonnées du repère. Δ est la parallèle à l'axe des ordonnées, d'équation $x=x_0$. M est le point du plan de coordonnées $(x_0;\ y_0)$.
I est le point d'intersection de D et Δ.

a) Déterminez les coordonnées du point I.

b) Déterminez les coordonnées du vecteur $\overrightarrow{IM}$.

c) Montrez que le signe du réel ax_0+by_0+c caractérise l'appartenance de M au demi-plan « au-dessus » ou « au-dessous » de D.

2. Supposons $\boldsymbol{b=0}$; D est parallèle à l'axe des ordonnées.
M est le point de coordonnées $(x_0;\ y_0)$.
Pourquoi le signe du réel ax_0+c caractérise-t-il la position de M dans l'un ou l'autre des demi-plans de bord D.

Pour les exercices 35 à 40, résolvez graphiquement les inéquations :

35. $2x+7y-3 \leqslant 0.$

36. $x+3>0.$

37. $x+5y<0.$

38. $3-y \geqslant 0.$

39. $2x-3y+1>0.$

40. $-7x+2y-5 \geqslant 0.$

CHAPITRE
18

CERCLES ET DISQUES

1. Pour prendre un bon départ

1.1. Savoir utiliser des renseignements du type $d(A, B) = a$ ou $d(A, B) < a$

A est un point du plan P muni d'une distance;
B est un point tel que $d(A, B) = 5$;
E est un point tel que $d(A, E) < 5$.

Il n'est pas possible de placer précisément les points B et E, mais on sait dans quelles parties du plan ils se trouvent.

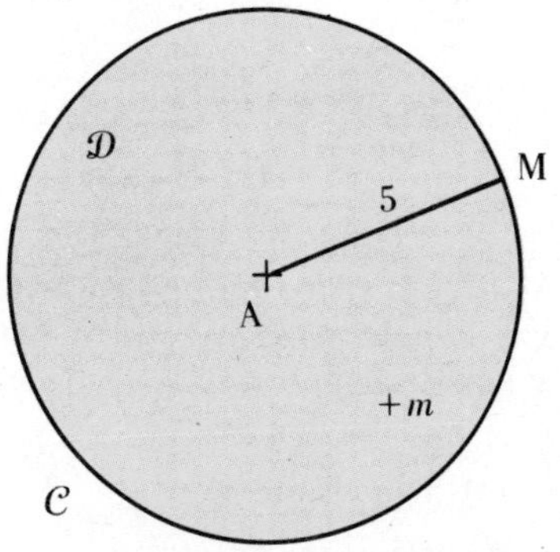

Le cercle $\mathcal{C}$ de centre A et de rayon 5 est l'ensemble des points M du plan tels que : $\boldsymbol{d(A, M) = 5}$.

B est donc un point du cercle $\mathcal{C}$.

Le disque $\mathcal{D}$ de centre A et de rayon 5 est l'ensemble des points m du plan tels que :

$$\boldsymbol{d(A, m) < 5.}$$

E est donc un point du disque $\mathcal{D}$.
On dit aussi que E est **à l'intérieur** de $\mathcal{C}$.

EXERCICES

1. A et B sont deux points donnés tels que $d(A, B) = 3$.
Déterminez les points C qui vérifient en même temps :

$$d(A, C) = 2 \quad \text{et} \quad d(B, C) = 4.$$

2. Construisez un triangle ABC tel que :

$$d(A, B) = 4; \quad d(B, C) = 5; \quad d(A, C) = 3{,}5.$$

1.2. Savoir construire la tangente en un point d'un cercle

$\mathcal{C}$ est le cercle de centre O représenté ci-contre.
A est un point de $\mathcal{C}$.

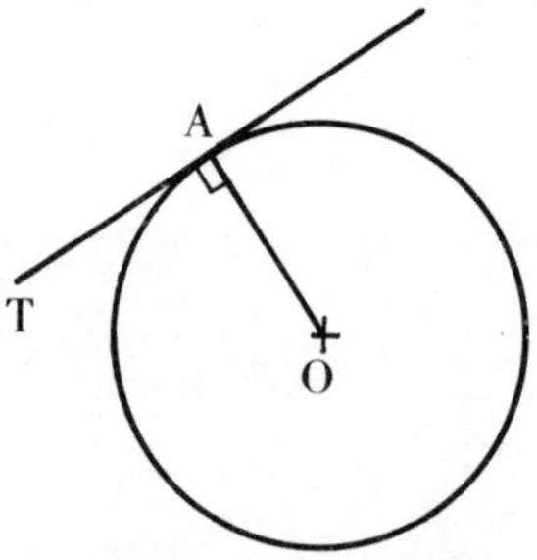

La tangente en A au cercle $\mathcal{C}$ est la perpendiculaire en A à la droite (OA).

D'où la construction ci-contre de la tangente T.

1.3. Des résultats à connaître

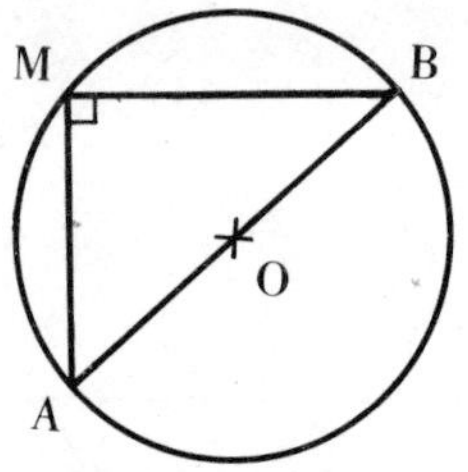

$\mathcal{C}$ est un cercle et M un point de ce cercle.
Pour tout diamètre [AB] du cercle $\mathcal{C}$, le triangle AMB est rectangle en M (voir exercice 2, page 208).
Réciproquement, si ABM est un triangle rectangle en M, alors M est sur le cercle de diamètre [OA].

2. Approche

2.1. Savoir construire un cercle tangent à une droite donnée en un point donné

M est un point d'une droite D.
Un cercle tangent en M à la droite D est un cercle qui a pour tangente en M la droite D.

Le centre d'un tel cercle se trouve **sur la perpendiculaire** en M à la droite D.

Les cercles $\mathcal{C}$, $\mathcal{C}'$, $\mathcal{C}''$ de la figure ci-contre répondent tous trois à la question.
Ces cercles n'ont que le point M *en commun,* **ils sont tangents en M.**
Plus précisément :
$\mathcal{C}$ et $\mathcal{C}'$ sont tangents intérieurement;
$\mathcal{C}$ et $\mathcal{C}''$ sont tangents extérieurement.
D est la tangente commune aux cercles $\mathcal{C}$, $\mathcal{C}'$, $\mathcal{C}''$.

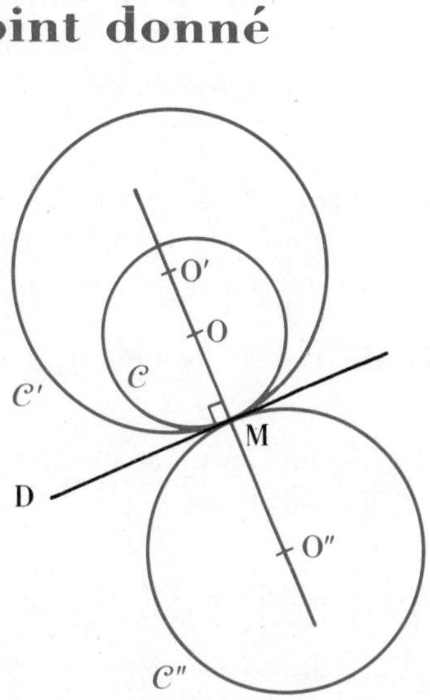

EXERCICE

M est un point d'une droite D.
A est un point qui n'appartient pas à D.
Construisez **le** cercle tangent en M à D et qui passe par A.

2.2. Tangente à un cercle donné et passant par un point donné : construction

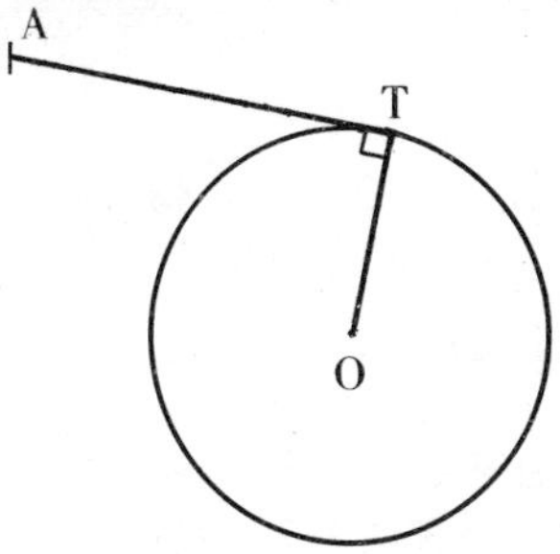

$\mathcal{C}$ est un cercle de centre O; $\mathcal{D}$ est le disque associé. A *est un point qui n'appartient pas au disque* $\mathcal{D}$.
On cherche une droite passant par A et tangente au cercle; pour la construire il faut savoir en quel point T elle touche le cercle.

• *Supposons avoir construit la tangente* (AT) *et analysons la figure ci-contre.*
Le triangle OAT est rectangle en T, *donc* T *est sur le cercle de diamètre* [OA].

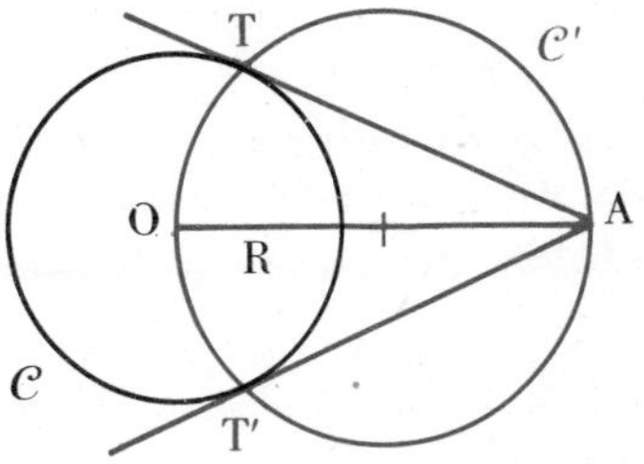

• *Utilisons cette remarque pour construire* T.
T est sur le cercle $\mathcal{C}$.
T est sur le cercle $\mathcal{C}'$ de diamètre [OA].
Or : OA>R, donc $\mathcal{C}$ et $\mathcal{C}'$ sont sécants en deux points T et T'.
Il existe donc deux tangentes à $\mathcal{C}$ *qui passent par* A :
ce sont les droites (AT) et (AT').

2.3. Savoir construire une tangente commune à deux cercles sécants

$\mathcal{C}$ est un cercle de centre O et de rayon 3 cm, $\mathcal{C}'$ un cercle de centre O' et de rayon 2 cm. De plus O et O' sont distants de 4 cm.

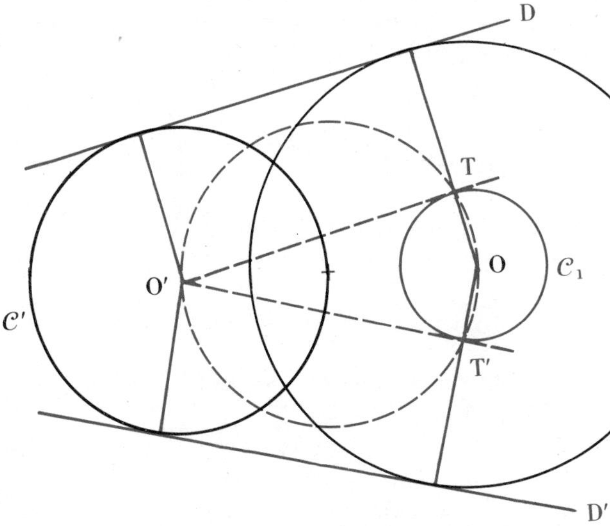

EXERCICES

Comment construire D et D'?

1. Ci-dessus, on a commencé par construire le cercle $\mathcal{C}_1$ de centre O et de rayon 1 cm (rayon de $\mathcal{C}$ moins rayon de $\mathcal{C}'$).
Ensuite on a construit le cercle de diamètre OO'.

a) Pourquoi les droites (O'T) et (O'T') sont-elles tangentes à $\mathcal{C}_1$?

b) Expliquez ensuite comment sont construites les droites D et D'.

2. Reprenez la construction précédente dans le cas où O et O' sont distants de 1 cm.

3. Cours et applications

3.1. Définitions

Définition 1 : cercle et disque

A est un point d'un plan et R un réel positif.
Le cercle $\mathcal{C}$ de *centre* A et de *rayon* R est l'ensemble des points M du plan tels que :

$$d(\mathrm{A}, \mathrm{M}) = \mathrm{R}.$$

Le disque ouvert $\mathcal{D}$ de centre A et de rayon R est l'ensemble des points M du plan tels que :

$$d(\mathrm{A}, \mathrm{M}) < \mathrm{R}.$$

On note ce cercle $\mathcal{C}$(A; R), ce disque $\mathcal{D}$(A; R).

Commentaires

• On dit souvent qu'un cercle de centre A est l'ensemble des points *équidistants* de A (à même distance de A).

• Le rayon du cercle $\mathcal{C}$ désigne indifféremment : *le segment* [AX], *la longueur* AX ou *la distance* d(A, X).
La notation permet de déterminer l'acception choisie.

• A est un point donné du plan.
Considérons l'application f du plan P dans $\mathbb{R}$ telle que :

$$\mathrm{M} \longmapsto d(\mathrm{A}, \mathrm{M}).$$

L'ensemble des points M de P tels que $f(\mathrm{M}) = \mathrm{R}$, où $\mathrm{R} \geqslant 0$, est l'ensemble des points M tels que $d(\mathrm{A}, \mathrm{M}) = \mathrm{R}$, c'est donc le cercle $\mathcal{C}$(A; R).
On dit que $\mathcal{C}$ est **une ligne de niveau** de l'application f.
Les lignes de niveau de f sont des cercles concentriques de centre A.

• Pour tous points M et N du disque $\mathcal{D}$(A; R), le segment [MN] est contenu dans $\mathcal{D}$.
On traduit ce fait en disant que *le disque $\mathcal{D}$ est* **convexe.**

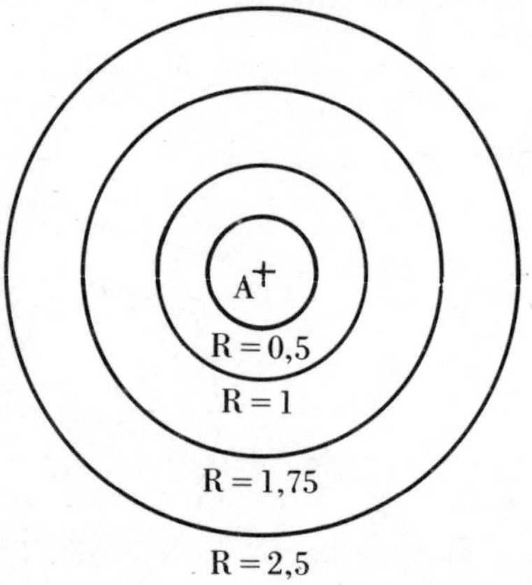

EXERCICE A et B sont deux points d'un cercle de centre O.
On dit que le segment [AB] est une corde.
Retenez et démontrez que **la médiatrice de [AB] passe par O.**

Définition 2 : tangente

$\mathcal{C}$ est un cercle de centre O, et A est un point de $\mathcal{C}$.
La tangente en A au cercle $\mathcal{C}$ est la perpendiculaire en A à la droite (OA).

3.2. Intersection d'une droite et d'un cercle

$\mathcal{C}$ est le cercle de centre A et de rayon R. D est une droite du plan. H est le projeté orthogonal de A sur la droite D.
Rappelons les différents cas que vous avez établi en classe de Troisième (exercice d'entraînement 3, page 209).

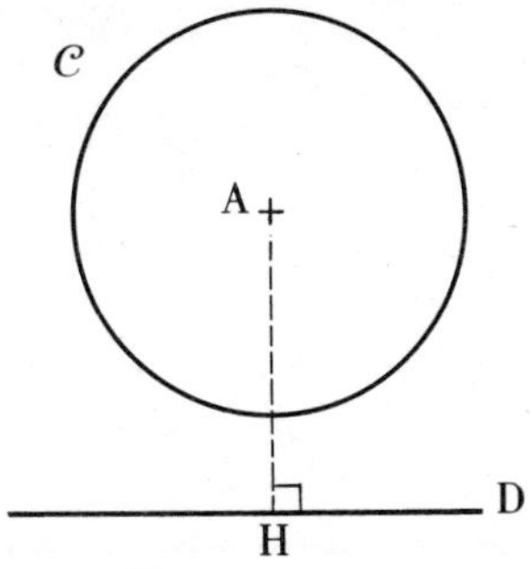

D et $\mathcal{C}$ sans point commun.
$d(\text{A, H}) > \text{R}$

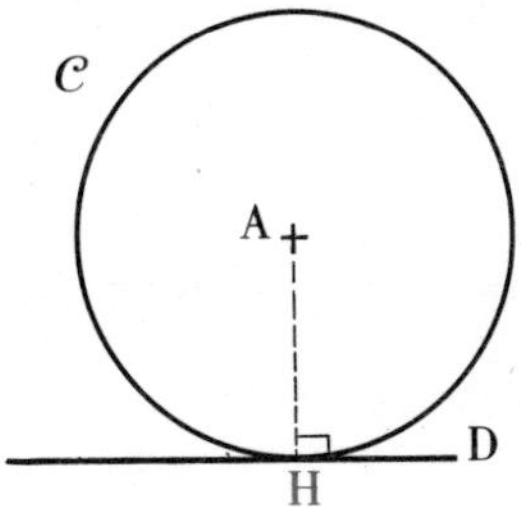

D tangente à $\mathcal{C}$ en H.
$d(\text{A, H}) = \text{R}$

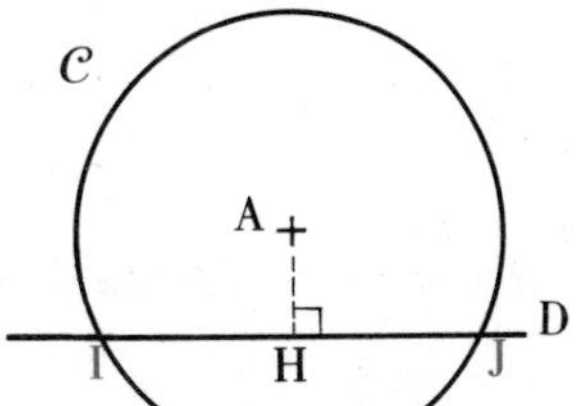

D et $\mathcal{C}$ sécants en I et J.
$d(\text{A, H}) < \text{R}$

3.3. Intersection de deux cercles

• Vous savez que trois points A, B, C distincts, non alignés, définissent un cercle et un seul : *le cercle circonscrit* au triangle ABC.
Donc, si deux cercles ont trois points en commun, alors ils sont confondus et ont de ce fait tous leurs points communs.
Si deux cercles sont distincts, alors ils ont 0, 1 ou 2 points communs.
• $\mathcal{C}$ est le cercle de centre A et rayon R. $\mathcal{C}'$ est le cercle de centre A′ et rayon R′.
Vous prouverez à l'exercice 14 page 210 que les différents cas sont les suivants.

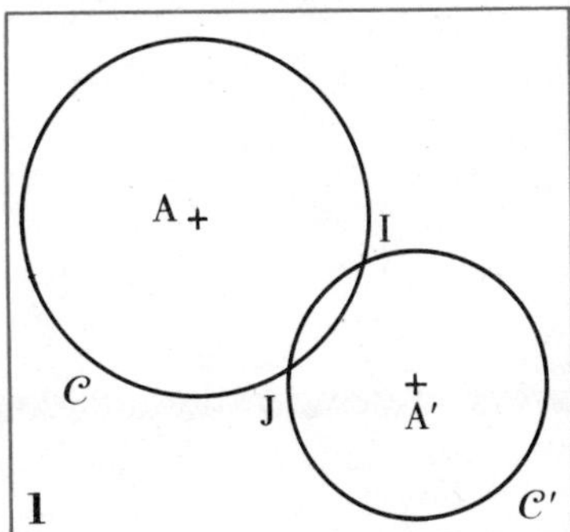

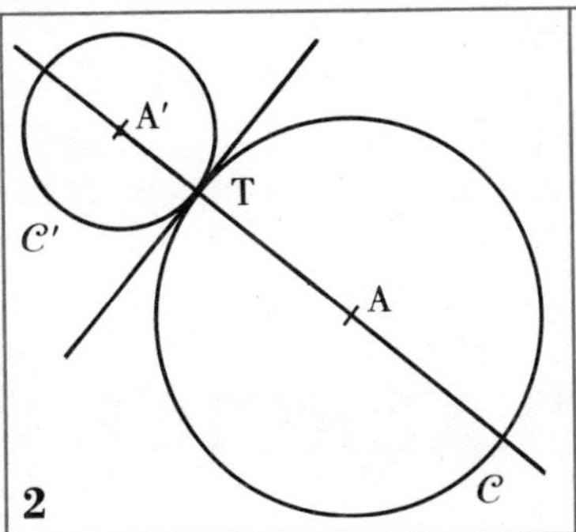

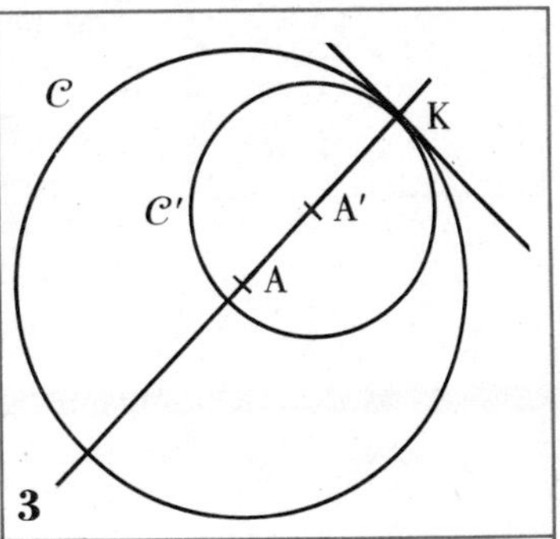

1. $\mathcal{C}$ et $\mathcal{C}'$ sécants en I et J.
$|\text{R} - \text{R}'| < d(\text{A, A}') < \text{R} + \text{R}'$

2. $\mathcal{C}$ et $\mathcal{C}'$ tangents extérieurement.
$d(\text{A, A}') = \text{R} + \text{R}'$

3. $\mathcal{C}$ et $\mathcal{C}'$ tangents intérieurement.
$d(\text{A, A}') = |\text{R} - \text{R}'|$

4. $\mathcal{C}$ et $\mathcal{C}'$ sans point commun. $d(\text{A, A}') > \text{R} + \text{R}'$

5. $\mathcal{C}$ et $\mathcal{C}'$ sans point commun. $d(\text{A, A}') < |\text{R} - \text{R}'|$

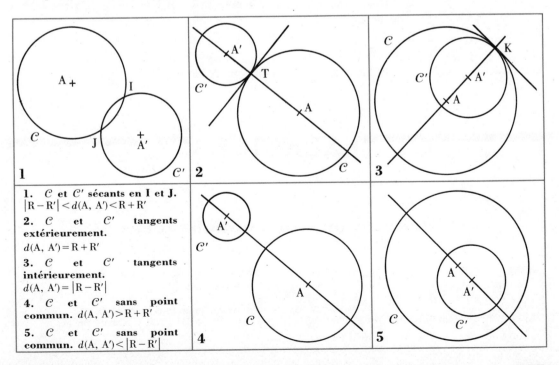

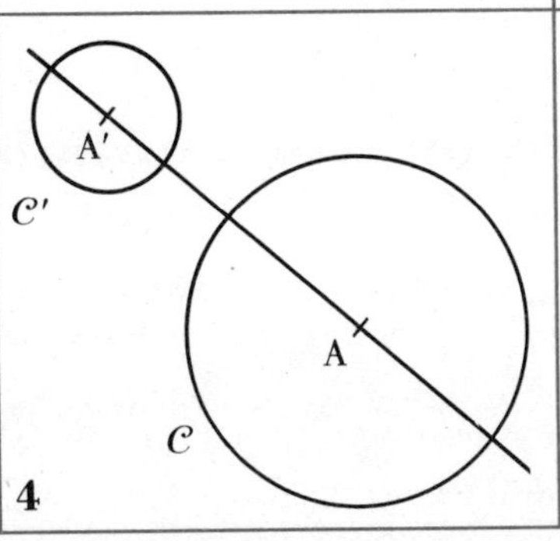

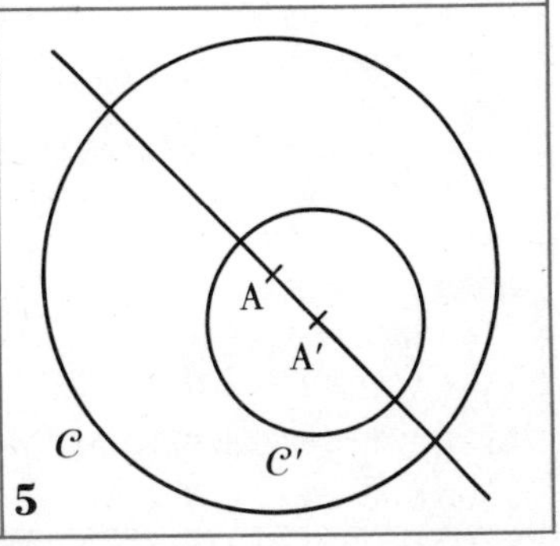

3.4. Image d'un cercle par une symétrie orthogonale

$\mathcal{C}$ est le cercle de centre A et de rayon R. S est la symétrie orthogonale par rapport à une droite Δ du plan. Cette symétrie orthogonale *conserve la distance.*

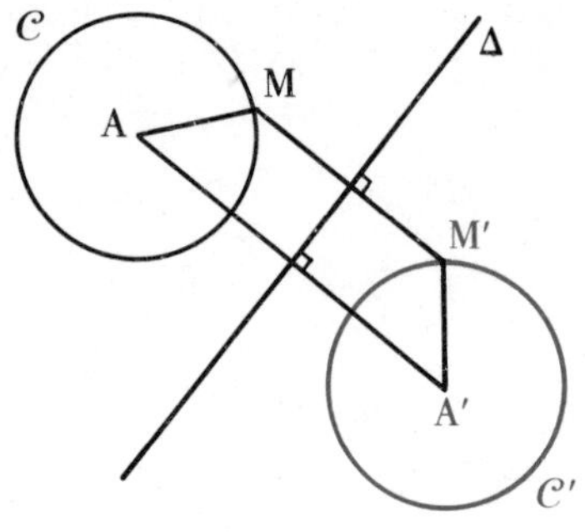

Il en résulte immédiatement le théorème suivant :

Théorème

L'image par une symétrie orthogonale S du cercle de centre A et rayon R est le cercle de centre A' = S(A) et de rayon R.

Commentaire

Lorsque A est sur Δ (voir exercice 4 ci-après) : $\mathcal{C}' = \mathcal{C}$. On traduit ce résultat par : **toute droite qui passe par le centre du cercle est axe de symétrie.**

EXERCICES

On utilise les notations précédentes.

1. Démontrez que si la droite Δ est à l'extérieur du cercle $\mathcal{C}$, alors l'image $\mathcal{C}'$ par la symétrie S ne coupe pas Δ.

2. Démontrez que si $\mathcal{C}$ est tangent en B à la droite Δ, alors $\mathcal{C}'$ est tangent en B à Δ.

3. Démontrez que si $\mathcal{C}$ coupe Δ en deux points E et F, alors $\mathcal{C}'$ coupe Δ en E et F.

4. Démontrez que si A est sur Δ alors $\mathcal{C}' = \mathcal{C}$.

EXERCICES

Pour tester vos connaissances

1. Essayez de construire le triangle ABC dans chacun des cas :

a) $d(A, B) = 6$, $d(B, C) = 11$, $d(A, C) = 5$.

b) $d(A, B) = 3$, $d(B, C) = 5$, $d(A, C) = 4$.

c) $d(A, B) = 6$, $d(B, C) = 3$, $d(A, C) = 2$.

2. $\mathcal{C}$ est le cercle dont un diamètre est le segment [AB].

Pourquoi, pour tout point M de $\mathcal{C}$, le triangle ABM est-il rectangle en M?

3. A et B sont deux points du plan; Δ est une droite.
On veut tracer un cercle qui passe par A et B, dont le centre est sur la droite Δ.
Étudiez le nombre de tels cercles suivant la position de la droite Δ et des points A et B.

4. A est un point extérieur à un cercle $\mathcal{C}$ de centre O.
D et D′ sont les tangentes en T et T′ au cercle $\mathcal{C}$, qui passent par A.

a) Prouvez que T′ est le symétrique orthogonal de T par rapport à la droite (OA).

b) Déduisez-en que $AT = AT'$.

5. D et D′ sont deux droites parallèles.

a) Construisez un cercle tangent à D et D′.

b) Quel est l'ensemble des centres des cercles tangents à D et D′?

6. D est une droite et $\mathcal{C}$ un cercle de centre O.
Construisez les tangentes à $\mathcal{C}$ parallèles à D.

Cercles passant par des points donnés

7. Par deux points.
A et B sont deux points distincts du plan.
Quel est l'ensemble des centres des cercles qui passent par A et B?

8. Par trois points.

a) A, B, C sont trois points distincts *alignés*.
Pourquoi ne passe-t-il pas de cercle par ces trois points?

b) ABC est un triangle.
Montrez qu'il passe un unique cercle par A, B, C.
Construisez-le.

Exercices d'entraînement

1. Construisez un triangle ABC rectangle en A, tel que : $BC = a$ et $AC = b$, où a et b sont des réels positifs.
A quelle condition la construction est-elle possible?

2. $\mathcal{C}$ est un cercle de centre O; A et B sont deux points du plan.
Construisez une droite qui passe par A et coupe $\mathcal{C}$ en deux points P et Q, tels que $BP = BQ$ (plusieurs cas sont à envisager).

3. $\mathcal{C}$ est le cercle de centre A et de rayon R.
D est une droite et H le projeté orthogonal de A sur D.

a) *Cas où* H *est extérieur à* $\mathcal{C}$ *:* montrez que tout autre point de D est aussi extérieur à $\mathcal{C}$.

b) *Cas où* H *est sur* $\mathcal{C}$ *:* montrez que tout autre point de D est extérieur à $\mathcal{C}$.

c) *Cas où* H *est intérieur à* $\mathcal{C}$ *:* à l'aide du théorème de Pythagore, montrez que $\mathcal{C}$ coupe D en deux points.

Tangente à un cercle

4. ABC est un triangle rectangle en C; [CH] est une hauteur de ce triangle.
Les cercles de diamètres [AH] et [BH] recoupent [AC] et [BC] respectivement en P et Q.

a) Quelle est la nature du quadrilatère CPHQ?

b) Démontrez que la droite (PQ) est tangente aux deux cercles.

5. $\mathcal{C}$ est le cercle de centre O et rayon R; [AB] est l'un de ses diamètres.
Pour tout point M de $\mathcal{C}$, déterminez la somme des distances de A et B à la tangente à $\mathcal{C}$ en M.

6. $\mathcal{C}(O; R)$ et $\mathcal{C}'(O'; R')$ sont deux cercles tels que $OO' \geq R + R'$.
$\mathcal{C}_1$ est le cercle de centre O et de rayon $R + R'$.

a) Analysez la figure ci-dessous, afin d'expliquer la construction des droites Δ et Δ', tangentes intérieures aux cercles $\mathcal{C}$ et $\mathcal{C}'$.

b) Reprenez cette figure lorsque O′ appartient au cercle $\mathcal{C}_1$.

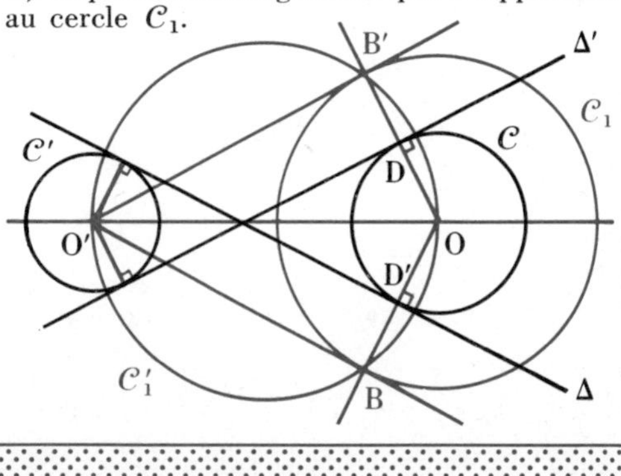

7. D et D′ sont deux droites sécantes. R est un réel positif donné.
Construisez un cercle de rayon R et tangent aux droites D et D′.

8. $\mathcal{C}$ est le cercle de centre O et de rayon R.
A et B sont des points de $\mathcal{C}$ tels que AB = R.
La tangente en B au cercle $\mathcal{C}$ coupe la droite (OA) en C.
Montrez que AC = R.

9. Cercles inscrits et exinscrits d'un triangle.
D_1, D_2, D_3 sont des droites deux à deux concourantes :
D_1 et D_2 se coupent en C; D_2 et D_3 en A; D_1 et D_3 en B.
Vous avez établi en classe de Troisième que *l'ensemble des points équidistants de deux demi-droites de même origine est la bissectrice de ces demi-droites.*

a) Montrez que les bissectrices (intérieures) du triangle ABC sont concourantes.

b) Déterminez le cercle intérieur au triangle ABC et tangent aux droites D_1, D_2 et D_3 : c'est le *cercle inscrit* du triangle ABC.

c) Déterminez trois autres cercles, à l'extérieur du triangle ABC, et tangents aux droites D_1, D_2, D_3 : ce sont *les cercles exinscrits* au triangle ABC.

10. D_1 et D_2 sont des droites parallèles; D_3 est une droite qui coupe D_1 et D_2 respectivement en A et B.
Déterminez les cercles tangents aux droites D_1, D_2, D_3.

Ensembles de points

11. A et O sont deux points distincts; $\mathcal{E}$ est l'ensemble des droites qui passent par O. A chaque droite Δ de $\mathcal{E}$ on associe le point A′, symétrique orthogonal de A par rapport à Δ.
Quel est l'ensemble des points A′?

12. $\mathcal{C}$ est un cercle de centre O; A est un point du plan.
$\mathcal{E}$ est l'ensemble des droites qui passent par A et qui coupent le cercle $\mathcal{C}$.
Δ est une droite de $\mathcal{E}$; B et C sont les points d'intersection de Δ et $\mathcal{C}$.
Quel est l'ensemble des points I milieux de [BC]?

13. Γ est l'ensemble des cercles qui passent par un point A donné et de rayon R donné.

a) Déterminez l'ensemble des centres des cercles de Γ.

b) D est une droite du plan.
Déterminez l'ensemble des points de contact des tangentes aux cercles de Γ, parallèles à D.

Positions de deux cercles

14. $\mathcal{C}$ est le cercle de centre A et rayon R; $\mathcal{C}'$ le cercle de centre A′ et rayon R′.

a) I et J sont les deux points d'intersection de $\mathcal{C}$ et $\mathcal{C}'$.
Montrez que (AA′) est la médiatrice de [IJ].
Démontrez que $d(A, A') < R + R'$.
Démontrez que $d(A, A') > R - R'$ et que $d(A, A') > R' - R$.
Déduisez-en que : $|R - R'| < d(A, A') < R + R'$.

b) $\mathcal{C}$ et $\mathcal{C}'$ ont un point commun K sur la droite (AA′).
Pourquoi $\mathcal{C}$ et $\mathcal{C}'$ n'ont-ils pas d'autre point commun sur la droite (AA′)?
Pourquoi $\mathcal{C}$ et $\mathcal{C}'$ n'ont-ils pas de point commun hors de la droite (AA′)?
Montrez que :

$$d(A, A') = R + R' \quad \text{ou} \quad d(A, A') = |R - R'|.$$

c) $\mathcal{C}$ et $\mathcal{C}'$ n'ont pas de point commun.
Montrez que :

$$d(A, A') > R + R' \quad \text{ou} \quad d(A, A') < |R - R'|.$$

15. C_1, C_2, C_3 sont des cercles :
C_1 a pour centre O_1 et rayon R; C_2 a pour centre O_2 et rayon R′; C_3 a pour centre O_3 et rayon R′.
De plus $O_1O_2 = 12$ cm, $O_1O_3 = 4$ cm; C_1 et C_2 sont tangents extérieurement; C_1 et C_3 sont tangents intérieurement.
Déterminez R et R′.

16. Deux cercles $\mathcal{C}$ et $\mathcal{C}'$ de centres respectifs O et O′, sont sécants en A et B. M et M′ sont les points diamétralement opposés au point A sur $\mathcal{C}$ et $\mathcal{C}'$.

a) Démontrez que les droites (MM′) et (AB) sont perpendiculaires en B.

b) Démontrez que $\overrightarrow{MM'} = 2\overrightarrow{OO'}$.

17. $\mathcal{C}$ et $\mathcal{C}'$ sont deux cercles de centre O et O′, tangents extérieurement en A.
D est une tangente commune à $\mathcal{C}$ et $\mathcal{C}'$ en B et C.
La tangente commune en A coupe D en I.

a) Démontrez que I est le milieu de [BC].

b) Que pouvez-vous dire des droites (IO) et (IO′)? Justifiez votre réponse.

18. $\mathcal{C}(O; R)$ et $\mathcal{C}'(O'; R')$ sont des cercles tangents extérieurement en A.
M et M′ sont des points de $\mathcal{C}$ et $\mathcal{C}'$ respectivement tels que les droites (MA) et (M′A) soient perpendiculaires.
Démontrez que (OM)∥(O′M′).

CHAPITRE
19

HOMOTHÉTIES

1. Pour prendre un bon départ

- A et B sont deux points distincts et M est un point tel que :

$$\overrightarrow{AM} = 3\overrightarrow{AB}.$$

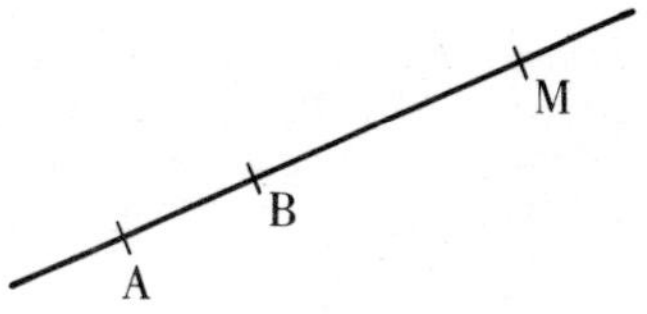

Cette égalité permet de situer M. En effet, elle indique que M est sur (AB) et, en outre, que M est du même côté de A que le point B et que : $d(A, M) = 3d(A, B)$.

- Dans le cas où les points A, B, M sont alignés et vérifient une égalité du type :

$$\overrightarrow{AM} = -\frac{7}{2}\overrightarrow{AB}$$

le point M n'est pas du même côté de A que le point B.

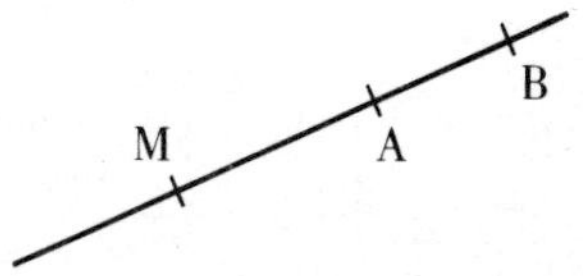

EXERCICE

A et B sont deux points du plan.
Placez les points M, N, P tels que:

$$\overrightarrow{AM} = 2\overrightarrow{AB}; \quad \overrightarrow{BN} = -\frac{1}{2}\overrightarrow{AB}; \quad \overrightarrow{AP} = -\frac{3}{8}\overrightarrow{BA}.$$

2. Approche

2.1. Un moyen pour agrandir (ou réduire) un dessin, une figure

ABCD est un carré, O un point (voir dessin ci-dessous). A tout point M du carré ABCD en fait correspondre le point M′ tel que :

$$\overrightarrow{OM'} = \frac{5}{2}\,\overrightarrow{OM}.$$

On dit que M′ est l'image de M dans l'homothétie de centre O et de rapport $\frac{5}{2}$. Sur le dessin ci-dessous on a placé l'image de A, et celle d'un point M du côté [AD].

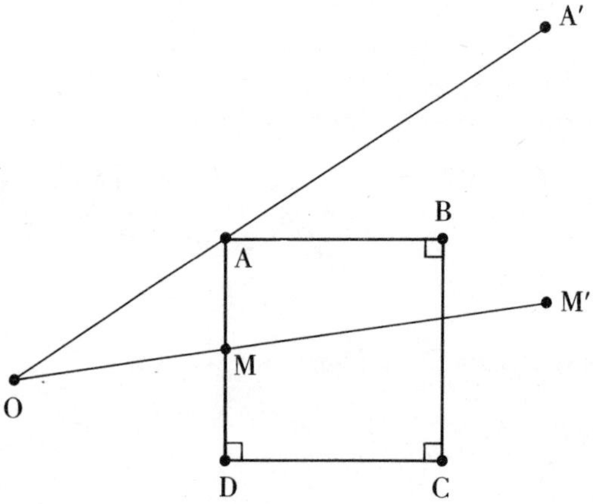

EXERCICES

1. ***a.*** Construisez l'image B′ de B, l'image C′ de C, l'image D′ de D, puis l'image du carré ABCD.
Quelle figure obtenez-vous?

b. Justifions; en utilisant la relation de Chasles : $\overrightarrow{A'D'} = \overrightarrow{OD'} - \overrightarrow{OA'}$ et le fait que : $\overrightarrow{OD'} = \frac{5}{2}\,\overrightarrow{OD}$, $\overrightarrow{OA'} = \frac{5}{2}\,\overrightarrow{OA}$, montrez que : $\overrightarrow{A'D'} = \frac{5}{2}\,\overrightarrow{AD}$.
Expliquez alors pourquoi (A′D′) // (AD).
Montrez aussi que : (A′B′) // (AB); (B′C′) // (BC); (C′D′) // (CD).

c. Expliquez pourquoi A′B′C′D′ est un carré.

d. Comparez la longueur du côté du carré A′B′C′D′ et celle du côté du carré ABCD.

2. Conservez le carré ABCD et le point O. A tout point M du carré ABCD on associe cette fois le point M′ tel que :

$$\overrightarrow{OM'} = \frac{1}{2}\,\overrightarrow{OM}.$$

(M′ est l'image de M dans l'homothétie de centre O de rapport $\frac{1}{2}$).
Quelle est l'image du carré ABCD?

3. Quelle est l'image du carré ABCD dans l'homothétie de centre O de rapport −2?

Remarque : il existe un appareil, nommé **pantographe,** qui est utilisé pour agrandir ou réduire les dessins plans. Regardez dans un dictionnaire sa description et son principe : en quelque sorte, le pantographe est un « homothétiseur ».

2.2. Une idée de l'homothétie

Conservez cette idée de l'homothétie : elle transforme une figure en l'agrandissant, ou en la réduisant, mais en en conservant les proportions.

3. Cours et applications

Le plan est supposé muni d'une distance.

3.1. Qu'est-ce qu'une homothétie?

Définition

O est un point du plan et k un réel *non nul*. L'*homothétie* h *de centre* O et de *rapport* k, notée aussi $h(O; k)$, est l'application du plan dans lui-même qui, à tout point M, associe le point M′ tel que :

$$\overrightarrow{OM'} = k\overrightarrow{OM}.$$

On note $M' = h(M)$. M′ est l'image de M.

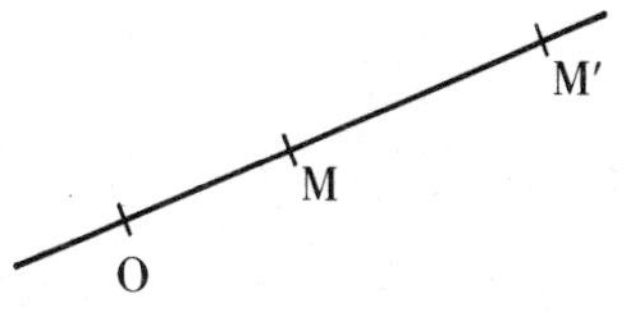

Vous connaissez déjà certaines homothéties. En effet :

- si $\boldsymbol{k = 1}$, $\overrightarrow{OM'} = \overrightarrow{OM}$ et les points M, M′ sont confondus. *Toute homothétie de rapport* 1 *est l'identité du plan.*
- si $\boldsymbol{k = -1}$, $\overrightarrow{OM'} = -\overrightarrow{OM}$; *cette homothétie est la symétrie de centre* O.

Commentaires

- Il est clair que si $M' = h(M)$, alors les points O, M, M′ sont alignés. De plus, si $k > 0$, les points M et M′ sont d'un même côté de O, et si $k < 0$, le point O est entre M et M′.
- Remarquez que pour tout point M distinct de O et d'image M′, on a :

$$k = \frac{\overline{OM'}}{\overline{OM}} \quad \text{et} \quad |k| = \frac{OM'}{OM}$$

3.2. Propriétés des homothéties

a. Propriété fondamentale

h est une homothétie de centre O, de rapport k; A et B sont deux points dont les images respectives par h sont A′ et B′ :

$$\overrightarrow{OA'} = k\overrightarrow{OA}, \quad \overrightarrow{OB'} = k\overrightarrow{OB}.$$

On a :

$$\overrightarrow{A'B'} = \overrightarrow{OA'} - \overrightarrow{OB'}$$

Donc :

$$\overrightarrow{A'B'} = k\overrightarrow{OA} - k\overrightarrow{OB} = k(\overrightarrow{OA} - \overrightarrow{OB}),$$

d'où :

$$\mathbf{\overrightarrow{A'B'} = k\overrightarrow{AB}.}$$

Théorème 1

h est une homothétie de rapport k. Alors pour tous points A et B et leurs images respectives A′ et B′, on a :

$$\mathbf{\overrightarrow{A'B'} = k\overrightarrow{AB}.}$$

b. Points invariants

h est l'homothétie de centre O et de rapport k.
Dire que le point M est invariant par h signifie que M est sa propre image :

$$\overrightarrow{OM} = k\overrightarrow{OM}$$

d'où :

$$(1-k)\overrightarrow{OM} = \vec{0}.$$

— Si $\boldsymbol{k \neq 1}$, alors $\overrightarrow{OM} = \vec{0}$ et M est confondu avec O.
Dans ce cas, le seul point invariant est le centre de l'homothétie.
— Si $\boldsymbol{k = 1}$, alors h est l'identité du plan et *tout point du plan est invariant.*

c. Image d'une droite par une homothétie

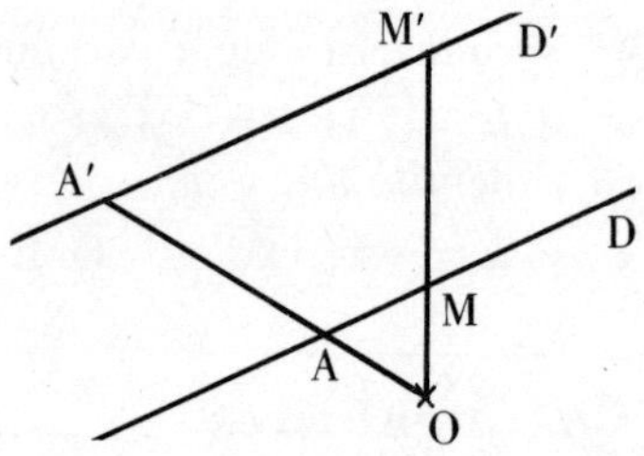

h est l'homothétie de centre O et de rapport k.
D est la droite définie par un point A et un vecteur directeur $\vec{u}$.
Notons : $A' = h(A)$.
Un point M appartient à D *si et seulement s*'il existe un réel a tel que :

$$\overrightarrow{AM} = a\vec{u}.$$

Notons : $M' = h(M)$.
Nous savons qu'alors : $\overrightarrow{A'M'} = k\overrightarrow{AM}$.
Donc : $\overrightarrow{A'M'} = ka\vec{u}$.
Nous en déduisons que M′ est un point de la droite D′ de vecteur directeur $\vec{u}$ et qui passe par A′.
Donc tous les points de D ont une image sur D′. Il est immédiat de voir que tout point de D′ est l'image d'un point de D.

D'où le théorème suivant :

Théorème 2

L'image d'une droite par une homothétie est une droite parallèle.

Commentaire

Si la droite D passe par O, elle est sa propre image.

EXERCICES

1. L'image d'un segment est un segment.
Démontrons ce résultat. h est l'homothétie de ce centre O, de rapport k. [AB] est un segment. Posons : $A' = h(A)$, $B' = h(B)$.
M est un point de [AB]; alors on peut écrire : $\overrightarrow{AM} = a\overrightarrow{AB}$ avec a réel positif et inférieur à 1.
Posez $M' = h(M)$.
Démontrez que : $\overrightarrow{A'M'} = a \cdot \overrightarrow{A'B'}$. Concluez.

2. Trouvez l'image d'un triangle par une homothétie.

d. Une homothétie conserve l'orthogonalité

Nous vous proposons de démontrer, à l'exercice 5 page 222, le théorème suivant :

Théorème 3

Les images par une homothétie de deux droites perpendiculaires sont deux droites perpendiculaires.

e. Une homothétie (de rapport $k \neq 1$) ne conserve pas la distance

h est l'homothétie de centre O et de rapport k.
A et B sont deux points tels que :

$$A' = h(A) \text{ et } B' = h(B).$$

On a alors :

$$\overrightarrow{A'B'} = k\overrightarrow{AB},$$

d'où :

$$\|\overrightarrow{A'B'}\| = \|k\overrightarrow{AB}\|$$
$$\|\overrightarrow{A'B'}\| = |k|\ \|\overrightarrow{AB}\|$$
$$d(A', B') = |k|\ d(A, B).$$

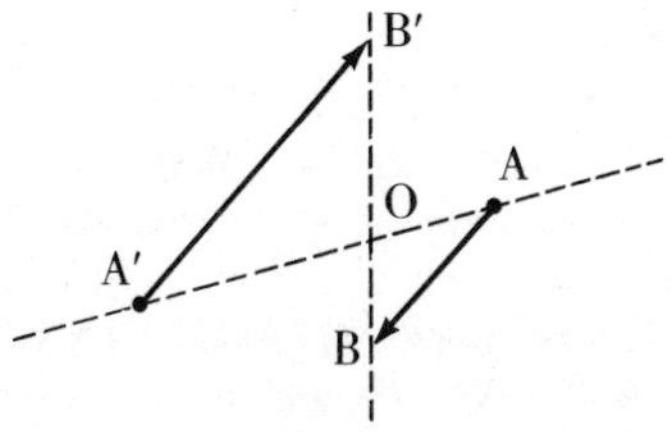

On dit que l'homothétie de rapport k *« multiplie » les distances par* $|k|$.

Commentaires

F est une figure transformée en une figure F′ par une homothétie de rapport k. Prenons trois points distincts A, B, C de F et leurs images A′, B′, C′ dans F′. Alors on a, en distance : $A'B' = |k|AB$, $B'C' = |k|BC$, d'où : $\frac{A'B'}{B'C'} = \frac{AB}{BC}$. Voilà pourquoi l'on dit que l'homothétie transforme une figure en en conservant les proportions.

3.3. Détermination d'une homothétie

A, B, A′, B′ sont des points tels que :

$$\overrightarrow{A'B'} = k\overrightarrow{AB}$$

avec *k réel non nul et différent de* 1.

— Si A et A′ sont confondus, alors $\overrightarrow{AB'} = k\overrightarrow{AB}$, et il existe une homothétie h de centre A et de rapport k telle que $h(B) = B'$ et bien sûr $h(A) = A$.

— Si A et A′ sont distincts, alors il existe un unique point O tel que $\overrightarrow{OA'} = k\overrightarrow{OA}$: en effet, O est le point de la droite (AA′) tel que :

$$\overrightarrow{OA} = \frac{1}{k-1}\overrightarrow{AA'}$$

L'homothétie $h(O, k)$ transforme A en A′ et le point B en un point B_1 tel que :

$$\overrightarrow{OB_1} = k\overrightarrow{OB}$$

soit :

$$\overrightarrow{OA'} + \overrightarrow{A'B_1} = k(\overrightarrow{OA} + \overrightarrow{AB})$$

d'où :

$$\overrightarrow{A'B_1} = k\overrightarrow{AB}.$$

Or, par hypothèse $\overrightarrow{A'B'} = k\overrightarrow{AB}$, donc B_1 et B′ sont *confondus*.
Donc : $h(A) = A'$ et $h(B) = B'$.
D'où le théorème suivant :

Théorème 4

A, B, A′, B′ sont quatre points et k est un réel non nul et distinct de 1, tels que :

$$\overrightarrow{A'B'} = k\overrightarrow{AB}.$$

Alors il existe une unique homothétie h telle que :

$$h(A) = A' \quad \text{et} \quad h(B) = B'.$$

Commentaires

- Le centre O de l'homothétie est le point d'intersection des droites (AA′) et (BB′) [lorsque A et A′ sont distincts].
- Notez que si : $\overrightarrow{A'B'} = k\overrightarrow{AB}$, alors on a aussi : $\overrightarrow{A'B'} = -k\overrightarrow{BA}$. Et donc on peut démontrer aussi, avec A et A′ distincts, qu'il existe une homothétie et une seule qui transforme B en A′ et A en B′. Son centre est en O′, intersection de (AB′) et (A′B), son rapport est $-k$. **En résumé, si [AB] et [A′B′] sont deux segments parallèles et de longueur différente ($k \neq -1$), il existe deux homothéties qui transforment [AB] en [A′B′].** Avec les notations précédentes ce sont les **homothéties h de centre O de rapport k, et h' de centre O′ de rapport $-k$,** k étant le réel tel que : $\overrightarrow{A'B'} = k\overrightarrow{AB}$.

3.4. Application : recherche d'un centre d'homothétie

h est l'homothétie de centre O et de rapport k.
ABC est un triangle et $A' = h(A)$, $B' = h(B)$, $C' = h(C)$.
Il est clair que A'B'C' est un triangle dont les côtés sont parallèles à ceux de ABC car,

$$\overrightarrow{A'B'} = k\overrightarrow{AB}, \quad \overrightarrow{B'C'} = k\overrightarrow{BC}, \quad \overrightarrow{A'C'} = k\overrightarrow{AC}.$$

Intéressons-nous au problème réciproque.

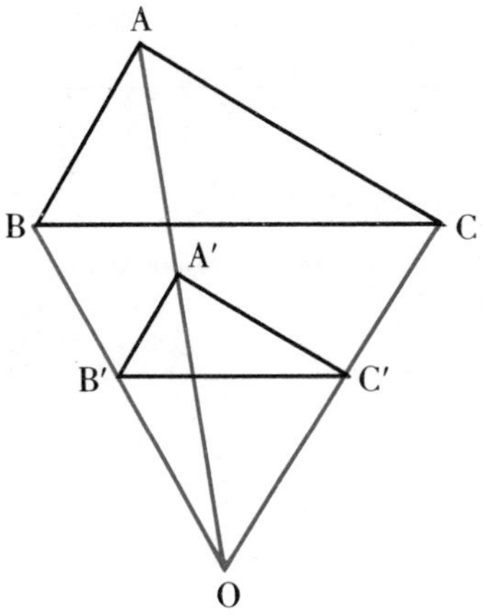

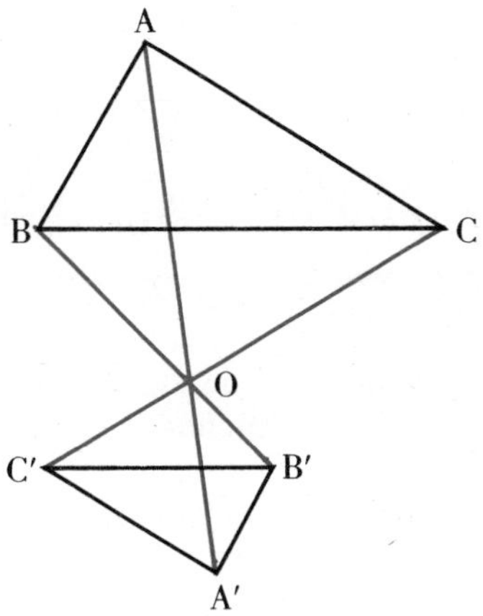

EXERCICE résolu 1

ABC et A'B'C' sont deux triangles dont les côtés sont parallèles.
Existe-t-il une homothétie h telle que l'image de ABC est A'B'C'?
Si oui, quel est son centre?

Solution □□□

Avec les notations des figures ci-dessous, les vecteurs $\overrightarrow{B'C'}$ et $\overrightarrow{BC}$ sont colinéaires; il existe un réel k tel que : $\overrightarrow{B'C'} = k\overrightarrow{BC}$.
k est *non nul*, car B' et C' sont distincts.

- Supposons tout d'abord que *les droites* (BB') *et* (CC') *se coupent en* O.

Alors l'homothétie h de centre O et de rapport k, d'après le théorème 4 vérifie :

$$h(B) = B' \quad \text{et} \quad h(C) = C'.$$

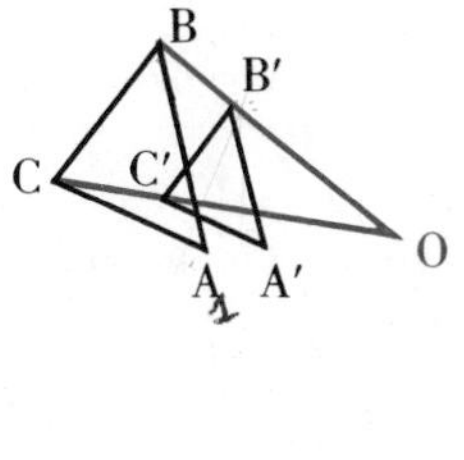

Notons $A_1 = h(A)$.
Les droites $(B'A_1)$ et (B'A') sont toutes deux parallèles à la droite (BA); comme elles passent par B', elles sont confondues :
le point A_1 *est sur* (B'A').
On prouve de même que :
le point A_1 *est sur* (C'A').
Donc A_1 est à l'intersection de (B'A') et (C'A'); **les points A_1 et A'** sont confondus, donc :

$$h(A) = A', \quad h(B) = B', \quad h(C) = C'.$$

Le centre de l'homothétie h est le point de concours des droites (AA'), (BB'), (CC').

• Supposons *les droites* (BB′) *et* (CC′) *parallèles* (c'est le cas où $\boldsymbol{k=1}$).
La translation T de vecteur $\overrightarrow{BB'}$ vérifie :

$$T(B)=B', \quad T(C)=C'.$$

Nous vous laissons montrer qu'alors T(A) = A′.
□□□□□□□□□□

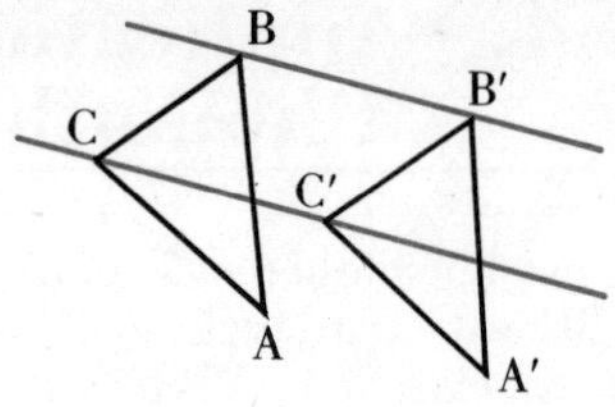

3.5. Expression analytique d'une homothétie

a. Le centre de l'homothétie est l'origine du repère

$(O; \vec{i}, \vec{j})$ est un repère du plan.
h est l'homothétie de centre O et de rapport k.
M est le point de coordonnées $(x; y)$.
Notons $(x'; y')$ les coordonnées du point $M' = h(M)$.
On a donc : $\overrightarrow{OM'} = k\overrightarrow{OM}$
d'où :

$$\begin{cases} \boldsymbol{x' = kx} \\ \boldsymbol{y' = ky} \end{cases}$$

C'est l'expression analytique de l'homothétie $h(O, k)$ dans $(O; \vec{i}, \vec{j})$.

b. Le centre de l'homothétie et l'origine du repère sont distincts

EXERCICE résolu 2

Dans le repère $(O; \vec{i}, \vec{j})$ du plan, A est le point de coordonnées $(3; -1)$.
Déterminez l'expression analytique de l'homothétie h de centre A et de rapport 2.

Solution □□□

M est le point de coordonnées $(x; y)$.
$(x'; y')$ sont les coordonnées de $M' = h(M)$.
On a : $\overrightarrow{AM'} = k\overrightarrow{AM}$.
Le vecteur $\overrightarrow{AM'}$ a pour coordonnées $(x'-3; y'+1)$.
Le vecteur $\overrightarrow{AM}$ a pour coordonnées $(x-3; y+1)$.
D'où :

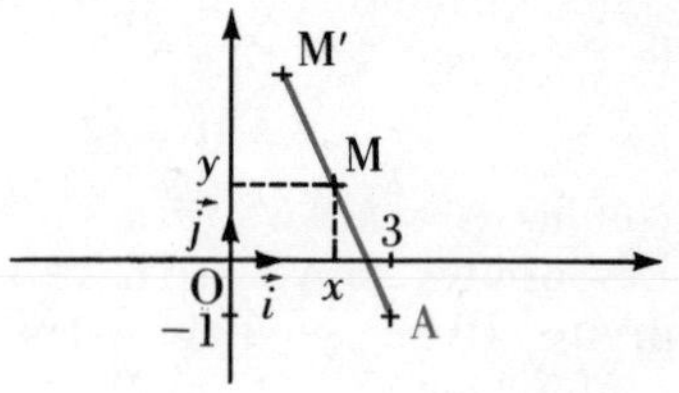

$$\begin{cases} x'-3 = 2(x-3) \\ y'+1 = 2(y+1) \end{cases}$$

soit :

$$\begin{cases} \boldsymbol{x' = 2x-3} \\ \boldsymbol{y' = 2y+1.} \end{cases}$$

Cela étant vrai pour tout point M, on a là l'expression analytique de l'homothétie $h(A, 2)$ dans $(O; \vec{i}, \vec{j})$.
□□□□□□□□□□

4. Pour aller plus loin

Cercles homothétiques

4.1. Image d'un cercle par une homothétie

$\mathcal{C}$ est le cercle de centre O et de rayon R.
h est l'homothétie de centre I et de rapport k.
Un point M est sur $\mathcal{C}$ si et seulement si :

$$\mathbf{OM = R.}$$

M' et O' sont les images par h, respectivement, des points M et O.

Donc : $\overrightarrow{O'M'} = k\overrightarrow{OM}$

On en déduit que $O'M' = |k|OM = |k|R.$

Donc, M' est un point du **cercle $\mathcal{C}'$ de centre $O' = h(O)$ et de rayon $|k|R$.**
Réciproquement, un point N' de $\mathcal{C}'$ est tel que $O'N' = |k|R$.

N' peut être considéré comme l'image par h d'un point N tel que $\overrightarrow{ON} = \frac{1}{k}\overrightarrow{O'N'}$, et N est sur $\mathcal{C}$ car :

$$ON = \frac{1}{|k|}|k|R = R.$$

$\mathcal{C}'$ est donc l'image de $\mathcal{C}$ par h.

EXERCICES

1. Construisez à la règle et au compas, l'image du cercle $\mathcal{C}$ de centre O et de rayon 2 par :

a. l'homothétie de centre I et de rapport 3;

b. l'homothétie de centre I et de rapport -3.

2. Que pouvez-vous dire de l'image d'un cercle de centre O par une homothétie de centre O?

4.2. Homothéties qui associent deux cercles

a. $\mathcal{C}$ et $\mathcal{C}'$ sont concentriques

$\mathcal{C}$ et $\mathcal{C}'$ ont pour centre O et rayons respectifs R et R' (avec $R \neq R'$).

S'il existe une homothétie qui transforme $\mathcal{C}$ en $\mathcal{C}'$, son centre est nécessairement O d'après 4.1. et le rapport k doit vérifier :

$$\mathbf{R'} = |\boldsymbol{k}|\mathbf{R}.$$

Il existe donc *deux homothéties susceptibles de transformer $\mathcal{C}$ en $\mathcal{C}'$* :
elles ont pour centre O et rapport

$$k_1 = \frac{R'}{R} \quad \text{ou} \quad k_2 = -\frac{R'}{R}.$$

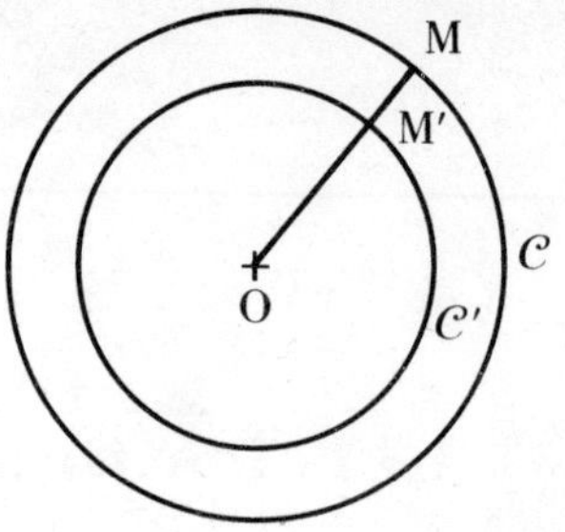

Nous vous laissons vérifier que

$$\boldsymbol{h}\left(\mathbf{O}, \frac{\mathbf{R'}}{\mathbf{R}}\right) \quad \text{et} \quad \boldsymbol{h}\left(\mathbf{O}, -\frac{\mathbf{R'}}{\mathbf{R}}\right)$$

transforment effectivement $\mathcal{C}$ en $\mathcal{C}'$.

b. $\mathcal{C}$ et $\mathcal{C}'$ ont des centres distincts

$\mathcal{C}$ est le cercle de centre O et de rayon R; $\mathcal{C}'$ est le cercle de centre O′ et de rayon R′.

1. R = R′.
S'il existe une homothétie transformant $\mathcal{C}$ en $\mathcal{C}'$,

- son rapport k est tel que $R = |k|R$, soit :

$$|k| = 1$$

- son centre I vérifie $\overrightarrow{IO'} = k\overrightarrow{IO}$.

La seule valeur possible de k est $k = -1$. (car O et O′ distincts); donc I est le milieu du segment [OO′]. Vous vérifierez que l'image de $\mathcal{C}$ par $\boldsymbol{h}(\mathbf{I}, -\mathbf{1})$ est le cercle $\mathcal{C}'$.

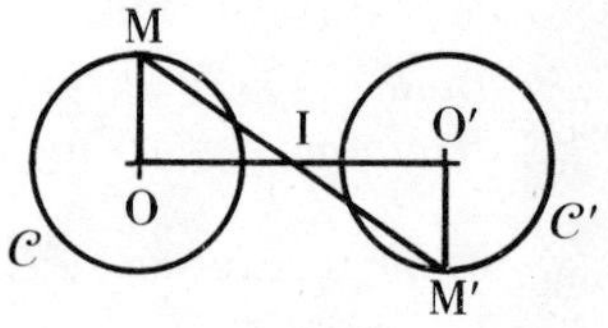

2. R ≠ R′.
S'il existe une homothétie transformant $\mathcal{C}$ en $\mathcal{C}'$,

- *son rapport est* :

$$k' = -\frac{R'}{R} \quad \text{ou} \quad k'' = \frac{R'}{R}.$$

- son centre est le point I′ de (OO′) tel que :

$$\overrightarrow{I'O'} = k'\overrightarrow{I'O}$$

ou le point I″ de (OO′) tel que :

$$\overrightarrow{I''O'} = k''\overrightarrow{I''O}$$

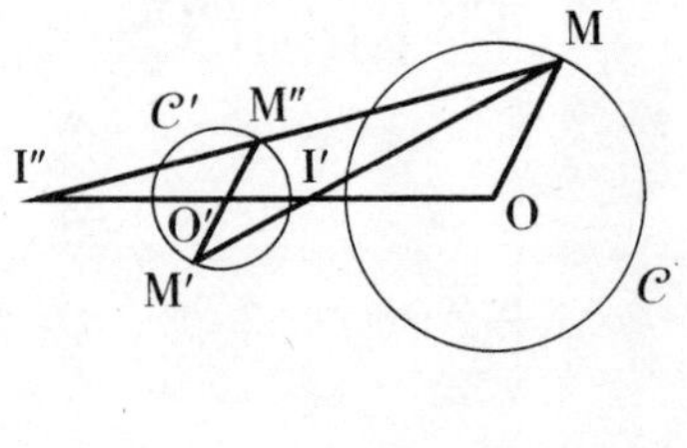

Vous vérifierez que $\boldsymbol{h}(\mathbf{I'}, \boldsymbol{k'})$ et $\boldsymbol{h}(\mathbf{I''}, \boldsymbol{k''})$ transforment bien $\mathcal{C}$ en $\mathcal{C}'$.

Commentaire

L'étude précédente vous assure de l'existence théorique des centres d'homothétie. Nous vous proposons d'étudier leur construction aux exercices 10 à 12 page 222.

EXERCICES

Pour tester vos connaissances

1. O, A, B sont trois points non alignés.
h est l'homothétie de centre O et de rapport -2.

a) Construisez $A' = k(A)$ et $B' = h(B)$.

b) Exprimez $\overrightarrow{A'B'}$ à l'aide de $\overrightarrow{AB}$.

c) Construisez les points C et D tels que $h(C) = A$ et $h(D) = B$.

d) Existe-t-il une homothétie h' telle que $h'(A) = B'$ **et** $h'(B) = A'$?
Si oui, quel est son centre et quel est son rapport?

2. ABCD est un carré dont le côté a pour longueur 2 cm.
h est l'homothétie de centre O, un point donné, et de rapport $\frac{1}{2}$.

a) Pourquoi l'image du carré est-elle un carré?

b) Expliquez pourquoi il suffit de construire l'image de A par h pour construire l'image de ce carré.

c) Comparez les périmètres et aires de ces carrés.
Quel lien faites-vous avec le rapport de l'homothétie?

3. ABC et A'B'C' sont des triangles tels que :
$AB = 8$, $AC = 7$, $BC = 4$;
$A'B' = 4$, $A'C' = 5$, $B'C' = 2$.
Existe-t-il une homothétie qui transforme ABC en A'B'C'?

4. ABC est un triangle; A', B', C' les milieux des segments [BC], [AC], [AB].
Existe-t-il une homothétie qui transforme ABC en A'B'C'?
Quelle est l'homothétie qui transforme A'B'C' en ABC?

5. $(O; \vec{i}, \vec{j})$ est un repère du plan.

a) Déterminez l'expression analytique de l'homothétie h de centre A point de coordonnées $(-1; 4)$, et de rapport $\frac{7}{2}$.

b) B est le point de coordonnées $(3; -5)$. Déterminez les coordonnées de $B' = h(B)$.

c) C est le point de coordonnées $\left(-\frac{3}{2}; \frac{1}{4}\right)$.
Déterminez les coordonnées de D tel que $h(D) = C$.

Exercices d'entraînement

1. A et B sont deux points donnés. A chaque point M du plan on associe le point M' tel que AMBM' soit un parallélogramme.
Prouvez que l'on vient de définir une homothétie.
Précisez son centre et son rapport.

2. Droite d'Euler.
ABC est un triangle; G son centre de gravité. A', B', C' sont respectivement les milieux des segments [BC], [CA] et [AB].
A tout point M du plan, on associe le point X tel que :

$$\overrightarrow{MX} = \overrightarrow{MA} + \overrightarrow{MB} + \overrightarrow{MC}.$$

a) Exprimez $\overrightarrow{GX}$ en fonction de $\overrightarrow{GM}$. Donnez une construction géométrique de X.

b) Démontrez que les droites (MA') et (AX) sont parallèles.
Démontrez qu'il en est de même des droites (MB') et (BX) et des droites (MC') et (CX).

c) O est le centre du cercle circonscrit au triangle ABC (point de concours de trois médiatrices).

Montrez que si M est en O, X est en H, orthocentre du triangle (l'orthocentre est le point de concours des hauteurs).

d) Démontrez l'alignement des points O, H et G (*droite d'Euler*).
Calculez $\overrightarrow{OH}$ en fonction de $\overrightarrow{OG}$.

3. D et D′ sont des droites distinctes et parallèles.
A et B sont des points de D, I et J des points de D′ tels que $AB \neq IJ$.
O est le point commun à (IA) et (JB).
O′ est le point commun à (IB) et (JA).
Pourquoi la droite (OO′) passe-t-elle par les milieux de [IJ] et [AB]?

4. Est-ce le hasard?
A, B, C, D sont quatre points, dont trois d'entre eux ne sont pas alignés.
Choisissons un point M de la droite (AB). N est la projection de M sur (BC) parallèlement à (AC); P est la projection de N sur (CD) parallèlement à (BD) et Q la projection de P sur (AD) parallèlement à (AC).
On projette Q sur la droite (AB) parallèlement à (BD).
Va-t-on rencontrer M? Justifiez votre réponse.

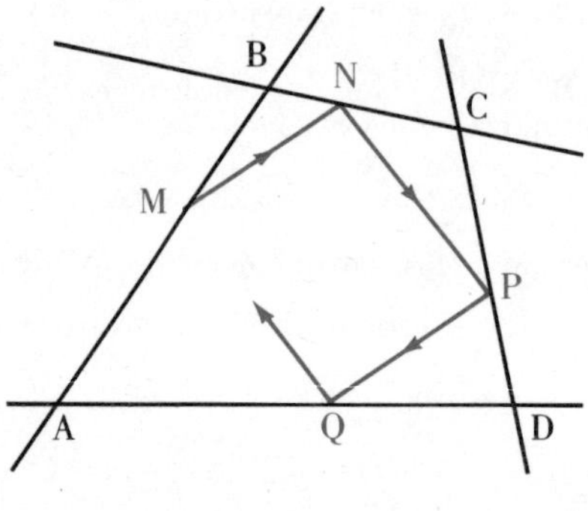

5. D et D′ sont deux droites perpendiculaires en un point O.
A est un point de D, B un point de D′.
h est l'homothétie de centre I et de rapport k.
On note $A' = h(A)$, $O' = h(O)$, $B' = h(B)$.
A l'aide du théorème de Pythagore, prouvez que le triangle A′O′B′ est rectangle en O′.

6. A et B sont des points distincts du plan P.

a) Démontrez dans chacun des cas suivant que pour tout point M il existe un unique point M′ tel que :

- $\overrightarrow{M'A} - 2\overrightarrow{M'B} - \overrightarrow{M'M} = \vec{0}$
- $\overrightarrow{M'A} - \overrightarrow{M'B} + 2\overrightarrow{M'M} = \vec{0}$.

b) Déterminez, dans chaque cas, l'application de P dans P telle que $M \longmapsto M'$.

Constructions par homothéties

7. ABC et A′B′C′ sont deux triangles tels que (B′C′), (C′A′) et (A′B′) soient respectivement parallèles à (BC), (CA) et (AB).

a) Montrez que si les droites (BB′) et (CC′) se coupent en O, alors (AA′) passe aussi par O.

b) Utilisez ce résultat pour résoudre le problème : D et D′ sont deux droites non parallèles dont le point d'intersection O est inaccessible (hors de la feuille), A est un point; tracez la droite (AO).

8. Construisez un triangle ABC, connaissant les milieux A′, B′, C′ de ses côtés.

9. ABC est un triangle et Δ une droite. Construisez un triangle équilatéral A′B′C′ tel que A′, B′, C′ soient respectivement sur [BC], [CA], [AB] et tel que $(B'C') /\!/ \Delta$.

Cercles homothétiques

10. Nous reprenons les notations du paragraphe 4.2.*b*.
Justifiez la construction suivante des centres des homothéties transformant $\mathcal{C}$ en $\mathcal{C}'$:

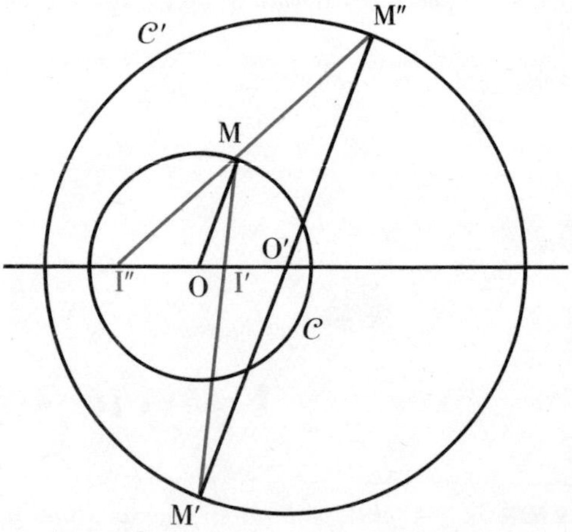

Choisissez un point M de $\mathcal{C}$ non situé sur la droite (OO′).
Construisez la parallèle Δ à (OM) qui passe par O′.
M″ désigne le point d'intersection de $\mathcal{C}'$ avec Δ, tel que $\overrightarrow{OM} = k\overrightarrow{O'M''}$ avec k positif.
M′ est le deuxième point d'intersection de Δ avec $\mathcal{C}'$.
I″ désigne le point d'intersection (lorsqu'il existe) des droites (MM″) et (OO′) et I′ désigne le point d'intersection des droites (MM′) et (OO′).

11. Démontrez que si Δ est une tangente commune à deux cercles $\mathcal{C}(O, R)$ et $\mathcal{C}'(O', R')$ et si Δ coupe (OO') en I, alors I est un centre d'homothétie de $\mathcal{C}$ et $\mathcal{C}'$.

12. Si deux cercles sont tangents intérieurement (ou extérieurement), démontrez alors qu'un des centres d'homothétie est connu.

Ensembles de points

13. A, B, C sont trois points non alignés du plan.
Le point M décrit une droite D.
Quel est l'ensemble décrit par le point P tel que :

$$\overrightarrow{MP} = \overrightarrow{MA} + \overrightarrow{MB} + \overrightarrow{MC}?$$

14. $\mathcal{C}$ est le cercle de centre O et de rayon R; A est un point du plan. A tout point M de $\mathcal{C}$ on associe le milieu I du segment [AM].
Quel est l'ensemble des points I?

15. $\mathcal{C}$ est un cercle de centre O.
A chaque point M de $\mathcal{C}$, on associe la médiatrice du segment [OM] : elle coupe $\mathcal{C}$ en P et P'.
T est le point d'intersection des tangentes à $\mathcal{C}$ en P et P'.
Quel est l'ensemble des points T?

16. $\mathcal{C}$ est un cercle; B et C deux points de ce cercle.
A est un point qui décrit $\mathcal{C}$.
Quel est l'ensemble des positions du centre de gravité du triangle ABC?

17. $\mathcal{C}$ est un cercle de diamètre [AB] de centre O. M est un point de $\mathcal{C}$.
C est le symétrique de A par rapport à M. Lorsque M décrit $\mathcal{C}$, quel ensemble décrit le point d'intersection des droites (OC) et (MB).

18. $\mathcal{C}$ est un cercle de centre O; A est un point à l'intérieur de $\mathcal{C}$.
M est un point qui décrit $\mathcal{C}$; la médiatrice du segment [AM] coupe $\mathcal{C}$ en N et N'.
I est la projection orthogonale de O sur (NN').
Quel est l'ensemble décrit par I?

19. A est un point du cercle $\mathcal{C}$; P est un point extérieur à $\mathcal{C}$.
Par P, on trace une droite variable qui coupe $\mathcal{C}$ en M et N.

a) Quel est l'ensemble décrit par le centre de gravité de AMN?

b) Quel est l'ensemble décrit par l'orthocentre de AMN?

Expressions analytiques

20. $(O; \vec{i}, \vec{j})$ est un repère du plan P.
f est l'application de P dans P qui, à chaque point M de coordonnées $(x; y)$ associe le point M' de coordonnées (x', y') tel que :

$$x' = 3x - 4, \quad y' = 3y + 2.$$

a) Montrez qu'il existe un point A unique tel que $f(A) = A$.

b) Exprimez le vecteur $\overrightarrow{AM'}$ à l'aide de $\overrightarrow{AM}$.

c) Déduisez-en que f est une homothétie.

21. $(O; \vec{i}, \vec{j})$ est un repère du plan P.
h est l'homothétie de centre I de coordonnées $(-1; 2)$ et de rapport 4. t est la translation de vecteur $\vec{u} = 3\vec{i} - \vec{j}$.

a) M a pour coordonnées $(x; y)$.
Déterminez les coordonnées des points

$$m = h(M) \text{ et } M' = t(m).$$

Quelle transformation du plan transforme M en M'?

b) Déterminez les coordonnées des points $m_1 = t(M)$ et $M_1 = h(m_1)$.
Quelle transformation du plan transforme M en M_1?

22. $(O; \vec{i}, \vec{j})$ est un repère du plan.
D est la droite dont une équation est

$$2x + y - 5 = 0.$$

h est l'homothétie de centre le point A de coordonnées $(-3; 1)$ et de rapport 4.
Déterminez une équation de l'image de la droite D par h.

23. Même question qu'au précédent, mais avec la droite D dont une représentation paramétrique est :

$$\begin{cases} x = 2 + 3t \\ y = -6 - t \end{cases} \quad (t \in \mathbb{R})$$

CHAPITRE
20

BARYCENTRE

1. Pour prendre un bon départ

• A et B sont deux points donnés sur la droite D représentée ci-contre.
Sur cette droite nous plaçons le point I comme indiqué.
Pour caractériser la position de I par rapport à A et B, il y a plusieurs possibilités; en voici deux :

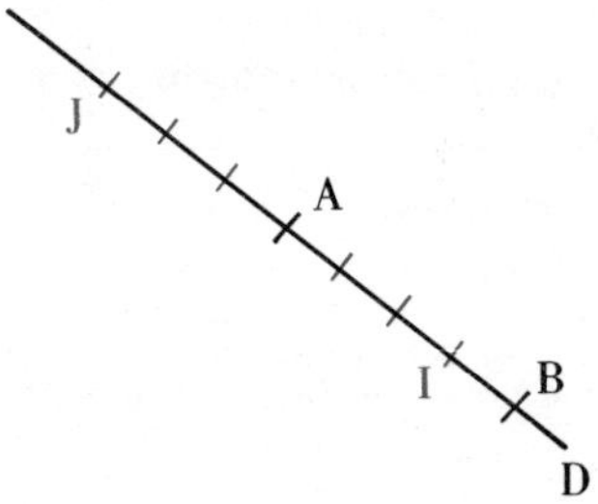

— à l'aide de *la distance :*

I est sur le segment [AB] et $AI = \frac{3}{4} AB$.

— à l'aide *des vecteurs :*

$$\overrightarrow{AI} = \frac{3}{4}\overrightarrow{AB} \left(\text{ou } \overrightarrow{BI} = -\frac{1}{4}\overrightarrow{AB}, \text{ ou...}\right).$$

EXERCICE Caractérisez la position de J sur la droite à l'aide de chacun de ces procédés.

• Par la suite, on attend de vous que vous sachiez placer un point K tel que $\overrightarrow{\mathbf{KA}} = \frac{\mathbf{7}}{\mathbf{5}}\overrightarrow{\mathbf{KB}}$, où A et B sont deux points donnés.

EXERCICE A la lecture de cette égalité, expliquez pourquoi :

a. K n'est pas sur le segment [AB]?

b. K est plus proche de B que de A?

Pour placer le point K, utilisons *la relation de Chasles,* afin de se ramener au cas précédent.

$$\overrightarrow{KA}=\frac{7}{5}(\overrightarrow{KA}+\overrightarrow{AB})$$

$$\overrightarrow{KA}=\frac{7}{5}\overrightarrow{KA}+\frac{7}{5}\overrightarrow{AB}$$

d'où : $-\frac{2}{5}\overrightarrow{KA}=\frac{7}{5}\overrightarrow{AB}$ et $\mathbf{\overrightarrow{AK}=\frac{7}{2}\overrightarrow{AB}}$.

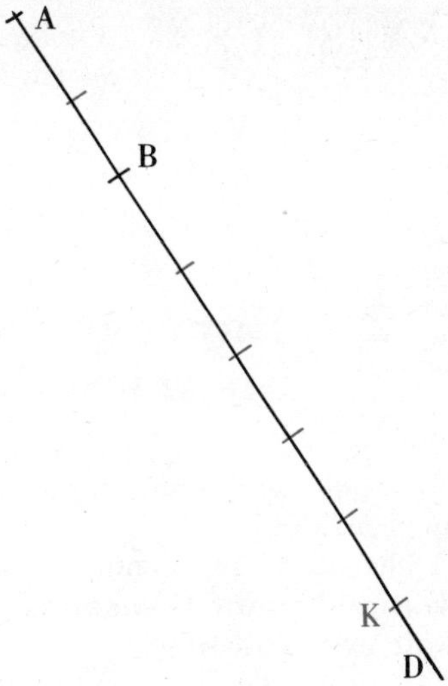

EXERCICES

1. Expliquez pourquoi les points G et G′ définis respectivement par :

$$\overrightarrow{GA}=-3\overrightarrow{GB} \quad \text{et} \quad 2\overrightarrow{G'A}=5\overrightarrow{G'B}$$

sont mal placés sur la droite D ci-dessous.

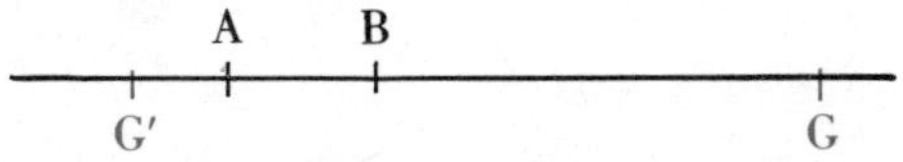

2. Placez sur la droite D précédente les points X, M et P tels que :

$$\overrightarrow{XA}=-\frac{7}{4}\overrightarrow{AB};\quad 2\overrightarrow{MA}+\overrightarrow{MB}=\vec{0};\quad \overrightarrow{PB}=-\frac{7}{3}\overrightarrow{PA}.$$

2. Approche

2.1. Idée de barycentre : équilibre d'un levier

AB est une tige *de masse négligeable,* pendue à un anneau dans lequel elle peut glisser.

- En A et B on suspend des objets de même masse : la tige est en équilibre lorsqu'on la suspend en son *milieu.*
- En A et B on suspend des objets de masses respectives 2 et 1 : l'expérience montre que la tige est en équilibre lorsqu'on la suspend au point I situé **entre A et B** tel que :

$$\mathbf{IB=2\,IA.}$$

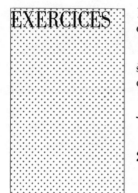

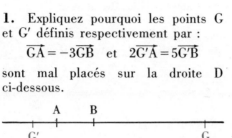

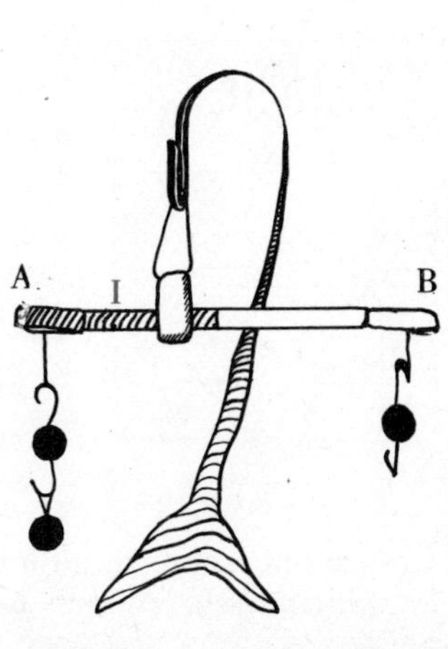

Le point I est *deux fois plus proche* de A que de B, car la masse de l'objet suspendu en A est *deux fois plus grande* que celle de l'objet placé en B.
I est aussi défini par :

$$\overrightarrow{IB}=-2\overrightarrow{IA}$$

ou

$$\mathbf{2\overrightarrow{IA}+\overrightarrow{IB}=\vec{0}.}$$

En mathématiques on traduit cette égalité par :
I est le barycentre des points massifs (A; 2) et (B; 1).

EXERCICE Expliquez pourquoi I est aussi le barycentre des points massifs (A; 8) et (B; 4).

2.2. Barycentre de trois points massifs : du levier au triangle

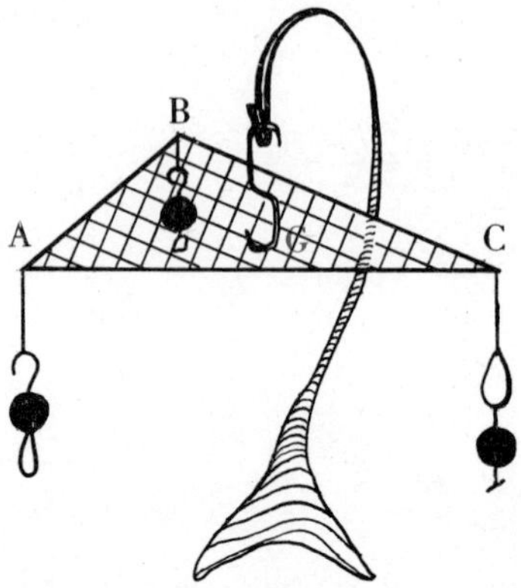

Voici ci-contre, un support triangulaire ABC de masse négligeable.
A chacun de ses sommets, on suspend un objet de masse 1.
En quel point G suspendre cet assemblage pour qu'il soit en équilibre?
Expérimentalement, on trouve un point G qui répond à la question.

On vérifie, aux erreurs d'expérience près que :

$$\overrightarrow{GA} + \overrightarrow{GB} + \overrightarrow{GC} = \vec{0}.$$

En classe de Troisième, vous avez défini ce point comme *le centre de gravité* du triangle ABC. On traduit aussi l'égalité précédente par :
G est le barycentre des points massifs (A; 1), (B; 1), (C; 1).

2.3. Barycentre et moyenne

- Alain vient de passer un examen d'entrée en classe de Première A : à l'épreuve de français il a eu 13, et à celle de mathématiques 8.

La *moyenne* de ses notes est $\frac{13+8}{2} = 10,5$.

Cette moyenne est supérieure à 10, Alain est admis.

- Aline, elle, vient de passer l'examen d'entrée en Première S : à l'épreuve de français, coefficient 2, elle a eu 13 et en mathématiques, coefficient 4, elle a eu 8.

EXERCICE

a. Quelle est la moyenne d'Aline? Est-elle admise?

b. Placez sur un axe le point F d'abscisse 13 et le point M d'abscisse 8.

- Quel point de cet axe représente la moyenne d'Alain? la moyenne d'Aline?
- Voyez-vous un lien entre cette situation et la notion de barycentre?

c. Quelle serait la moyenne d'Aline si le coefficient de français était 1, et celui de mathématiques 2?

Cet exercice montre qu'intuitivement le barycentre de deux points massifs apparaît comme le *point moyen*, compte tenu des masses, des coefficients.

3. Cours et applications

3.1. Définition du barycentre

a. Points massifs

Nous avons utilisé au paragraphe 2 l'expression « point massif ». Précisons sa signification : (A; a) est un *point massif*, signifie que A *est un point* et a *un réel.*
On a aussi introduit :

- le barycentre I des points massifs (A; 2), (B; 1); il vérifie :
$$2\overrightarrow{IA}+\overrightarrow{IB}=\vec{0};$$
- le barycentre G des points massifs (A; 1), (B; 1), (C; 1); il vérifie :
$$\overrightarrow{GA}+\overrightarrow{GB}+\overrightarrow{GC}=\vec{0}.$$

En mathématiques on est conduit à généraliser ces situations; d'où l'idée de se poser le problème suivant :
A, B, C sont trois points d'un plan; a, b, c des réels.
Existe-t-il un point M *du plan tel que*
$$a\overrightarrow{MA}+b\overrightarrow{MB}+c\overrightarrow{MC}=\vec{0}\ ?$$

Nous vous proposons de répondre à cette question à l'exercice 26 page 234.
Vous y verrez que dans le cas où $a+b+c\neq 0$, il existe un **unique** point M solution de ce problème.

D'où la définition suivante :

Définition

a, b, c sont des réels tels que $a+b+c\neq 0$.
Le barycentre des points massifs (A; a), (B; b), (C; c) est le point G tel que :
$$a\overrightarrow{GA}+b\overrightarrow{GB}+c\overrightarrow{GC}=\vec{0}.$$

On a des définitions analogues dans le cas :

- **de deux points massifs :** si $a+b\neq 0$,
G est le barycentre de (A; a), (B; b) signifie que :
$$a\overrightarrow{GA}+b\overrightarrow{GB}=\vec{0};$$
- **de quatre points massifs :** si $a+b+c+d\neq 0$,
G est le barycentre de (A; a), (B; b), (C; c), (D; d) signifie que :
$$a\overrightarrow{GA}+b\overrightarrow{GB}+c\overrightarrow{GC}+d\overrightarrow{GD}=\vec{0}.$$

Commentaires sur la définition

- Les réels a, b, c peuvent être *négatifs*. Il peut paraître bizarre d'affecter des points de masses négatives, mais même en physique cela s'impose : voir exercice 37 page 235.

- *Pourquoi la somme des masses doit-elle être non nulle?*

Envisageons le cas de deux points A et B **distincts,** et de réels tels que $\boldsymbol{b=-a}$ **et** $\boldsymbol{a \neq 0}$.
Alors $a+b=0$ et il n'existe pas de point G tel que $a\overrightarrow{GA}+b\overrightarrow{GB}=\vec{0}$.
En effet, il faudrait que :

$$a\overrightarrow{GA}-a\overrightarrow{GB}=\vec{0}$$
$$a\left(\overrightarrow{GA}-\overrightarrow{GB}\right)=\vec{0}$$
$$a\overrightarrow{BA}=\vec{0}$$

ce qui est impossible car $a \neq 0$ et $A \neq B$.

b. Isobarycentre

Dans le cas où toutes les masses sont égales, $a=b=c$, *non nulles,* G est l'**isobarycentre** de (A; a), (B; a), (C; a).

- **Cas de deux points massifs :**

a est un réel non nul.
I est l'isobarycentre de (A; a), (B; a).
D'après la définition précédente :

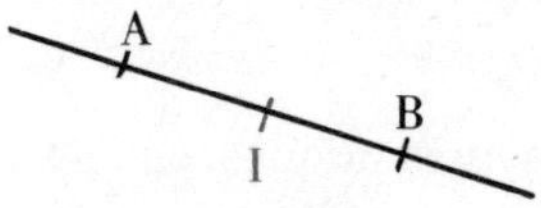

$$a\overrightarrow{IA}+a\overrightarrow{IB}=\vec{0} \qquad a\left(\overrightarrow{IA}+\overrightarrow{IB}\right)=\vec{0}$$
$$a \neq 0 \quad \text{donc} \quad \overrightarrow{IA}=-\overrightarrow{IB}.$$

L'isobarycentre de (A; a), (B; a) *est le milieu du segment* [AB].

- **Cas de trois points massifs :**

a est un réel non nul et ABC est un triangle.
L'isobarycentre G de (A; a), (B; a), (C; a) vérifie :

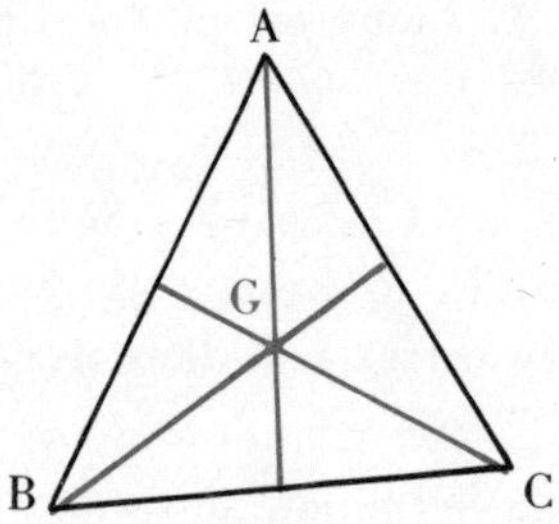

$$a\overrightarrow{GA}+a\overrightarrow{GB}+a\overrightarrow{GC}=\vec{0}$$

soit $$\overrightarrow{GA}+\overrightarrow{GB}+\overrightarrow{GC}=\vec{0}.$$

Vous avez établi en classe de Troisième que :
G *est le centre de gravité de* ABC, à savoir *le point d'intersection des médianes du triangle.*
Au paragraphe 3.3.*a.* nous vous proposons une nouvelle démonstration de ce résultat.

3.2. Propriétés

a. Coefficient multiplicateur

a, b, c sont des réels tels que $a+b+c \neq 0$.
G est le barycentre des points massifs (A; a), (B; b), (C; c).
Pour tout réel k, on a alors :

$$ka\overrightarrow{GA}+kb\overrightarrow{GB}+kc\overrightarrow{GC}=\vec{0}.$$

D'où, si $\boldsymbol{k \neq 0}$, G est le barycentre de (A; ka), (B; kb), (C; kc).

Théorème 1

> **a, b, c sont des réels tels que $a+b+c \neq 0$.**
> **Si G est le barycentre de (A; a), (B; b), (C; c), alors pour tout réel $k \neq 0$, G est aussi le barycentre de (A; ka), (B; kb), (C; kc).**

Commentaire sur l'isobarycentre

a est un réel non nul.
Si I est l'isobarycentre de (A; a), (B; a), (C; a)
il est aussi celui de (A; 1), (B; 1), (C; 1)
ou (A; $\sqrt{2}$), (B; $\sqrt{2}$), (C; $\sqrt{2}$), ou...

Aussi, par abus de langage disons-nous : I est l'isobarycentre de A, B, C (sans préciser les masses), ou encore si ABC est un triangle, **I est l'isobarycentre du triangle ABC.**

b. Une propriété fondamentale

a, b, c sont des réels tels que $a+b+c \neq 0$.
G est le barycentre des points massifs (A; a), (B; b), (C; c); il vérifie donc :

$$a\overrightarrow{GA} + b\overrightarrow{GB} + c\overrightarrow{GC} = \vec{0}.$$

M est un point; d'après la relation de Chasles :

$$\begin{aligned} a\overrightarrow{MA} + b\overrightarrow{MB} + c\overrightarrow{MC} &= a(\overrightarrow{MG} + \overrightarrow{GA}) + b(\overrightarrow{MG} + \overrightarrow{GB}) + c(\overrightarrow{MG} + \overrightarrow{GC}) \\ &= (a+b+c)\overrightarrow{MG} + a\overrightarrow{GA} + b\overrightarrow{GB} + c\overrightarrow{GC} \\ &= (a+b+c)\overrightarrow{MG}. \end{aligned}$$

Théorème 2 (Propriété fondamentale)

> **a, b, c sont des réels tels que $a+b+c \neq 0$.**
> **G est le barycentre des points massifs (A; a), (B; b), (C; c).**
> **Alors pour tout point M :** $\overrightarrow{MG} = \dfrac{1}{a+b+c}(a\overrightarrow{MA} + b\overrightarrow{MB} + c\overrightarrow{MC})$.

Commentaire

Dans le cas de deux points massifs (A; a), (B; b) avec $a+b \neq 0$, la propriété fondamentale pour M en A donne :

$$\overrightarrow{AG} = \frac{b}{a+b}\overrightarrow{AB}.$$

Les vecteurs $\overrightarrow{AG}$ et $\overrightarrow{AB}$ sont colinéaires; G est sur (AB).

c. Conséquences de la propriété fondamentale

• *Construction du barycentre de deux points massifs : exemple*
A et B sont deux points distincts d'une droite D.
G est le barycentre de (A; −2), (B; 5).
D'après la propriété fondamentale : pour tout point M,

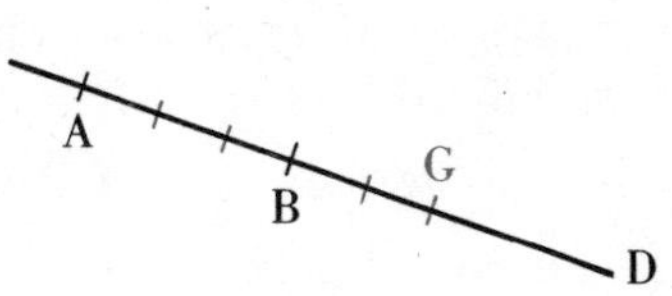

$$\overrightarrow{MG} = \frac{1}{-2+5}(-2\overrightarrow{MA} + 5\overrightarrow{MB}).$$

En particulier, si M est en A, il vient :

$$\overrightarrow{AG} = \frac{5}{3}\overrightarrow{AB}.$$

A l'aide d'une règle graduée, on place G comme indiqué ci-dessus, aux erreurs de mesure près. En effet, il n'est pas toujours facile de prendre un tiers de la longueur AB.

• *Coordonnées d'un barycentre : exemple*
$(O; \vec{i}, \vec{j})$ est un repère orthonormé du plan.

A et B sont les points de coordonnées respectives (2; −2) et (−2; 1).

Déterminons les coordonnées du barycentre G des points massifs (A; −1), $\left(B; \frac{5}{2}\right)$.

La propriété fondamentale nous permet d'écrire :

pour tout point M, $\overrightarrow{MG} = \frac{1}{-1+\frac{5}{2}}\left(-\overrightarrow{MA} + \frac{5}{2}\overrightarrow{MB}\right)$.

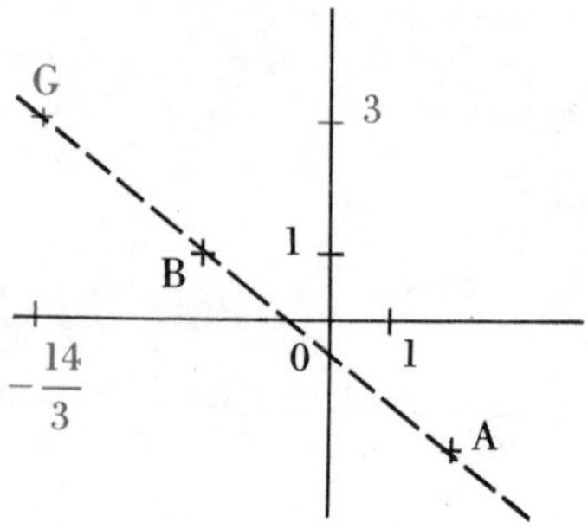

En particulier, si M est à l'origine O du repère :

$$\overrightarrow{OG} = \frac{2}{3}\left(-\overrightarrow{OA} + \frac{5}{2}\overrightarrow{OB}\right).$$

Les vecteurs $\overrightarrow{OG}$, $\overrightarrow{OA}$, $\overrightarrow{OB}$ ont mêmes coordonnées dans la base $(\vec{i}, \vec{j})$ que les points G, A, B dans $(O; \vec{i}, \vec{j})$.

Donc, si $(x; y)$ est le couple des coordonnées de G :

$$\boldsymbol{x} = \frac{2}{3}\left(-2 + \frac{5}{2}(-2)\right) = -\frac{\mathbf{14}}{\mathbf{3}}$$

$$\boldsymbol{y} = \frac{2}{3}\left(-(-2) + \frac{5}{2}\times 1\right) = \mathbf{3}.$$

Commentaire

Nous ne déterminons pas, *dans le cas général,* les coordonnées du barycentre de quatre, trois ou deux points massifs, car *la démarche est la même.*

d. Théorème du barycentre partiel

• *Construction du barycentre de trois points massifs : exemple*
ABC est un triangle.

Comment construire le barycentre des points massifs (A; 4), (B; 1), (C; −3)?
Le point G est défini par : $4\overrightarrow{GA} + \overrightarrow{GB} - 3\overrightarrow{GC} = \vec{0}$.

Introduisons le barycentre H des points massifs (A; 4), (C; −3) :
pour tout point M, $\overrightarrow{MH} = 4\overrightarrow{MA} - 3\overrightarrow{MC}$.

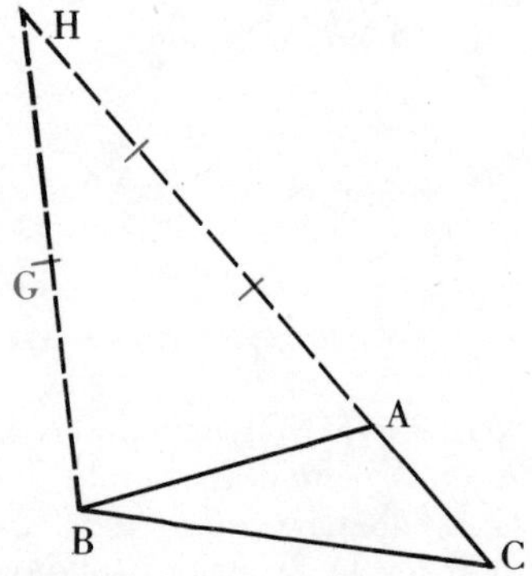

— pour M en A, il vient $\overrightarrow{AH} = -3\overrightarrow{AC}$, d'où la construction de H sur la figure ci-contre;

— pour M en G, il vient $\overrightarrow{GH} = 4\overrightarrow{GA} - 3\overrightarrow{GC}$,
l'égalité $4\overrightarrow{GA} + \overrightarrow{GB} - 3\overrightarrow{GC} = \vec{0}$ s'écrit alors :

$$\overrightarrow{GB} + \overrightarrow{GH} = \vec{0}.$$

G *est donc l'isobarycentre des points* B *et* H, c'est-à-dire le milieu du segment [BH].
En résumé, tout revient à :

• remplacer les points massifs (A; 4), (C; −3) par leur barycentre H affecté de la masse $4+(-3)=1$;

• à considérer G comme le barycentre de (B; 1), (H; 1).

De façon plus générale, *nous admettrons le théorème suivant :*

Théorème 3 (du barycentre partiel)

> **a, b, c sont des réels tels que $a+b+c \neq 0$.**
> **Supposons $a+b \neq 0$, et notons H le barycentre de (A; a), (B; b).**
> **Alors le barycentre G des points massifs (A; a), (B; b), (C; c) est le même que celui de (H; $a+b$), (C; c).**

Commentaire

Nous énonçons ce théorème en regroupant A et B, il est clair que l'on peut aussi bien regrouper B et C si $b+c \neq 0$, ou A et C si $a+c \neq 0$. Nous l'énonçons pour trois points massifs, mais il peut s'utiliser aussi pour quatre.

3.3. Applications des barycentres

a. Comment démontrer que des droites sont concourantes?

On peut utiliser le théorème du barycentre partiel en construisant un barycentre de plusieurs façons. En voici un exemple que vous connaissez bien : profitez-en pour comparer la simplicité de cette démonstration par rapport à celle de la classe de Troisième.

Démontrons que les médianes d'un triangle sont concourantes.

Affectons à chaque sommet A, B, C du triangle la masse 1. Notons G l'isobarycentre de ce triangle.

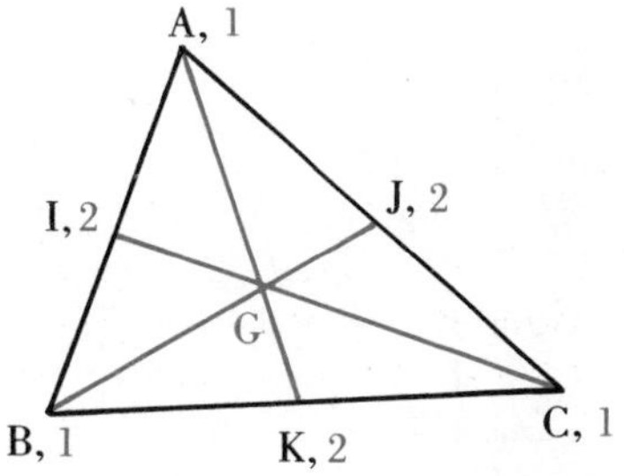

- *Première construction de* G : remplaçons (A; 1), (B; 1) par le milieu I de [AB], affecté de la masse 2.
G est alors le barycentre de (I; 2), (C; 1) et G est sur la médiane (CI).
- *Deuxième construction :* si J est le milieu de [AC], alors G est le barycentre de (B; 1), (J; 2) et G est sur la médiane (BJ).
- *Troisième construction :* si K est le milieu de [BC], on montre de même que G est sur la médiane (AK).

Donc *les médianes de* ABC *sont concourantes en* G, *isobarycentre de* ABC.

b. Barycentre et physique : centre d'inertie

En physique, vous avez rencontré la notion de centre d'inertie d'un solide S.
Lorsque S est une plaque homogène d'épaisseur constante, de forme rectangulaire, son centre d'inertie est le centre de ce rectangle.
Lorsque S est constitué de deux solides S_1 et S_2 de centres d'inertie respectifs C_1 et C_2 et de masses respectives m_1 et m_2, le centre d'inertie de S est le point C tel que $m_1\overrightarrow{CC_1} + m_2\overrightarrow{CC_2} = \vec{0}$.

EXERCICES

1. Interprétez cette égalité à l'aide de la notion de barycentre.

2. S est le solide ci-contre, découpé dans une plaque homogène et d'épaisseur constante.

a. S est l'assemblage de deux solides S_1 et S_2. Précisez ces solides et leurs centres d'inertie C_1 et C_2.

b. Les masses m_1 et m_2 de S_1 et S_2 sont proportionnelles à leurs aires respectives. Pourquoi?

c. Déduisez-en la construction du centre d'inertie de S.

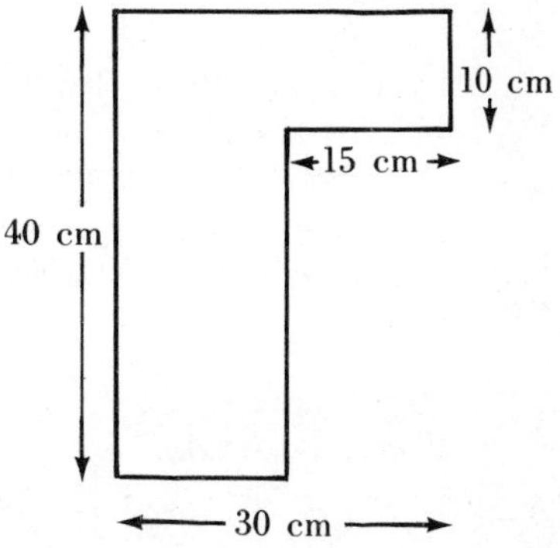

4. Pour aller plus loin

Conservation du barycentre par certaines transformations

a et b sont des réels tels que $a+b \neq 0$.
G est le barycentre des points massifs (A; a), (B; b).
Pour tout point M :

$$\overrightarrow{MG} = \frac{1}{a+b}\left(a\overrightarrow{MA} + b\overrightarrow{MB}\right).$$

Pour M en A :

$$\overrightarrow{AG} = \frac{b}{a+b}\overrightarrow{AB}.$$

Les points G, A, B sont alignés, et si A a pour abscisse 0, B pour abscisse 1, alors G est le point d'abscisse $\frac{b}{a+b}$ dans le repère (A, B).

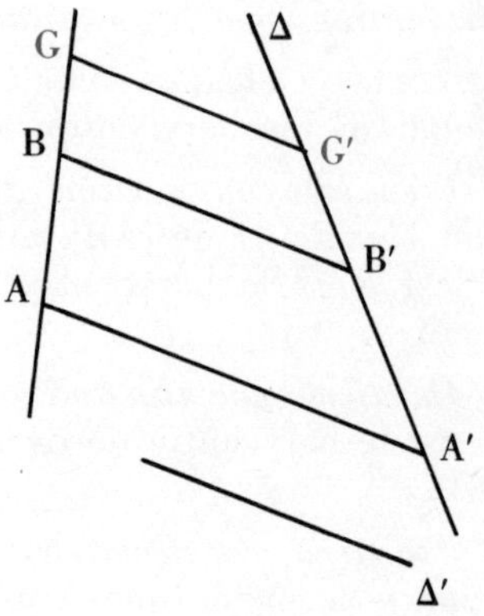

p est la projection sur une droite Δ parallèlement à une droite Δ′ (non parallèle à Δ et non parallèle à (AB)).
Notons : $A' = p(A)$; $B' = p(B)$; $G' = p(G)$.
G′ peut-il s'interpréter comme un barycentre de A′ et B′? Si oui, avec quelles masses?
Les droites (AA′), (BB′) et (GG′) sont parallèles.
D'après le théorème de Thalès (voir page 174), nous avons :

$$\frac{\overline{AG}}{\overline{AB}} = \frac{\overline{A'G'}}{\overline{A'B'}} = \frac{b}{a+b} \quad \text{soit} \quad \overline{A'G'} = \frac{b}{a+b}\overline{A'B'}.$$

Autrement dit :

$$\overrightarrow{A'G'} = \frac{b}{a+b}\overrightarrow{A'B'}$$

$$(a+b)\overrightarrow{A'G'} = b\overrightarrow{A'B'}$$

et d'après *la relation de Chasles :*

$$(a+b)\overrightarrow{A'G'} = b\left(\overrightarrow{A'G'} + \overrightarrow{G'B'}\right)$$

soit :

$$a\overrightarrow{G'A'} + b\overrightarrow{G'B'} = \vec{0}.$$

G′ est donc le barycentre des points massifs (A′; a), (B′; b) : remarquez que les masses sont les mêmes qu'en A et B.
Cette propriété se traduit par :
les projections (sur une droite parallèlement à une droite) **conservent le barycentre de deux points massifs.**

Vous verrez dans les classes ultérieures que de telles applications, qui conservent le barycentre, jouent un rôle important en géométrie.

EXERCICES

1. Démontrez qu'une translation conserve le barycentre de deux points massifs.

2. $h(O; k)$ est une homothétie de centre O et rapport k. Démontrez que h conserve le barycentre de deux points massifs.

EXERCICES

Pour tester vos connaissances

1. Indiquez si les barycentres définis ci-dessous se trouvent sur la demi-droite Ax, le segment [AB] ou la demi-droite By.

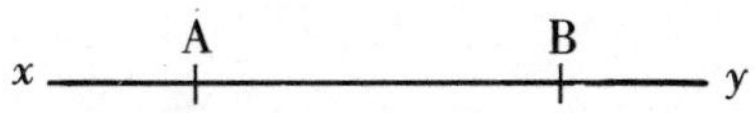

a) (A; 3), (B; 4).

b) (A; 0), (B; -1).

c) (A; 1), (B; -2).

d) (A; -2), (B; 2).

e) (A; -1), (B; 3).

f) (A; -2), (B; -3).

2. G est le barycentre des points massifs (A; a), (B; b), (C; c) avec $a+b+c \neq 0$. Dans chacun des cas suivants, précisez la position de G par rapport au triangle ABC.

a) A, B, C sont confondus.

b) $a=b=0$, $c \neq 0$.

c) $a=0$, $b+c \neq 0$.

d) $a=b=c$.

3. M est un point de la droite (AB); écrivez M comme barycentre de (A; a) et (B; b) dans les cas suivants :

a) AM = 3BM et, M entre A et B.

b) MB = 2AM et, M n'appartient pas à [AB].

c) $\text{MB} = \frac{7}{2}\text{AB}$ et, M plus proche de B que de A.

d) $\overrightarrow{\text{MA}} - 2\overrightarrow{\text{MB}} = \vec{0}$.

e) $2\overrightarrow{\text{MA}} + 3\overrightarrow{\text{AB}} = \vec{0}$.

4. Indiquez dans quelle région, numérotée ci-dessous, se trouve chacun des barycentres suivants :

a) (A; 2), (B; 2), (C; -1).

b) (A; 1), (B; -1), (C; 1).

c) (A; 1), (B; 2), (C; -4).

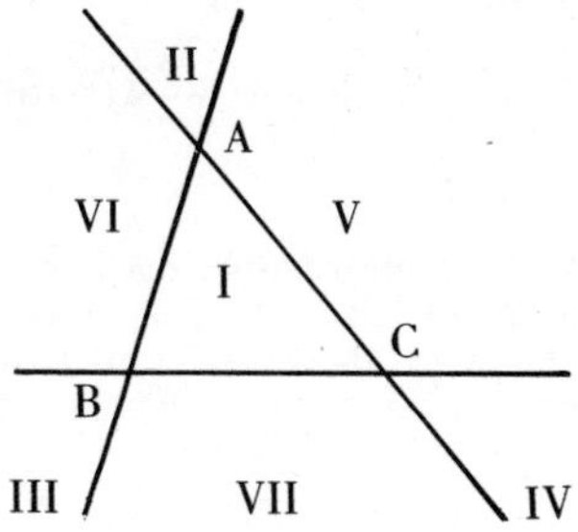

Exercices d'entraînement

Barycentre de deux points massifs

Pour les exercices 1 à 6, construisez le barycentre des points massifs suivants.

1. (A; 3), (B; 6).

2. (A; 3), (B; -2).

3. (M; 1), (N; -4).

4. $\left(\text{U}; \frac{3}{2}\right)$, $\left(\text{V}; \frac{4}{3}\right)$.

5. $\left(\text{I}; \frac{\sqrt{2}}{2}\right)$, $\left(\text{J}; \frac{1}{\sqrt{2}}\right)$.

6. $\left(\text{A}; -\frac{25}{3}\right)$, $\left(\text{B}; \frac{11}{6}\right)$.

Pour les exercices 7 à 11, déterminez des réels a et b pour que G soit le barycentre des points massifs (A; a), (B; b).

7. $\overrightarrow{AB} = 2\overrightarrow{GB}$.

8. $2\overrightarrow{GA} - 5\overrightarrow{BA} = \vec{0}$.

9. $2\overrightarrow{AB} - \overrightarrow{GA} + \overrightarrow{GB} = \vec{0}$.

10. $6\overrightarrow{GC} = \overrightarrow{CA} + 2\overrightarrow{CB}$.

11. G est le symétrique de B par rapport à A.

12. A, B, C, D sont quatre points distincts du plan.
Construisez le point M tel que :

$$\overrightarrow{MA} + \overrightarrow{MB} = \overrightarrow{MD} - \overrightarrow{MC}.$$

13. I est le barycentre des points massifs (A; 4), (B; k) où k est un réel différent de -4.
J est le barycentre de (A; m), (B; $-4m$) où m est un réel non nul.

a) Pouvez-vous déterminer k pour que I et J soient confondus?

b) Est-il possible que $\overrightarrow{IJ} + \frac{8}{3}\overrightarrow{AB} = \vec{0}$?

14. Démontrez que les barycentres G et H des points massifs respectifs : (A; 4), (B; -3) et (A; -3), (B; 4), sont symétriques par rapport au milieu de [AB].

Barycentre de trois points massifs

Pour les exercices 15 à 20, ABC est un triangle; construisez le barycentre des points massifs (A; a), (B; b), (C; c).

15. $a = b = 1$, $c = 2$.

16. $a = 1$, $b = -2$, $c = -3$.

17. $a = 0$, $b = 2$, $c = -4$.

18. $a = -2$, $b = \frac{1}{2}$, $c = 2$.

19. $a = -\frac{1}{2}$, $b = -1$, $c = 1$.

20. $a = 3$, $b = -4$, $c = 1$.

21. ABC est un triangle.
Montrez que si $\overrightarrow{AM} = 2\overrightarrow{AB} + 3\overrightarrow{AC}$, alors M est barycentre des points massifs (A; a), (B; b), (C; c) où a, b, c sont des réels à préciser.

22. ABCD est un parallélogramme et E un point du plan.
Montrez que les points E, A, C et E, B, D ont le même isobarycentre.

23. Un triangle ABC est tel que $AB = AC = a$ et $\widehat{BAC} = \frac{2\pi}{3}$ rad.

a) Déterminez le réel b tel que $BC = b$.

b) Déterminez le barycentre des points massifs (A; b), (B; a), (C; a).

24. A, B, C sont trois points non alignés, et I le point tel que :

$$\overrightarrow{AI} = \overrightarrow{AB} + \frac{1}{2}\overrightarrow{AC}.$$

De quelles masses faut-il affecter les points A, B, C pour que I soit le barycentre de ces points massifs?

25. a est un réel positif non nul.
G est le barycentre des points massifs (A; a), (B; $-a$), (C; a).
Déterminez G comme intersection de trois droites.
Quelle est la nature du quadrilatère ABCG?

26. f est la fonction du plan affine P dans le plan vectoriel $\mathcal{V}$ telle que :

$$M \longmapsto f(M) = a\overrightarrow{MA} + b\overrightarrow{MB} + c\overrightarrow{MC}$$

où A, B, C sont les points de P et a, b, c des réels.

a) O est un point de P.
Montrez que $f(M) = f(O) - (a + b + c)\,\overrightarrow{OM}$.

b) Si $a + b + c \neq 0$, montrez que $f(M) = \vec{0}$ *si et seulement si :*

$$\overrightarrow{OM} = \frac{1}{a+b+c}\left(a\overrightarrow{OA} + b\overrightarrow{OB} + c\overrightarrow{OC}\right).$$

c) Si $a + b + c = 0$, montrez qu'il existe un vecteur $\vec{V}$ tel que pour tout point M, $f(M) = \vec{V}$.
Dans ce cas, quels sont les points M tels que $f(M) = \vec{0}$? (envisagez deux cas : $\vec{V} = \vec{0}$ ou $\vec{V} \neq \vec{0}$).

Barycentre de quatre points massifs

27. ABCD est un parallélogramme.
Quel est son isobarycentre?
Construisez-le de plusieurs façons.

28. ABCD est un rectangle.
Construisez le barycentre des points massifs (A; 1), (B; 1), (C; 1), (D; 3).

29. A, B, C, D sont quatre points du plan.

a) Construisez les barycentres G de (A; 4), (B; −1), (C; 1), (D; −2) et G′ de (A; −2), (B; 3), (C; −4), (D; 6).

b) Construisez le barycentre H de (G; 2), (G′; 1).

c) Pourquoi H est-il sur la droite (AC)?

30. ABCD est un quadrilatère et a un réel non nul.

a) Construisez le barycentre des points massifs $\left(A; \frac{a}{2}\right)$, $\left(C; \frac{a}{2}\right)$, (D; a), puis le barycentre de (B; a), $\left(A; \frac{a}{2}\right)$, $\left(C; \frac{a}{2}\right)$.

b) Déduisez-en une construction de l'isobarycentre de A, B, C, D.

Barycentres et repères cartésiens

31. A et B sont deux points de l'axe de repère $(O; \vec{i})$, d'abscisses respectives 2 et −1.
Déterminez l'abscisse du barycentre des points massifs (A; 3), (B; 2).

32. Dans un repère orthonormé $(O; \vec{i}, \vec{j})$ du plan, A, B, C sont les points de coordonnées respectives (0; 1), (1; 0), (4; 0).

a) Déterminez les coordonnées de l'isobarycentre G du triangle ABC.

b) Déterminez des équations des médianes du triangle ABC et vérifiez qu'elles se coupent en G.

33. $(O; \vec{i}, \vec{j})$ est un repère orthonormé du plan. A, B, C sont les points de coordonnées respectives (0; 1), (3; 2), (2; −1).
Déterminez les réels a et b pour que le point G de coordonnées (−3; −4) soit barycentre de (A; a), (B; b), (C; 3).

Étude de figures

34. ABCD est un quadrilatère. I, J, K, L, M, N sont respectivement les milieux des segments [AB], [CD], [AD], [BC], [AC], [BD].

a) Montrez que les segments [IJ], [KL], [MN] sont sécants en un point O, dont vous préciserez la position sur chacun de ces segments.

b) A′, B′, C′, D′ sont les isobarycentres respectifs de B, C, D; A, C, D; A, B, D et A, B, C.
Démontrez que les segments [AA′], [BB′], [CC′], [DD′] ont un point commun G, dont vous préciserez la position.

35. $(O; \vec{i}, \vec{j})$ est un repère orthonormé du plan. A, B, C, D sont les points de coordonnées (1; 0), (0; 3), (3; 7), (7; 5). I est le milieu de [AB], J le milieu de [CD].
M est le barycentre de (B; 1), (D; 4) et N celui de (A; 1), (C; 4).

a) Trouvez les coordonnées de I, J, M, N.

b) K est le milieu de [MN]; démontrez que I, J, K sont alignés.

c) Retrouvez géométriquement ce résultat sans utiliser les coordonnées.

Barycentres et physique : centres d'inertie

36. Trois plaques carrées homogènes, d'épaisseur constante, de côté $a = 20$ cm et de masses $m = 400$, $m' = 200$, $m'' = 600$ en grammes, sont disposées comme l'indique la figure ci-dessous.
Déterminez la position du centre d'inertie du système matériel formé par ces plaques.

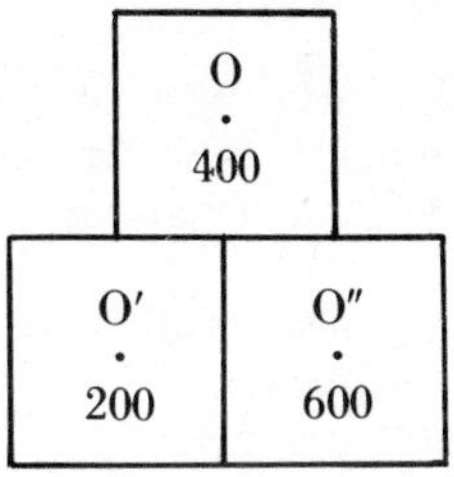

37. D est une plaque circulaire homogène et d'épaisseur constante, de centre C et de rayon 6 cm. Dans cette plaque on découpe un disque d de diamètre CA, de centre C′ comme indiqué sur la figure ci-dessous.
S est le solide ainsi constitué.
Déterminez le centre d'inertie I du solide S.

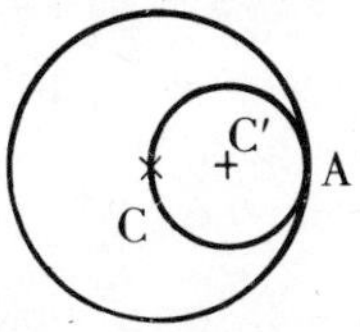

Commentaire : en physique, pour tenir compte de la suppression du disque d, on compte négativement sa masse. Aussi I est le barycentre de (C; m), (C′; m').

CHAPITRE
21

ARCS ORIENTÉS. ANGLES ORIENTÉS. MESURES

1. Pour prendre un bon départ

1.1. Secteur angulaire. Angle géométrique d'un secteur angulaire

Deux demi-droites x et y de même origine O déterminent deux régions du plan. Chacune de ces régions est un secteur angulaire.
L'un de ces secteurs est dit **saillant** (hachuré sur la figure), l'autre est dit **rentrant.**

Le saillant est noté $[\widehat{xOy}]$ ou $[\widehat{yOx}]$; le rentrant : $[\overset{\smile}{xOy}]$ ou $[\overset{\smile}{yOx}]$.

L'angle géométrique d'un secteur est l'ensemble de tous les secteurs qui lui sont superposables. On le note $\widehat{xOy}$ pour un saillant; $\overset{\smile}{xOy}$ pour un rentrant.

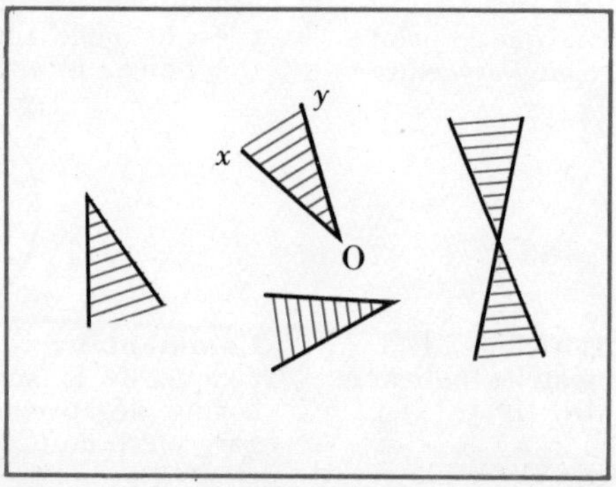

1.2. Mesure de l'angle géométrique d'un secteur angulaire. Unités de mesure

Le dessin ci-contre montre des secteurs angulaires et leur mesure respective (en degrés).

Une unité de mesure étant choisie, nous admettons qu'à chaque angle géométrique est associée une *seule* mesure qui s'exprime par un réel *positif*.

Les **unités** usuelles de mesures sont le **degré** (deg), le **grade** (gr), le **radian** (rad).

Ces unités sont liées entre elles par la **correspondance** suivante :

π radians correspondent à 180 degrés;
π radians correspondent à 200 grades.

Ainsi, si x, y, z sont les réels qui expriment respectivement la mesure en degrés, en radians et en grades d'un *même* secteur, alors on a : $\frac{x}{180}=\frac{y}{\pi}=\frac{z}{200}$.

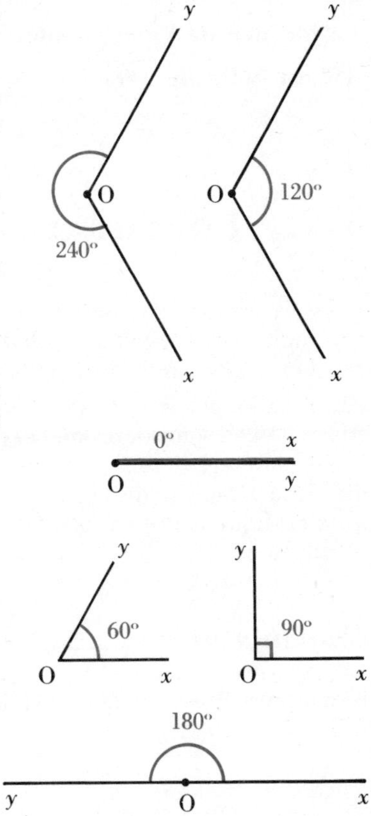

Exemple

Un secteur a pour mesure $\frac{7\pi}{9}$ *radians.*
Quelle est sa mesure en degrés?
Désignant par x le réel qui exprime la mesure en degrés, nous avons : $x=\frac{180}{\pi}\times\frac{7\pi}{9}=140$.

EXERCICE **Conversions.** Convertissez en degrés, puis en grades :
$\frac{\pi}{20}$ rad; $\frac{7\pi}{6}$ rad; 15,8 rad; 0,3 rad.

La mesure d'un angle géométrique est comprise entre 0 et 360 en degrés, 0 et 2π en radians 0 et 400 en grades.
On dit très souvent, par exemple, l'angle $\widehat{xOy}$ est de 45 degrés, et on écrit : $\widehat{xOy}=45$ (deg).

1.3. Arc de cercle géométrique. Mesure d'un arc géométrique

a. Arc géométrique

$\mathcal{C}$ est un cercle de centre O, de rayon r.
On appelle arc géométrique de $\mathcal{C}$ l'ensemble des points que constitue l'intersection de $\mathcal{C}$ avec un secteur angulaire d'origine O et de demi-droites x, y.
Si A et B sont respectivement les points d'intersection de $\mathcal{C}$ avec x et y, on note l'arc correspondant au secteur saillant par $\widehat{AB}$ ou $\widehat{BA}$.
L'arc correspondant au secteur rentrant est noté $\breve{AB}$ ou $\breve{BA}$.

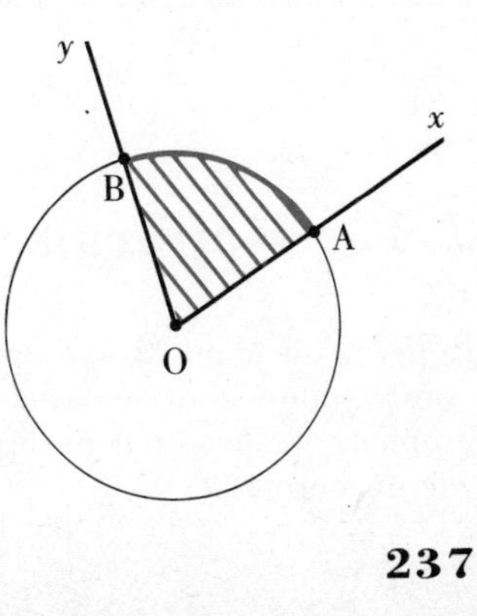

b. Mesure d'un arc géométrique

Par définition :

La mesure de l'arc géométrique $\widehat{AB}$ est la mesure de l'angle $\widehat{xOy}$; celle de $\overset{\smile}{AB}$ est celle de $\overset{\frown}{xOy}$.

1.4. Longueur d'un arc géométrique

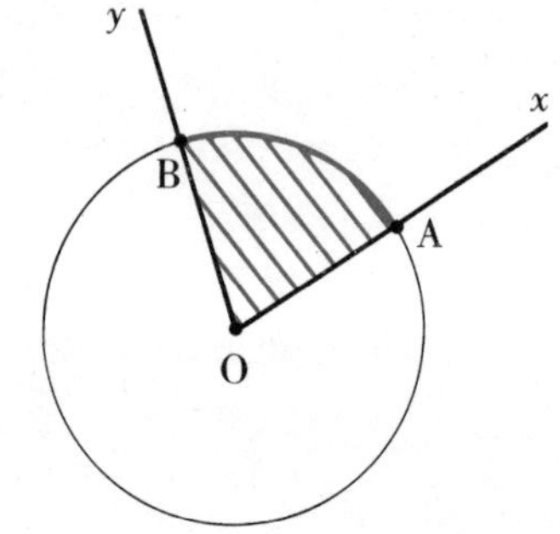

α est la mesure en *radians* de l'arc $\widehat{AB}$ de $\mathcal{C}$.
Une unité de longueur est choisie dans le plan.
Si, dans cette unité de longueur, le rayon de $\mathcal{C}$ s'exprime par r, la longueur l de $\widehat{AB}$ s'exprime par : $\boldsymbol{l = r\alpha}$.
Alors, si l'on considère un **cercle de rayon 1,** on a $\boldsymbol{l = \alpha}$.
Le même réel définit à la fois la mesure en radians d'un arc et la longueur de cet arc.
Cela explique pourquoi, dans la suite, on utilisera des cercles de rayon 1.

Commentaire

Remarquez que la longueur d'un cercle de rayon r est $2\pi r$.

EXERCICE

$\mathcal{C}$ est un cercle de longueur 54 cm.

A et B sont deux points de $\mathcal{C}$. Un des deux arcs géométriques déterminés par A et B a une longueur de 18 cm.

Donnez la mesure de cet arc en radians; en degrés.

2. Approche

2.1. Repérage d'un point sur un cercle

Repérer un point M sur un cercle, c'est associer à ce point un réel (ou plusieurs) de façon que la donnée de ce réel (ou de l'un d'eux) permette de situer M sans ambiguïté. Ce problème se pose par exemple lors de l'étude du mouvement d'un point mobile se déplaçant sur un cercle.

2.2. Repérage d'un point sur un cercle de rayon 1. Mesures associées à un couple de points de ce cercle

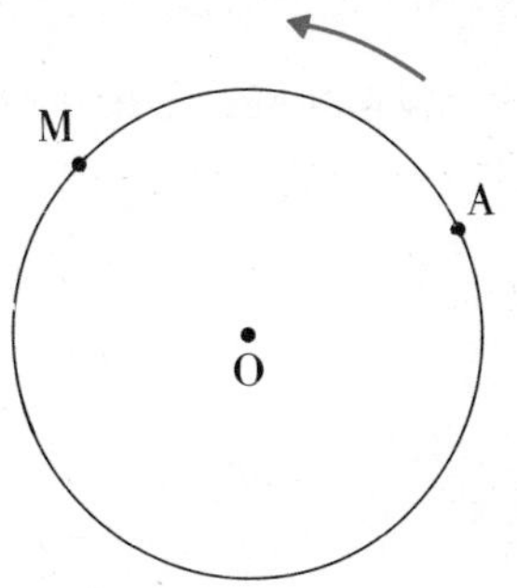

$\mathcal{C}$ est le cercle de centre O et de rayon 1. A est un point choisi sur $\mathcal{C}$.
Quel réel choisir pour repérer un point M *de* $\mathcal{C}$?
On pense à la longueur du trajet sur le cercle pour aller de A à M. (*Rappel :* la longueur d'un trajet s'exprime toujours par un réel positif.)
Mais il y a *deux* façons pour aller de A à M. La première en allant dans le sens de la flèche (voir dessin ci-contre), la deuxième en allant dans le sens contraire.
En outre, dans chacun des cas, un mobile allant de A à M peut faire un trajet comportant plusieurs tours complets.

a. Orientation du cercle

Convenons de dire que le sens de la flèche (voir dessin ci-dessus) est le **sens positif** et que le sens contraire est le **sens négatif.**
Ayant opéré ce choix, on dit qu'on a orienté le cercle.

b. Mesures positives

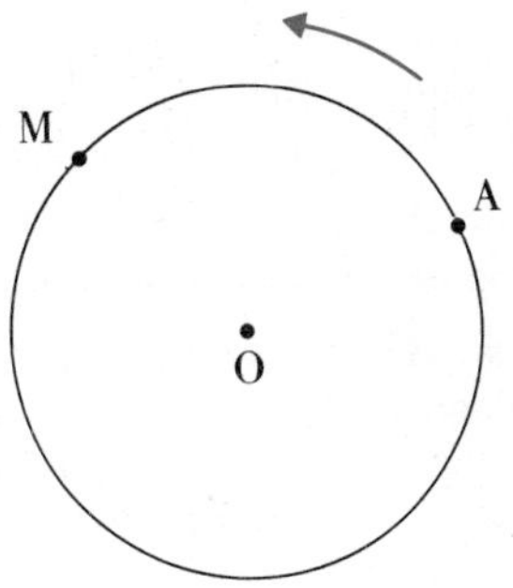

Pour aller de A à M, on choisit le sens positif.
La longueur l du trajet parcouru par un mobile partant de A et arrivant une **première** fois en M est une **mesure** associée au couple (A, M).
Le sens de parcours est le sens positif, et cette mesure l de (A, M) est aussi positive.
Lorsque le mobile continue sa course dans le sens positif et arrive une **deuxième** fois en M, il a parcouru un trajet de longueur : $l+2\pi$.
Lorsqu'il arrive une $(k+1)$-ième fois en M, il a parcouru un trajet de longueur $l+(2\pi)\times k=l+2k\pi$.
On dit que les **réels $l+2k\pi$ sont des mesures de (A, M).**
La donnée d'une de ces mesures permet de situer M comme le montre l'exemple suivant.

Exemple

Une mesure de (A, M) *est* $\frac{77\pi}{3}$. *Placez le point* M *(*A *étant connu comme il a déjà été dit).*

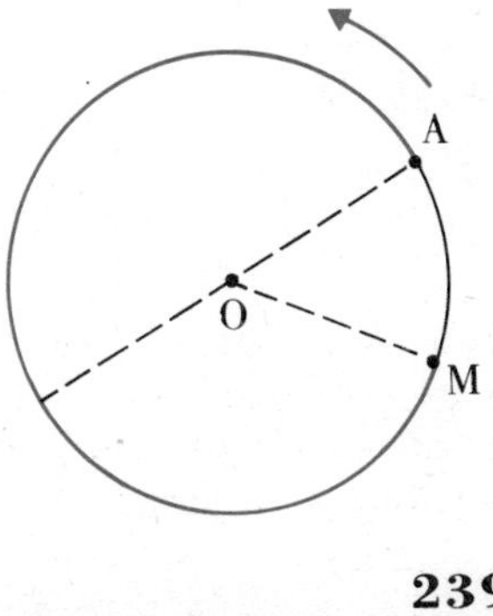

Dire que $\frac{77\pi}{3}$ est une mesure de (A, M) signifie qu'un trajet de A à M dans le sens *positif* a pour longueur $\frac{77\pi}{3}$.
La longueur du cercle étant 2π, faisons apparaître le plus grand multiple de 2π qui soit inférieur à $\frac{77\pi}{3}$.
Écrivons : $\frac{77\pi}{3}=\frac{72\pi}{3}+\frac{5\pi}{3}=24\pi+\frac{5\pi}{3}=12\times(2\pi)+\frac{5\pi}{3}$.

Ainsi, ce trajet de A à M a été fait en parcourant douze fois le cercle à partir de A et dans le sens positif; le mobile est alors revenu en A, puis à partir de A et dans le sens positif, a effectué un trajet de longueur $\frac{5\pi}{3}$. Il parvient alors au point M, situé comme il a été indiqué sur la figure. $\left(\text{La longueur de l'arc en couleur est } \frac{5\pi}{3}.\right)$

EXERCICE

La situation est celle de l'exemple ci-dessus.

a. Donnez toutes les mesures positives associées au couple (A, M).

b. Quelle est la plus petite de ces mesures?

c. Donnez toutes les mesures positives associées au couple (M, A).

c. Mesures négatives

Pour aller de A à M on choisit le sens négatif.

Rappelons que, allant de A à M dans le sens positif, le mobile arrivant une première fois en M a parcouru un trajet de longueur l.

La longueur du trajet parcouru (en couleur sur la figure) par le mobile partant de A dans le sens négatif et arrivant une première fois en M est donc : $2\pi - l$.

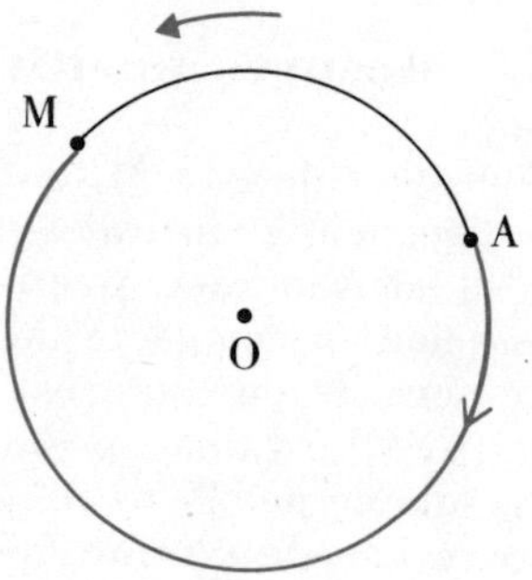

Pour indiquer que ce trajet a été effectué dans le sens négatif, on choisit comme **mesure :** $\boldsymbol{-(2\pi - l)}$, soit $l - 2\pi$.

Lorsque le mobile continue dans le sens négatif, il a parcouru, lors de son k-ième passage en M, un trajet de longueur : $2k\pi - l$. Comme le sens de parcours est le sens négatif, on choisit pour mesure : $-(2k\pi - l) = l - 2k\pi$.

d. En résumé

Toutes les mesures associées au couple (A, M) sont de la forme $\boldsymbol{l + 2k\pi}$, où k est entier positif ou négatif, c'est-à-dire $\boldsymbol{k \in \mathbb{Z}}$.

EXERCICE

Reprenez la situation de l'exemple du paragraphe ***b***.

a. Donnez toutes les mesures négatives associées à (A, M).

b. Vérifiez que l'ensemble des réels qui s'écrivent $\frac{77\pi}{3} + 2k\pi$ avec $k \in \mathbb{Z}$ est identique à celui des réels qui s'écrivent : $\frac{5\pi}{3} + 2k\pi$, $k \in \mathbb{Z}$, et aussi à celui des réels qui s'écrivent : $-\frac{\pi}{3} + 2k\pi$, $k \in \mathbb{Z}$.

3. Cours et applications

3.1. Cercle orienté. Plan orienté. Cercle trigonométrique

a. Cercle orienté

Il existe deux façons de parcourir un cercle $\mathcal{C}$ et deux seulement.
Orienter le cercle, c'est choisir un des deux sens de parcours comme **sens positif** (ou direct), l'autre étant dit alors le **sens négatif** (ou rétrograde).
L'usage est de choisir comme sens positif celui indiqué sur le dessin ci-contre par la flèche (sens inverse du déplacement des aiguilles d'une montre).
On dira qu'un **cercle est orienté positivement** lorsque le sens de parcours choisi comme sens positif est le sens usuel.

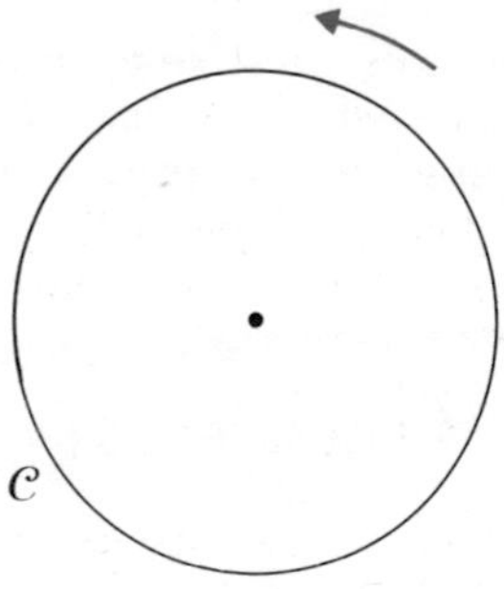

b. Plan orienté

Le plan est dit orienté lorsque tous les cercles de ce plan sont orientés dans le même sens.

c. Cercle trigonométrique

Définition 1

Un cercle trigonométrique est un cercle de rayon 1 et orienté positivement.

$(O; \overrightarrow{OA}, \overrightarrow{OB})$ est un repère orthonormé du plan orienté.
$\mathcal{C}$ est le cercle trigonométrique de centre O.
Si, pour aller de A vers B par le plus court chemin, un mobile se déplace dans le sens positif, on dit que **le repère $(O; \overrightarrow{OA}, \overrightarrow{OB})$ est orthonormé positif.**

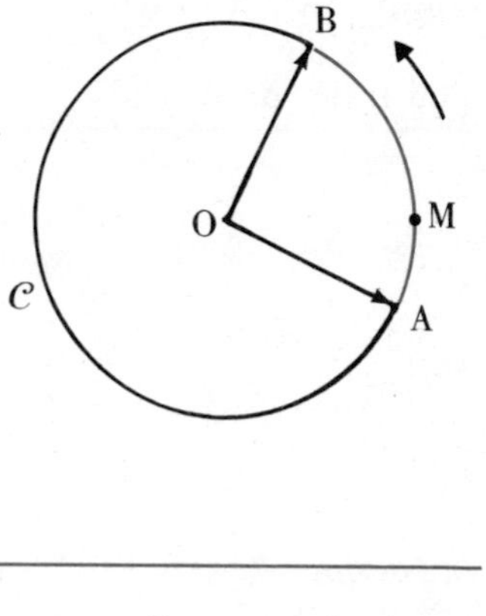

Commentaire

Comme il y a deux sens de déplacement sur $\mathcal{C}$, il en résulte qu'il y a deux types de repères orthonormés du plan orienté : *les repères orthonormés positifs* et *les repères orthonormés négatifs*.
On prouve que si $(O; \vec{i}, \vec{j})$ est un repère orthonormé positif, alors $(O; \vec{j}, \vec{i})$ est un repère orthonormé négatif.

3.2. Mesures associées à un couple de points d'un cercle trigonométrique $\mathcal{C}$

a. Mesures

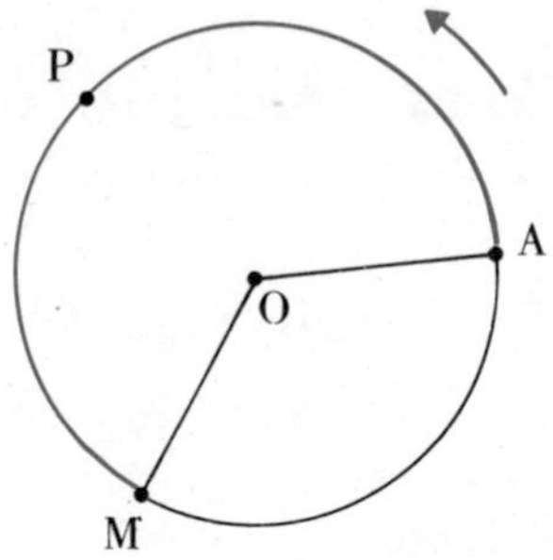

(A, M) est un couple de points du cercle $\mathcal{C}$.
Un mobile qui part de A dans le sens positif et qui arrive en M pour la *première fois* a parcouru un trajet de longueur l. $\mathcal{C}$ étant de rayon 1, l exprime aussi la mesure en radians de l'arc géométrique $\widehat{APM}$ (voir 1.4.).
On dit que :
l est une mesure en radians associée au couple (A, M).
Tout réel qui s'écrit $l + 2k\pi$ avec $k \in \mathbb{Z}$ est aussi une mesure en radians associée au couple (A, M).
La donnée d'une mesure de (A, M) permet de situer M sur le cercle lorsqu'on connaît la position de A.

b. Propriétés des mesures

▶ Si x et y sont des mesures associées au couple (A, M) alors il existe un entier k tel que :

$$x = y + 2k\pi.$$

▶ Parmi toutes les mesures associées au couple (A, M) il en existe *une* et *une seule* qui est située dans l'intervalle : $]-\pi ; +\pi]$. On dit que cette mesure est la **mesure principale de (A, M).**
Nous admettons ce résultat.

Commentaire

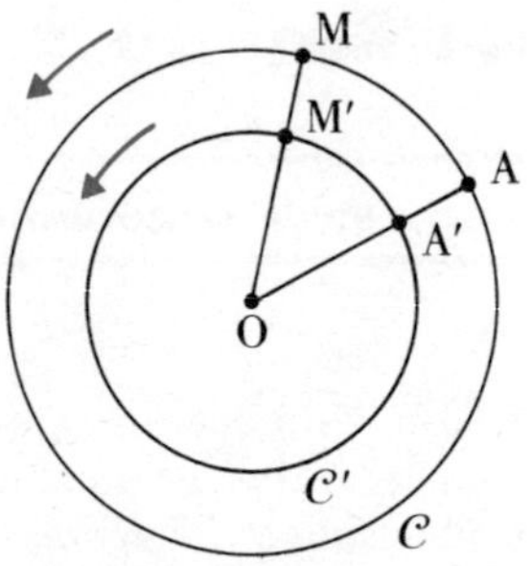

$\mathcal{C}$ et $\mathcal{C}'$ sont les cercles de centre O et de rayons respectifs r et 1, orientés positivement.
Avec les notations du dessin ci-contre, par définition : **une mesure du couple (A, M) de $\mathcal{C}$ est une mesure du couple (A', M') de $\mathcal{C}'$.**
Si $r \neq 1$, une mesure du couple (A, M) n'est plus la longueur d'un trajet de A à M.

EXERCICE résolu

A et M sont deux points de $\mathcal{C}$ et une mesure de (A, M) est $\frac{83\pi}{7}$.
Trouvez la mesure principale.

Solution □□□

Nous écrivons : $\frac{83\pi}{7} = \frac{84\pi}{7} - \frac{\pi}{7}$, car nous recherchons un réel $2k\pi$ qui soit le plus proche possible de $\frac{83\pi}{7}$.

Nous avons donc : $\dfrac{83\pi}{7}=12\pi-\dfrac{\pi}{7}=6\times(2\pi)-\dfrac{\pi}{7}.$

Ainsi, nous voyons que $-\dfrac{\pi}{7}$ est une mesure de (A, M). Comme elle est dans $]-\pi;\ +\pi]$, c'est la mesure principale.
Vous pouvez vérifier sur cet exemple qu'il n'y a pas d'autre mesure dans $]-\pi;\ +\pi]$.
□□□□□□□□□□

3.3. Arc orienté et mesures d'un arc orienté

$\mathcal{C}$ est un cercle, (A, M) est un couple de points de ce cercle.
L'usage est d'appeler arc orienté $\widehat{\mathrm{AM}}$ le couple (A, M).

Commentaire

Cette appellation n'est pas très heureuse car elle peut laisser croire qu'un arc orienté est un arc géométrique sur lequel on a choisi un sens de parcours. Il n'en est rien.
Ce qu'il faut bien comprendre ici c'est qu'un arc orienté est tout simplement un couple de points sur un cercle orienté.

Une mesure en radians de l'arc orienté $\widehat{\mathrm{AM}}$ est une mesure en radians du couple (A, M). On la note : **mes $\widehat{\mathrm{AM}}$.**
Ainsi, la notation : mes $\widehat{\mathrm{AM}}$ désigne n'importe quelle mesure de $\widehat{\mathrm{AM}}$.
Mais bien souvent, dans la pratique, on confond l'arc et ses mesures; on parle par exemple d'un arc de $\dfrac{\pi}{4}$ radians, et on écrit :

$$\widehat{\mathrm{AB}}\equiv\frac{\pi}{4}\ [2\pi].$$

Cette écriture se lit : $\widehat{\mathrm{AB}}$ congrue à $\dfrac{\pi}{4}$ modulo 2π, et signifie qu'une mesure de $\widehat{\mathrm{AB}}$ est $\dfrac{\pi}{4}$, toutes les autres étant alors de la forme : $\dfrac{\pi}{4}+2k\pi$, avec k entier.

Nous aurions donc pu écrire aussi : $\widehat{\mathrm{AB}}\equiv\dfrac{9\pi}{4}\ [2\pi]$, par exemple.

De manière générale l'écriture $x\equiv y\ [2\pi]$ où x et y sont deux réels, signifie qu'il existe un entier k tel que :

$$x-y=2k\pi.$$

3.4. Application remarquable de $\mathbb{R}$ sur un cercle trigonométrique

$\mathcal{C}$ est un cercle trigonométrique, et A un point de $\mathcal{C}$.
Nous concevons que tout réel x est une mesure d'un arc orienté $\widehat{\mathrm{AM}}$.
En effet, considérons les intervalles :
$[0;2\pi[$, $[2\pi;4\pi[$, $[4\pi;6\pi[$, etc., et les intervalles : $[-2\pi;0[$, $[-4\pi;-2\pi[$, $[-6\pi;-4\pi[$ etc.

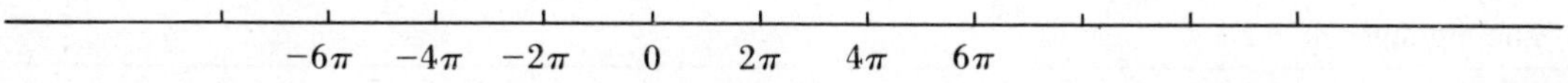

Il est clair que ces intervalles sont deux à deux disjoints et que leur réunion est $\mathbb{R}$.
Donc, tout réel x est dans l'un d'entre eux et dans un *seul.*
Si l'on a :

$$2k\pi \leqslant x < 2(k+1)\pi, \quad \text{avec} \quad k \in \mathbb{N}$$

alors on a :

$$x = 2k\pi + l, \quad \text{avec : } 0 \leqslant l < 2\pi$$

et nous concevons que l est la longueur d'un certain arc parcouru par un mobile partant de A dans le sens positif.

Soit M l'extrémité de cet arc. Alors l est une mesure en radians de $\overset{\frown}{AM}$, et $x = l + 2k\pi$ est aussi une mesure de $\overset{\frown}{AM}$.

Nous verrions de même que si l'on a : $(2k+1)\pi \leqslant x \leqslant 2k\pi$, avec k entier négatif, x est une mesure d'un certain arc $\overset{\frown}{AM}$.

Nous énonçons donc le théorème suivant, que nous admettons :

Théorème 1

$\mathcal{C}$ étant un cercle trigonométrique et A un point de $\mathcal{C}$, à tout réel x est associé un unique point M de $\mathcal{C}$ tel que x soit une mesure en radians de $\overset{\frown}{AM}$. Si M est associé à x, M est aussi associé à tous les réels $x + 2k\pi$, $k \in \mathbb{Z}$, et à ceux-là seulement.

3.5. Relation de Chasles pour les arcs orientés

a. Énoncé

A, B, C sont trois points quelconques d'un cercle orienté.
Nous admettons le théorème suivant :

Théorème 2 (Relation de Chasles)

$$\text{mes } \overset{\frown}{AB} + \text{mes } \overset{\frown}{BC} = \text{mes } \overset{\frown}{AC}$$

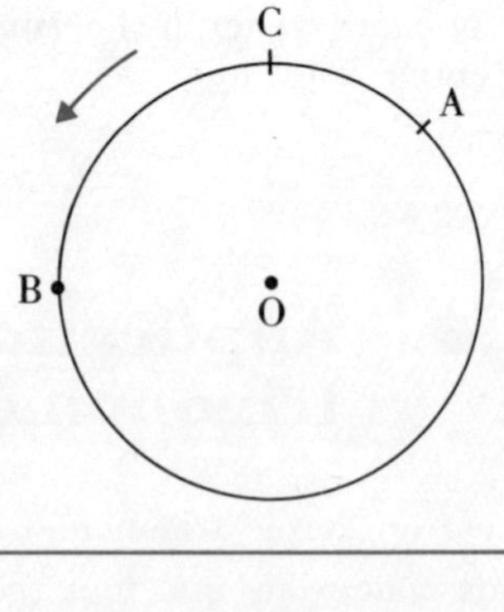

En pratique, on écrit : $\overset{\frown}{AB} + \overset{\frown}{BC} \equiv \overset{\frown}{AC}\ [2\pi]$.

Commentaire

Selon la relation de Chasles, en additionnant n'importe quelle mesure de $\overset{\frown}{AB}$ à n'importe quelle mesure de $\overset{\frown}{BC}$ on obtient une mesure de $\overset{\frown}{AC}$.
Et, réciproquement. n'importe quelle mesure de $\overset{\frown}{AC}$ est la somme d'une mesure de $\overset{\frown}{AB}$ et d'une mesure de $\overset{\frown}{BC}$.

b. Conséquences

• Comme nous avons pour tout point A :

$$\overset{\frown}{\mathbf{AA}} \equiv \mathbf{0} \ [\mathbf{2\pi}],$$

il résulte de la relation de Chasles que pour tous points A et B :

$$\overset{\frown}{AB} + \overset{\frown}{BA} \equiv 0 \ [2\pi]$$

soit :

$$\overset{\frown}{AB} \equiv - \overset{\frown}{BA} \, [2\pi].$$

On dit que $\overset{\frown}{AB}$ et $\overset{\frown}{BA}$ sont **opposés.**

• Pour tous points A, B, C d'un même cercle orienté :

$$\text{si } \overset{\frown}{AB} \equiv \overset{\frown}{AC} \, [2\pi], \quad \text{alors} \quad B = C.$$

3.6. Angle orienté de deux demi-droites

x et y sont deux demi-droites distinctes, de même origine O. Elles déterminent deux couples de demi-droites : le couple (Ox, Oy) et le couple (Oy, Ox) : ces deux couples sont distincts.
Chacun de ces couples est appelé angle orienté :
Un angle orienté n'est donc pas autre chose qu'un couple de demi-droites de même origine.

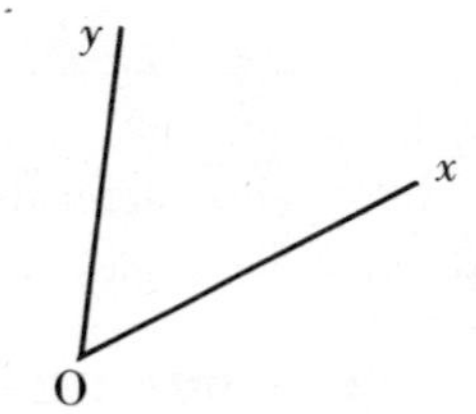

L'usage est de noter par : $\mathbf{(\widehat{Ox, Oy})}$ le couple (Ox, Oy).
Cas particulier :
Si Ox est confondue avec Oy, on a un seul couple (Ox, Ox) qui est l'angle nul.

3.7. Mesures en radians d'un angle orienté

Le plan est orienté (voir 3.1.).
(Ox, Oy) est un couple de demi-droites d'origine O.
Considérons le cercle trigonométrique $\mathcal{C}$ de centre O. Il coupe Ox en A et Oy en B.
Nous avons la définition suivante :

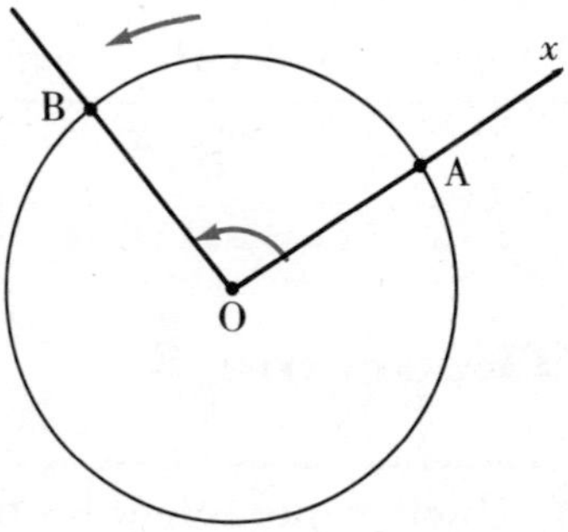

Définition 2

> **L'ensemble des mesures de l'angle orienté $(\widehat{Ox, Oy})$ est l'ensemble des mesures de l'arc orienté $\overset{\frown}{AB}$ sur $\mathcal{C}$.**

Pratiquement, la notation $(\widehat{Ox, Oy})$ désignera aussi bien l'angle qu'une mesure de cet angle.
Ainsi, si $\frac{\pi}{4}$ est une mesure en radians de $(\widehat{Ox, Oy})$, on écrira :

$$(\widehat{Ox, Oy}) = \frac{\pi}{4} \quad \text{ou} \quad (\widehat{Ox, Oy}) \equiv \frac{\pi}{4} \ [2\pi].$$

Cas particuliers :

- L'ensemble des mesures de l'**angle nul** est l'ensemble : $\{2k\pi,\ k \in \mathbb{Z}\}$.
- Si Ox et Oy sont deux demi-droites d'une même droite,

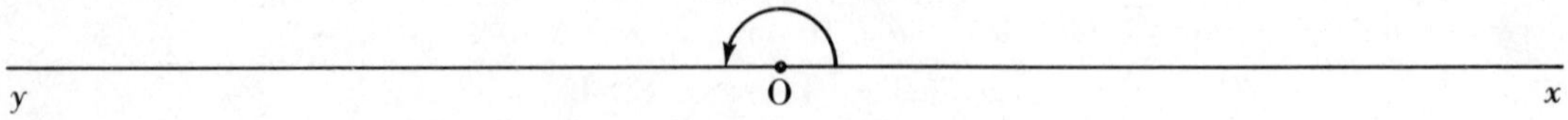

l'angle orienté $(\widehat{Ox, Oy})$ est dit **plat.**
Toute mesure de cet angle s'écrit : $\pi + 2k\pi,\ k \in \mathbb{Z}$.

Notez que l'angle orienté $(\widehat{Oy, Ox})$ est aussi dit angle plat, mais que toute mesure de cet angle s'écrit : $-\pi + 2k\pi,\ k \in \mathbb{Z}$.

3.8. Lien entre les mesures de l'angle orienté $(\widehat{Ox, Oy})$ et mesure de l'angle géométrique $\widehat{xOy}$

Ox et Oy sont deux demi-droites. Elles déterminent donc un angle géométrique saillant $\widehat{xOy}$ et deux angles orientés $(\widehat{Ox, Oy})$ et $(\widehat{Oy, Ox})$.

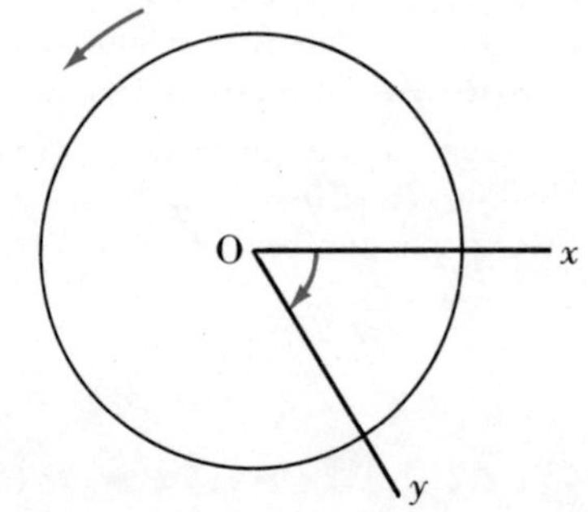

Soit α **la mesure principale de** $(\widehat{Ox, Oy})$.

Nous pourrions démontrer, mais nous l'admettrons, que la mesure de $\widehat{xOy}$ est $|\alpha|$.

Ainsi, dans le cas de la figure, la mesure principale de $(\widehat{Ox, Oy})$ étant $-\frac{\pi}{3}$, la mesure de $\widehat{xOy}$ est $+\frac{\pi}{3}$.

Commentaire

La mesure de l'angle géométrique rentrant $\overset{\frown}{xOy}$ est : $2\pi - |\alpha|$.

3.9. Relation de Chasles pour les angles orientés

Théorème 3

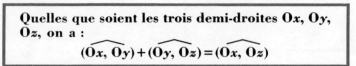

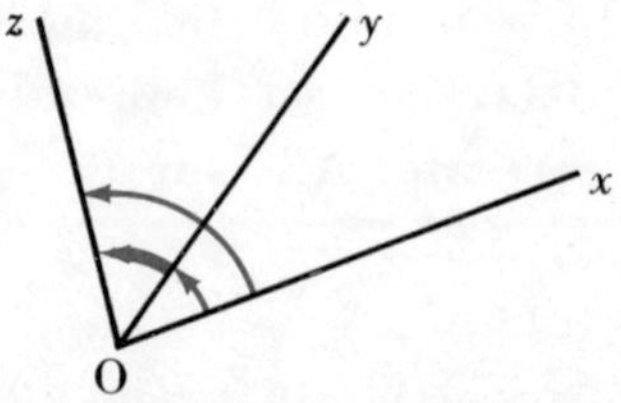

> **Quelles que soient les trois demi-droites Ox, Oy, Oz, on a :**
>
> $$(\widehat{Ox, Oy}) + (\widehat{Oy, Oz}) = (\widehat{Ox, Oz})$$

La signification est la même que celle donnée pour les arcs orientés.
Nous en déduisons :

$$(\widehat{Ox, Oy}) \equiv -(\widehat{Oy, Ox}) \quad [2\pi].$$

Les angles orientés $(\widehat{Ox, Oy})$ et $(\widehat{Oy, Ox})$ sont dits **opposés.**

Exemple
Si Ox et Oy sont perpendiculaires, alors nous avons, *dans le cas de la figure :*

$$(\widehat{Ox, Oy}) = -\frac{\pi}{2} \quad \text{et} \quad (\widehat{Oy, Ox}) = +\frac{\pi}{2}$$

donc **deux angles droits,** l'un dit positif, l'autre négatif.

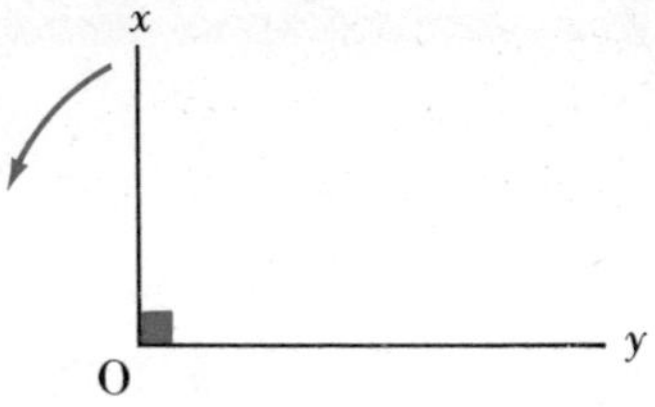

3.10. Influence des transformations sur les angles orientés

Nous admettrons tous ces résultats, illustrés par les dessins.

- **La translation conserve la mesure des angles orientés.**

$$(\widehat{Ox, Oy}) \equiv (\widehat{O'x', O'y'}) \quad [2\pi]$$

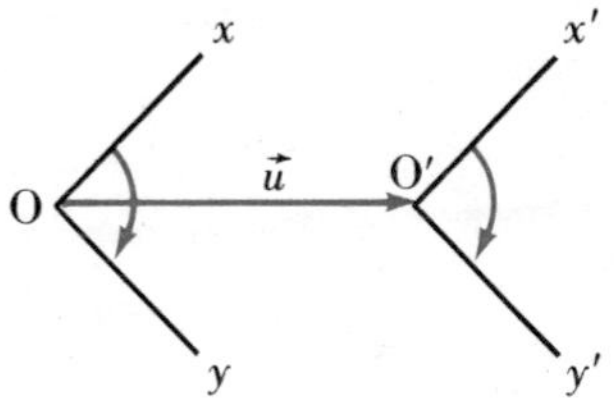

- **La symétrie orthogonale par rapport à une droite ne conserve pas la mesure des angles orientés.**

Plus précisément : $(\widehat{Ox, Oy}) \equiv -(\widehat{O'x', O'y'}) \quad [2\pi]$.

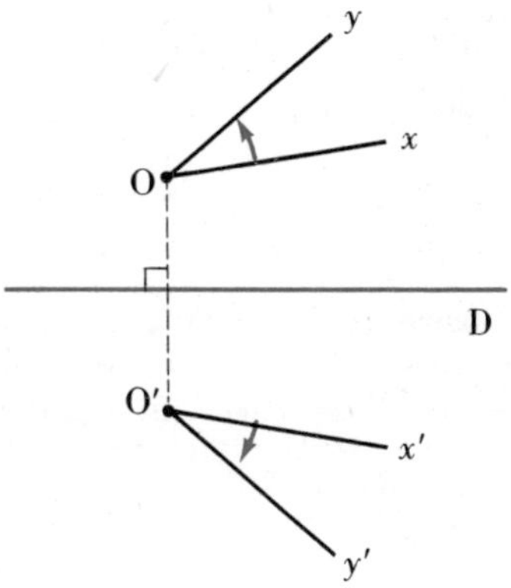

EXERCICES

1. Vérifiez que la symétrie par rapport à un point conserve les angles orientés (en mesures).

2. Vérifiez qu'il en est de même pour l'homothétie.

3.11. Angle orienté d'un couple de deux vecteurs non nuls

$\vec{u}$ et $\vec{v}$ sont deux vecteurs.
(O, A) et (O, B) sont des représentants respectivement de $\vec{u}$ et $\vec{v}$: $\vec{u} = \overrightarrow{OA}$, $\vec{v} = \overrightarrow{OB}$.

Ox est la demi-droite d'origine O passant par A et Oy est la demi-droite d'origine O passant par B.

Nous avons la définition suivante :

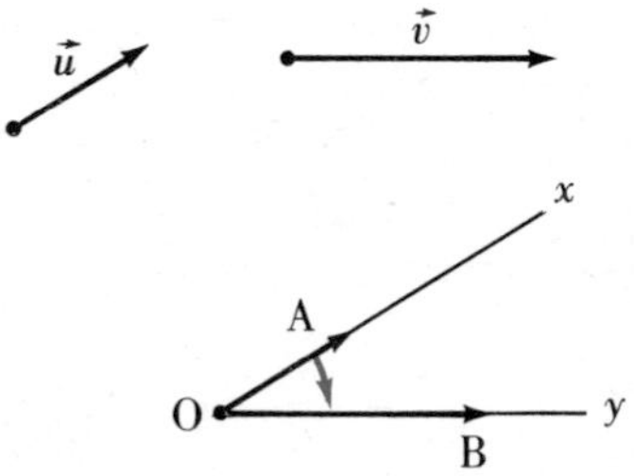

Définition 3

L'angle orienté du couple de vecteurs $(\vec{u}, \vec{v})$, noté $(\widehat{\vec{u}, \vec{v}})$, est l'angle orienté $(\widehat{Ox, Oy})$.

Nous admettons que le choix d'autres représentants de $\vec{u}$ et de $\vec{v}$ conduirait à un angle orienté égal à $(\widehat{Ox, Oy})$.

EXERCICES

Pour tester vos connaissances

1. Convertissez en radians, puis en grades :

$10°$; $53°$; $200°$; $180°$; $60°$; $18°$.

2. Convertissez en degrés puis en grades :

$\frac{\pi}{3}$ rad; $\frac{2\pi}{3}$ rad; $\frac{5\pi}{4}$ rad; $\frac{\pi}{4}$ rad;

$\frac{\pi}{2}$ rad; π rad; $\frac{3\pi}{8}$ rad.

3. Quel est le rayon d'un cercle dont un arc qui a pour mesure $\frac{\pi}{3}$ radians a une longueur de 18 cm?

4. $\mathcal{C}$ et $\mathcal{C}'$ sont deux cercles de même centre O et de rayons respectifs r et r'. $[\widehat{xOy}]$ est un secteur angulaire qui détermine sur $\mathcal{C}$ un arc de longueur 9 et sur $\mathcal{C}'$ un arc de longueur 20.
Quelle relation existe-t-il entre r et r'?

5. $\mathcal{C}$ est le cercle trigonométrique de centre O. A est un point de $\mathcal{C}$.
Dans chaque cas, placez le point M tel qu'une mesure en radians de $\overset{\frown}{AM}$ soit :

$\frac{\pi}{2}$; $\frac{3\pi}{2}$; $-\frac{\pi}{2}$; π; $-\pi$; $\frac{\pi}{6}$; $-\frac{\pi}{6}$; $\frac{3\pi}{4}$; $-\frac{\pi}{4}$.

6. La situation est celle de l'exercice 5.
Placez le point M tel qu'une mesure en radians de $\overset{\frown}{AM}$ soit : $-\frac{88\pi}{5}$.
Donnez la mesure principale en radians.

7. Dans la situation de l'exercice 5, placez le point N tel qu'une mesure en degrés de $\overset{\frown}{AN}$ soit 270.
Donnez la mesure principale de $\overset{\frown}{AN}$, en degrés.

8. Le plan est supposé orienté positivement.
Tracez une demi-droite Ox.
Placez la demi-droite Oy dans chacun des cas suivants sachant que :

en degrés
$(\widehat{Ox, Oy}) = 30$
$(\widehat{Ox, Oy}) = 790$
$(\widehat{Oy, Ox}) = 30$
$(\widehat{Oy, Ox}) = -60$

en radians
$(\widehat{Ox, Oy}) = -\pi$
$(\widehat{Ox, Oy}) = -\frac{4\pi}{3}$
$(\widehat{Ox, Oy}) = \frac{\pi}{6}$
$(\widehat{Ox, Oy}) = -\frac{57\pi}{4}$
$(\widehat{Oy, Ox}) = -\pi$.

9. Le plan est supposé orienté positivement.
ABC est un triangle équilatéral.
Donnez une mesure en radians de :

$(\widehat{\vec{AB}, \vec{AC}})$; $(\widehat{\vec{BA}, \vec{BC}})$; $(\widehat{\vec{CB}, \vec{CA}})$.

Exercices d'entraînement

Pour les exercices 1 à 3, donnez dans chaque cas la mesure principale d'un arc ou d'un angle orienté dont une mesure x est :

1. en radians : $x = \frac{11\pi}{5}$; $x = -\frac{13\pi}{7}$; $x = \frac{45\pi}{2}$; $x = \frac{4\pi}{3}$; $x = \frac{17\pi}{4}$.

2. en degrés : $x = 190$; $x = -200$; $x = -367$; $x = 711$; $x = -983$.

3. en grades : $x = 392$; $x = 541$; $x = 732$; $x = 1014$.

Pour les exercices 4 et 5, on donne une mesure d'un angle orienté $(\widehat{Ox, Oy})$ de deux demi-droites Ox et Oy, le plan étant orienté positivement.
Donnez, dans chacun des cas suivants, les mesures des angles géométriques $\widehat{xOy}$ et $\overset{\frown}{xOy}$:

4. en degrés :
$(\widehat{Ox, Oy}) = -480$; $(\widehat{Ox, Oy}) = 40$.

5. en radians :
$(\widehat{Ox, Oy}) = -\frac{\pi}{4}$; $(\widehat{Ox, Oy}) = -\frac{11\pi}{4}$.

6. $\mathcal{C}$ est un cercle trigonométrique, A est un point de $\mathcal{C}$.
Un point matériel parcourt $\mathcal{C}$ d'un mouvement uniforme dans le sens positif.
Dire que le mouvement est uniforme signifie que pendant des intervalles de temps égaux le point mobile parcourt des trajets de longueurs égales.
L'origine des temps t est prise en A, c'est-à-dire que pour $t = 0$, le point mobile est en A.
Au temps $t = 1$ (seconde), le mobile est en un point M tel que : $\overset{\frown}{AM} = \frac{\pi}{9}$.

a) Au bout de combien de temps le mobile repassera-t-il en A, une première fois? une deuxième fois?

b) Sur un dessin, indiquez quelle sera la position du mobile au bout de 90 secondes? de 3 minutes?

c) On appelle B le point tel que

$$(\widehat{\overrightarrow{OA}, \overrightarrow{OB}}) = -\frac{\pi}{2}.$$

Indiquez au bout de combien de temps le mobile passera en B pour la première fois.
En quels autres instants t le mobile passera-t-il en B?

7. Une roue mobile autour de son centre a sa circonférence subdivisée en 4 arcs égaux délimités par une graduation chiffrée de 1 jusqu'à 4. Un point fixe situé au-dessus de la roue est en correspondance, à chaque instant, avec l'un des quatre chiffres de la graduation. On suppose que la roue tourne à 45 tours par minute et que, à l'instant $t = 0$, le point indique le chiffre 1.
Quels sont les chiffres indiqués aux instants $t = 1$, $t = 2$, $t = 3$, $t = 4$, $\dots t = n$ secondes?

8. Une automobile M roulant à une vitesse constante parcourt une piste circulaire $\mathcal{C}$ dont le périmètre est de 4 km.

a) Déterminez une valeur approchée du rayon à un mètre près.

b) Sachant que M parcourt $\mathcal{C}$ en 1 min 20 s, donnez la mesure principale de l'angle $(\widehat{\overrightarrow{OA}, \overrightarrow{OM}})$ lorsque M a roulé pendant 10 s à partir de A.

c) Donnez l'expression en radians de la mesure principale y de cet angle si M, parti de A, roule pendant x secondes.

9. On désigne par $\mathcal{C}$ une piste circulaire de 300 mètres de rayon. Deux cyclistes A et B roulent sur cette piste dans le sens contraire l'un de l'autre, et avec la même vitesse supposée constante. Les cyclistes passent au même point C de la piste toutes les 3 minutes.

a) Sachant que les cyclistes ont démarré de C à 8 heures, précisez la position de chacun à un instant t situé entre 8 heures et 12 heures.
En particulier, précisez ces positions : à 9 heures; à 10 heures 30; à 11 heures; à 11 heures 30.

b) Quelle est la distance parcourue par chacun dans ces quatre cas?

10. x et y sont des demi-droites d'origine O telles qu'une mesure en radians de $(\widehat{Ox, Oy})$ est $\frac{\pi}{3}$ en radians.
Déterminez les demi-droites z d'origine O telle que : $(\widehat{Oz, Ox}) = 4(\widehat{Oz, Oy})$.

Pour les exercices 11 et 12, connaissant l'origine A sur le cercle trigonométrique, placez sur ce cercle les extrémités M des arcs $\overset{\frown}{AM}$ dont les mesures sont :

11. $\frac{\pi}{3} + 2k\pi$; $\frac{2\pi}{5} + 2k\pi$; $-\frac{\pi}{3} + 2k\pi$; $-\frac{\pi}{12} + 2k\pi$.

12. $\frac{5\pi}{6} + k\frac{2\pi}{5}$; $\frac{\pi}{4} + k\frac{\pi}{3}$; $\frac{\pi}{2} + k\pi$; $-\frac{\pi}{6} + k\frac{\pi}{2}$.

13. $(O; \vec{i}, \vec{j})$ est un repère orthonormé du plan. A, B, C sont les points de coordonnées respectives (2; 1) (0; 2) et (2; 0).

a) Construisez le point D tel que :

$$(\widehat{\overrightarrow{OB}, \overrightarrow{AD}}) = -\frac{\pi}{6}.$$

b) Construisez le point E tel que :

$$(\widehat{\overrightarrow{DA}, \overrightarrow{DE}}) = \frac{2\pi}{3}.$$

c) Calculez une mesure de l'angle $(\widehat{\overrightarrow{OC}, \overrightarrow{DE}})$.

CHAPITRE
22

ACTIVITÉS SUR LES ANGLES INSCRITS

1. Pour prendre un bon départ

1.1. Angles géométriques adjacents

Deux secteurs (ou angles) sont dits **adjacents** si leur intersection n'est qu'une demi-droite et s'ils ont même sommet.
Dans ces conditions :

$$\widehat{zAx} = \widehat{zAy} + \widehat{yAx}.$$

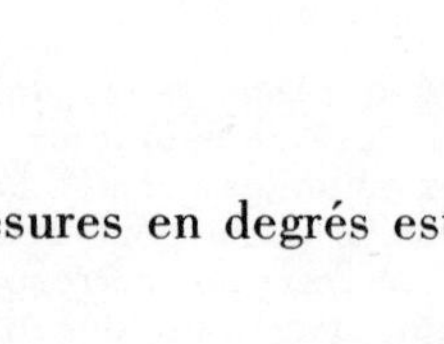

1.2. Angles supplémentaires

Deux angles sont **supplémentaires** lorsque la somme de leurs mesures en degrés est 180 (ou π, en radians).

1.3. Angles adjacents supplémentaires

Voyez le dessin ci-contre. Les points B, O, C sont alignés.
On a :

$$\widehat{BOA} + \widehat{AOC} = \pi.$$

Les angles $\widehat{BOA}$ et $\widehat{AOC}$ sont dits **adjacents supplémentaires.**

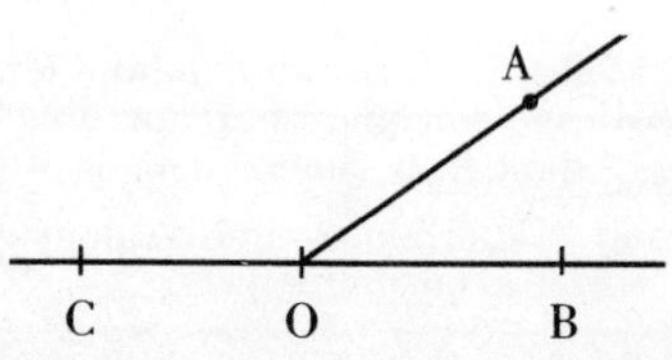

2. Approche

2.1. Angles inscrits interceptant la même corde

a. Quelques définitions

$\mathcal{C}$ est un cercle de centre O; A et B sont deux points distincts de $\mathcal{C}$.
Le segment [AB] est une corde de $\mathcal{C}$; il partage ce cercle en deux arcs $\mathcal{C}_1$ et $\mathcal{C}_2$.
M_1 est un point de $\mathcal{C}_1$ et M_2 est un point de $\mathcal{C}_2$.
Les angles $\widehat{AM_1B}$ et $\widehat{AM_2B}$ sont dits **inscrits** dans le cercle $\mathcal{C}$ et on dit qu'ils **interceptent la corde [AB]** (ou l'arc $\overset{\frown}{AB}$ pour $\widehat{AM_1B}$, l'arc $\overset{\smile}{AB}$ pour $\widehat{AM_2B}$).
L'angle $\widehat{AOB}$ est dit **angle au centre** associé à $\widehat{AM_1B}$ et à $\widehat{AM_2B}$; il intercepte aussi la corde [AB].

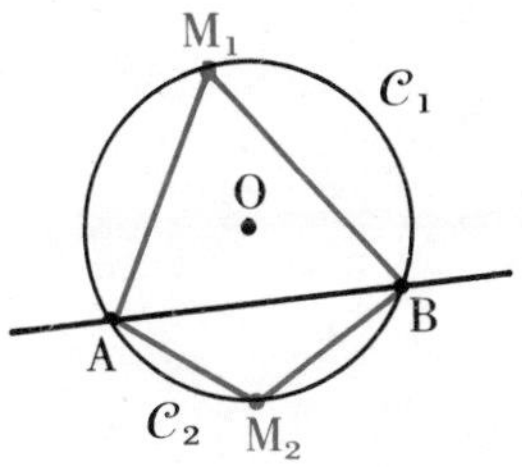

b. Théorème et démonstration

Nous nous proposons de démontrer le théorème suivant.

Théorème

> **$\mathcal{C}$ est un cercle, et [AB] est une corde de $\mathcal{C}$.**
> **Si deux angles géométriques inscrits dans $\mathcal{C}$ interceptent la même corde [AB], alors ils sont soit égaux, soit supplémentaires.**

Démonstration

- Choisissons d'abord le point M de $\mathcal{C}_1$ diamétralement opposé à B.

EXERCICE Démontrez que : $\widehat{AOB} = 2\widehat{AMB}$.
(**Indication :** la somme des mesures des angles d'un triangle est π radians.)

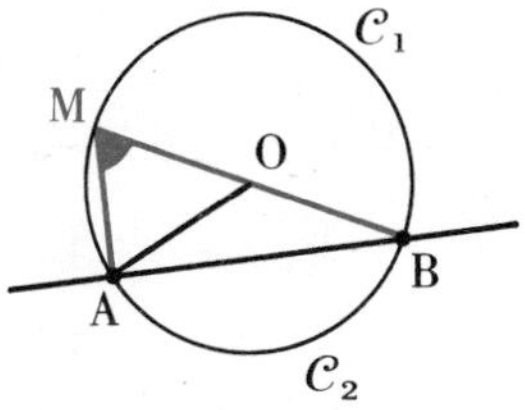

- Prenons maintenant le point M de $\mathcal{C}_1$ de sorte que le point *m*, diamétralement opposé à M, soit sur $\mathcal{C}_2$.

EXERCICE Nous pourrions démontrer que le point O est dans le secteur $[\widehat{AMB}]$, mais nous l'admettrons.
De $\widehat{AMB} = \widehat{AMm} + \widehat{mMB}$ et de l'exercice précédent déduisez que : $\widehat{AOB} = 2\widehat{AMB}$.

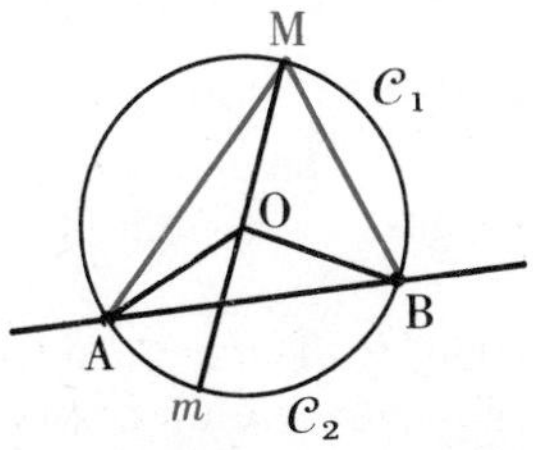

• Prenons enfin le point M de $\mathcal{C}_1$ de sorte que le point m, diamétralement opposé à M, soit sur $\mathcal{C}_1$.
Nous pourrions démontrer, mais nous l'admettrons, que le secteur $[\widehat{AMB}]$ ne contient pas le point O.

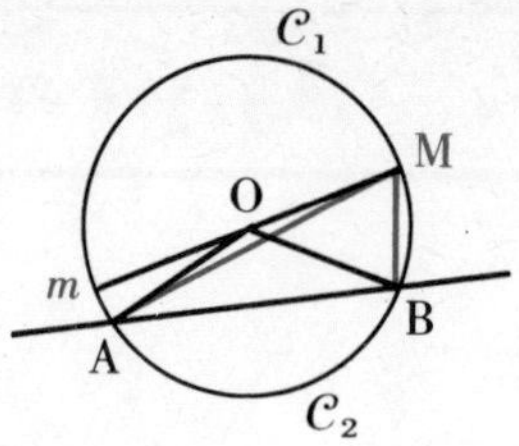

EXERCICE

a. Déduisez que

$$\widehat{AMB} = \widehat{mMB} - \widehat{AMm}.$$

b. Déduisez que : $\widehat{AOB} = 2\widehat{AMB}$.

Conclusion

Vous venez de prouver que, **quel que soit** le point M de $\mathcal{C}_1$, on a :

$$\widehat{AOB} = 2\,\widehat{AMB}.$$

Ainsi, si P et Q sont deux points de $\mathcal{C}_1$, on a :

$$\widehat{APB} = 2\widehat{AOB},\ \widehat{AQB} = 2\widehat{AOB}$$

d'où :

$$\mathbf{\widehat{APB} = \widehat{AQB}.}$$

EXERCICE

a. Indiquez comment vous démontreriez que si un point M est sur $\mathcal{C}_2$ alors :

$$\widehat{AMB} = \pi - \frac{1}{2}\widehat{AOB}.$$

b. Déduisez que si P et Q sont sur $\mathcal{C}_2$ alors :

$$\widehat{APB} = \widehat{AQB}.$$

c. Déduisez que si M est sur $\mathcal{C}_1$ et N est sur $\mathcal{C}_2$, alors :

$$\widehat{ANB} = \pi - \widehat{AMB}.$$

d. Expliquez pourquoi le théorème précédent est entièrement démontré.

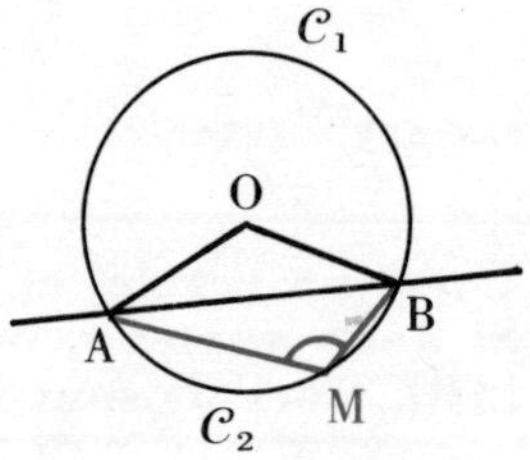

2.2. Cas particulier : un côté de l'angle inscrit est tangent au cercle

Dans tout ce qui précède, nous avons exclu le cas où le point M est confondu avec A ou B.
Supposons maintenant M en A.

Traçons la tangente en A au cercle $\mathcal{C}$, elle est perpendiculaire au rayon [OA].
Appelons AT la demi-droite portée par la tangente et située dans le demi-plan ne contenant pas $\mathcal{C}_1$.

L'angle $\widehat{BAT}$ est un type particulier d'angle inscrit dans le cercle $\mathcal{C}$, un de ses côtés est tangent au cercle.

EXERCICE

A′ désigne le point de $\mathcal{C}$ diamétralement opposé à A.

a. Démontrez que $\widehat{BAT} = \widehat{BA'A}$.
$\left(\text{Utilisez } \widehat{ABA'} = \frac{\pi}{2} \text{ et } \widehat{A'AT} = \frac{\pi}{2}.\right)$

b. Démontrez que : $\widehat{BAT} = \frac{1}{2}\widehat{AOB}$.

c. N est un point de $\mathcal{C}_1$.
Vérifiez que $\widehat{ANB} = \widehat{BAT}$.

d. Q est un point de $\mathcal{C}_2$, et AT′ est la demi-droite tangente en A indiquée sur le dessin ci-contre.
Montrez que : $\widehat{BAT'} = \widehat{AQB}$.

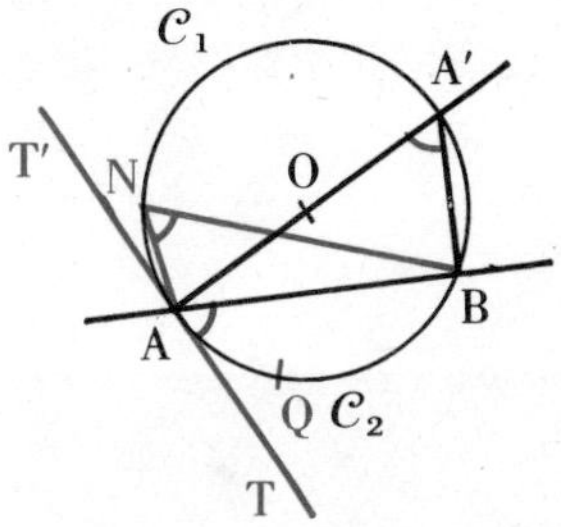

EXERCICES

Exercices d'entraînement

1. Propriété de la bissectrice d'un angle inscrit.
$\mathcal{C}$ est un cercle de centre O; [BC] est une corde. A est un point du cercle distinct de B et C. La médiatrice de [BC] coupe l'arc $\widehat{BC}$ intercepté par $\widehat{BAC}$, au point I.

a) En utilisant une symétrie par rapport à une droite, montrez que les arcs $\widehat{BI}$ et $\widehat{IC}$ ont même mesure.
Déduisez que la droite (AI) est bissectrice de $\widehat{BAC}$.

b) Indiquez un moyen de construire la bissectrice d'un angle sans utiliser le rapporteur.

2. A et B sont deux points distincts du plan.
$\mathcal{C}$ est un cercle de centre O et passant par A et B.
Par A on mène la tangente à ce cercle $\mathcal{C}$, puis sur cette tangente on place un point C tel que AC = AB. Enfin (BC) recoupe le cercle en D.
Le triangle ADC est toujours isocèle. Pourquoi?

3. Deux cercles se coupent en A et B. Soit *d* une droite passant par B qui coupe un cercle en M et l'autre en N. La mesure des angles $\widehat{AMN}$, $\widehat{ANM}$, $\widehat{MAN}$ ne dépend pas de la position de la droite *d* passant par B.
Pourquoi?

4. Démontrez que le symétrique de l'orthocentre d'un triangle quelconque par rapport à l'un des côtés est situé sur le cercle circonscrit à ce triangle.
Pour les notations, voir dessin.

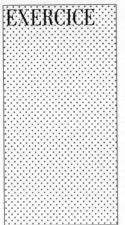

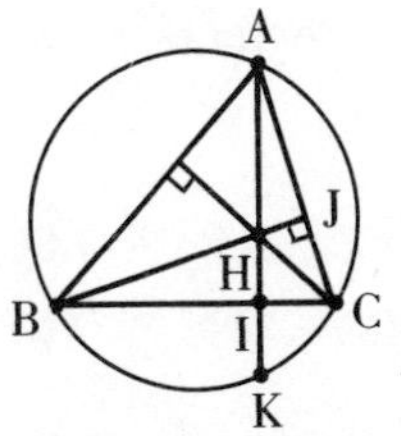

Indications : montrez que (BI) est médiatrice de [HK]. Pour cela, démontrez que :
$\widehat{HBI} = \widehat{IBK}$.

CHAPITRE
23

PRODUIT SCALAIRE DE DEUX VECTEURS

Dans tout le chapitre le plan est muni d'une distance.

1. Pour prendre un bon départ

1.1. Norme d'un vecteur

$\vec{u}$ est un vecteur ; A et B sont deux points du plan tels que $\vec{u} = \overrightarrow{AB}$.
La norme du vecteur $\vec{u}$ est la distance entre A et B.

$$\|\vec{u}\| = d(A, B) = AB.$$

Le réel positif $\|\vec{u}\|$ est indépendant du représentant choisi pour le vecteur $\vec{u}$, c'est-à-dire que si $\vec{u} = \overrightarrow{AB} = \overrightarrow{A'B'}$, alors $\|\vec{u}\| = d(A, B) = d(A', B')$.

Propriétés fondamentales de la norme :

- ▶ $\|\vec{u}\| = 0$, *si et seulement si* $\vec{u} = \vec{0}$;
- ▶ pour tout vecteur $\vec{u}$ et tout réel a, $\|a\vec{u}\| = |a|\,\|\vec{u}\|$;
- ▶ pour tous vecteurs $\vec{u}$ et $\vec{v}$, $\|\vec{u}\| + \|\vec{v}\| \geq \|\vec{u} + \vec{v}\|$.

1.2. Mesure algébrique d'un vecteur sur une droite graduée (ou axe)

Une droite graduée est une droite munie d'un repère $(O; \overrightarrow{OI})$:

- O est l'origine du repère,
- $\overrightarrow{OI}$ est le **vecteur unitaire** de cette droite graduée, c'est-à-dire que $\|\overrightarrow{OI}\| = d(O, I) = 1$.

Nous dirons parfois **axe $(O; \overrightarrow{OI})$** au lieu de droite graduée de repère $(O; \overrightarrow{OI})$.

a. Mesure algébrique

A et B sont deux points d'une droite graduée de repère $(O; \overrightarrow{OI})$.

La mesure algébrique de $\overrightarrow{AB}$ est l'unique réel, noté $\overline{AB}$, tel que :

$$\overrightarrow{AB} = \overline{AB}\,\overrightarrow{OI}.$$

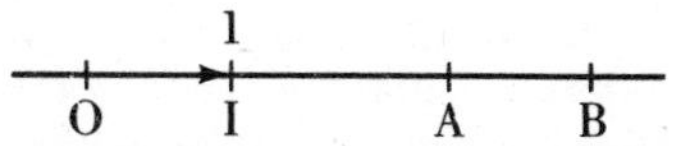

EXERCICE

Dans la situation définie ci-dessus, posons $\overrightarrow{OI} = \vec{u}$. L'***abscisse*** *de* A *est* x_A (c'est-à-dire que : $\overrightarrow{OA} = x_A\vec{u}$), l'abscisse de B est x_B ($\overrightarrow{OB} = x_B\vec{u}$). Montrez que :

$$\overline{AB} = x_B - x_A.$$

b. Lien entre mesure algébrique et distance

La situation est la même que précédemment. Nous posons $\overrightarrow{OI} = \vec{u}$. Nous avons : $\overrightarrow{AB} = \overline{AB}\,\vec{u}$. D'où : $\|\overrightarrow{AB}\| = \|\overline{AB}\,\vec{u}\,\|$.

D'après la deuxième propriété de la norme (voir paragraphe 1.1.), on a : $\|\overrightarrow{AB}\| = |\overline{AB}|\;\|\vec{u}\,\|$, et comme : $\|\vec{u}\,\| = 1$, il vient :

$$\mathbf{AB} = d(\mathbf{A}, \mathbf{B}) = \|\overrightarrow{AB}\| = |\overline{AB}|.$$

Et donc :

$$\mathbf{AB}^2 = |\overline{AB}|^2 = \|\overrightarrow{AB}\|^2.$$

c. Projection parallèle

A, B, C et D sont quatre points tels que $\overrightarrow{AB} = \overrightarrow{CD}$; A′, B′, C′ et D′ sont les projections de ces quatre points sur l'axe $(O; \overrightarrow{OI})$ parallèlement à la droite Δ.

Alors, on a : $\overline{A'B'} = \overline{C'D'}$.

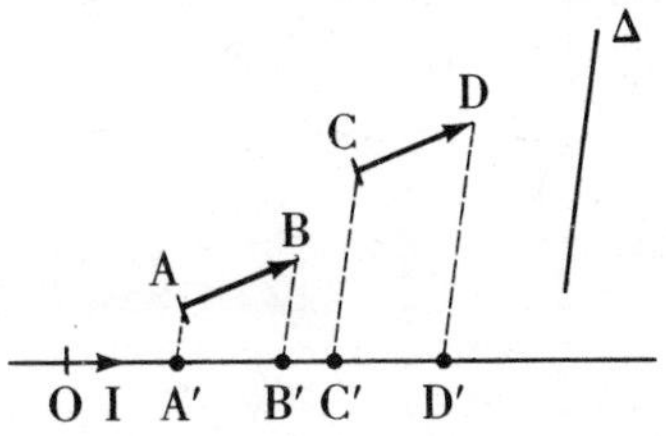

1.3. Théorème de Pythagore

Vous avez établi en classe de Troisième le théorème suivant :

ABC est un triangle.
Les droites (AB) et (AC) sont perpendiculaires, ou le triangle ABC est rectangle en A *si et seulement si :*

$$\mathbf{AB}^2 + \mathbf{AC}^2 = \mathbf{BC}^2.$$

Les notions de distance et d'orthogonalité sont donc très liées entre elles.

EXERCICES

1. ABC est un triangle rectangle en A et AB = 3, AC = 4. Déterminez la longueur BC de l'hypoténuse.

2. ABC est un triangle tel que : AB = 82, BC = 80, AC = 18. Le triangle ABC est-il rectangle?

1.4. Repères orthonormés du plan

a. Vecteurs orthogonaux

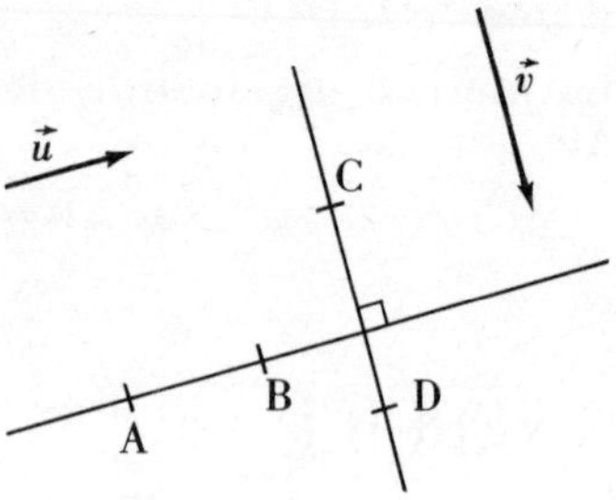

$\vec{u}$ et $\vec{v}$ sont deux vecteurs non nuls. A, B, C et D sont des points du plan tels que $\overrightarrow{AB}=\vec{u}$ et $\overrightarrow{CD}=\vec{v}$.
Dire que **$\vec{u}$ et $\vec{v}$ sont orthogonaux** signifie que les droites (AB) et (CD) sont perpendiculaires.
On convient de dire que le vecteur nul est orthogonal à tout autre.

b. Repère orthonormé

$(O; \vec{i}, \vec{j})$ est un repère du plan. On dit que c'est **un repère orthonormé** lorsque $\vec{i}$ et $\vec{j}$ sont orthogonaux et lorsque :

$$\|\vec{i}\| = \|\vec{j}\| = 1.$$

2. Approche

2.1. Expression de la norme d'un vecteur

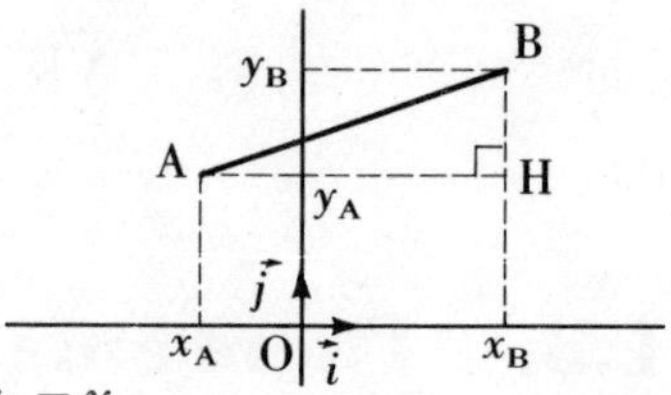

Dans le repère orthonormé $(O; \vec{i}, \vec{j})$, A et B sont les points de coordonnées respectives $(x_A; y_A)$ et $(x_B; y_B)$; on appelle H le point de coordonnées $(x_B; y_A)$.

EXERCICE

a. Vérifiez que $\overline{AH}=x_B-x_A$ et $\overline{BH}=y_A-y_B$.

b. Déterminez AH et BH.

c. Expliquez pourquoi le triangle AHB est rectangle en H.

d. A l'aide du théorème de Pythagore, montrez que :

$$\|\overrightarrow{AB}\| = \sqrt{(x_B-x_A)^2+(y_B-y_A)^2}.$$

Remarque

Si $\vec{u}$ est le vecteur de coordonnées $(a; b)$ dans la base $(\vec{i}, \vec{j})$, alors le point M tel que $\overrightarrow{OM}=\vec{u}$ a pour coordonnées $(a; b)$ dans le repère $(O; \vec{i}, \vec{j})$ et donc :

$$\|\vec{u}\| = \|\overrightarrow{OM}\| = \sqrt{a^2+b^2}.$$

EXERCICE

Dans le repère $(O; \vec{i}, \vec{j})$, les points M et N ont pour coordonnées respectives $(2; -3)$ et $(-1; 4)$.
Déterminez $\|\overrightarrow{OM}\|$, $\|\overrightarrow{ON}\|$, $\|\overrightarrow{MN}\|$.

2.2. Orthogonalité de deux vecteurs

$(O; \vec{i}, \vec{j})$ est un repère orthonormé.

A et B sont les points de coordonnées respectives $(x; y)$ et $(x'; y')$.

Notons $\vec{u} = \overrightarrow{OA}$ et $\vec{v} = \overrightarrow{OB}$.

Vous avez établi en classe de Troisième que les vecteurs $\vec{u}$ et $\vec{v}$ sont **orthogonaux** *si et seulement si :*

$$xx' + yy' = 0.$$

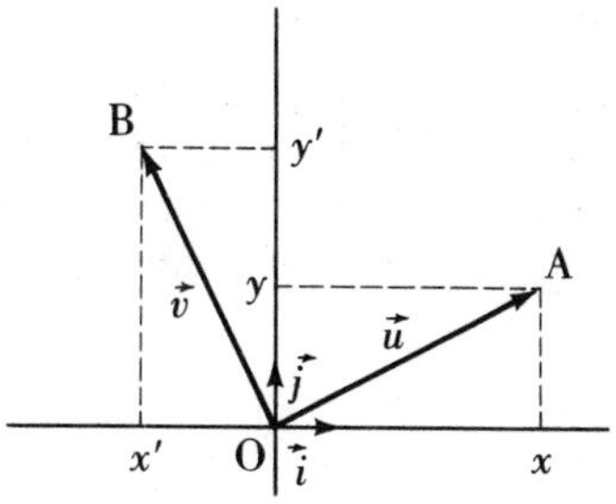

Nous vous proposons de démontrer ce théorème à l'exercice 1 ci-dessous et de l'appliquer à l'exercice 2.

EXERCICES

1. Avec les notations précédentes ;

a. Déterminez OA^2, OB^2, AB^2.

b. $\vec{u}$ et $\vec{v}$ sont orthogonaux, si et seulement si OAB est un triangle rectangle en O, soit $OA^2 + OB^2 = AB^2$.
Traduisez cette égalité à l'aide des résultats du ***a.***

c. Déduisez-en le théorème précédent.

2. Dans le repère orthonormé $(O; \vec{i}, \vec{j})$, A, B, C, D sont les points de coordonnées respectives $(-2; 1)$, $(4; -3)$, $(2; 3)$, $\left(-1; -\frac{3}{2}\right)$.
Les droites (AB) et (CD) sont-elles perpendiculaires?

2.3. Projection orthogonale sur un axe

$(O; \vec{i}, \vec{j})$ est un repère orthonormé.
M est le point de coordonnées $(x; y)$.
Δ est une droite qui passe par O et $(O; \vec{u})$ est un repère de Δ $(\|\vec{u}\| = 1)$. Les coordonnées de $\vec{u}$ sont $(a; b)$.
H est la projection orthogonale de M sur Δ.

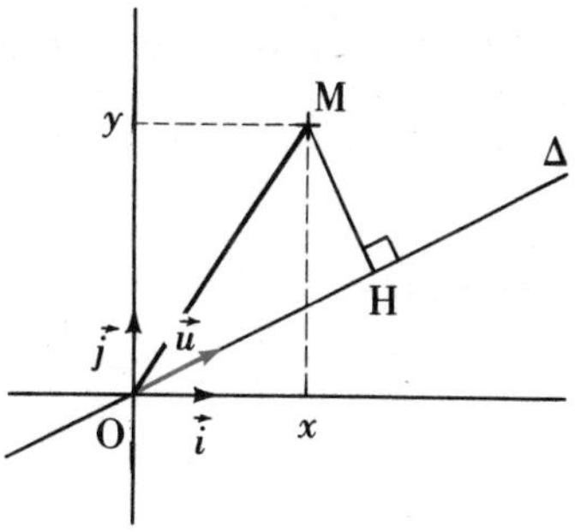

Déterminons $\overline{OH}$ à l'aide des réels x, y, a, b.
Le triangle OMH est rectangle en H, donc, d'après le théorème de Pythagore :

$$OM^2 = OH^2 + HM^2.$$

Nous savons que $\overrightarrow{OH} = \overline{OH}\,\vec{u}$

$$= \overline{OH}(a\vec{i} + b\vec{j})$$

$$= a\overline{OH}\,\vec{i} + b\overline{OH}\,\vec{j}.$$

Le point H a donc pour coordonnées $(a\overline{OH}; b\overline{OH})$.
Nous avons : $OM^2 = x^2 + y^2$.

$$HM^2 = (x - a\overline{OH})^2 + (y - b\overline{OH})^2$$

$$= x^2 - 2xa\overline{OH} + a^2\overline{OH}^2 + y^2 - 2yb\overline{OH} + b^2\overline{OH}^2$$

$$= x^2 + y^2 + (a^2 + b^2)\overline{OH}^2 - 2(xa + yb)\overline{OH}.$$

Comme $\|\vec{u}\| = 1$, $a^2 + b^2 = 1$, et l'égalité $OM^2 = OH^2 + HM^2$ s'écrit :

$$x^2 + y^2 = \overline{OH}^2 + x^2 + y^2 + \overline{OH}^2 - 2(xa + yb)\overline{OH}.$$

soit :

$$2\overline{OH}^2 = 2\overline{OH}(xa + yb).$$

Si $\overline{OH} \neq 0$, nous avons alors : $xa + yb = \overline{OH}$.
Si $\overline{OH} = 0$, cela signifie que les droites (OM) et Δ sont perpendiculaires, donc que les vecteurs $\overrightarrow{OM}$ et $\vec{u}$ sont orthogonaux, à savoir $xa + yb = 0$.
Nous avons donc, dans tous les cas :

$$\mathbf{\overline{OH} = xa + yb.}$$

3. Cours et applications

Nous avons vu que l'utilisation d'un repère orthonormé dans le plan permet de calculer des distances et de caractériser l'orthogonalité de deux vecteurs avec des formules simples.
Nous allons définir une notion nouvelle : le **produit scalaire** de deux vecteurs. Ce produit scalaire permet des démonstrations « par le calcul » de propriétés géométriques faisant intervenir les notions de distance et d'orthogonalité.

3.1. Qu'est-ce que le produit scalaire?

Par la suite, on suppose les droites graduées comme il est dit en 1.2.

Définition 1

$(O; \vec{i}, \vec{j})$ est un repère orthonormé.
$\vec{u}$ et $\vec{v}$ sont les vecteurs de coordonnées respectives $(x; y)$ et $(x'; y')$.
Le produit scalaire des vecteurs $\vec{u}$ et $\vec{v}$ est le *réel* $xx' + yy'$.
On note ce réel $\vec{u} \cdot \vec{v}$.

Exemples

- $\vec{u}$ et $\vec{v}$ sont les vecteurs de coordonnées respectives (3; −1) et (2; 1).

$$\vec{u} \cdot \vec{v} = 3 \times 2 + (-1) \times 1 = \mathbf{5}.$$

- $\vec{a}$ et $\vec{b}$ sont les vecteurs de coordonnées respectives (2; 1) et (−2; 4).

$$\vec{a} \cdot \vec{b} = 2 \times (-2) + 1 \times 4 = \mathbf{0}.$$

(Le produit scalaire de deux vecteurs peut être nul sans qu'aucun des deux vecteurs ne soit nul!)

Commentaires

- On peut montrer, *mais nous l'admettrons*, que le produit scalaire ainsi défini ne dépend pas du repère orthonormé choisi.
- Attention, $\vec{u} \cdot \vec{v}$ **est un réel!**

Dans « produit scalaire », le mot « scalaire » signifie « grandeur numérique ».

3.2. Propriétés

Produit scalaire et opérations sur les vecteurs

$(O; \vec{i}, \vec{j})$ est un repère orthonormé.
$\vec{u}$, $\vec{v}$, $\vec{w}$ sont les vecteurs de coordonnées respectives $(x; y)$, $(x'; y')$, $(x''; y'')$.

▶ $\vec{u} \cdot \vec{v} = xx' + yy'$ et $\vec{v} \cdot \vec{u} = x'x + y'y$.
La commutativité de la multiplication dans $\mathbb{R}$ assure que $\vec{u} \cdot \vec{v} = \vec{v} \cdot \vec{u}$.

▶ $\vec{v} + \vec{w}$ a pour coordonnées $(x' + x''; y' + y'')$.

Donc :
$$\begin{aligned}\vec{u} \cdot (\vec{v} + \vec{w}) &= x(x' + x'') + y(y' + y'') \\ &= xx' + xx'' + yy' + yy'' \\ &= xx' + yy' + xx'' + yy'' \\ &= \vec{u} \cdot \vec{v} + \vec{u} \cdot \vec{w}.\end{aligned}$$

▶ a est un réel; les coordonnées du vecteur $a\vec{u}$ sont $(ax; ay)$.
$$\begin{aligned}(a\vec{u}) \cdot \vec{v} &= (ax)x' + (ay)y' \\ &= axx' + ayy' \\ &= a(xx' + yy') \\ &= a(\vec{u} \cdot \vec{v}).\end{aligned}$$

D'où le théorème suivant :

Théorème 1

Pour tous vecteurs $\vec{u}$, $\vec{v}$, $\vec{w}$ et tout réel a :
1. $\vec{u} \cdot \vec{v} = \vec{v} \cdot \vec{u}$.
2. $\vec{u} \cdot (\vec{v} + \vec{w}) = \vec{u} \cdot \vec{v} + \vec{u} \cdot \vec{w}$.
3. $(a\vec{u}) \cdot \vec{v} = a(\vec{u} \cdot \vec{v})$.

EXERCICE

Montrez que :
$(\vec{u} + \vec{v}) \cdot \vec{w} = \vec{u} \cdot \vec{w} + \vec{v} \cdot \vec{w}$;
$(-\vec{u}) \cdot \vec{v} = -\vec{u} \cdot \vec{v}$;
$(\vec{u} - \vec{v}) \cdot \vec{w} = \vec{u} \cdot \vec{w} - \vec{v} \cdot \vec{w}$;
$\vec{u} \cdot (a\vec{v}) = a(\vec{u} \cdot \vec{v})$;
$(a\vec{u}) \cdot (b\vec{v}) = ab(\vec{u} \cdot \vec{v})$.

Commentaires

• *Attention aux notations incohérentes!*
Nous vous laissons expliquer pourquoi les écritures suivantes n'ont pas de sens : $\vec{u} \cdot \vec{v} \cdot \vec{w}$; $(\vec{u} \cdot \vec{v}) + \vec{w}$; $\vec{u} \cdot (a + \vec{v})$.

• Les propriétés du théorème précédent et celles qui en découlent, établies à l'exercice précédent, seront utilisées comme des « règles de calcul ».
Comme $a(\vec{u} \cdot \vec{v})$ est égal à $(a\vec{u}) \cdot \vec{v}$ et à $\vec{u} \cdot (a\vec{v})$, nous l'écrirons $a\vec{u} \cdot \vec{v}$.
On réserve le point $\cdot$ pour la notation du produit scalaire et on note le produit de deux réels ou le produit d'un vecteur par un réel à l'aide d'une simple juxtaposition de lettres $(ab; a\vec{u}; \ldots)$.

• *Il n'est pas nécessaire pour utiliser les règles de calcul énoncées dans le théorème de faire référence à un repère orthonormé, comme vous allez le voir dans l'exercice suivant.*

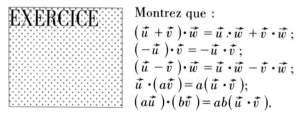

EXERCICE résolu 1

ABC est un triangle et O le milieu du segment [BC].
Montrez que : $\overrightarrow{BC}\cdot\overrightarrow{BA}+\overrightarrow{BC}\cdot\overrightarrow{CA}=2\overrightarrow{BC}\cdot\overrightarrow{OA}$.

Solution □ □ □

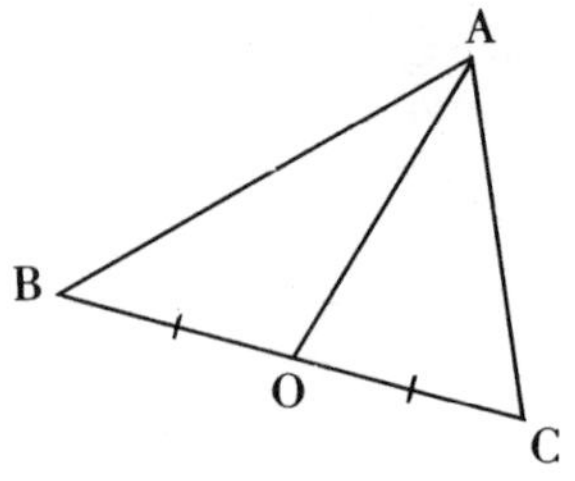

Si nous partons de $\overrightarrow{BC}\cdot\overrightarrow{BA}+\overrightarrow{BC}\cdot\overrightarrow{CA}$, la propriété (2) du théorème précédent permet d'écrire :

$$\overrightarrow{BC}\cdot\overrightarrow{BA}+\overrightarrow{BC}\cdot\overrightarrow{CA}=\overrightarrow{BC}\cdot(\overrightarrow{BA}+\overrightarrow{CA}).$$

Utilisons la relation de Chasles pour faire intervenir le point O; nous avons

$$\overrightarrow{BA}=\overrightarrow{BO}+\overrightarrow{OA} \quad \text{et} \quad \overrightarrow{CA}=\overrightarrow{CO}+\overrightarrow{OA}.$$

Donc : $\overrightarrow{BA}+\overrightarrow{CA}=\overrightarrow{BO}+\overrightarrow{CO}+2\overrightarrow{OA}$.
Or O est le milieu de [BC], donc $\overrightarrow{BO}+\overrightarrow{CO}=\vec{0}$.
Par conséquent :

$$\begin{aligned}\overrightarrow{BC}\cdot(\overrightarrow{BA}+\overrightarrow{CA})&=\overrightarrow{BC}\cdot 2\overrightarrow{OA}\\&=\mathbf{2\overrightarrow{BC}\cdot\overrightarrow{OA}}.\end{aligned}$$

□ □ □ □ □ □ □ □ □ □

Commentaire

Dans de nombreux cas, l'utilisation judicieuse de la relation de Chasles et des propriétés du théorème précédent permettent d'utiliser les hypothèses de l'énoncé et de démontrer par un calcul des propriétés géométriques.

3.3. Carré scalaire - Norme d'un vecteur

Définition 2

> **Le carré scalaire du vecteur $\vec{u}$ est le réel $\vec{u}\cdot\vec{u}$.**
> **On le note $\vec{u}^{\,2}$.**

$\vec{u}$ est un vecteur de coordonnées $(x; y)$; on sait que $\|\vec{u}\|=\sqrt{x^2+y^2}$, soit $\|\vec{u}\|^2=x^2+y^2$.
En outre, $\vec{u}^{\,2}=\vec{u}\cdot\vec{u}=x^2+y^2$.

Donc, pour tout vecteur $\vec{u}$, on a :

$$\|\vec{u}\|^2=\vec{u}^{\,2}.$$

Il en résulte que :

$\vec{u}$ est unitaire *si et seulement si* $\vec{u}^{\,2}=1$.

A et B sont deux points, alors : $\mathbf{\overrightarrow{AB}^2=\|\overrightarrow{AB}\|^2=AB^2}$.

3.4. Des produits scalaires remarquables

Pour tous vecteurs $\vec{u}$ et $\vec{v}$:

$$\begin{aligned}(\vec{u}+\vec{v})^2&=(\vec{u}+\vec{v})\cdot(\vec{u}+\vec{v})\\&=(\vec{u}+\vec{v})\cdot\vec{u}+(\vec{u}+\vec{v})\cdot\vec{v}\\&=\vec{u}\cdot\vec{u}+\vec{v}\cdot\vec{u}+\vec{u}\cdot\vec{v}+\vec{v}\cdot\vec{v}\end{aligned}$$

soit : $$(\vec{u}+\vec{v})^2=\vec{u}^2+2\vec{u}\cdot\vec{v}+\vec{v}^2.$$
De la même façon :
$$(\vec{u}-\vec{v})^2=\vec{u}^2-2\vec{u}\cdot\vec{v}+\vec{v}^2.$$

EXERCICE Montrez que pour tous vecteurs $\vec{u}$ et $\vec{v}$:
$$(\vec{u}-\vec{v})\cdot(\vec{u}+\vec{v})=\vec{u}^2-\vec{v}^2.$$

3.5. Produit scalaire et orthogonalité

a. Vecteurs orthogonaux

$\vec{u}$ et $\vec{v}$ sont deux vecteurs non nuls; A et B sont les points tels que : $\overrightarrow{OA}=\vec{u}$, $\overrightarrow{OB}=\vec{v}$; nous avons alors : $\overrightarrow{BA}=\vec{u}-\vec{v}$.
Par conséquent, d'après le paragraphe 3.4. :
$$\overrightarrow{BA}^2=\vec{u}^2-2\vec{u}\cdot\vec{v}+\vec{v}^2.$$
Or $$\overrightarrow{OA}^2=\vec{u}^2 \text{ et } \overrightarrow{OB}^2=\vec{v}^2,$$
donc : $$2\vec{u}\cdot\vec{v}=\overrightarrow{OA}^2+\overrightarrow{OB}^2-\overrightarrow{BA}^2.$$

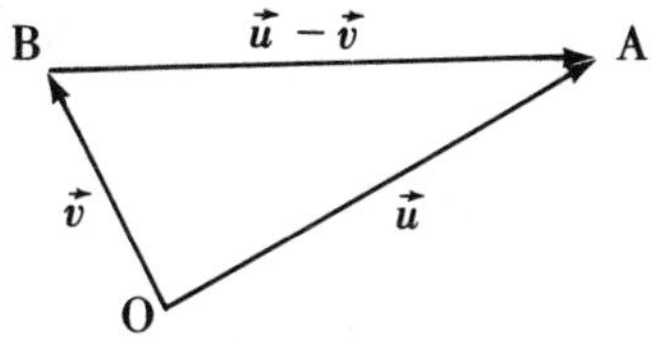

D'après le paragraphe 3.3. il vient :
$$2\vec{u}\cdot\vec{v}=OA^2+OB^2-BA^2.$$
Par conséquent : $\vec{u}\cdot\vec{v}=0$ équivaut à : $OA^2+OB^2-BA^2=0$
soit à : $$OA^2+OB^2=BA^2.$$
D'après le théorème de Pythagore le triangle OAB est donc rectangle en O et les droites (OA) et (OB) sont perpendiculaires, c'est-à-dire encore que les vecteurs $\vec{u}$ et $\vec{v}$ sont orthogonaux.
Comme, quel que soit le vecteur $\vec{v}$, $\vec{0}\cdot\vec{v}=0$, nous dirons que le vecteur nul $\vec{0}$ est orthogonal à tous les vecteurs du plan. D'où le théorème suivant :

Théorème 2

> **Deux vecteurs $\vec{u}$ et $\vec{v}$ sont orthogonaux *si et seulement si* :**
> $$\vec{u}\cdot\vec{v}=0.$$

b. Projection orthogonale d'un vecteur sur un axe

A et B sont deux points du plan.
Δ est une droite de repère $(O;\vec{u})$ $[\|\vec{u}\|=1]$.
A′ et B′ sont les projections orthogonales respectives de A et B sur Δ.
On appelle C le point du plan tel que $\overrightarrow{OC}=\overrightarrow{AB}$ et H la projection orthogonale de C sur Δ.
On a $\overline{OH}=\overline{A'B'}$ (d'après 1.2.), et :
$$\vec{u}\cdot\overrightarrow{AB}=\vec{u}\cdot\overrightarrow{OC}=\vec{u}\cdot(\overrightarrow{OH}+\overrightarrow{HC})$$
$$=\vec{u}\cdot\overrightarrow{OH}+\vec{u}\cdot\overrightarrow{HC}.$$

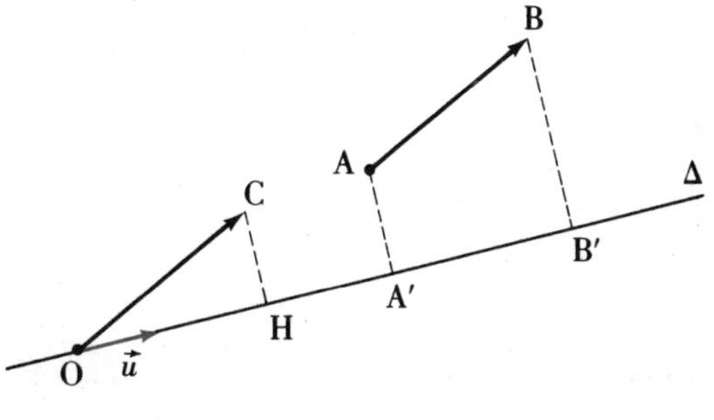

Par construction, $\vec{u}$ et $\overrightarrow{HC}$ sont orthogonaux, donc $\vec{u}\cdot\overrightarrow{HC}=0$.
En outre : $$\overrightarrow{OH}=\overline{OH}\,\vec{u},$$

par conséquent on a :

$$\vec{u}\cdot\overline{\mathrm{OH}}=\vec{u}\cdot(\overline{\mathrm{OH}}\,\vec{u})=\overline{\mathrm{OH}}(\vec{u}\cdot\vec{u}).$$

Comme $\vec{u}$ est unitaire, $\vec{u}^{\,2}=1$; il en résulte que $\vec{u}\cdot\overline{\mathrm{OH}}=\overline{\mathrm{OH}}$.
Nous avonc donc :

$$\vec{u}\cdot\overrightarrow{\mathrm{AB}}=\overline{\mathrm{OH}}=\overline{\mathrm{A'B'}}.$$

D'où le théorème suivant :

Théorème 3

> **A et B sont des points du plan qui se projettent orthogonalement en A′ et B′ sur la droite de repère $(\mathrm{O}\,;\vec{u})$.**
>
> **Alors :** $$\vec{u}\cdot\overrightarrow{\mathrm{AB}}=\overline{\mathrm{A'B'}}.$$

EXERCICE Sans utiliser le produit scalaire, nous avons, au paragraphe 2.3., déterminé l'abscisse de la projection orthogonale d'un point sur un axe passant par l'origine.
Redémontrez en utilisant le produit scalaire le résultat obtenu alors. Comparez les démonstrations.

3.6. Autres expressions du produit scalaire

• A et B sont deux points distincts. C et D sont deux points distincts.

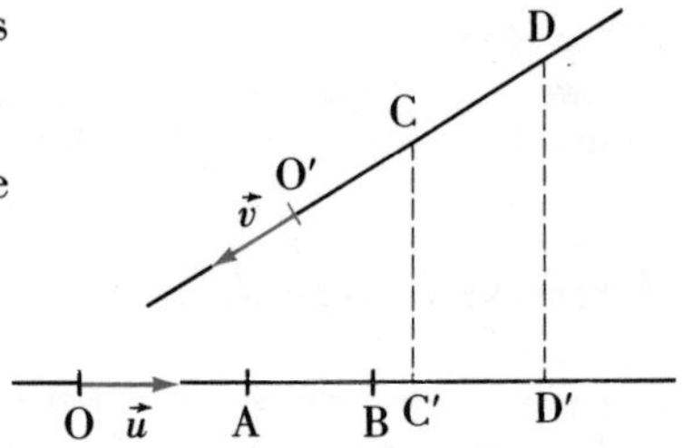

La droite (AB) est munie d'un repère $(\mathrm{O};\vec{u})$ et la droite (CD) d'un repère $(\mathrm{O}';\vec{v})$, avec $\vec{u}$ et $\vec{v}$ unitaires.

Alors on a : $\overrightarrow{\mathrm{AB}}=\overline{\mathrm{AB}}\,\vec{u}$

et donc : $\overrightarrow{\mathrm{AB}}\cdot\overrightarrow{\mathrm{CD}}=(\overline{\mathrm{AB}}\,\vec{u})\cdot\overrightarrow{\mathrm{CD}}=\overline{\mathrm{AB}}(\vec{u}\cdot\overrightarrow{\mathrm{CD}})$.

D'après le théorème 3, en notant C′ et D′ les projections orthogonales respectives de C et D sur la droite (AB), on a :

$$\vec{u}\cdot\overrightarrow{\mathrm{CD}}=\overline{\mathrm{C'D'}}.$$

D'où : $$\mathbf{\overrightarrow{AB}\cdot\overrightarrow{CD}=\overline{AB}\,\overline{C'D'}}.$$

• La situation est la même que précédemment.

Nous avons aussi : $\overrightarrow{\mathrm{CD}}=\overline{\mathrm{CD}}\,\vec{v}$.

D'où : $\overrightarrow{\mathrm{AB}}\cdot\overrightarrow{\mathrm{CD}}=(\overline{\mathrm{AB}}\,\vec{u})\cdot(\overline{\mathrm{CD}}\,\vec{v})=\overline{\mathrm{AB}}\,\overline{\mathrm{CD}}(\vec{u}\cdot\vec{v})$.

Par définition :

Le produit scalaire des deux vecteurs unitaires $\vec{u}$ et $\vec{v}$ est le cosinus de l'angle des vecteurs $\vec{u}$ et $\vec{v}$.

On note : $$\vec{u}\cdot\vec{v}=\cos(\widehat{\vec{u},\vec{v}}).$$

Ainsi : $$\mathbf{\overrightarrow{AB}\cdot\overrightarrow{CD}=\overline{AB}\,\overline{CD}\cos(\widehat{\vec{u},\vec{v}})}.$$

Commentaires

Justification de la définition de $\cos(\widehat{\vec{u}, \vec{v}})$.

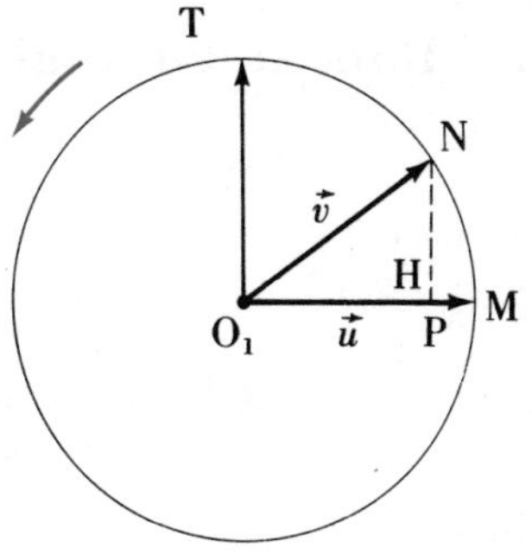

• Considérons deux représentants de même origine O_1 des vecteurs $\vec{u}$ et $\vec{v}$:

$$\overrightarrow{O_1M} = \vec{u}, \ \overrightarrow{O_1N} = \vec{v}.$$

Considérons le cercle trigonométrique $\mathcal{C}$ de centre O_1 ; son rayon est 1.

Alors, $\vec{u}$ et $\vec{v}$ étant unitaires, M et N sont sur $\mathcal{C}$.

Considérons le repère orthonormé positif $(O_1; \overrightarrow{O_1M}, \overrightarrow{O_1T})$. x étant une mesure en radians de l'angle $(\widehat{\overrightarrow{O_1M}, \overrightarrow{O_1N}})$, nous avons posé : $\cos x = \overline{O_1P}$, P étant la projection orthogonale de N sur l'axe $(O_1; \overrightarrow{O_1M})$.

Et nous avons précisé qu'en géométrie l'usage est de dire cosinus de l'angle, au lieu de cosinus de sa mesure.

En outre, d'après le théorème 3, ū étant unitaire, nous avons : $\vec{u} \cdot \vec{v} = \overline{O_1P}$, soit :

$$\vec{u} \cdot \vec{v} = \cos(\widehat{O_1M, O_1N}).$$

• Puisque $\vec{u} \cdot \vec{v} = \vec{v} \cdot \vec{u}$, on a :

$$\cos(\widehat{\vec{u}, \vec{v}}) = \cos(\widehat{\vec{v}, \vec{u}}).$$

• Si on choisit des vecteurs unitaires $\vec{u}$ et $\vec{v}$ de même sens que $\overrightarrow{AB}$ et $\overrightarrow{CD}$ ($\overrightarrow{AB}$ et $\overrightarrow{CD}$ non nuls), nous avons :

$$\overrightarrow{AB} = \|\overrightarrow{AB}\| \, \vec{u}$$

$$\overrightarrow{CD} = \|\overrightarrow{CD}\| \, \vec{v}$$

et donc :

$$\overrightarrow{AB} \cdot \overrightarrow{CD} = (\|\overrightarrow{AB}\| \, \vec{u}) \cdot (\|\overrightarrow{CD}\| \, \vec{v})$$

$$= \|\overrightarrow{AB}\| \, \|\overrightarrow{CD}\| \, (\vec{u} \cdot \vec{v}).$$

$\vec{u}$ et $\vec{v}$ étant de même sens que $\overrightarrow{AB}$ et $\overrightarrow{CD}$, l'angle des vecteurs $\overrightarrow{AB}$ et $\overrightarrow{CD}$ est égal à l'angle des vecteurs $\vec{u}$ et $\vec{v}$.

Par conséquent : $\cos(\widehat{\vec{u}, \vec{v}}) = \cos(\widehat{\overrightarrow{AB}, \overrightarrow{CD}})$

et donc : $\vec{u} \cdot \vec{v} = \cos(\widehat{\overrightarrow{AB}, \overrightarrow{CD}})$.

Ainsi :

$$\mathbf{\overrightarrow{AB} \cdot \overrightarrow{CD} = \|\overrightarrow{AB}\| \, \|\overrightarrow{CD}\| \cos(\widehat{\overrightarrow{AB}, \overrightarrow{CD}})}.$$

Si $\overrightarrow{AB}$ ou $\overrightarrow{CD}$ sont nuls, $\overrightarrow{AB} \cdot \overrightarrow{CD}$ est nul et la formule reste vraie.

Théorème 4

A, B, C et D sont quatre points du plan. C′ et D′ sont les projections orthogonales de C et D sur la droite (AB). On a :

$$\overrightarrow{AB} \cdot \overrightarrow{CD} = \overline{AB} \ \overline{C'D'}$$

$$\overrightarrow{AB} \cdot \overrightarrow{CD} = \|\overrightarrow{AB}\| \, \|\overrightarrow{CD}\| \cos(\widehat{\overrightarrow{AB}, \overrightarrow{CD}}).$$

De plus, si $\vec{u}$ est un vecteur unitaire de la droite (AB) et $\vec{v}$ un vecteur unitaire de la droite (CD) :

$$\overrightarrow{AB} \cdot \overrightarrow{CD} = \overline{AB} \, \overline{CD} \ \cos(\widehat{\vec{u}, \vec{v}}).$$

3.7. Applications

a. Dans un triangle quelconque

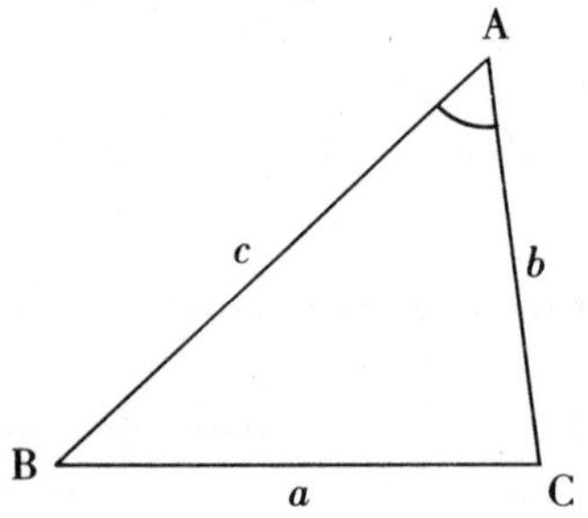

ABC est un triangle.

On pose : $BC = a,\ AC = b,\ AB = c.$

On a : $\overrightarrow{BC} = \overrightarrow{BA} + \overrightarrow{AC}$

D'où : $\overrightarrow{BC}^2 = (\overrightarrow{BA} + \overrightarrow{AC})^2$
$= \overrightarrow{BA}^2 + 2\overrightarrow{BA}\cdot\overrightarrow{AC} + \overrightarrow{AC}^2.$

On sait que :

$\overrightarrow{BA}^2 = \|\overrightarrow{BA}\|^2 = c^2;\ \overrightarrow{AC}^2 = \|\overrightarrow{AC}\|^2 = b^2;\ \overrightarrow{BC}^2 = \|\overrightarrow{BC}\|^2 = a^2.$

En outre : $\overrightarrow{BA} = -\overrightarrow{AB}$; d'où : $\overrightarrow{BA}\cdot\overrightarrow{AC} = -(\overrightarrow{AB}\cdot\overrightarrow{AC}).$

D'après le paragraphe 3.6. : $\overrightarrow{AB}\cdot\overrightarrow{AC} = \|\overrightarrow{AB}\|\ \|\overrightarrow{AC}\| \cos(\widehat{\overrightarrow{AB}, \overrightarrow{AC}}).$

Si α est la mesure principale de $(\widehat{\overrightarrow{AB}, \overrightarrow{AC}})$, alors $|\alpha|$ est la mesure de l'angle géométrique : $\widehat{BAC}$, que l'on note $\widehat{A}$.

Si $\alpha > 0$, alors $\cos \widehat{A} = \cos \alpha = \cos(\widehat{\overrightarrow{AB}, \overrightarrow{AC}}).$

Si $\alpha < 0$, alors : $\cos \widehat{A} = \cos(-\alpha) = \cos \alpha = \cos(\widehat{\overrightarrow{AB}, \overrightarrow{AC}}).$

Finalement :

$$\overrightarrow{AB}\cdot\overrightarrow{AC} = bc \cos \widehat{A}.$$

D'où :

$$\mathbf{a^2 = b^2 + c^2 - 2bc \cos \widehat{A}.}$$

On obtient de la même façon :

$$b^2 = a^2 + c^2 - 2ac \cos \widehat{B}$$
$$c^2 = a^2 + b^2 - 2ab \cos \widehat{C}.$$

b. Mesure indirecte d'une distance sur le terrain

EXERCICE résolu 2

Un topographe veut mesurer la distance entre deux points matérialisés B et C. Mais la mesure directe est impraticable car la ligne droite entre B et C est encombrée d'obstacles naturels (maisons, arbres, etc.). Le topographe se place donc en un point A d'où il peut mesurer directement les distances AC et AB.

Puis, il mesure l'angle $\widehat{BAC}$ (avec un théodolithe, appareil de précision de mesure des angles).

Il trouve, en mètres :

$$AB = 66{,}1;\ AC = 78{,}4;$$

et, en grades :

$$\widehat{BAC} = 54{,}81.$$

Calculez BC.

Solution □ □ □

Avec les notations précédentes, on a :
$a^2 = b^2 + c^2 - 2bc \cos \widehat{A}$, avec $\widehat{A} = 54{,}81$; $c = 66{,}1$; $b = 78{,}4$.
On trouve : $a^2 \simeq 3\,761{,}09$; $a \simeq 61{,}3$.
Il est inutile de donner une meilleure précision puisque les résultats initiaux ont été donnés avec un seul chiffre après la virgule.
□ □ □ □ □ □ □ □ □ □

EXERCICES

Pour tester vos connaissances

Dans tous les exercices, les repères considérés seront **orthonormés.**

1. En prenant l'origine O du repère comme origine commune dans chacun des cas, représentez les vecteurs de coordonnées suivantes et calculez leur produit scalaire :

a) $\vec{u}_1(4; -1)$ $\vec{u}_2(3; -5)$;

b) $\vec{u}_1\left(\sqrt{3}; \frac{1}{2}\right)$ $\vec{u}_2(-\sqrt{3}; 1)$;

c) $\vec{u}_1(-1; -2)$ $\vec{u}_2(-3; -6)$;

d) $\vec{u}_1\left(-1; \frac{1}{2}\right)$ $\vec{u}_2(3; 6)$.

2. $\vec{u}_1$ est le vecteur de coordonnées (3; −1).
Déterminez dans chacun des cas le réel y pour que le vecteur $\vec{u}_2$ de coordonnées (2; y) vérifie :

a) $\vec{u}_1 \cdot \vec{u}_2 = 5$;

b) $\vec{u}_1 \cdot \vec{u}_2 = -1$;

c) $\vec{u}_1 \cdot \vec{u}_2 = 0$.

En prenant l'origine du repère comme origine commune, représentez $\vec{u}_1$ et les différents vecteurs $\vec{u}_2$ trouvés en ***a***, ***b*** et ***c***.

3. On considère les vecteurs $\vec{u}_1$ de coordonnées (2; −1) et $\vec{u}_2$ de coordonnées (3; 6).

a) Calculez $\vec{u}_1^{\,2}$, $\vec{u}_2^{\,2}$ et $\vec{u}_1 \cdot \vec{u}_2$.

b) Calculez $2\vec{u}_1 \cdot \vec{u}_2$; $(\vec{u}_1 - \vec{u}_2) \cdot 2\vec{u}_1$; $(3\vec{u}_1 - \vec{u}_2) \cdot (\vec{u}_1 + \vec{u}_2)$; $2(\vec{u}_1 - 2\vec{u}_2) \cdot 3(\vec{u}_1 + 2\vec{u}_2)$.

4. On considère les vecteurs $\vec{u}_1$ de coordonnées (1; −1) et $\vec{u}_2$ de coordonnées (2; 1).

a) Déterminez le réel a pour que $\vec{u}_3$ de coordonnées (a; −1), vérifie :

$$\vec{u}_1 \cdot \vec{u}_2 = \vec{u}_1 \cdot \vec{u}_3.$$

b) Déterminez le réel b pour que $\vec{u}_4$ de coordonnées (−1; b) vérifie :

$$\vec{u}_1 \cdot \vec{u}_2 = \vec{u}_1 \cdot \vec{u}_4.$$

c) Peut-on « simplifier » par $\vec{u}$ lorsqu'on a l'égalité $\vec{u} \cdot \vec{v} = \vec{u} \cdot \vec{w}$.

5. $(O; \vec{i}, \vec{j})$ est un repère orthonormé.
$\vec{u}$ est le vecteur $5\vec{i} - 3\vec{j}$.
Trouvez un vecteur $\vec{v}$ orthogonal à $\vec{u}$.
Trouvez-en plusieurs.

6. $(O; \vec{i}, \vec{j})$ est un repère orthonormé positif.
$\vec{u}$ est un vecteur de norme 2. Une mesure en radians de $(\widehat{\vec{i}, \vec{u}})$ est $\frac{\pi}{3}$.
Calculez : $\vec{u} \cdot \vec{i}$; $\vec{u} \cdot \vec{j}$.

7. $(O; \vec{i}, \vec{j})$ est un repère orthonormé.
Les vecteurs $\vec{i} + \vec{j}$ et $\vec{i} - \vec{j}$ sont-ils orthogonaux? Dessinez.

8. Les vecteurs $\vec{u}$ et $\vec{v}$ étant orthogonaux, calculez :

a) $(2\vec{u} + 3\vec{v})^2 - (2\vec{u} - 3\vec{v})^2$;

b) $(2\vec{u} + \vec{v}) \cdot (\vec{u} - 2\vec{v})$;

c) $\|\vec{u} + \vec{v}\|^2 - \|\vec{u} - \vec{v}\|^2$.

Exercices d'entraînement

Interprétations géométriques des produits scalaires remarquables

1. On considère un parallélogramme ABCD et on appelle I le point d'intersection des segments [AC] et [BD]. On pose $\vec{u} = \overrightarrow{AB}$ $\vec{v} = \overrightarrow{AD}$.

a) Exprimez $\overrightarrow{AC}$ et $\overrightarrow{BD}$ en fonction de $\vec{u}$ et de $\vec{v}$.

b) Que représente [AI] dans le triangle ABD? Calculez $\overrightarrow{AI}$ en fonction de $\vec{u}$ et de $\vec{v}$.

c) Calculez AB^2, AD^2, AC^2 et BD^2 en fonction de $\vec{u}$ et de $\vec{v}$.

d) Montrez que $2(AB^2 + AD^2) = AC^2 + BD^2$.

e) Déduisez-en que :

$$AB^2 + AD^2 = 2AI^2 + \frac{BD^2}{2}.$$

f) En tenant compte de ce que représentent les éléments qui interviennent dans les formules ***d)*** et ***e)*** pour le parallélogramme ABCD et le triangle ABD, exprimez en une phrase ce que signifient ces formules.

2. ABC est un triangle, I le milieu du côté [BC] et H le pied de la hauteur issue de A.

a) Montrez que $AC^2 - AB^2 = 2\overrightarrow{BC} \cdot \overrightarrow{AI}$.

b) Déduisez de la relation précédente que :

$$AC^2 - AB^2 = -2\overline{BC}\,\overline{IH}.$$

3. En utilisant le produit scalaire remarquable

$$\vec{u}^{\,2} - \vec{v}^{\,2} = (\vec{u} + \vec{v}) \cdot (\vec{u} - \vec{v}),$$

montrez qu'un parallélogramme est un losange si et seulement si ses diagonales sont perpendiculaires.

4. ABC est un triangle isocèle en A et M un point du côté [BC].
Montrez que $AM^2 - AB^2 = \overline{MB}\,\overline{MC}$.

Relations métriques dans le triangle rectangle

5. ABC est un triangle et H est le pied de la hauteur issue de A.

a) Montrez que $\overrightarrow{BC} \cdot \overrightarrow{BH} = \overrightarrow{BA}^2 + \overrightarrow{AC} \cdot \overrightarrow{BA}$.

b) Déduisez-en que ABC est rectangle en A si et seulement si $\overline{BC}\,\overline{BH} = BA^2$.

6. ABC est un triangle et H est le pied de la hauteur issue de A.

a) Montrez que $\overrightarrow{AH}^2 = \overrightarrow{CH} \cdot \overrightarrow{HB} + \overrightarrow{AC} \cdot \overrightarrow{AB}$.

b) Déduisez-en que le triangle ABC est rectangle en A si et seulement si

$$AH^2 = -\overline{HB}\,\overline{HC} = HB\ HC.$$

7. En utilisant les résultats des exercices 5 et 6, montrez que, dans un triangle rectangle en A, AH étant la hauteur issue de A, on a : $\dfrac{1}{AB^2} + \dfrac{1}{AC^2} = \dfrac{1}{AH^2}$.

Autres utilisations du produit scalaire

8. ***a)*** A, B, C et D sont quatre points du plan.
Montrez que $\overrightarrow{DC} \cdot \overrightarrow{AB} + \overrightarrow{DA} \cdot \overrightarrow{BC} + \overrightarrow{DB} \cdot \overrightarrow{CA} = 0$ (relation d'Euler).

b) En utilisant cette relation, démontrez que les trois hauteurs d'un triangle ABC sont concourantes.
(**Indications :** notez H l'intersection de la hauteur issue de A et de la hauteur issue de B. Montrez que (CH) est perpendiculaire à (AB). Pour cela, utilisez ***a)*** avec D = H.)

9. A et B sont deux points du plan et I est le milieu de [AB].

a) Montrez que, pour tout point M du plan,

$$\overrightarrow{MA} \cdot \overrightarrow{MB} = MI^2 - IA^2.$$

b) k est un réel donné.
Quel est l'ensemble des points M du plan tels que $\overrightarrow{MA} \cdot \overrightarrow{MB} = k$?

10. A et B sont deux points du plan et I est le milieu de [AB].

a) Montrez que, pour tout point M du plan,

$$MA^2 + MB^2 = 2(MI^2 + IA^2).$$

b) k est un réel donné.
Déterminez l'ensemble des points M tels que

$$MA^2 + MB^2 = k.$$

11. Puissance d'un point par rapport à un cercle.
$\mathcal{C}$ est un cercle de centre O et de rayon r. P est un point du plan et on appelle d la distance de P à O.

a) [MM′] est un diamètre de $\mathcal{C}$.
Montrez que $\overrightarrow{PM} \cdot \overrightarrow{PM'} = d^2 - r^2$.

b) Une droite D passe par P et coupe $\mathcal{C}$ en A et B.
A′ est le point diamétralement opposé à A sur le cercle $\mathcal{C}$.
Montrez que $\overline{PA}\,\overline{PB} = \overrightarrow{PA} \cdot \overrightarrow{PA'}$.

c) Déduisez-en que $\overline{PA}\ \overline{PB}$ est indépendant de la sécante au cercle passant par P.
Ce nombre s'appelle « la puissance du point P par rapport au cercle ».

d) Quels sont les points du plan dont la puissance est négative? nulle? positive?

Calculs dans des triangles

12. Dans un triangle ABC du plan on a, en degrés : $\widehat{CBA} = 100$, $\widehat{ACB} = 35$; de plus $AB = 12$ et $AC = 20$.
Calculez BC.

13. Dans un triangle ABC du plan on a : AB = 45, AC = 30, BC = 60.
Calculez les mesures en degrés des trois angles.

CHAPITRE
24

APPLICATIONS DU PRODUIT SCALAIRE

1. Introduction

Ce chapitre constitue un prolongement du chapitre 23 «Produit scalaire»; de ce fait, nous n'y trouverons pas la rubrique habituelle «Pour prendre un bon départ».

Dans ce chapitre, nous considérerons que :
— le plan est muni d'une distance;
— tous les repères qui interviennent sont orthonormés.

2. Approche

Ensemble des points M tels que : $\vec{u} \cdot \overrightarrow{OM} = k$

$\vec{u}$ est un vecteur non nul donné, O un point donné et k un réel donné.
Le problème est de trouver l'ensemble des points M du plan tels que : $\vec{u} \cdot \overrightarrow{OM} = k$.
Appelons A le point défini par $\overrightarrow{OA} = \vec{u}$.
Choisissons sur la droite (OA) un repère $(O; \vec{i})$ avec : $\|\vec{i}\| = 1$.

Analyse du problème
Si M est un point tel que : $\overrightarrow{OM} \cdot \vec{u} = k$, appelons H la projection orthogonale de M sur (OA).
Alors, d'après le paragraphe 3.6 du chapitre 23, on a :

$$\vec{u} \cdot \overrightarrow{OM} = \overrightarrow{OA} \cdot \overrightarrow{OM} = \overline{OA}\,\overline{OH}.$$

Donc : $\overline{OA}\,\overline{OH} = k$.

Comme $\overline{OA} \neq 0$, car $\vec{u} \neq \vec{0}$, on déduit : $\overline{OH} = \dfrac{k}{\overline{OA}}$.

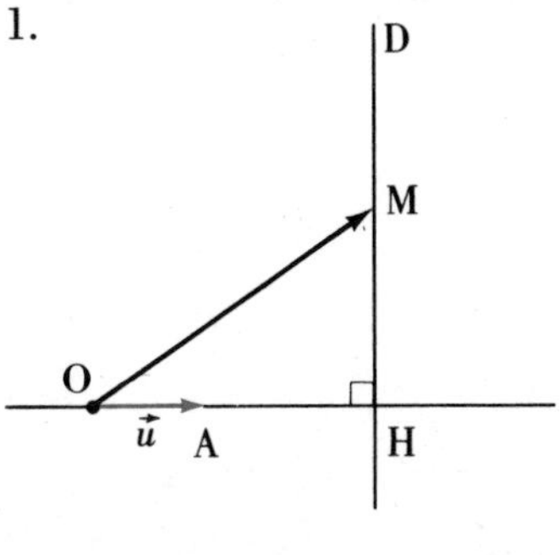

Or $\dfrac{k}{\overline{\text{OA}}}$ ne dépend pas de M, c'est-à-dire que H est un point qui ne dépend pas de M.

Donc M est sur la droite D, qui passe par le point H tel que :
$\overline{\text{OH}} = \dfrac{k}{\overline{\text{OA}}}$, et qui est perpendiculaire à (OA).

Réciproque : si M est sur cette droite D, alors on a :

$$\vec{u} \cdot \overrightarrow{\text{OM}} = \overrightarrow{\text{OA}} \cdot \overrightarrow{\text{OM}} = \overline{\text{OA}}\,\overline{\text{OH}} = \overline{\text{OA}}\,\dfrac{k}{\overline{\text{OA}}} = k,$$

et donc M appartient à l'ensemble cherché.

Par conséquent :

si $\vec{u}$ est un vecteur non nul, O un point du plan, k un réel, et A le point tel que $\overrightarrow{\text{OA}} = \vec{u}$, l'ensemble des points M tels que $\vec{u} \cdot \overrightarrow{\text{OM}} = k$ est une droite perpendiculaire à (OA), et passant par le point H tel que $\overline{\text{OH}} = \dfrac{k}{\overline{\text{OA}}}$.

Pour chaque valeur donnée à k, on obtient une droite différente, ces diverses droites sont toutes parallèles puisqu'elles sont perpendiculaires à la droite (OA).

Lorsque $k = 0$, on trouve la perpendiculaire en O à (OA);

lorsque $k < 0$, $\overline{\text{OH}}$ et $\overline{\text{OA}}$ sont de signes contraires, H et A sont donc de part et d'autre de O;

lorsque $k > 0$, $\overline{\text{OH}}$ et $\overline{\text{OA}}$ sont de même signe, H et A sont du même côté de O.

Pour faire ce dessin, nous avons pris comme unité 1 cm et $\vec{u}$ est un vecteur de norme 2 ($\|\overrightarrow{\text{OA}}\| = 2$).

Chacune de ces droites est une **ligne de niveau** de l'application : M $\longmapsto \vec{u} \cdot \overrightarrow{\text{OM}}$.

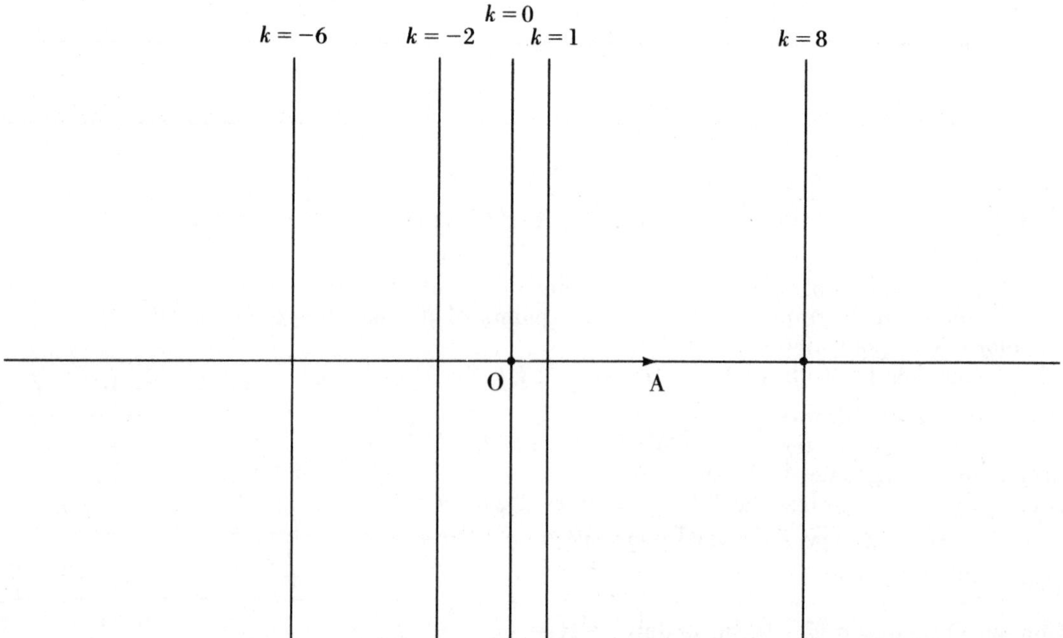

3. Cours et applications

3.1. La droite en repère orthonormé

a. Vecteur orthogonal (ou normal) à une droite

D est une droite et $\vec{u}$ est un vecteur.
$\vec{v}$ est un vecteur directeur de D.
Supposons $\vec{u}$ et $\vec{v}$ orthogonaux, soit : $\vec{u} \cdot \vec{v} = 0$.
Alors, si $\vec{v}\,'$ est un autre vecteur directeur de D, $\vec{u}$ et $\vec{v}\,'$ sont orthogonaux. En effet, dans ces conditions, $\vec{v}$ et $\vec{v}\,'$ sont colinéaires, c'est-à-dire qu'il existe un réel k tel que :

$$\vec{v}\,' = k\vec{v}.$$

Alors : $\quad \vec{u} \cdot \vec{v}\,' = \vec{u} \cdot (k\vec{v}) = k(\vec{u} \cdot \vec{v}) = k \times 0 = 0.$

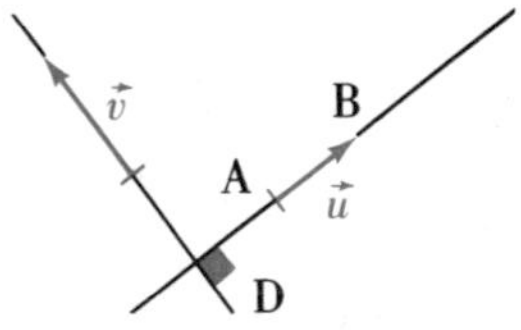

Définition

> **On dit qu'un vecteur $\vec{u}$ est orthogonal, ou normal, à une droite D si $\vec{u}$ est orthogonal à tout vecteur directeur de D.**

Notez que pour qu'un vecteur $\vec{u}$ soit orthogonal à une droite D il suffit que $\vec{u}$ soit orthogonal à un *seul* vecteur directeur de D.

Commentaire

Si $\vec{u} = \overrightarrow{AB}$, les droites (AB) et D sont perpendiculaires. Nous pouvons dire qu'un vecteur non nul $\vec{u} = \overrightarrow{AB}$ est orthogonal à une droite D si (AB) et D sont perpendiculaires.

b. Interprétation géométrique des coefficients a et b de l'équation d'une droite $ax + by + c = 0$

D est une droite d'équation $ax + by + c = 0$.
Un vecteur directeur $\vec{v}$ a pour coordonnées $(b; -a)$. Il est clair que le vecteur $\vec{u}$ de coordonnées $(a; b)$ vérifie ;

$$b \times a + (-a) \times b = 0$$

d'où : $\vec{u} \cdot \vec{v} = 0$.
Le vecteur $\vec{u}$ est donc orthogonal à la droite D.

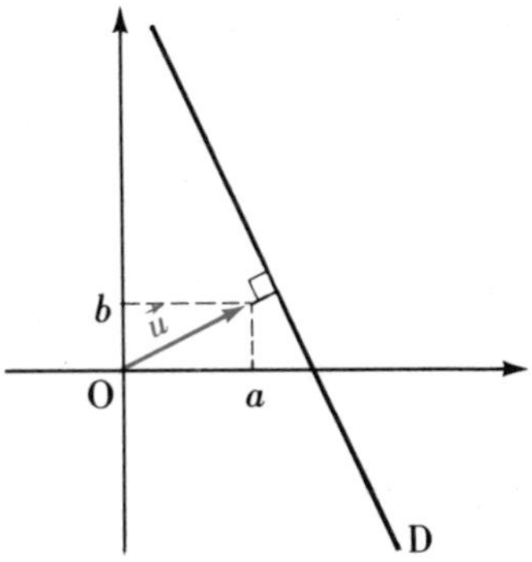

Théorème 1

> **D est une droite d'équation $ax + by + c = 0$ dans un repère orthonormé $(O; \vec{i}, \vec{j})$.**
> **Alors le vecteur $\vec{u}$ de coordonnées $(a; b)$ dans la base $(\vec{i}, \vec{j})$ est orthogonal à D.**

c. Équation d'une droite définie par un point et un vecteur non nul orthogonal

$\vec{u}$ est un vecteur non nul de coordonnées $(a;\ b)$ dans la base $(\vec{i}, \vec{j})$. A est un point de coordonnées $(x_0;\ y_0)$. Cherchons une équation de la droite D orthogonale à $\vec{u}$ et passant par A.

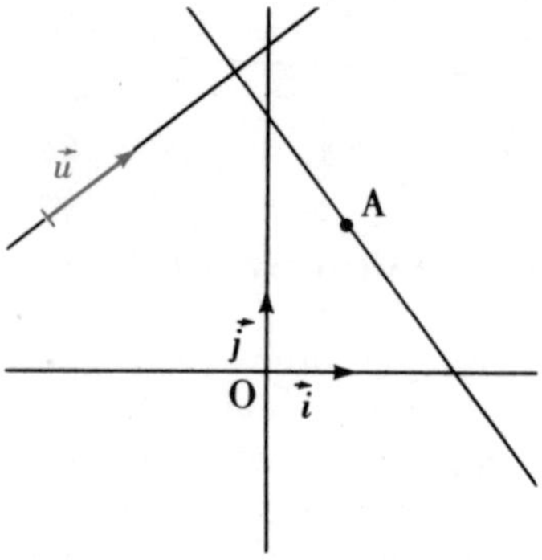

Le point M est sur D *si et seulement si* $\overrightarrow{AM}$ est orthogonal à $\vec{u}$, *donc si et seulement si* $\vec{u} \cdot \overrightarrow{AM} = 0$.

D'où :

si M a pour coordonnées $(x;\ y)$:

$$\overrightarrow{AM} \text{ a pour coordonnées } (x - x_0;\ y - y_0)$$

donc :

$$\vec{u} \cdot \overrightarrow{AM} = a(x - x_0) + b(y - y_0).$$

Par conséquent, $\vec{u} \cdot \overrightarrow{AM} = 0$ *si et seulement si :*

$$a(x - x_0) + (y - y_0) = 0$$

$a(x - x_0) + b(y - y_0) = 0$ est donc une équation de D.

Cette équation s'écrit aussi :

$$ax + by - (ax_0 + by_0) = 0.$$

Résultat fondamental

$\vec{u}$ est un vecteur non nul de coordonnées $(a;\ b)$; A est un point de coordonnées $(x_0;\ y_0)$.

Une équation de la droite D passant par A, orthogonale à $\vec{u}$ est :

$$a(x - x_0) + b(y - y_0) = 0.$$

EXERCICE résolu 1

ABC est un triangle dont les sommets ont pour coordonnées respectives : (3; 1); (−1; 5); (2; −2) dans $(O;\ \vec{i}, \vec{j})$.
Donnez une équation de la hauteur issue de C.

Solution □ □ □

Cette hauteur est la droite D passant par C et telle que le vecteur $\overrightarrow{AB}$ lui est orthogonal.

M étant un point de coordonnées $(x;\ y)$, M est sur D *si et seulement si* :

$$\overrightarrow{AB} \cdot \overrightarrow{CM} = 0.$$

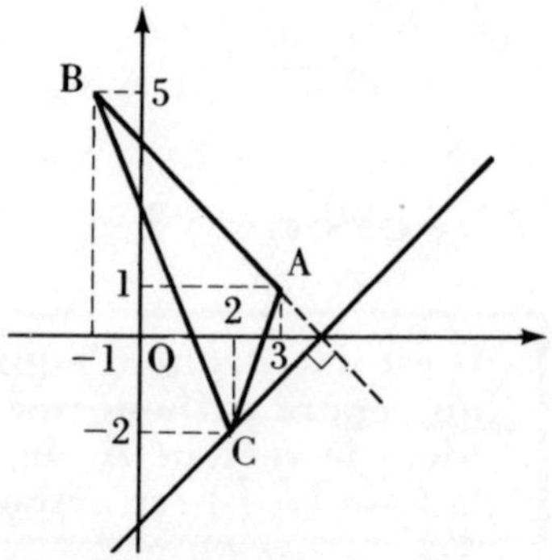

Nous nous laissons vérifier que l'on en déduit :

$$-4(x - 2) + 4(y + 2) = 0$$

soit : $$x - y - 4 = 0.$$

□ □ □ □ □ □ □ □ □ □

d. Conditions analytiques de la perpendicularité de deux droites

D est une droite d'équation $ax+by+c=0$.

D′ est une droite d'équation $a'x+b'y+c'=0$.

Un vecteur directeur de D a pour coordonnées $(-b; a)$, et un vecteur directeur de D′ a pour coordonnées $(-b'; a')$.

Les droites D et D′ sont perpendiculaires *si et seulement si* leurs vecteurs directeurs sont orthogonaux, c'est-à-dire si :

$$aa'+bb'=0.$$

D'où le théorème suivant :

Théorème 2

Dans un repère orthonormé, D et D′ sont les droites d'équations respectives :

$$ax+by+c=0$$
$$a'x+b'y+c'=0.$$

D et D′ sont perpendiculaires *si et seulement si* :

$$aa'+bb'=0.$$

3.2. Le cercle en repère orthonormé

a. Introduction

A et A′ sont deux points du plan et O est le milieu de [AA′]. Vous avez vu dans le chapitre 15 page 172 qu'un point M appartient au cercle de diamètre [AA′] *si et seulement si* le triangle AMA′ est rectangle en M.

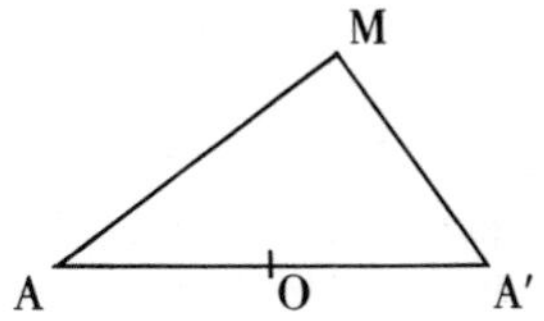

Cette dernière condition se traduit par : $\overrightarrow{AM}\cdot\overrightarrow{A'M}=0$. D'où le théorème suivant :

Théorème 3

A et A′ sont deux points du plan.

Un point M est sur le cercle de diamètre [AA′] *si et seulement si* :

$$\overrightarrow{AM}\cdot\overrightarrow{A'M}=0.$$

Vous trouverez dans l'exercice d'entraînement 1, page 274, une occasion de redémontrer ce théorème en utilisant le produit scalaire.

EXERCICE résolu 2

Dans le repère orthonormé $(O; \vec{i}, \vec{j})$, A et A′ sont les points de coordonnées respectives (1; 2) et (−3; 1).

A quelle condition, nécessaire et suffisante, un point M de coordonnées (x; y) appartient-il au cercle $\mathcal{C}$ de diamètre [AA′]?

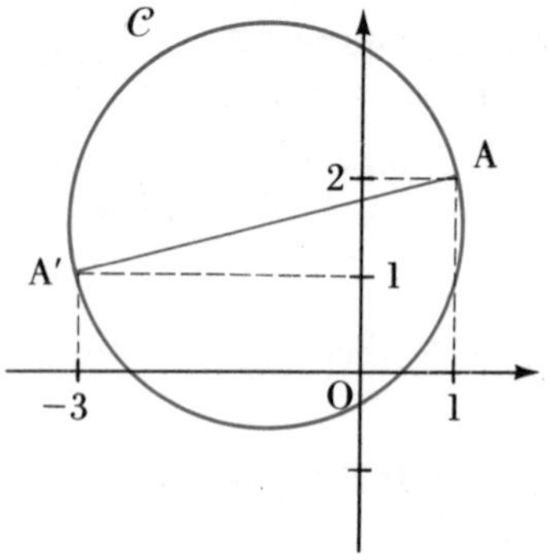

Solution □ □ □

$M \in \mathcal{C}$, *si et seulement si* $\overrightarrow{AM} \cdot \overrightarrow{A'M} = 0$.

$\overrightarrow{AM}$ a pour coordonnées $(x-1;\ y-2)$.
$\overrightarrow{A'M}$ a pour coordonnées $(x+3;\ y-1)$.

Le point M de coordonnées (x; y) appartient à $\mathcal{C}$, *si et seulement si :* $(x-1)(x+3)+(y-2)(y-1)=0$

soit :

$$\boldsymbol{x^2+y^2+2x-3y-6=0.}$$

□ □ □ □ □ □ □ □ □

b. Équation d'un cercle défini par son centre et son rayon

A est un point du plan de coordonnées $(a;\ b)$ dans $(O; \vec{i}, \vec{j})$.

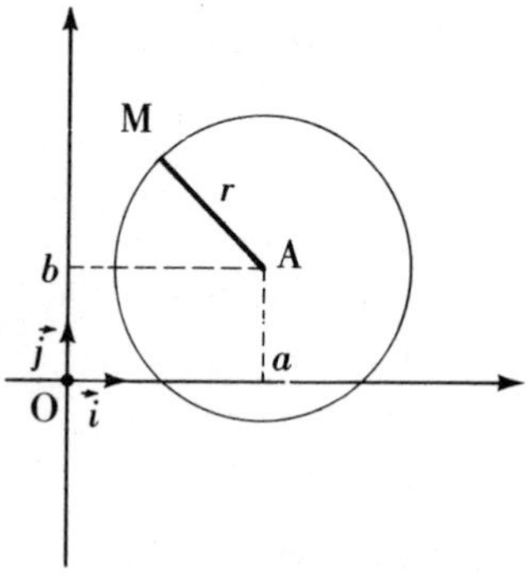

Le cercle de centre A, de rayon $r\ (r \geqslant 0)$ est l'ensemble des points M tels que : $AM = r$, c'est-à-dire encore tels que : $(\overrightarrow{AM})^2 = r^2$.

Un point M de coordonnées (x; y) appartient donc à ce cercle *si et seulement si :*

$$(x-a)^2+(y-b)^2=r^2$$

soit :

$$x^2+y^2-2ax-2by+a^2+b^2-r^2=0.$$

EXERCICE

Déterminez une équation du cercle de centre I, point de coordonnées (1; −1), et passant par le point A de coordonnées (3; 1).

c. Recherche du centre et du rayon d'un cercle

EXERCICE résolu 3

Dans un repère orthonormé $(O; \vec{i}, \vec{j})$, E est l'ensemble des points M de coordonnées $(x; y)$ telles que :

$$x^2 + y^2 - 2x - y + 1 = 0.$$

Quel est cet ensemble E?

Solution □ □ □

On sait que $x^2 - 2x = (x-1)^2 - 1$ et $y^2 - y = \left(y - \frac{1}{2}\right)^2 - \frac{1}{4}$.

Donc le point M de coordonnées $(x; y)$ appartient à E *si et seulement si :*

$$(x-1)^2 + \left(y - \frac{1}{2}\right)^2 - 1 - \frac{1}{4} + 1 = 0$$

$$(x-1)^2 + \left(y - \frac{1}{2}\right)^2 = \frac{1}{4}.$$

E est donc le cercle de centre I de coordonnées $\left(1; \frac{1}{2}\right)$ et de rayon $\frac{1}{2}$.

□ □ □ □ □ □ □ □ □

EXERCICE résolu 4

Même question que l'exercice précédent, avec

$$x^2 + y^2 + \frac{3}{2}x + \frac{1}{2}y + 3 = 0.$$

Solution □ □ □

Procédons de la même façon que précédemment :

$$x^2 + \frac{3}{2}x = \left(x + \frac{3}{4}\right)^2 - \frac{9}{16} \text{ et } y^2 + \frac{1}{2}y = \left(y + \frac{1}{4}\right)^2 - \frac{1}{16}.$$

Le point M de coordonnées $(x; y)$ appartient à E *si et seulement si :*

$$\left(x + \frac{3}{4}\right)^2 + \left(y + \frac{1}{4}\right)^2 - \frac{9}{16} - \frac{1}{16} + 3 = 0$$

$$\left(x + \frac{3}{4}\right)^2 + \left(y + \frac{1}{4}\right)^2 = -\frac{19}{8}.$$

Quels que soient x et y, on a :

$\left(x + \frac{3}{4}\right)^2 + \left(y + \frac{1}{4}\right)^2 > 0$ et $-\frac{19}{8} < 0$, **donc l'ensemble E est vide.**

□ □ □ □ □ □ □ □ □

EXERCICES

Tous les repères qui interviennent dans les exercices suivants sont orthonormés.

Pour tester vos connaissances

1. On définit en ***a)***, ***b)***, ***c)*** et ***d)*** un point A et un vecteur $\vec{u}$ par leurs coordonnées. Écrivez dans chacun de ces cas, une équation de la droite D déterminée par les deux conditions : D passe par A ; $\vec{u}$ est orthogonal à D.

a) $A(2; 3)$ $\quad \vec{u}(-1; 2)$.

b) $A(-1; 5)$ $\quad \vec{u}(3; 4)$.

c) $A(4; -3)$ $\quad \vec{u}(-\sqrt{2}; 1)$.

d) $A(-1; -\sqrt{3})$ $\quad \vec{u}\left(\frac{\sqrt{3}}{2}; -\frac{1}{2}\right)$.

2. Dans chacun des cas, indiquez un vecteur normal aux droites d'équations :

a) $2x+3y-1=0$;

b) $x-y+1=0$;

c) $y=2x$;

d) $y=3x+1$;

e) $y=3$.

3. Expliquez pourquoi les droites d'équations :

$$3x+4y-5=0 \quad \text{et} \quad 4x-3y+1=0$$

sont perpendiculaires.

4. ***a)*** On donne les points A de coordonnées (2; 1), B de coordonnées (3; 1). Écrivez une équation de la perpendiculaire en A à la droite (AB).

b) Même question avec les points A de coordonnées $(1; -4)$, B de coordonnées $(3; -2)$.

c) Même question avec les points A de coordonnées $(-1; 3)$, B de coordonnées $(-1; -1)$.

5. Déterminez une équation du cercle de centre O et de rayon 1.

6. Déterminez le centre et le rayon du cercle dont une équation est :

$$(x-1)^2+(y-2)^2=4.$$

Exercices d'entraînement

1. A et A' sont deux points distincts du plan, O est le milieu de [AA']. M est un point du plan.

En utilisant la relation de Chasles et le fait que $\overrightarrow{OA'}=-\overrightarrow{OA}$:

a) démontrez que $\overrightarrow{MA}\cdot\overrightarrow{MA'}=\overrightarrow{MO}^2-\overrightarrow{OA}^2$;

b) vérifiez que $\overrightarrow{OA}^2=\left(\frac{AA'}{2}\right)^2$;

c) déduisez que $\overrightarrow{MA}\cdot\overrightarrow{MA'}=0$ équivaut à $OM=\frac{AA'}{2}$;

d) déduisez que $\overrightarrow{MA}\cdot\overrightarrow{MA'}=0$ équivaut à M appartient au cercle de diamètre [AA'] et $\widehat{AMA'}$ est droit.

2. Déterminez une équation :

a) de la médiatrice du segment [AB] avec A de coordonnées (1; 2) et B de coordonnées (3; 6);

b) de la perpendiculaire à la droite d'équation $x-2y+1=0$ passant par le point M de coordonnées $(3; -5)$;

c) de la hauteur issue de A' dans le triangle dont les sommets ont pour coordonnées : A'(1; 1), B'(3; −2) et C'(−2; 4)

d) de la perpendiculaire à la droite d'équation $y=x-1$ passant par le point P de coordonnées (2; 0).

3. On considère les points A de coordonnées $\left(1; \frac{1}{2}\right)$, B de coordonnées $(-2; -1)$.

a) Écrivez une équation de la médiatrice Δ de [AB].

b) Soit C le point de Δ ayant pour ordonnée $\frac{3}{2}$. Calculez les coordonnées de C.

c) On mène par A et par B les perpendiculaires à (AC) et (BC). Ces perpendiculaires se coupent en un point D.
Montrez que D appartient à la médiatrice Δ de [AB].

4. On considère les points A, B et C de coordonnées respectives (7; 4), (5; −2) et (2; 1).

a) Écrivez les équations des hauteurs de ce triangle ABC.

b) Démontrez que les hauteurs sont concourantes en un point H dont on calculera les coordonnées.

Pour les exercices 5 à 8, déterminez une équation du cercle de diamètre [AB] dans les cas suivants :

5. A(−2; 0) B(0; 2).

6. A(0; 1) B(4; 1).

7. A(2; 5) B(−2; −5).

8. A(1; 3) B(5; 4).

Pour les exercices 9 à 11, déterminez une équation du cercle de centre A et de rayon R dans les cas suivants :

9. A(0; 0) $R = 2$.

10. A(1; 5) $R = \sqrt{2}$.

11. A(−1; −2) $R = \sqrt{3}$.

Pour les exercices 12 à 14, déterminez une équation du cercle de centre A et passant par B dans les cas suivants.

12. A(−1; −1) B(2; −3).

13. A(−3; 1) B(0; 0).

14. A(0; 3) B(−1; 0).

Pour les exercices 15 à 17, déterminez une équation du cercle circonscrit au triangle ABC dans les cas suivants :

15. A(0; 0) B(4; 0) C(0; 6).

16. A(−1; −1) B(3; 3) C(2; 4).

17. A(−5; −1) B(2; 4) C(−1; 3).

18. ABC est un triangle dont les sommets A, B, C ont pour coordonnées respectives : (0; −1), (−1; 2), (3; 0).

a) Déterminez une équation du cercle circonscrit à ABC.

b) Montrez que le point D de coordonnées (3; 2) appartient au cercle circonscrit au triangle ABC.

c) On appelle A′, B′ et C′ les projections orthogonales de D sur (BC), (CA) et (AB).
Montrez que A′, B′ et C′ sont alignés.

Pour les exercices 19 à 23, dessinez dans chaque cas le cercle dont une équation est :

19. $(x-1)^2 + (y-2)^2 = 4$.

20. $(x-1)(x-3) + (y+1)(y-2) = 0$.

21. $x^2 + y^2 - 4x - 16 = 0$.

22. $x^2 + y^2 - 2x + 4y = 0$.

23. $x^2 + y^2 - 8x + 6y + 24 = 0$.

24. ***a)*** Montrez que l'équation
$$x^2 + y^2 - 6x + 8y = 0$$
est une équation d'un cercle.
Déterminez le centre et le rayon de ce cercle.

b) Montrez que le point O de coordonnées (0; 0) est sur ce cercle et déterminez une équation de la tangente en O au cercle.

25. ***a)*** Montrez que l'équation
$$x^2 + y^2 - 2x - 2y - 3 = 0$$
est une équation d'un cercle $\mathcal{C}$.
Déterminez le centre Ω et le rayon k de $\mathcal{C}$.

b) Montrez que les points A de coordonnées (0; −1) et B de coordonnées (−1; 2) sont sur $\mathcal{C}$.

c) Déterminez les équations des tangentes à $\mathcal{C}$ en A et en B.

d) On appelle P le point de concours de ces tangentes.
Montrez que (PΩ) est la médiatrice de [AB].

CHAPITRE
25

ACTIVITÉS SUR LES ROTATIONS

1. Introduction

Ce chapitre ne se présente pas sous la même forme que les autres car, en classe de Seconde, il est seulement question d'initier les élèves aux rotations. Aussi proposons-nous des manipulations, des activités qui permettent aux élèves de se familiariser avec ce type de transformation, mais également de conjecturer certaines de ses propriétés, propriétés que nous admettrons.

2. Activités

2.1. Construction de rosaces

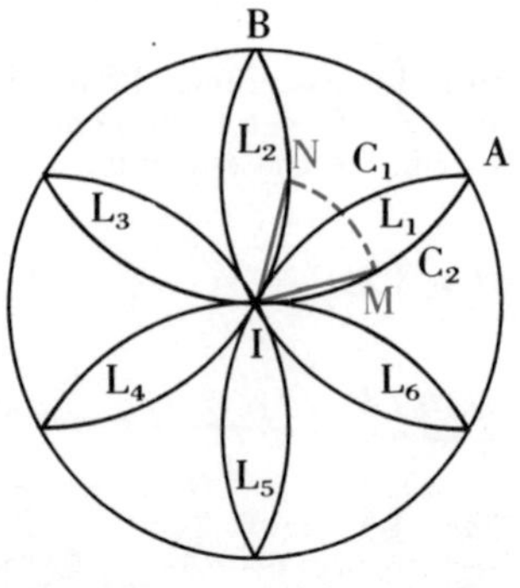

a. Analyse d'une rosace

Peut être avez-vous déjà construit des *rosaces,* comme celle qui est dessinée ci-contre.
Analysons cette figure :

1. La rosace est formée des six motifs L_1, L_2, L_3, ..., L_6.

2. L_1 est constitué par deux arcs de cercle C_1 et C_2.

3. Si on décalque le motif L_1 et si on fait tourner ce calque autour de I dans *le sens positif,* jusqu'à ce que L_1 vienne coïncider avec L_2, alors :

- A vient coïncider avec B,
- M vient coïncider avec N,
- I reste fixe.

4. Dans ce déplacement le calque a tourné d'un angle de $\frac{\pi}{3}$ radians.

La transformation qui permet de passer de L_1 à L_2 est **la rotation de centre I et d'angle de mesure $\frac{\pi}{3}$.**

On la note $r\left(\mathrm{I}, \frac{\pi}{3}\right)$.

L'image de M par cette rotation est le point N tel que :

$$\mathbf{IM} = \mathbf{IN} \text{ et } (\widehat{\overrightarrow{\mathbf{IM}}, \overrightarrow{\mathbf{IN}}}) = \frac{\pi}{3}.$$

De façon générale

Le plan P étant **orienté, la rotation de centre un point O et d'angle α, notée $r(\mathrm{O}, \alpha)$,** est l'application de P dans P qui à un point M associe le point M′ tel que :

$$\mathbf{OM} = \mathbf{OM'}$$

et

$$(\widehat{\overrightarrow{\mathbf{OM}}, \overrightarrow{\mathbf{OM'}}}) = \alpha.$$

Construction de

$\mathbf{M'} = r(\mathbf{M})$

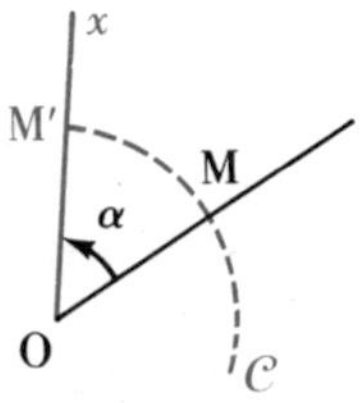

- On construit le cercle $\mathcal{C}$ de centre O et de rayon OM.
- On construit la demi-droite x d'origine O telle que $(\widehat{\mathrm{OM}, \mathrm{O}x}) = \alpha$.
- M′ *est à l'intersection de $\mathcal{C}$ et x.*

EXERCICES

1. L'image de L_1 par la rotation $r\left(\mathrm{I}, \frac{\pi}{3}\right)$ est L_2; on note $r(L_1) = L_2$.

Déterminez :

$$r(L_2),\ r(L_3),\ \ldots,\ r(L_6).$$

Que constatez-vous?

2. Quelle est l'image de L_1 par la rotation $r\left(\mathrm{I}, -\frac{\pi}{3}\right)$?

Combien de fois faut-il appliquer cette rotation pour reconstituer la rosace à partir de L_1?

3. Est-il possible, en utilisant uniquement des rotations, de reconstituer la rosace à partir de l'arc C_1 de L_1?

4. Quelles sont les rotations qui transforment respectivement L_1 en L_3, L_2 en L_5, L_6 en L_5?

b. Construction d'autres rosaces

Voici un nouveau motif, dessiné en couleur sur la figure ci-dessous.

EXERCICES

1. A l'aide de la rotation $r\left(\mathrm{O}, \frac{\pi}{4}\right)$ et de ce motif, **construisez** une rosace.

2. Imaginez un autre motif initial et **construisez** une rosace.

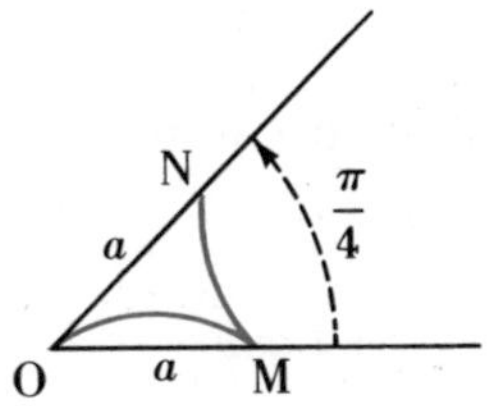

2.2. Constructions fondamentales

L'objectif de ce paragraphe est de vous faire construire les images par une rotation de certaines figures fondamentales de la géométrie. Vous utiliserez pour cela règle, compas et rapporteur.
En aucun cas il n'est question de chercher à démontrer des propriétés des rotations.

a. Image d'une droite

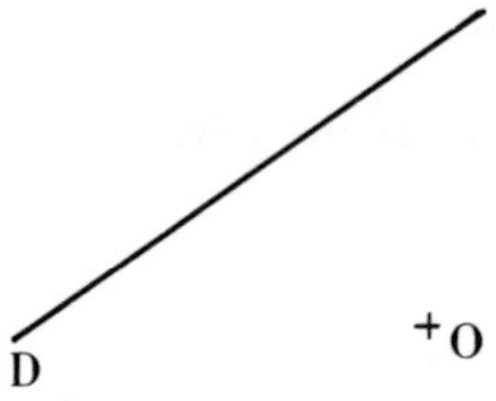

D est la droite représentée ci-dessous.
$r\left(O, \frac{\pi}{3}\right)$ est la rotation de centre O et d'angle $\frac{\pi}{3}$, où O est le point du dessin ci-contre.
Quelle est l'image de D *par cette rotation?*

EXERCICE

M, N, P, Q sont quatre points distincts de D.

a. **Construisez** leurs images M′, N′, P′, Q′ par la rotation $r\left(O, \frac{\pi}{3}\right)$.

b. Que constatez-vous pour les points M′, N′, P′, Q′?
Que conjecturez-vous pour l'image de D par *r*?

c. Comparez les distances MN et M′N′, MP et M′P′, NQ et N′Q′.

b. Image d'un segment

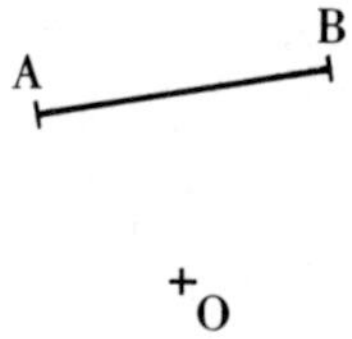

[AB] est un segment et O un point; ils sont représentés sur le dessin ci-contre.

Quelle est l'image de [AB] *par la rotation* $r\left(O, \frac{\pi}{3}\right)$?

EXERCICE

a. **Construisez** les images A′ et B′ respectivement des points A et B par la rotation *r*.

b. M est un point du segment [AB].
D'après l'exercice du paragraphe 2.*a.*, on prévoit que $M' = r(M)$ est sur la droite (A′B′).
Construisez M′.
Quelle est sa position par rapport à A et B?

c. Reprenez la question précédente avec un autre point N du segment [AB].
Que conjecturez-vous pour l'image du segment [AB] par *r*?

d. Comparez les distances AB et A′B′, AM et A′M′, BN et B′N′.

Quelle propriété conjecturez-vous pour la rotation $r\left(O, \frac{\pi}{3}\right)$?

c. Image d'un cercle

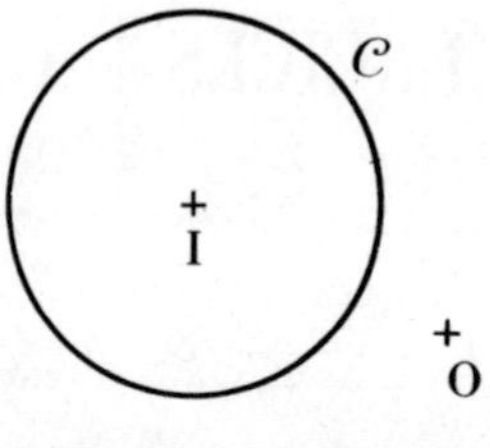

$\mathcal{C}$ est le cercle de centre I et rayon R dessiné ci-contre.

Quelle est l'image du cercle $\mathcal{C}$ *par la rotation* $r\left(O, \frac{\pi}{3}\right)$?

EXERCICE

a. **Construisez** le point $I' = r(I)$.

b. M, N, P, Q sont quatre points distincts du cercle $\mathcal{C}$. **Construisez** les points $M' = r(M)$, $N' = r(N)$, $P' = r(P)$, $Q' = r(Q)$.

c. Comparez les distances I'M', I'N', I'P', I'Q', IM, IN, ... Que conjecturez-vous pour l'image de $\mathcal{C}$ par la rotation r?

d. Image d'un triangle

ABC est le triangle dessiné ci-contre.

Quelle est son image par la rotation $r\left(O, \frac{\pi}{3}\right)$?

EXERCICE

a. **Construisez** les points A', B', C' images respectives de A, B, C par r.

b. A l'aide d'un rapporteur (ou d'un calque), comparez les angles $\widehat{BAC}$ et $\widehat{B'A'C'}$, $\widehat{ABC}$ et $\widehat{A'B'C'}$, $\widehat{ACB}$ et $\widehat{A'C'B'}$.

c. Comparez les angles

$\widehat{(\vec{BA}, \vec{BC})}$ et $\widehat{(\vec{B'A'}, \vec{B'C'})}$,

$\widehat{(\vec{AB}, \vec{AC})}$ et $\widehat{(\vec{A'B'}, \vec{A'C'})}$,

$\widehat{(\vec{CA}, \vec{CB})}$ et $\widehat{(\vec{C'A'}, \vec{C'B'})}$.

d. Que pouvez-dire des triangles ABC et A'B'C'?

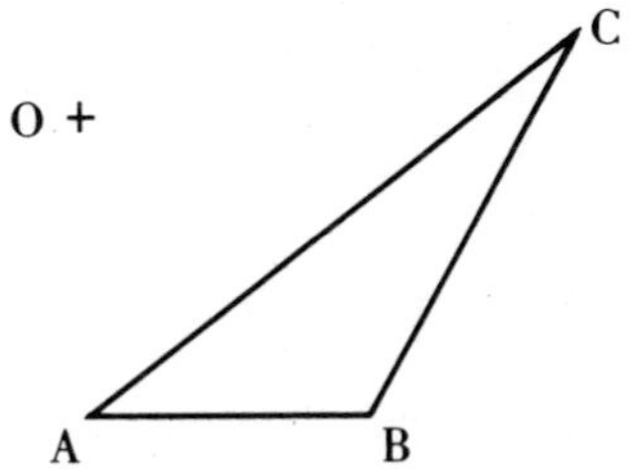

e. Ce que vous retiendrez

Nous admettrons que pour toute rotation r de centre O et d'angle α :

- ***r* conserve la distance :** pour tous points M et N du plan

  si $r(M) = M'$ et $r(N) = N'$ alors $M'N' = MN$
- **l'image d'une droite est une droite;**
- **l'image d'un segment est un segment de même longueur;**
- **l'image d'un cercle est un cercle de même rayon;**
- ***r* conserve les angles orientés :** pour tous points A, B, C du plan,

  si $r(A) = A'$, $r(B) = B'$, $r(C) = C'$ alors $\widehat{(\vec{AB}, \vec{AC})} = \widehat{(\vec{A'B'}, \vec{A'C'})}$
- ***r* conserve l'orthogonalité,** à savoir que les images de deux droites perpendiculaires sont des droites perpendiculaires.

2.3. Rotations et problèmes de géométrie : un exemple

$\mathcal{C}$ est le cercle, D la droite et A le point dessinés page 280, en haut.

Construire un triangle équilatéral ABC *tel que* B *soit sur* D *et* C *sur le cercle* $\mathcal{C}$.

S'il existe un tel triangle, l'angle orienté $(\widehat{\overrightarrow{AB}, \overrightarrow{AC}})$ vérifie :

$$(\widehat{\overrightarrow{AB}, \overrightarrow{AC}}) = \frac{\pi}{3} \quad \text{ou} \quad (\widehat{\overrightarrow{AB}, \overrightarrow{AC}}) = -\frac{\pi}{3}.$$

Comme, de plus, AB = AC, on en déduit que C *est l'image de* B *par la rotation* $r\left(A, \frac{\pi}{3}\right)$ *ou la rotation* $r'\left(A, -\frac{\pi}{3}\right)$.

Le point B est sur D, donc *l'image* C *de* B *par* r *(ou* r'*) est sur la droite image de* D *par* r *(ou* r'*)*.

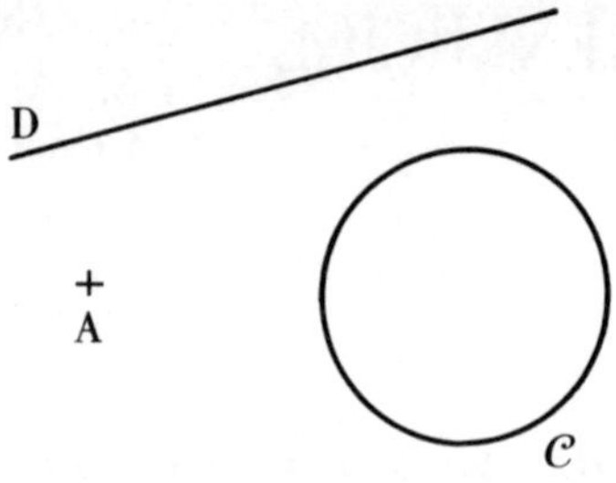

EXERCICE

a. **Construisez** l'image Δ de la droite D par $r\left(A, \frac{\pi}{3}\right)$.

Construisez l'image Δ' de la droite D par $r'\left(A, -\frac{\pi}{3}\right)$.

b. Déduisez-en la construction des triangles équilatéraux répondant à la question.

2.4. Expression analytique d'une rotation d'angle droit

P est un plan orienté ; $(O; \vec{i}, \vec{j})$ est un repère **orthonormé positif.**
M est le point de coordonnées $(x; y)$.
M_1 est le point de coordonnées $(-y; x)$.
M_2 est le point de coordonnées $(y; -x)$.
Nous avons :

$$\|\overrightarrow{OM}\| = \sqrt{x^2 + y^2}.$$

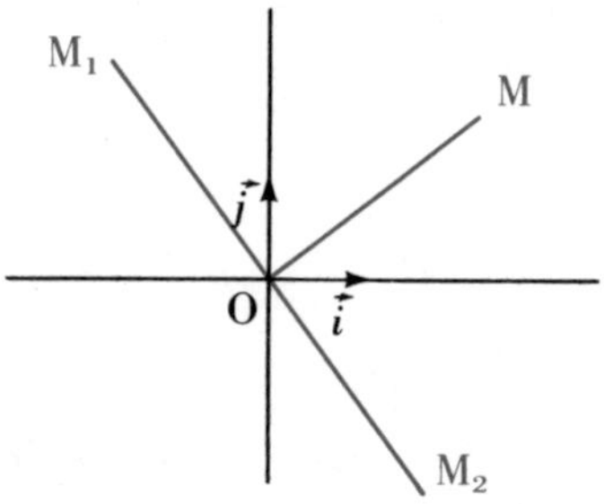

EXERCICE

Vérifiez que
$$\|\overrightarrow{OM_1}\| = \|\overrightarrow{OM_2}\| = \|\overrightarrow{OM}\|.$$

En outre,

$$\overrightarrow{OM} \cdot \overrightarrow{OM_1} = x(-y) + yx = 0$$

et
$$\overrightarrow{OM} \cdot \overrightarrow{OM_2} = xy + y(-x) = 0.$$

Donc les angles orientés $(\widehat{\overrightarrow{OM}, \overrightarrow{OM_1}})$ et $(\widehat{\overrightarrow{OM}, \overrightarrow{OM_2}})$ sont **droits.**
Mais ces angles orientés ont des mesures principales opposées car $\overrightarrow{OM_1} = -\overrightarrow{OM_2}$.
Nous admettrons que c'est **le repère orthonormé $(O; \overrightarrow{OM}, \overrightarrow{OM_1})$ qui est positif.**

C'est donc la rotation $\boldsymbol{r\left(O, \frac{\pi}{2}\right)}$ qui transforme M en M_1.

L'expression analytique de cette rotation dans $(O; \vec{i}, \vec{j})$ est alors :

$$\begin{cases} \boldsymbol{x' = -y} \\ \boldsymbol{y' = x} \end{cases}$$

EXERCICES

1. L'image de M_1 par la rotation $r\left(O, \frac{\pi}{2}\right)$ est le point M'.

Quelles sont les coordonnées de M'?
Déduisez-en que $\overrightarrow{OM'} = -\overrightarrow{OM}$.

2. Quelle est l'expression analytique dans $(O; \vec{i}, \vec{j})$ de la rotation $r\left(O, -\frac{\pi}{2}\right)$?

EXERCICES

Des exercices pour aller plus loin

1. O, A, A′ sont trois points du plan. Dans quel cas existe-il une rotation r de centre O telle que $r(A)=A'$?
Quel est alors l'angle de la rotation?

2. Dire que M est un *point invariant* par l'application f signifie que $f(M)=M$.

a) Pourquoi le centre d'une rotation est-il un point invariant?

b) Une rotation peut-elle admettre d'autres points invariants que son centre?

3. Connaissez-vous la rotation $r(A, \pi)$ sous un autre nom?

4. D est une droite; A est un point de D.
Qu'a de particulier la droite image de D par une rotation $r(A, \alpha)$.

5. $\mathcal{C}$ est un cercle de centre O.
Déterminez l'image de $\mathcal{C}$ par la rotation $r(O, \alpha)$.

6. $r(O, \alpha)$ et $r'(O, \alpha')$ sont deux rotations de même centre O.
M est un point du plan;

$$M' = r(M) \text{ et } m = r'(M').$$

Quelle est la transformation du plan, notée $r' \circ r$, telle que l'image de M soit le point m?

7. Reproduisez la figure ci-dessous sur du papier calque.
A l'aide de ce motif et de rotations de centre O, construisez une rosace.

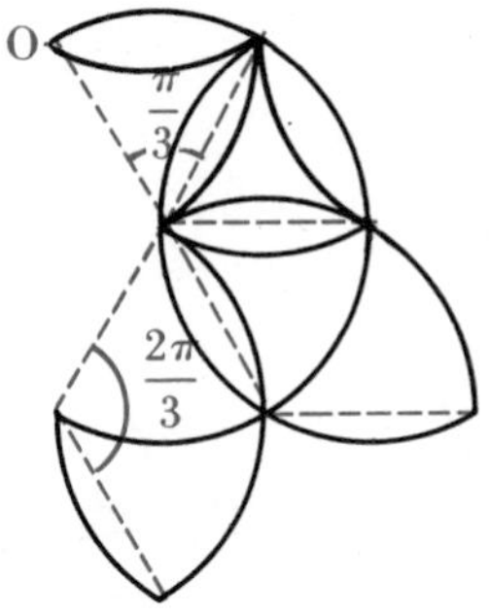

8. A et B sont deux points distincts.
r est une rotation telle que $r(A)=A'$ et $r(B)=B'$, avec $\overrightarrow{A'B'} \neq \overrightarrow{AB}$.
Pouvez-vous définir le centre et l'angle de r?
Cette rotation est-elle unique?

9. A et B sont deux points distincts.
Construisez dans chaque cas, le centre O de la rotation $r(O, \alpha)$ telle que $r(A)=B$:

a) $\alpha = \frac{\pi}{2}$ ***b)*** $\alpha = \frac{\pi}{4}$

c) $\alpha = \frac{\pi}{3}$ **d)** $\alpha = \frac{\pi}{6}$.

10. MNPQ est un parallélogramme.
Montrez que le triangle PQN est l'image du triangle MNQ dans une rotation à déterminer.
Dans quel cas le triangle NQM est-il l'image du triangle MPQ dans une rotation?

11. Δ est une droite; A un point de Δ et O un point qui n'est pas sur Δ.
Déterminez pour chaque point B, C, D l'ensemble sur lequel il doit se déplacer pour que ABCD soit un carré de centre O.

12. ABC est un triangle; r est une rotation telle que

$$r(A)=A', \ r(B)=B', \ r(C)=C'.$$

Montrez que les triangles ABC et A′B′C′ ont même aire.

13. $(O; \vec{i}, \vec{j})$ est un repère orthonormé positif.
A est le point de coordonnées (2; 3).
Déterminez l'expression analytique dans $(O; \vec{i}, \vec{j})$ de la rotation $r\left(A, \frac{\pi}{2}\right)$, puis de la rotation $r'\left(A, -\frac{\pi}{2}\right)$.

14. $(O; \vec{i}, \vec{j})$ est un repère orthonormé positif.
D est la droite d'équation $x+y-1=0$.
Déterminez une équation de l'image de D par la rotation $r\left(O, \frac{\pi}{2}\right)$, puis par la rotation $r\left(O, -\frac{\pi}{2}\right)$.

15. $(O; \vec{i}, \vec{j})$ est un repère orthonormé positif.
A et ω sont les points de coordonnées respectives $(2+2\sqrt{2}; 2)$ et $(2; 2)$.
Déterminez les coordonnées de l'image de A par la rotation $r\left(\omega, \frac{3\pi}{4}\right)$.

CHAPITRE
26

DROITES ET PLANS DANS L'ESPACE

1. Pour prendre un bon départ

1.1. Représentation de l'espace : la perspective cavalière

En géométrie dans l'espace, les «figures» sont constituées de lignes, de surfaces, de solides.

Leurs représentations dans un plan ne sont pas choses faciles, mais de telles représentations sont pourtant utiles pour **imaginer** les objets étudiés, **nommer** les éléments qui interviennent, **expliciter** les hypothèses, **conduire** les démonstrations.

Plusieurs techniques de représentation peuvent être employées; nous utiliserons essentiellement la **perspective cavalière.**

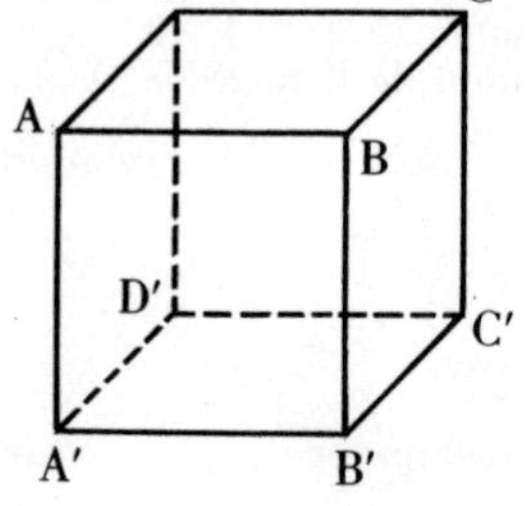

Un cube

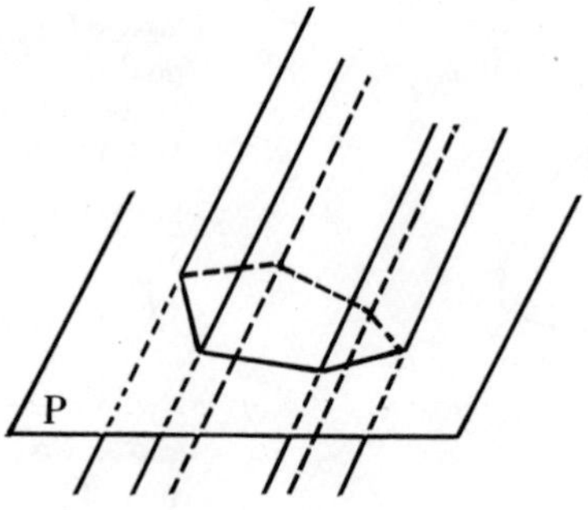

Une surface prismatique

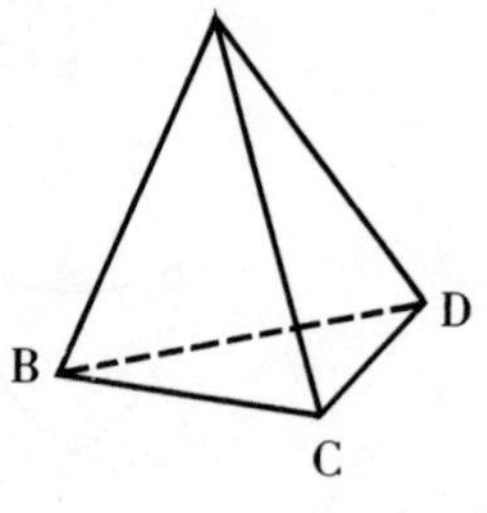

Un tétraèdre

Les lignes en trait plein sont celles qu'on voit directement, les lignes en pointillé sont cachées à la vue.

Toutes les droites parallèles sont représentées par des droites parallèles (arêtes du cube, de la surface prismatique).

Dans les *plans de face* (faces ABB'A' et CDC'D' du cube) les éléments de la figure sont dessinés en *vraie grandeur.*

Dans les *plans de profil* (faces BCC'B' et ABCD du cube) les distances sont raccourcies, les droites perpendiculaires aux plans de face sont représentées comme des obliques.

En général, un plan est représenté par un parallélogramme (plan P dans le dessin de la surface prismatique).

Des droites concourantes sont représentées comme des droites concourantes ou éventuellement confondues.

Des points alignés sont représentés comme des points alignés ou sont éventuellement confondus.

De ces règles, il résulte que le milieu d'un segment est figuré comme le milieu.

(**Ainsi, dans la réalité du cube,** le milieu de [BC'] est le point de concours de [BC'] et de [B'C] puisque BB'C'C est un carré; comme la **représentation** de BB'C'C est un parallélogramme, le milieu de [BC'] est encore le point de concours de [BC'] et de [B'C].)

Les dessins doivent être très soignés, car les risques de confusion sont beaucoup plus importants que dans les dessins de la géométrie plane.

Par exemple, les deux dessins ci-dessous peuvent être des représentations de tétraèdres, mais ce sont de mauvaises représentations.

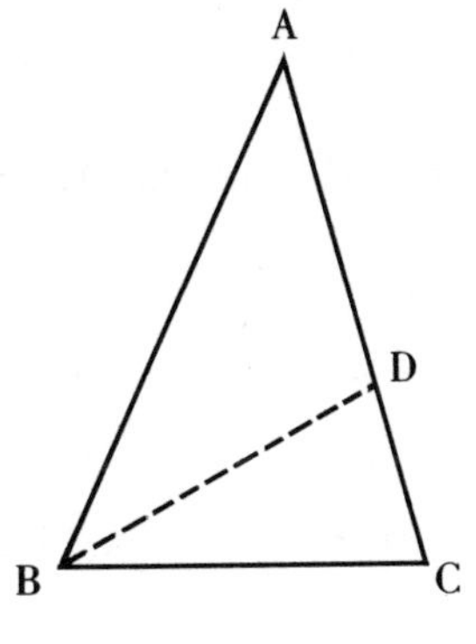

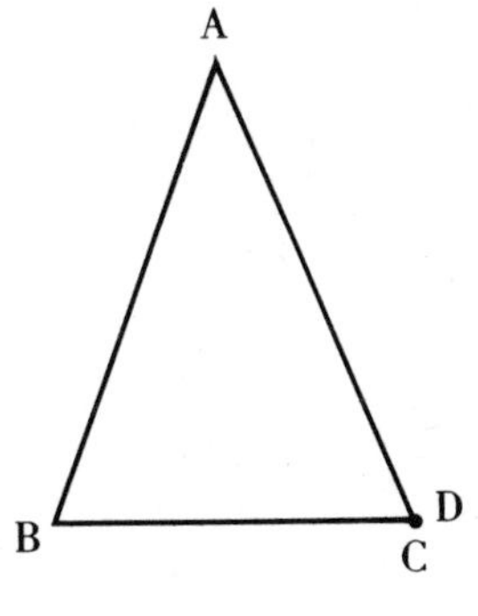

1.2. Les « patrons »

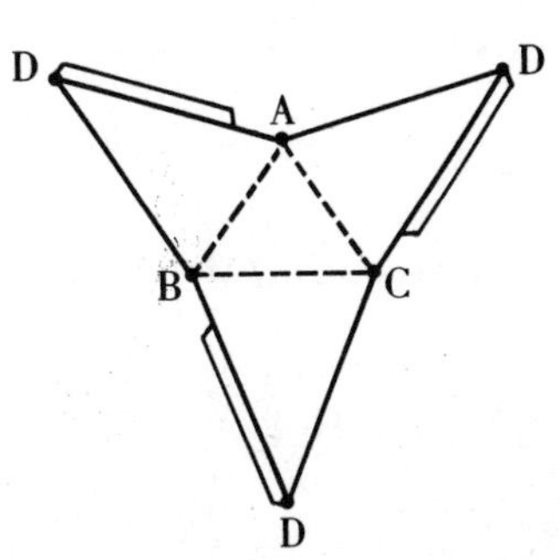

Pour mieux voir les solides de l'espace, leur réalisation par découpage, pliage et collage à partir de patrons est une méthode qui peut être utile.

EXERCICE A partir du patron suivant, réalisez dans du carton mince un tétraèdre.

2. Approche

Nous donnerons dans le paragraphe 3 les règles qui définissent les rapports entre les points, les droites et les plans; nous pourrons alors faire des démonstrations.
Dans ce paragraphe, nous vous proposons de vous familiariser avec le cube.
Pour répondre aux questions posées, nous ne demandons pas de démonstration, tout au plus des **justifications** appuyées sur les résultats de la géométrie plane ou sur l'intuition et le bon sens.

Les points A, B, C, D, A′, B′, C′ et D′ sont les sommets du cube.
Les faces du cube sont des carrés de même dimension; chaque arête est l'intersection de deux faces. Dans la suite, on utilisera les mots arêtes et faces pour désigner les droites qui portent les arêtes ou les plans qui portent les faces.
On appelle I le milieu de [AB], I′ le milieu [A′B′], J le milieu de [DC]; J′ le milieu de [D′C′] et K le point où (AB′) et (BA′) se coupent.

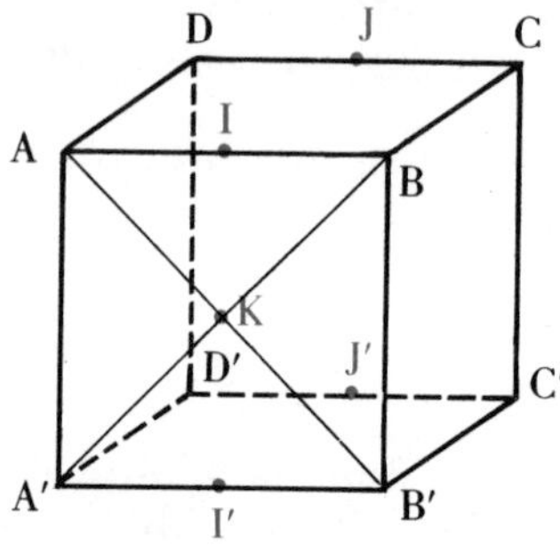

• **Points et plans**

EXERCICE

a. Les points I et D′ appartiennent-ils au plan contenant A, B et A′?
b. Les points K et D appartiennent-ils au plan contenant B′, C′ et A?

• **Intersection de plans**

EXERCICE

a. Le plan P contenant A, B, B′, A′ et le plan Π contenant C′, B′, A se coupent-ils?
b. Le plan P et le plan contenant C, D, C′, D′ se coupent-ils?
c. Tracez sur le cube précédent l'intersection du plan P′ contenant A, C, B′ avec le plan P; puis avec le plan contenant A, B, C, D; puis avec le plan contenant B, B′, C′, C.
d. Le plan P′ coupe-t-il le plan contenant A, A′, D′, D?

• **Intersection d'une droite et d'un plan**

EXERCICE

a. Les droites (IJ) et (CC′) coupent-elles le plan contenant A, A′, B′, B?
b. La droite (JK) coupe-t-elle le plan contenant A′, B′, C′, D′?

• **Intersection de deux droites**

EXERCICE

a. Les droites (AB′) et (JK) se coupent-elles?
b. Les droites (JK) et (J′I′) se coupent-elles?
c. Les droites (AB′) et (BC′) se coupent-elles?

3. Cours et applications

En mathématiques, démontrer qu'une propriété est vraie ne peut se faire qu'en utilisant des résultats antérieurs établis ou considérés comme vrais.

Il faut donc toujours, à la base d'un édifice mathématique, admettre comme vraies certaines propriétés.

Nous ne ferons pas ici le catalogue complet de ces propriétés admises; nous nous limiterons dans ce qui suit à dégager les règles principales qui régissent l'utilisation des mots *point*, *droite* et *plan*, en illustrant cet emploi par la description d'une figure tracée à partir d'un tétraèdre ABCD.

3.1. Règles de base de la géométrie dans l'espace

a. Énoncés

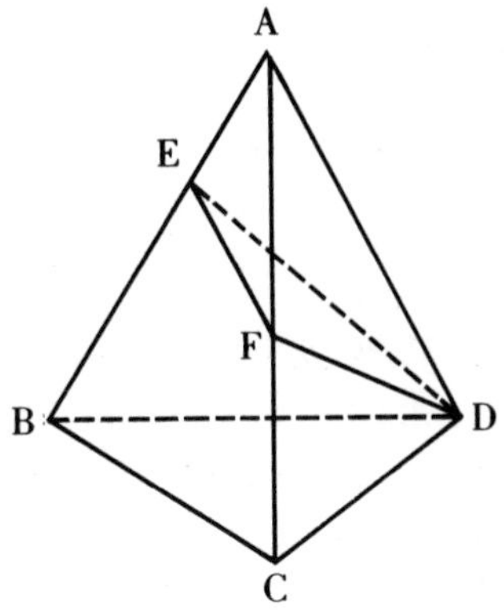

Règle 1

Par deux points distincts passe une seule droite.

On dit que deux points distincts **déterminent** une droite.

Si plusieurs points de l'espace appartiennent à une même droite, on dit qu'ils sont **alignés.**

• A et B sont deux sommets du tétraèdre ci-dessus. Ils déterminent une droite (AB).

Règle 2

Par trois points non alignés passe un seul plan.

On dit que trois points non alignés **déterminent** un plan.
Si plusieurs points de l'espace appartiennent à un même plan, on dit qu'ils sont **coplanaires.**

• A, B et C sont trois sommets du tétraèdre, ils déterminent un plan, noté (ABC).

Règle 3

Si A et B sont deux points du plan P, tous les points de la droite (AB) appartiennent à P.

• E est un point, distinct de A et de B, de la droite (AB); F est un point, distinct de A et de C, de la droite (AC). D'après la règle **3,** E et F appartiennent au plan (ABC), et, toujours d'après la règle **3,** tous les points de la droite (EF) appartiennent au plan (ABC).

Règle 4

Si deux plans distincts ont un point commun, leur intersection est une droite.

Si deux plans distincts ont pour intersection la droite Δ, on dit qu'ils se **coupent** selon Δ.

• Les plans (EFD) et (DBC) sont deux plans distincts qui ont le point D en commun. Leur intersection est une droite Δ. (Voir exercice résolu ci-après pour le tracé de Δ.)

Règle 5

Dans chaque plan de l'espace, tous les résultats de la géométrie plane sont vrais.

EXERCICE résolu 1

La situation est celle du tétraèdre décrit ci-dessus.
On suppose que les droites (EF) et (BC) du plan (ABC) se coupent en G.
Montrez que l'intersection des plans (DEF) et (DBC) est la droite (DG).

Solution □ □ □

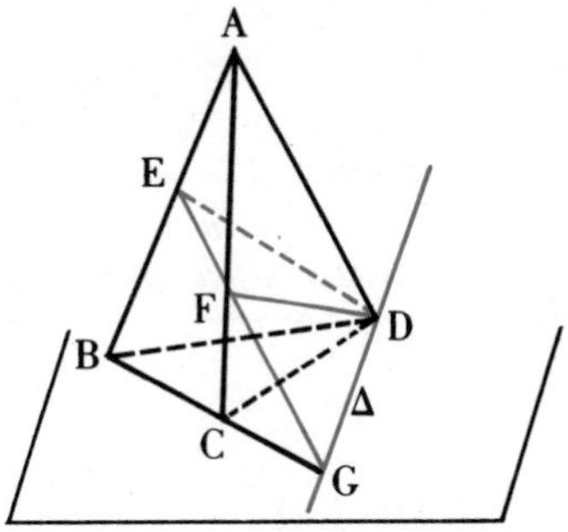

G appartient à la droite (EF), donc G appartient au plan (DEF) (règle **3**); G appartient à la droite (BC), donc G appartient au plan (DBC) (règle **3**); G est par conséquent un point commun aux plans (DBC) et (DEF); comme D est également un point commun à ces deux plans et D ≠ G (puisque D n'appartient pas au plan (ABC)), les points de la droite (DG) appartiennent aux deux plans (DEF) et (DBC) (règle **3**). (DG) est donc la droite d'intersection des plans (DEF) et (DBG).
□ □ □ □ □ □ □ □ □ □ □

b. Conséquences des règles précédentes

- D est une droite et A un point qui n'appartient pas à D; il y a un seul plan contenant D et A.

On dit qu'une droite et un point extérieur à la droite déterminent un plan.

- D et D′ sont deux droites *distinctes* passant par un point A (on dit qu'elles sont **concourantes** ou **sécantes** en A) : il y a un seul plan contenant D et D′.

On dit que deux droites distinctes et concourantes déterminent un plan.

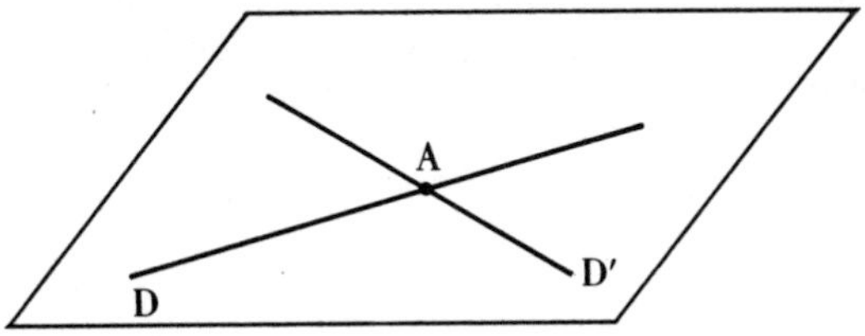

Plan déterminé par deux droites concourantes

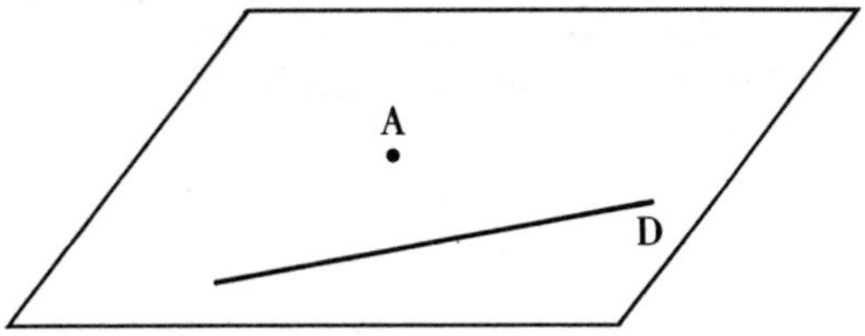

Plan déterminé par une droite et un point

c. Règles sur la position relative de deux plans

Règle 6

P et Q sont deux plans. Diverses possibilités se présentent.

1. P et Q sont parallèles (on note P // Q), c'est-à-dire :

- **P et Q sont confondus**

OU

- **P et Q n'ont aucun point commun.**

2. P et Q sont sécants : leur intersection est une droite.

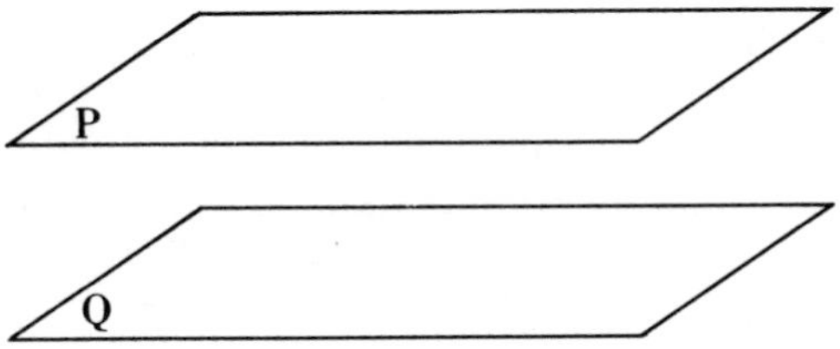

P et Q n'ont pas de point commun

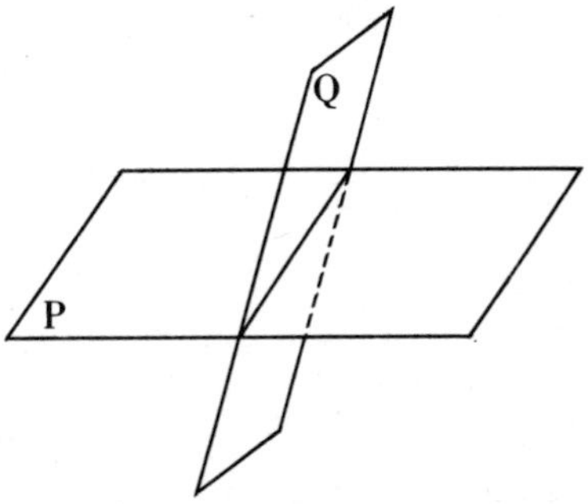

P et Q sont sécants

Nous admettrons:

Règle 7

P est un plan et A est un point.
Il y a un *seul* plan parallèle à P et passant par A.

EXERCICE résolu 2

On considère un tétraèdre ABCD et on appelle I le milieu de [CD], J le milieu de [DB] et K le milieu de [BC].
Montrez que les plans (ABI), (ACJ) et (ADK) ont une droite commune.

Solution □ □ □

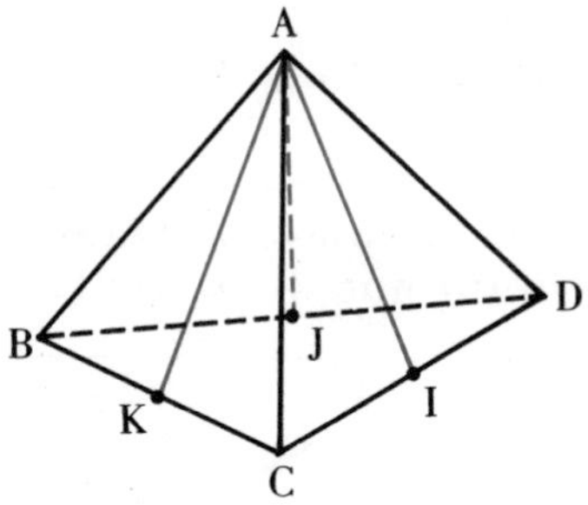

Ces trois plans sont distincts et ont le point A en commun.
Il suffit donc de montrer qu'ils ont un deuxième point en commun.
Or (BI), (CJ), (DK) sont les médianes du triangle BCD; elles se coupent donc au point G, centre de gravité de ce triangle.
G est dans le plan (ABI) car G est sur (BI) (règle **3**)
G est aussi dans (ACJ) et dans (ADK).
La droite (AG) est commune aux trois plans.
□ □ □ □ □ □ □ □ □ □

3.2. Le parallélisme dans l'espace

a. Positions relatives d'une droite et d'un plan

On dit que :

Définition 1

D est une droite et P un plan.
1. D et P sont parallèles (on note D // P), si :
OU
- **D et P n'ont aucun point commun**
- **D est contenue dans P.**

2. D et P sont sécants s'ils ont un seul point en commun.

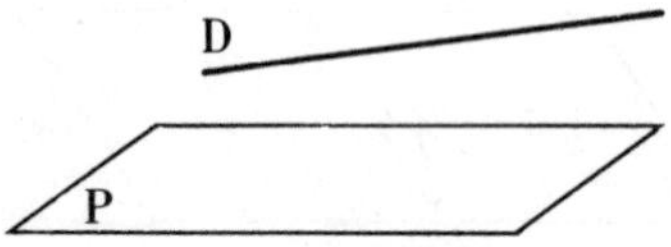

D et P n'ont aucun point point commun

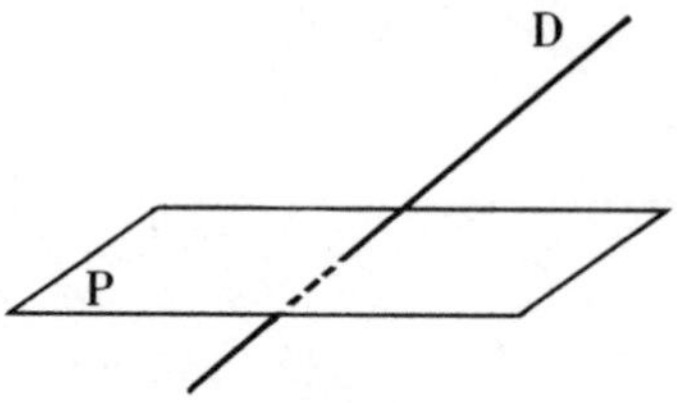

D et P ont un point commun

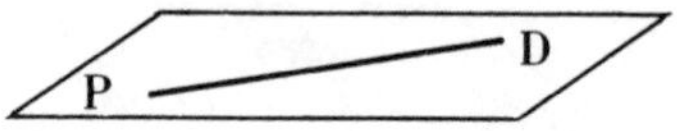

D est tout entière dans P

b. Positions relatives de deux droites de l'espace

Définition 2

D et D′ sont deux droites de l'espace. On dit qu'elles sont parallèles si :

- **elles sont contenues dans un même plan**

ET

- **elles sont confondues dans ce plan ou n'ont pas de point commun.**

On note : D // D′.

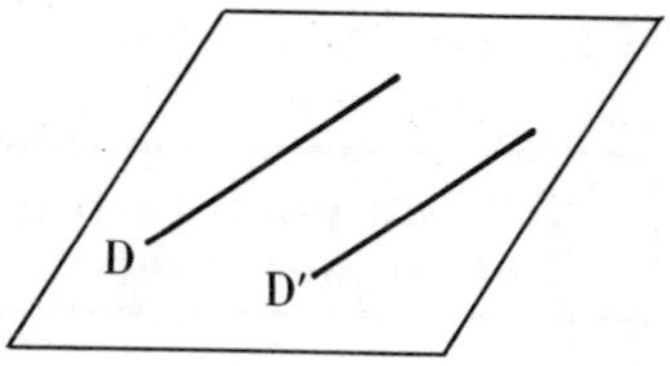

Commentaire

Deux droites parallèles distinctes déterminent un plan.

Deux droites parallèles de l'espace forment une figure plane et dans le plan elles sont parallèles au sens de la géométrie plane.

Pour deux droites de l'espace, les positions relatives possibles sont envisagées ci-dessous.

Définition 3

1. Deux droites D_1 et D_2 de l'espace sont dans un même plan. On dit alors qu'elles sont coplanaires.
Elles peuvent alors être :

- **sécantes, c'est-à-dire avoir un seul point commun;**
- **parallèles, c'est-à-dire être confondues ou n'avoir aucun point commun.**

2. Deux droites D_1 et D_2 de l'espace ne sont pas dans le même plan. On dit qu'elles sont non coplanaires et elles n'ont donc aucun point commun.

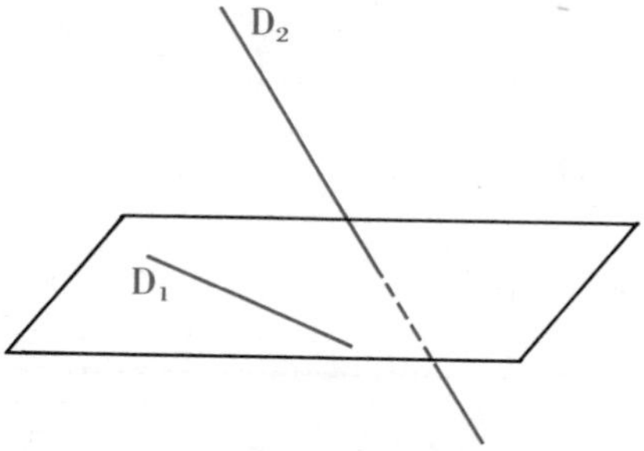

D_1 et D_2 non coplanaires

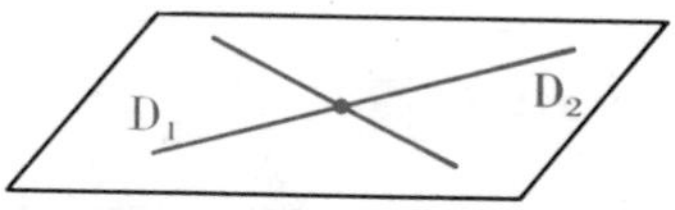

D_1 et D_2 sécantes

c. Propriétés du parallélisme

▶ A est un point *qui n'appartient pas* à une droite D.
P est le plan défini par ce point A et cette droite D.
La règle **5** nous permet d'affirmer qu'il existe une unique droite qui passe par A et parallèle à D.
Dans le cas où A est sur D, la parallèle cherchée est la droite D elle-même.
D'où le théorème suivant :

Théorème 1

> **A est un point et D est une droite.**
> **Il existe une unique droite qui passe par A et parallèle à D.**

De plus, *nous admettrons* (voir exercices 11 et 12 page 294) les théorèmes suivants :

Théorème 2

> - **P est un plan et D une droite parallèle à P.**
> **Si A est un point de P, alors la parallèle à D menée par A est dans P.**
> - **P est un plan et *d* une droite de P.**
> **Si D est une droite parallèle à *d*, alors D est parallèle au plan P.**

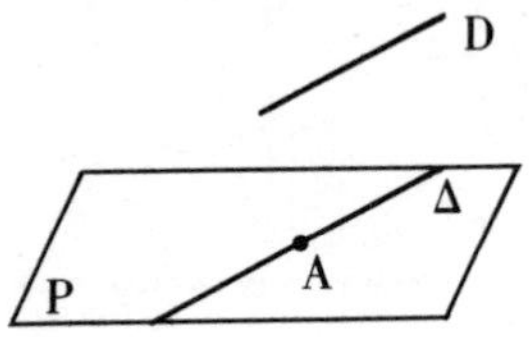

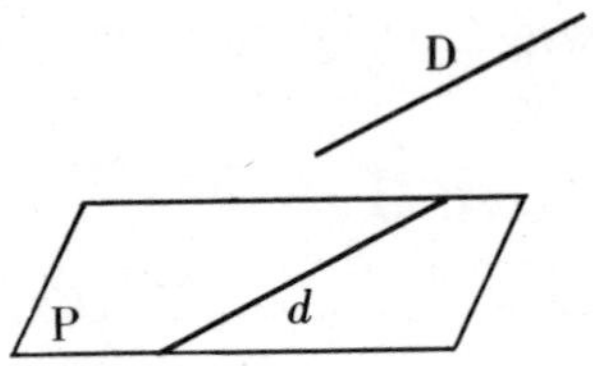

Commentaire

Ce théorème peut encore s'énoncer : « une condition nécessaire et suffisante pour qu'une droite D soit parallèle à un plan P est qu'elle soit parallèle à une droite de P. »
Pour montrer qu'une droite est parallèle à un plan, il suffira de montrer qu'elle est parallèle à une droite du plan.

▶ D et D′ sont des droites parallèles.
Un plan P coupe D en A.
Le plan P *coupe-t-il* D′?
Supposons que P ne coupe pas D′, alors D′ est parallèle à P.
D'après le théorème précédent, la parallèle à D′ menée par A, c'est-à-dire D, est contenue dans P.
Cela est contraire à l'hypothèse, donc **P coupe D′.**

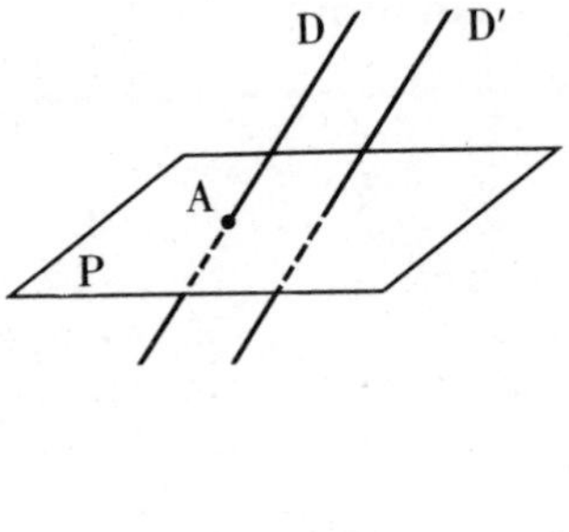

Théorème 3

> **D et D′ sont deux droites parallèles.**
> **Tout plan qui coupe D coupe D′.**

▶ *Transitivité du parallélisme.*

Les théorèmes suivants sont intuitivement clairs, aussi les admettrons-nous pour ce premier contact avec la géométrie dans l'espace.

Théorème 4

- **Si le plan P est parallèle au plan P′ et si P′ est parallèle au plan P″, alors P est parallèle à P″.**
- **Si la droite D est parallèle à la droite D′ et si D′ est parallèle à la droite D″, alors D est parallèle à D″.**

▶ P et Q sont deux plans sécants et ils sont tous deux parallèles à une droite D.
A est un point de l'intersection de P et Q.
La parallèle Δ menée par A à la droite D est dans P et dans Q.
Δ est donc l'intersection de P et Q.

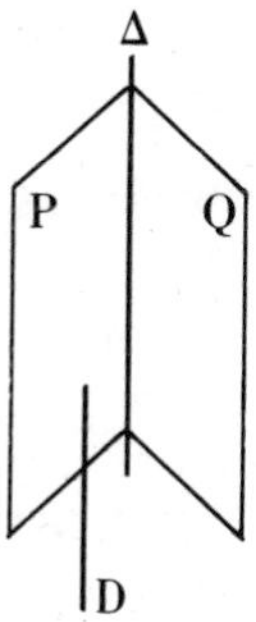

Théorème 5

Si P et Q sont deux plans sécants et parallèles à une droite D, alors l'intersection de P et Q est parallèle à D.

▶ *Nous admettrons* le théorème suivant :

Théorème 6

Si P et Q sont deux plans parallèles et si un plan R coupe P selon la droite D, alors R coupe Q selon une droite D′ parallèle à D.

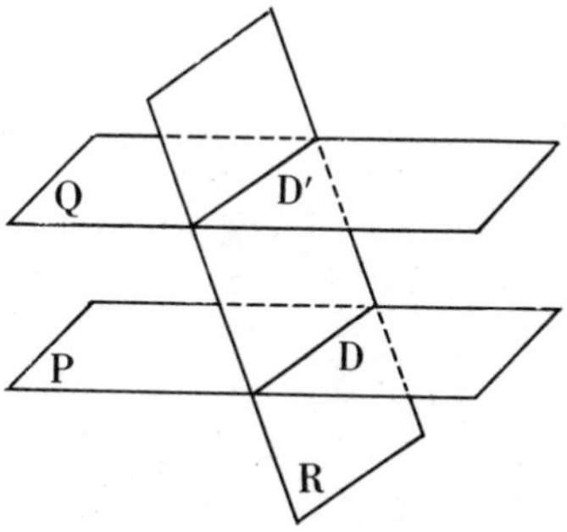

▶ D_1 et D_2 sont des droites d'un plan P sécantes en A. De plus : D_1 et D_2 sont parallèles à un plan Q.
Supposons que P *coupe* Q *selon une droite* Δ.
$D_1 /\!/ P$ et $D_1 /\!/ Q$ donc $\Delta /\!/ D_1$, d'après le théorème précédent.
De même : $D_2 /\!/ P$ et $D_2 /\!/ Q$ donc $\Delta /\!/ D_2$.
il passe donc par A deux parallèles à Δ, ce qui est impossible, donc **P et Q sont parallèles.**

Théorème 7

Si un plan P contient deux droites sécantes parallèles à un plan Q, alors P est parallèle à Q.

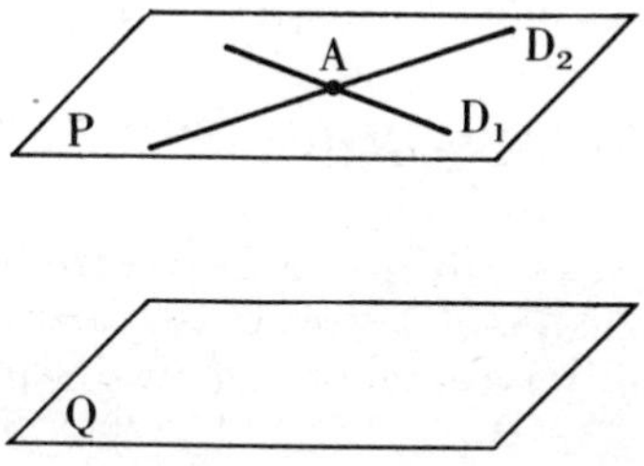

▶ Nous vous proposons de démontrer à l'exercice 13 page 295, le théorème suivant :

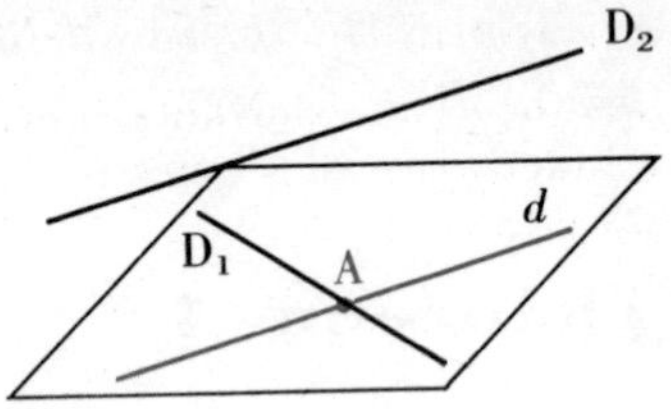

Théorème 8

D et D′ sont des droites non coplanaires.
Il existe un unique plan P contenant D et parallèle à D′.

EXERCICE résolu 3

ABCD est un parallélogramme du plan P et S un point extérieur à P. On considère la pyramide de sommet S et de base ABCD. On appelle I le milieu de [SA], J le milieu de [SB] et K le milieu de [SC]. (Nous vous laissons faire la figure.)

a. Déterminez l'intersection du plan (CIJ) avec les plans P et (SDA).

b. Montrez que le plan (IJK) coupe [SD] en son milieu.

Solution □□□

a. Dans le plan du triangle SAB, la droite (IJ) passe par les milieux de [SA] et de [SB], donc (IJ) est parallèle à (AB).
Les plans (CIJ) et P sont parallèles à (AB) et ont le point C en commun; leur intersection est donc la droite passant par C, parallèle à (AB).
Comme (CD) est parallèle à (AB) par hypothèse, l'intersection de (CIJ) et de P est la droite (CD).
Il en résulte que D est un point de (CIJ); les points D et I étant communs aux plans (CIJ) et (SAD), **leur droite d'intersection est la droite (ID).**

b. Nous avons montré que (IJ) et (AB) sont parallèles; pour les mêmes raisons (JK) et (BC) sont parallèles.
Le plan (IJK) contient deux droites sécantes parallèles au plan P et est donc parallèle au plan P.
Les droites d'intersection des plans parallèles P et (IJK) avec le plan (SDC) sont deux droites parallèles.
L'intersection Δ de (SDC) et de (IJK) est donc la parallèle à (DC) menée par K.
Comme K est le milieu de [SC], Δ coupe [SD] en son milieu. Il en résulte que le plan (IJK) coupe [SD] en son milieu.
□□□□□□□□□□

3.3. Projections parallèles

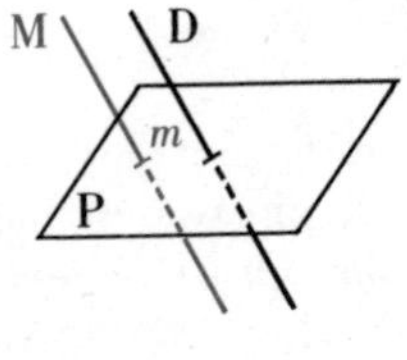

a. Sur un plan, parallèlement à une droite

P est un plan et D une droite non parallèle à P.
On appelle **projection sur P parallèlement à D** l'application qui, à chaque point M de l'espace, fait correspondre le point m du plan P, intersection de la parallèle à la droite D menée par M avec le plan P.

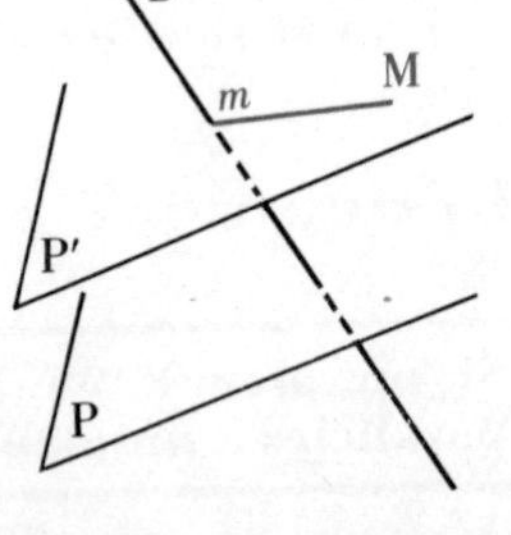

b. Sur une droite parallèlement à un plan.

D est une droite non parallèle à un plan P. On appelle **projection sur D parallèlement à P** l'application qui, à chaque point M de l'espace, fait correspondre le point m de la droite D et du plan P′ qui passe par M et parallèle au plan P.

Pour tester vos connaissances

Les exercices 1 à 4 sont des exercices de dessin

1. P est un plan; D est une droite, non contenue dans P, qui passe par un point A non contenu dans P, et qui coupe P en un point B.
Dessinez.

2. P et Q sont deux plans sécants. Dessinez-les, en faisant figurer la droite d'intersection.
Placez un point B dans P, un point A dans Q.

3. P est un plan et D une droite. A et B sont deux points contenus dans D et P.
Dessinez.

4. A et B sont deux points distincts. Un plan P contient A et ne contient pas B. Un plan Q contient B et ne contient pas A. Dessinez ces plans P et Q.

Pour les exercices 5 et 6, chaque dessin proposé comporte une erreur flagrante. Corrigez en justifiant votre correction.

5. P et Q sont deux plans qui se coupent; D est la droite d'intersection.
D′ est une droite du plan Q qui coupe P au point A.
Le point A est-il bien placé?

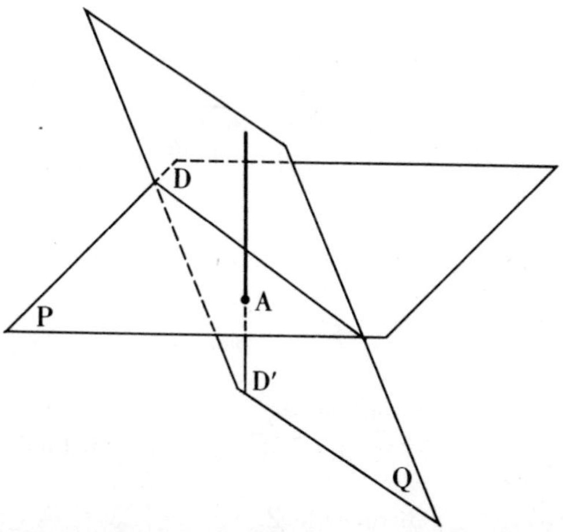

6. B, C, D, E sont quatre points distincts du plan P, et A est un point extérieur au plan.
On joint A aux points B, C, D, E, obtenant ainsi un solide appelé pyramide.
La droite d'intersection des plans (ABC) et (ADE) coupe le plan P en H.
Ce point H est-il bien placé?

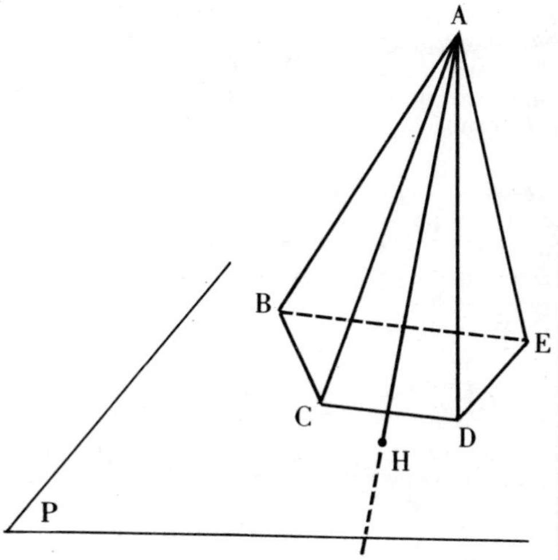

7. Les points A, B, C′ sont alignés.
Les points A, C, B′ sont alignés.
Les points B, C, A′ sont alignés.
A′, B′, C′ sont dans le plan P.
Sont-ils bien placés?

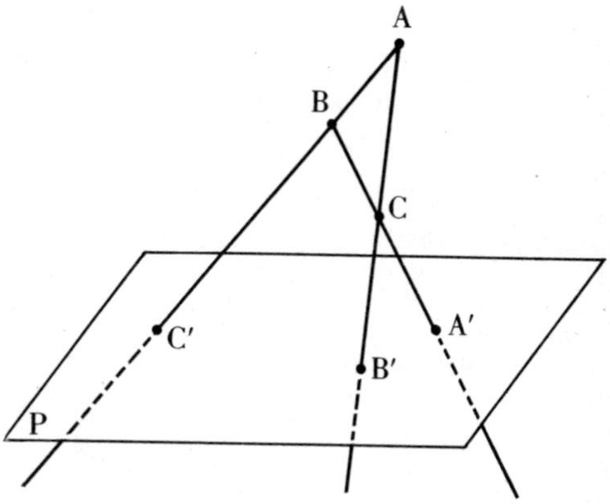

8. Deux plans P et Q sont parallèles. Peut-on dire que toute droite D de P est parallèle à toute droite D′ et Q?

Exercices d'entraînement

Intersection de droites et de plans

1. D et D′ sont deux droites sécantes contenues dans un plan P. Δ est une droite qui coupe ce plan en un point I qui n'appartient pas aux droites D et D′. M est un point de Δ.
Q est le plan défini par M et la droite D; Q′ est le plan défini par M et la droite D′.
Quelle est l'intersection de Q et de Q′?

2. B et C sont des points distincts d'un plan P.
A est un point extérieur au plan P.
M est un point de la droite (AB), N un point de la droite (AC).
Montrez que si la droite (MN) coupe P, alors elle coupe la droite (BC).

3. ABCD est un quadrilatère du plan P. On suppose que ce quadrilatère n'est pas un trapèze. O est un point extérieur au plan P. Déterminez l'intersection des plans qui contiennent les points O, A, B et les points O, C, D.

4. A, A′, B, B′ sont quatre points distincts de l'espace.
Démontrez que si les droites (AB) et (A′B′) ne sont pas coplanaires, il en est de même pour (AA′) et (BB′).

5. Soient P un plan, D une droite de P, A un point de P extérieur à D, et B un point extérieur à P.
Démontrer que les droites D et (AB) ne sont pas coplanaires.

6. P et P′ sont deux plans sécants. O est un point de la droite d'intersection de P et de P′.
Montrez que les cercles $\mathcal{C}$ et $\mathcal{C}'$ de centre O et de rayon *r*, situés respectivement dans le plan P et dans le plan P′, ont deux points communs.

7. ABCD est un tétraèdre.
I est le milieu de [AD], G est le centre de gravité du triangle ABC.
Montrez que la droite (IG) coupe le plan (BCD) en un point E. (**Indication :** (GI) est dans le plan (CGI).)
Quelle est la nature du quadrilatère BECD?

8. Une droite D coupe un plan P en O. A et B sont deux points de D tels que O soit entre A et B. Un point M de l'espace est tel que (MA) coupe P en I et (MB) coupe P en J.
Montrez que les points O, I, J sont alignés.

9. ABCD est un tétraèdre; P est le plan qui contient la face (BCD). Δ est une droite du plan P qui coupe les droites (BC), (CD) et (BD) en trois points distincts. M est un point de l'arête [AC]. Π est le plan défini par le point M et la droite Δ.

a) Dessinez l'intersection du plan Π et du plan qui contient la face (ABC).

b) Quel est le point d'intersection de la droite (AD) et du plan Π?

c) Quelle est l'intersection du plan Π et du plan qui contient la face (ABD)?

d) Montrez que l'intersection du plan qui passe par les points A, B, D et du plan Π coupe la droite (BD) en un point de Δ.

10. ABCD est un tétraèdre.

a) Montrez que les plans déterminés par A et chacune des médianes du triangle BCD se coupent suivant une droite Δ_1.

b) Soit Δ_2 la droite analogue à Δ_1, mais relative au point B.
Montrez que Δ_1 et Δ_2 sont concourantes.

c) Déduisez que les quatre droites Δ_1, Δ_2, Δ_3, Δ_4 relatives aux quatre sommets ont un point commun.

Parallélisme

11. P est un plan et D une droite parallèle à P.
A est un point de P.

1. Supposez que D n'est pas incluse dans P. Q est le plan défini par A et la droite D.

a) Pourquoi P et Q sont-ils sécants?

b) Δ est la droite commune à P et Q. Pourquoi Δ ne coupe-t-elle pas D? Qu'en concluez-vous?

2. Supposez que D est incluse dans P. Pourquoi existe-t-il une unique droite qui passe par A et parallèle à D?

12. *d* est une droite incluse dans un plan P.
D est une droite parallèle à *d*.
Démontrez que D est parallèle à P dans chacun des cas :

a) *d* et D confondues;

b) le plan Q défini par *d* et D est confondu avec P;

c) Q est distinct de P.

13. D_1 et D_2 sont deux droites non coplanaires. A est un point de D_1.

a) Montrez que le plan P défini par D_1 et la droite *d* parallèle à D_2 menée par A est parallèle à D_2 et ne contient pas D_2.

b) Montrez que ce plan P ne dépend pas du choix de A sur D_1.

14. Dans l'espace, soient ABCD et AECF deux parallélogrammes dont la diagonale [AC] est commune.
Démontrez que les droites (BE) et (DF) sont parallèles, ainsi que (BF) et (DE).

15. La droite D et le plan P sont sécants.
Démontrez que pour tout point A n'appartenant pas à D, il existe une droite et une seule parallèle au plan P et qui coupe la droite D.

16. ABC et A'B'C' sont des triangles respectivement situés dans des plans sécants P et P' et tels que les droites (BC) et (B'C') se coupent au point *a*, (AC) et (A'C') en *b*, (AB) et (A'B') en *c*.
Où se trouvent les points *a*, *b*, *c*?
Étudiez la position relative des droites (AA'), (BB'), (CC').

17. ABCD est un tétraèdre.

a) Montrez que les milieux respectifs M, N, P, Q des segments [AB], [BC], [CD] et [AD] sont les sommets d'un parallélogramme.

b) On suppose A, B et C fixes et D variable sur une droite Δ.
Trouvez l'ensemble des points P, Q et I, I étant l'intersection de (PM) et (NQ).

18. Les droites D et D' ne sont pas coplanaires et la droite Δ n'est parallèle ni à D, ni à D'.
Construisez une droite Δ' parallèle à Δ et qui coupe D et D'.

19. ABCD est un parallélogramme d'un plan P.
Tracez quatre droites parallèles passant par chaque sommet de ce parallélogramme.
Un plan Π coupe ces droites en M, N, P, Q.
Quelle est la nature du quadrilatère MNPQ?

20. [AB] et [CD] sont deux segments non coplanaires et parallèles au plan Π. Les droites (AC), (AD), (BC), (BD) coupent respectivement le plan Π aux points I, J, K, L.

a) Que pouvez-vous dire du quadrilatère IJLK?

b) Les points U et V sont respectivement les milieux des segments [AB] et [CD].
Les droites (UD), (UC), (VA), (VB) coupent respectivement le plan Π aux points U_1, U_2, V_1, V_2.
Situez ces points par rapport au quadrilatère IJLK.
Quelle est la nature du quadrilatère $U_1V_1U_2V_2$?

21. D et Δ sont deux droites parallèles contenues dans un plan P.
Q et R sont deux plans sécants qui contiennent respectivement D et Δ.
Δ' est l'intersection de Q et R.
Quelle est la position de Δ' par rapport au plan P?

22. Soit ABCD un tétraèdre.
Précisez la nature de la section de ce tétraèdre par un plan parallèle à (AB); par un plan parallèle à la fois à (AB) et (CD).

23. P et Q sont deux plans sécants, D est la droite intersection de ces deux plans et Δ est une droite non coplanaire à D.
Par un point M variable de Δ, on mène les plans P' et Q' respectivement parallèles à P et Q.

a) Montrez que P' et Q' se coupent suivant une droite D'.

b) Trouvez l'ensemble des droites D' lorsque M décrit Δ.

Projections

24. Démontrez que les images de deux droites sécantes, par toute projection parallèle sur un plan, sont deux droites sécantes ou confondues. La réciproque est-elle exacte?
Étudiez de même les images de deux droites non coplanaires.

25. ABC est un triangle, G son centre de gravité, A', B', C', G' les images respectives de A, B, C, G, par la projection sur un plan P parallèlement à une droite D.
Si A', B', C' ne sont pas alignés, démontrez que G' est le centre de gravité du triangle A'B'C'.
Étudiez le cas où A', B', C' sont alignés.

26. (AB) est une droite sécante en O à un plan P et D est une droite non parallèle à P ou à (AB).
Soient A', B', les images respectives des points A, B, par la projection sur P parallèlement à une droite D.

a) Les points A' et B' sont-ils distincts?

b) Soient M un point de la droite (AB) et M' l'image de M par la projection sur P parallèlement à D.
Déterminez l'ensemble décrit par M' quand M décrit la droite (AB).

CHAPITRE
27

ORTHOGONALITÉ DANS L'ESPACE

1. Pour prendre un bon départ

1.1. Orthogonalité dans le plan

En géométrie plane, vous savez ce que signifie l'expression « D et D′ sont perpendiculaires ». (ou encore orthogonales).

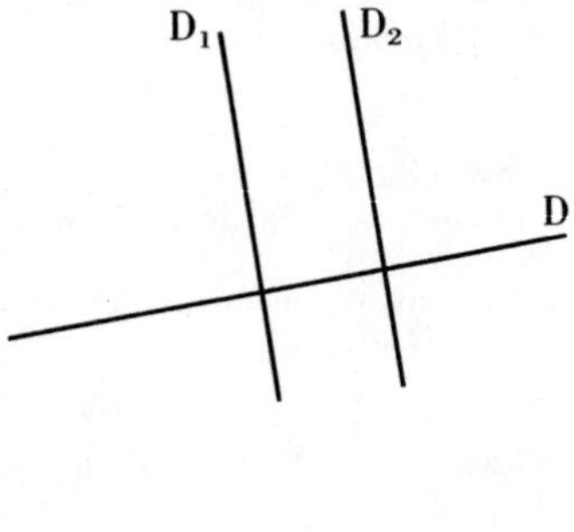

Vous connaissez les propriétés :

▶ Si deux droites D_1 et D_2 sont perpendiculaires à une droite D, alors D_1 et D_2 sont parallèles;

▶ Si deux droites D_1 et D_2 sont parallèles et si D est perpendiculaire à D_1, alors D est perpendiculaire à D_2.

EXERCICE

ABC est un triangle; [AA′], [BB′] et [CC′], les hauteurs de ce triangle, sont concourantes en un point D appelé orthocentre de ABC.
Montrez que :

a. A est l'orthocentre du triangle BCD;

b. B est l'orthocentre du triangle CDA;

c. C est l'orthocentre du triangle DAB.

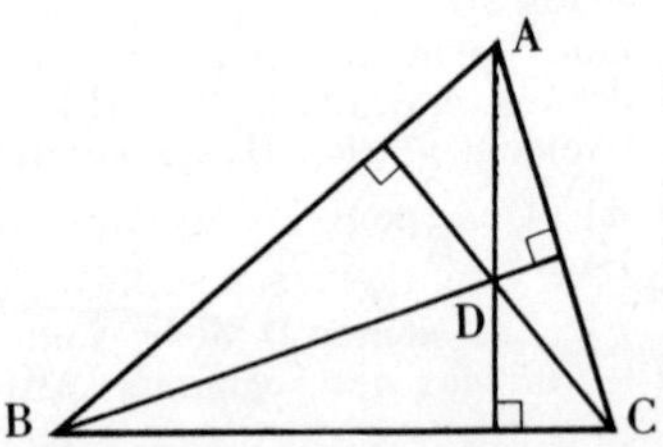

L'ensemble formé par les quatre points ABCD et les six droites qui passent par les quatre points constitue une figure que l'on appelle « **quadrangle orthocentrique** ». Dans ce quadrangle les points A, B, C, D jouent le même rôle.

1.2. Médiatrice d'un segment

La notion d'orthogonalité est liée à la notion de distance, comme le montre la définition de la médiatrice d'un segment.
[AB] est un segment du plan et O est son milieu.
Pour qu'un point M du plan soit équidistant de A et de B, il faut et il suffit que M soit sur la perpendiculaire en O à la droite (AB).
Cette droite perpendiculaire en O à (AB) est la **médiatrice** de [AB].

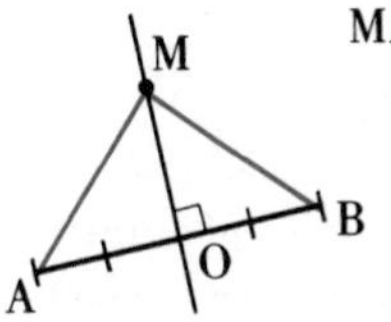

MA = MB

EXERCICE D est une droite, M et P sont deux points qui ne sont pas sur D, M′ et P′ sont les symétriques de M et de P par rapport à D.
Montrez que les points M, P, M′ et P′, sont sur un cercle dont on déterminera le centre.

1.3. Des triangles utiles

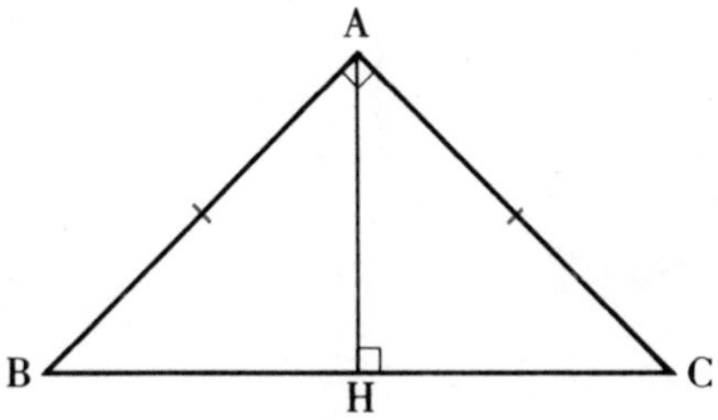

Triangle rectangle isocèle

$AB = AC = a$

$BC = a\sqrt{2}$

$BH = AH = \frac{a\sqrt{2}}{2}$

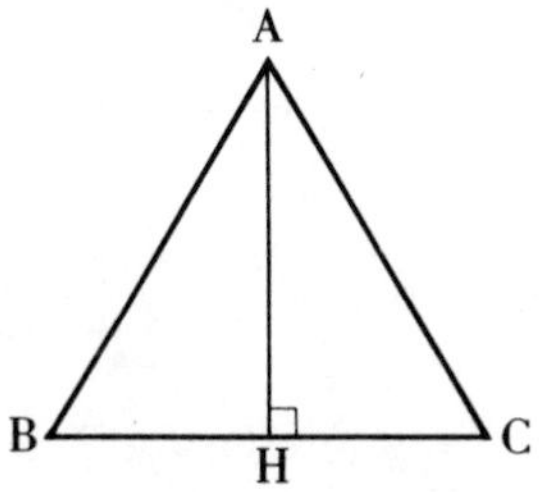

Triangle équilatéral

$AB = AC = BC = a$

$AH = \frac{a\sqrt{3}}{2}$

$BH = \frac{a}{2}$

2. Approche

L'idée la plus simple qu'on peut se faire de l'orthogonalité dans l'espace est celle de la disposition relative d'une **droite verticale et d'un plan horizontal.**
La notion d'orthogonalité joue un rôle tout à fait essentiel dans la vie courante.
Nous vivons dans un monde quotidien d'orthogonalité : maisons, immeubles, salles, mobilier offrent à foison des images de plans et de droites orthogonales.
Nous allons codifier cette idée.

Attention, ne partez pas sur de fausses idées ; aussi traitez l'exercice suivant.

EXERCICE

En illustrant vos réponses à l'aide d'exemples, pris sur le cube dessiné ci-dessous, répondez aux questions suivantes :

- Deux plans verticaux sont-ils parallèles?
- Deux plans horizontaux sont-ils parallèles?
- Deux droites verticales sont-elles parallèles?
- Deux droites horizontales sont-elles parallèles?

Dans l'exercice suivant vous allez montrer, en utilisant uniquement les théorèmes et relations métriques de la géométrie plane, que l'arête « verticale » [AA'] du cube qui est perpendiculaire aux deux arêtes « horizontales » [AB] et [AD] est perpendiculaire aux droites du plan (ABCD) qui passent par A.

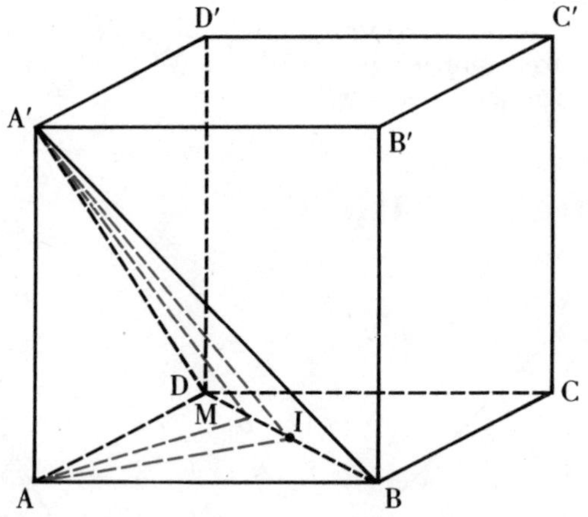

EXERCICE

ABCDA'B'C'D' est un cube dont toutes les arêtes ont pour longueur l'unité. On trace les diagonales [A'B], [BD] et [DA'].

a. Calculez la longueur des côtés du triangle ADB et du triangle A'DB.
Montrez que ADB est un triangle rectangle isocèle et A'DB un triangle équilatéral.
Représentez ces triangles en vraie grandeur.

b. I est le milieu de [DB].
Que représentent [AI] pour le triangle ADB et [A'I] pour le triangle A'DB?
Quelles sont les longueurs de [AI] et de [A'I]?

c. M est un point de la droite (DB).
Quelle est la nature des triangles AIM et A'IM?
Calculez $A'M^2$ et AM^2 en fonction de IM^2.

d. En utilisant le théorème de Pythagore, montrez que le triangle AMA' est rectangle en A.

e. Montrez que toute droite du plan (ADB) passant par A et coupant la droite (DB) est perpendiculaire en A à la droite (AA').

3. Cours et applications

3.1. Droites orthogonales

D et D′ sont deux droites de l'espace non parallèles; A_1 et A_2 sont deux points de l'espace.

D_1 et D'_1 sont les parallèles à D et D′ passant par A_1, et P_1 est le plan que déterminent ces deux droites.

D_2 et D'_2 sont les parallèles à D et D′ passant par A_2, et P_2 est le plan que déterminent ces deux droites.

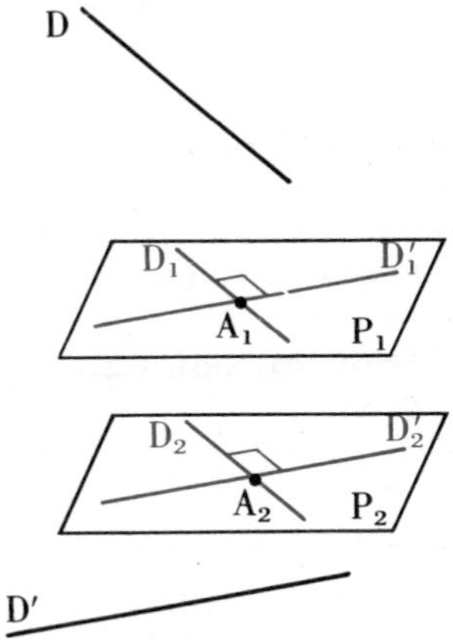

Nous admettrons que D_1 et D'_1 sont perpendiculaires dans P_1 *si et seulement si* D_2 et D'_2 sont perpendiculaires dans P_2; autrement dit,

si en un point les parallèles à D et à D′ sont perpendiculaires, en tout autre point de l'espace les parallèles à D et à D′ seront perpendiculaires.

Cela nous permet de définir les droites orthogonales.

Définition 1

D et D′, deux droites de l'espace, sont orthogonales *si et seulement si* les parallèles à D et D′ en un point quelconque de l'espace sont perpendiculaires.

Exemple

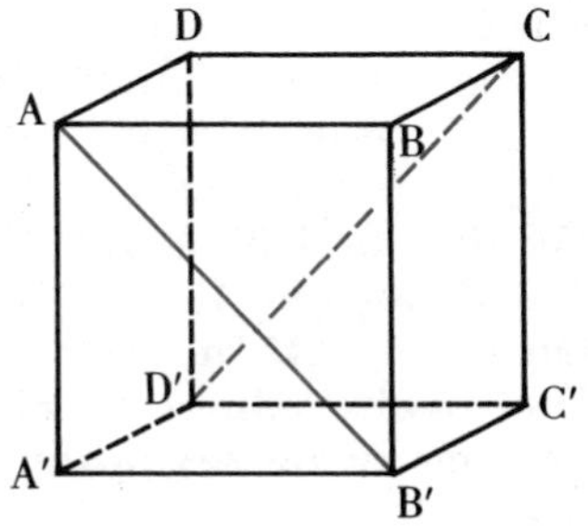

Dans le cube ABCD A′B′C′D′, les droites (AB) et (CC′) sont orthogonales puisque la parallèle (BB′) à (CC′) est perpendiculaire à (AB) en B.

De même, (AB′) est orthogonale à (CD′) puisque (CD′) est parallèle à (BA′) et que les diagonales du carré AA′B′B sont perpendiculaires.

Commentaire

Des droites perpendiculaires sont des droites orthogonales qui se coupent.
Elles sont coplanaires.

3.2. Plan orthogonal à une droite. Droite orthogonale à un plan

a. Plan orthogonal à une droite

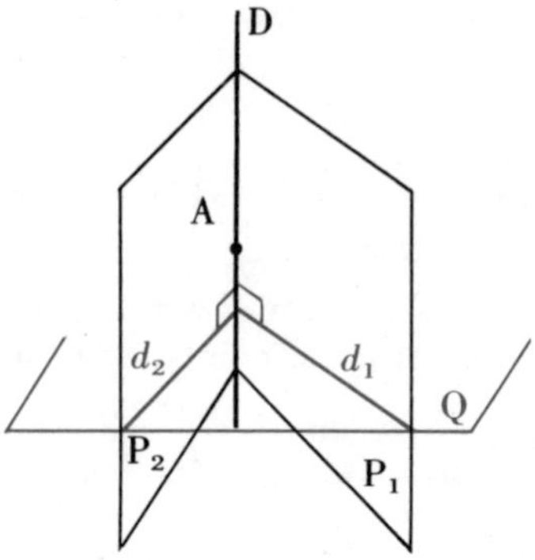

D est une droite de l'espace et A un point de D.
Considérons deux plans distincts P_1 et P_2 contenant D, et dans ces deux plans les perpendiculaires d_1 et d_2 à D en A. d_1 et d_2 déterminent un plan Q.
Nous admettrons qu'une droite passant par A est perpendiculaire à D *si et seulement si* elle est dans le plan Q.

Définition 2

D est une droite et A un point de D.
Le plan orthogonal en A à la droite D est le plan qui contient toutes les perpendiculaires à D en A.

Commentaires

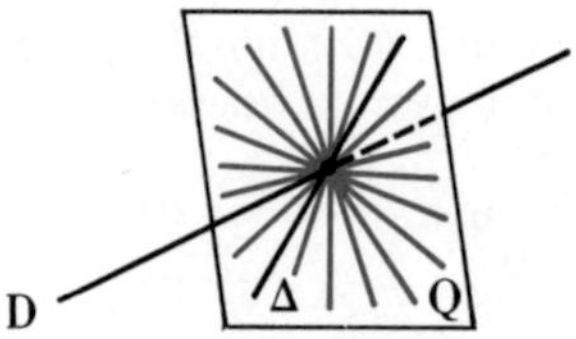

- On peut se représenter Q comme la surface engendrée par une droite Δ perpendiculaire en A à D, lorsque D tourne sur elle-même.
- Si un plan Q contient deux droites distinctes perpendiculaires à D, il est orthogonal à D.

b. Droite et plan orthogonaux

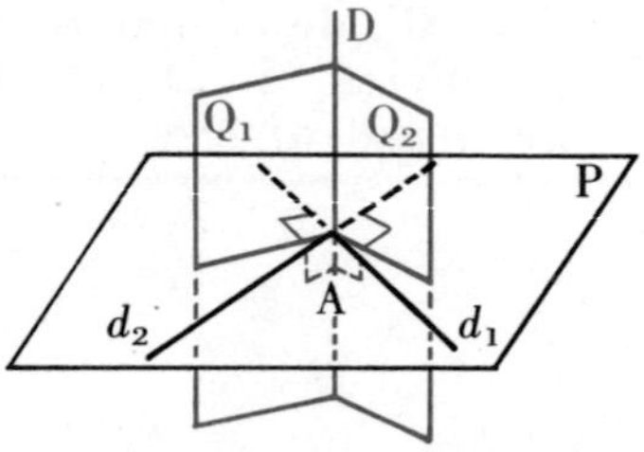

P est un plan, A un point de P; d_1 et d_2 sont deux droites de P sécantes en A.
Les plans Q_1 et Q_2 orthogonaux en A respectivement à d_1 et d_2 se coupent selon une droite D; cette droite D est perpendiculaire à d_1 et à d_2 puisqu'elle est dans Q_1 et dans Q_2; le plan P est donc orthogonal à D en A.
D est par conséquent contenue dans tous les plans orthogonaux aux droites de P passant par A.
P est la réunion de toutes les droites perpendiculaires en A à D et D est l'intersection de tous les plans orthogonaux en A à une droite de P.
En résumé de ***a*** et ***b*** :

On dit aussi bien que P est orthogonal en A à D, ou que D est orthogonale en A à P, ou que D et P sont orthogonaux en A.
On note $P \perp D$ ou $D \perp P$.
Une droite admet en chacun de ses points un plan orthogonal; un plan admet en chacun de ses points une droite orthogonale.

3.3. Orthogonalité et parallélisme

a. Plans orthogonaux à une droite

P_1 et P_2 sont deux plans orthogonaux à une droite D, respectivement en A_1 et A_2.
Étudions la position relative de P_1 *et* P_2.

— Si $A_1 = A_2$, alors $P_1 = P_2$, car nous avons admis l'unicité du plan orthogonal à une droite en un point.

— Si $A_1 \neq A_2$, considérons les droites d_1 et d'_1 de P_1 sécantes en A_1 : d_1 et d'_1 sont perpendiculaires à D.
d_2 et d'_2 sont les parallèles respectives à d_1 et d'_1 en A_2 :
d_2 et d'_2 sont perpendiculaires à D en A_2.
P_2 contient donc d_2 et d'_2, et $P_2 /\!/ P_1$.

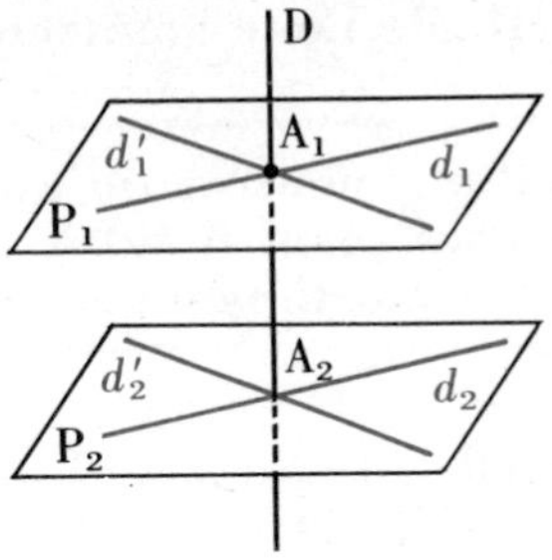

Théorème 1

Si P_1 et P_2 sont deux plans orthogonaux à une droite D, alors P_1 et P_2 sont parallèles.

b. Une figure pour cinq propriétés

La figure ci-dessous illustre les cinq propriétés suivantes, où P_1 et P_2 sont des plans, D_1 et D_2 des droites.

▶ Si $P_1 \perp D_1$ et $P_2 \perp D_1$ alors $P_1 /\!/ P_2$.

▶ Si $D_1 \perp P_1$ et $D_2 /\!/ D_1$ alors $D_2 \perp P_1$.

▶ Si $P_1 \perp D_1$ et si $P_1 /\!/ P_2$ alors $P_2 \perp D_1$.

▶ Si $D_2 \perp P_1$ et si $D_1 \perp P_1$ alors $D_2 /\!/ D_1$.

▶ Si $D_1 \perp P_1$, $D_2 \perp P_2$ et $P_1 /\!/ P_2$ alors $D_2 /\!/ D_1$
et bien d'autres encore...
Ces propriétés se démontrent avec les mêmes méthodes que celles utilisées pour prouver la première propriété.

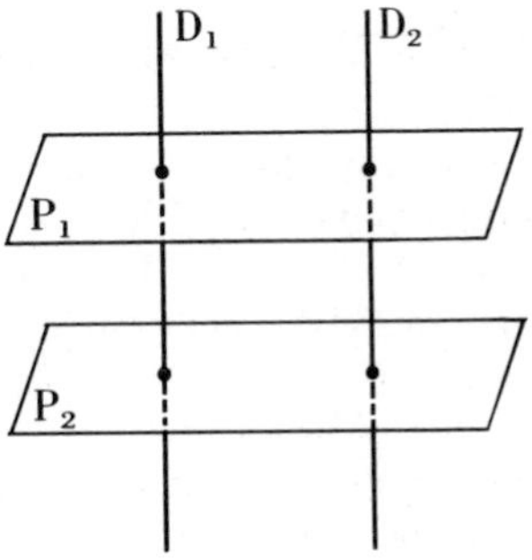

Commentaire

En fait, ce qu'il faut retenir, c'est que la relation d'orthogonalité ne lie pas seulement une droite et un plan, mais une famille de plans tous parallèles entre eux à une famille de droites toutes parallèles entre elles.
Par exemple, tous les plans horizontaux et toutes les droites verticales sont orthogonaux.
Mais **attention,** le langage peut induire des confusions : toutes les droites horizontales **ne sont pas** orthogonales à tous les plans verticaux.

c. Conséquences

D et D′ sont des droites telles que D′ appartient à un plan P orthogonal à D en A.
La parallèle Δ à D′ en A est contenue dans P.
Donc Δ est perpendiculaire à D.
Réciproquement, D et D′ sont des droites orthogonales et B un point de D′.
La parallèle Δ à D en B est perpendiculaire à D′, donc le plan P orthogonal à Δ en B contient D′.
Ce plan coupe évidemment D et est orthogonal à D, car D et Δ sont parallèles.

Théorème 2

Pour que les droites D et D′ soient orthogonales, il faut et il suffit que D′ appartienne à un plan orthogonal à D (où que D appartienne à un plan orthogonal à D′).

Méthode pour montrer qu'une droite est orthogonale à un plan.

> **Pour montrer qu'une droite D est orthogonale à un plan, il suffit de mettre en évidence que D est orthogonale à deux droites sécantes de P.**

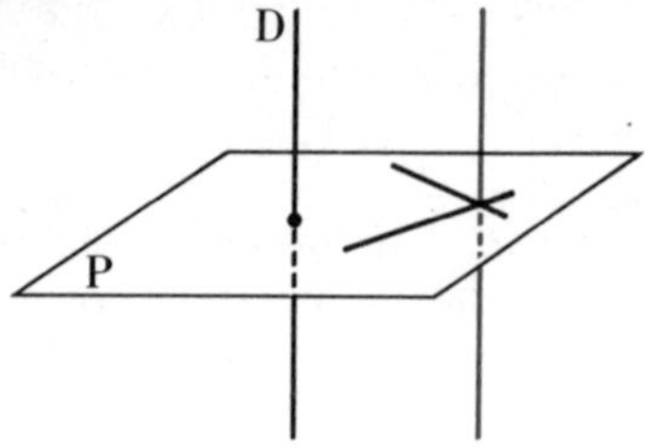

En effet, la parallèle à D au point de concours des deux droites sécantes de P est orthogonale à P.

EXERCICE résolu

ABCD est un tétraèdre régulier, c'est-à-dire un tétraèdre dont toutes les faces sont des triangles équilatéraux.
Montrez que les arêtes opposées (celles qui ne coupent pas) sont orthogonales.

Solution □ □ □

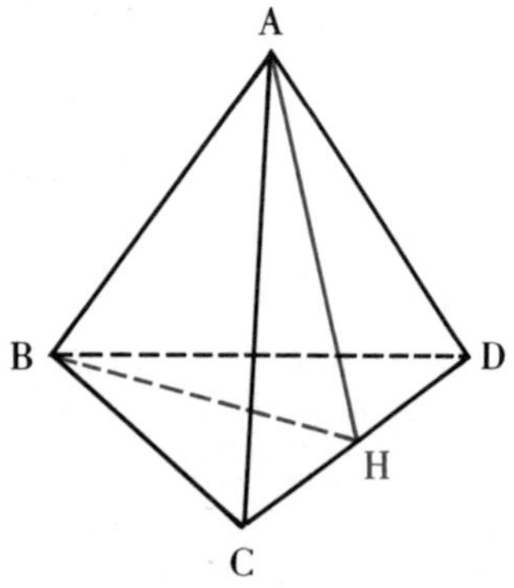

Il suffit de montrer que l'arête (AB) est dans un plan orthogonal à (CD).
Considérons le milieu M de [CD]; les triangles ACD et BCD étant équilatéraux, les droites (AM) et (BM) sont, dans les plans (ACD) et (BCD), les médiatrices de [CD].
Le plan (ABM) contient deux droites sécantes perpendiculaires à (CD); il est par conséquent orthogonal à (CD).
Comme (AB) est dans ce plan, (AB) est orthogonale à (CD).
Une démonstration identique montrerait que (BC) et (AD), ainsi que (AC) et (BD) sont orthogonales.
□ □ □ □ □ □ □ □ □ □

3.4 Plans perpendiculaires

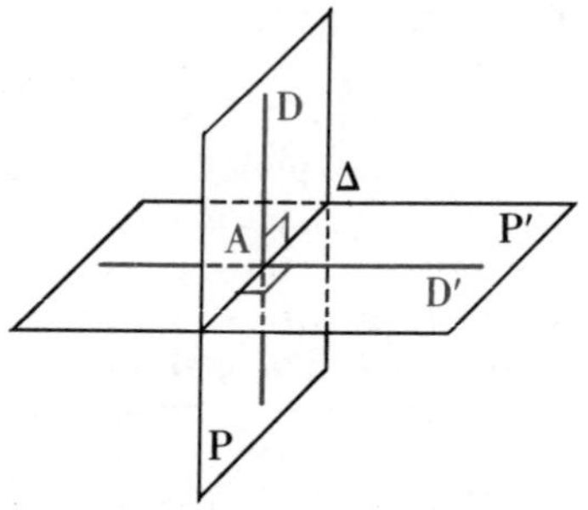

P et P′ sont deux plans de l'espace. Si P contient une droite D orthogonale à P′, alors P coupe P′ puisque D coupe P′.
Soit Δ l'intersection de P et P′; et soit A le point de Δ où D coupe P′.
Considérons la droite D′ du plan P′ perpendiculaire en A à Δ; D′ est perpendiculaire à D et D′ est perpendiculaire à Δ, donc D est orthogonale à P.

Définition 3

> **Dire que deux plans P et P′ sont perpendiculaires signifie que P contient une droite orthogonale à P′ (notez qu'alors P′ contient une droite orthogonale à P).**

Commentaire

Attention, cette relation entre plans, définie à partir de l'orthogonalité d'une droite et d'un plan, n'est pas aussi agréable que la relation d'orthogonalité entre droite et plan.
Par exemple, dans le cube du paragraphe 2, les plans (AA′BB′) et (AA′CC′) sont perpendiculaires au plan (ABCD), mais ces deux plans **ne sont pas parallèles.**

On a les propriétés :

▶ Si deux plans sécants sont perpendiculaires à un plan P, leur intersection est orthogonale à P.

▶ Si deux plans sont parallèles, tout plan perpendiculaire à l'un est perpendiculaire à l'autre.

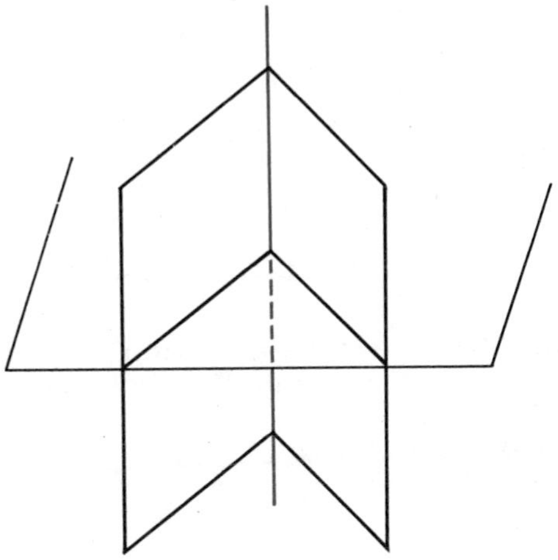

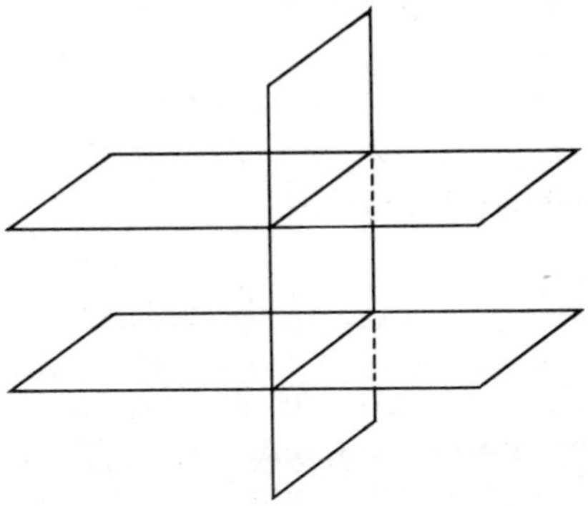

3.5. Plan médiateur d'un segment

A et B sont deux points de l'espace. O est le milieu de [AB].
Cherchons l'ensemble des points M équidistants de A et de B (MA = MB).

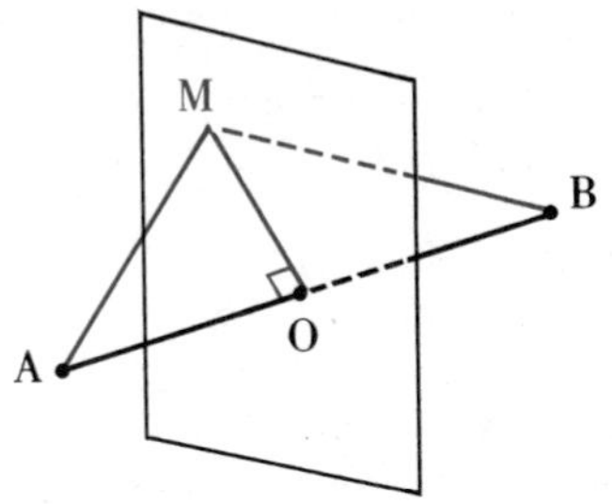

- Si M est sur (AB), alors M est en O, milieu de [AB].

- Si M n'est pas sur (AB), M et (AB) déterminent un plan Q.
Dans ce plan, M est sur la médiatrice de [AB].
Donc la droite (MO) est perpendiculaire en O à la droite (AB).
Il en résulte que M *est dans le plan perpendiculaire en* O *à* (AB).

Réciproquement, notons P le plan perpendiculaire en O à (AB), et M un point de ce plan.

- Si M est en O, alors MA = MB.

- Si M est distinct de O, M et (AB) déterminent un plan Q.
L'intersection de P et de Q est la droite (MO).
(MO) est dans P, donc (MO) est perpendiculaire en O à (AB).
Dans Q, (MO) est donc la médiatrice de [AB], d'où MA = MB.

Définition 4

A et B sont deux points; O est le milieu de [AB].
L'ensemble des points équidistants des points A et B est le plan perpendiculaire à la droite (AB) au point O. On l'appelle plan médiateur.

EXERCICE

A, B, C sont trois points non alignés de l'espace.

Montrez que l'ensemble des points équidistants de A, de B et de C dans l'espace est la droite orthogonale au plan (ABC) et qui passe par le centre du cercle circonscrit au triangle ABC.

3.6. Symétries et projections de l'espace

a. Symétrie orthogonale par rapport à un plan

Définition 5

P est un plan de l'espace.
La symétrie orthogonale par rapport au plan P est l'application qui, à chaque point M de l'espace, associe le point M′ tel que P soit le plan médiateur du segment [MM′].
On note cette application S_P.

Commentaire

Si M′ est le symétrique de M, M est le symétrique de M′. On dit que M et M′ sont symétriques par rapport à P.

***Exemple* 1**

Image d'un tétraèdre ABCD dans la symétrie orthogonale par rapport à un plan P.
P est le plan médiateur de [AA′], [BB′], [CC′] et [DD′].

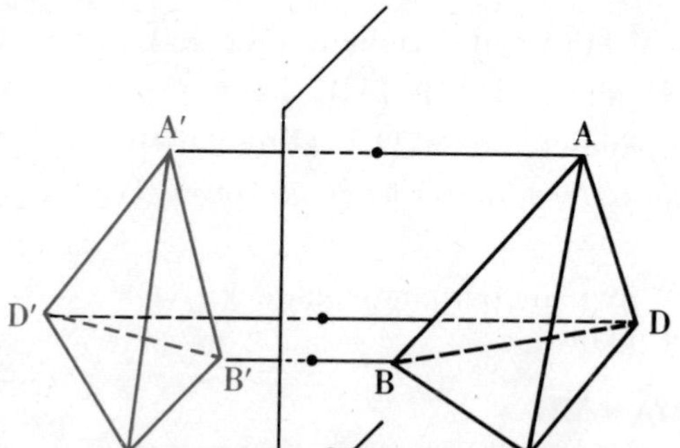

***Exemple* 2**

L'image d'un objet dans un miroir plan est le symétrique de cet objet par rapport au plan du miroir.

Définition 6

Dire qu'une figure admet un plan de symétrie P signifie que le symétrique par rapport à P de chaque point de la figure est un point de la figure.

Exemple

ABCDA'B'C'D' est un cube et I est le milieu de l'arête [AB].
Le plan perpendiculaire en I à (AB) est un plan de symétrie du cube.
Le plan défini par les arêtes parallèles (AB) et (C'D') est également un plan de symétrie du cube.

EXERCICES

1. Combien de plans de symétrie admet un cube?

2. ABCD est un tétraèdre régulier.
Montrez qu'il admet six plans de symétrie.

b. Projections orthogonales

D est une droite orthogonale à un plan P.
La projection orthogonale d'un point M sur le plan P est la projection de M sur P parallèlement à D.
La projection orthogonale d'un point M sur la droite D est la projection de M sur D parallèlement à P.

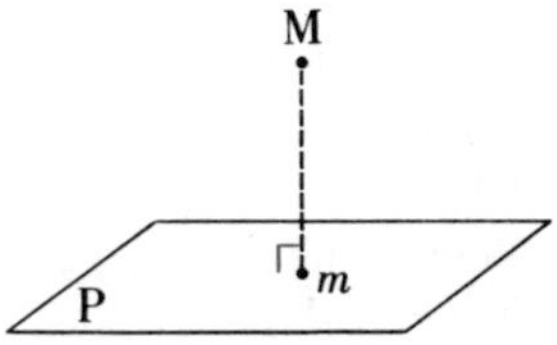

Projection orthogonale sur P

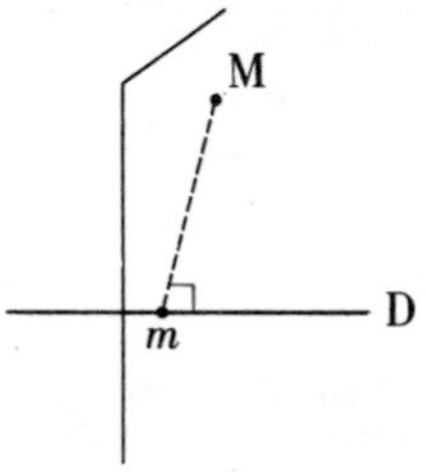

Projection orthogonale sur D

On appelle **distance d'un point M au plan P** la distance de M à sa projection orthogonale sur le plan P.

EXERCICES

Pour tester vos connaissances.

1. A est un point. D_1 et D_2 sont deux droites non parallèles.
Construisez une droite D passant par A, orthogonale à D_1 et D_2.

2. A est un point. D est une droite et P est un plan.
Construisez une droite passant par A, orthogonale à D et parallèle à P.

3. P est un plan; A et B sont deux points n'appartenant pas à P.
Quel est l'ensemble des points de P équidistants de A et de B?

4. On considère dans le plan P un carré ABCD.

a) Déterminez l'ensemble des points M de l'espace tels que MA = MB = MC = MD.

b) Même question si ABCD est un rectangle.

c) Même question si ABCD est un losange.

5. D est une droite. Le plan P_1 est parallèle à D. Le plan P_2 est perpendiculaire à D.
Démontrez que P_1 et P_2 sont perpendiculaires.

6. Montrez qu'il existe un point et un seul équidistant de quatre points non coplanaires.

Exercices d'entraînement

1. D_1 et D_2 sont deux droites parallèles; P est un plan orthogonal à D_1.
A_1 et A_2 sont les points d'intersection respectifs de D_1 et D_2 avec P.
Considérez deux droites du plan P sécantes en A_1 et leurs parallèles en A_2.
Montrez que P et D_2 sont orthogonaux.

2. Théorème des trois perpendiculaires.
P est un plan, D une droite orthogonale à P coupant P en O et Δ une droite du plan P.

a) La perpendiculaire à Δ passant par O coupe Δ en H.
Montrez que si M est un point de D, (MH) est perpendiculaire en H à Δ.

b) M est un point de D; de M on mène la perpendiculaire (MH) à Δ.
Montrez que (OH) est perpendiculaire en H à Δ.

3. P est un plan et Δ une droite orthogonale à P en O; A est un point de Δ et B un point de P. On considère une droite D du plan P passant par B.

a) On mène de A la perpendiculaire (AH) à D.
Montrez que (OH) est perpendiculaire à D.

b) La droite D qui passe par B varie en restant dans le plan P.
Quel est l'ensemble des points H?

4. Dans le plan P, on considère un cercle de centre O. Soit [AB] un diamètre de ce cercle et [OC] un rayon perpendiculaire à [AB].
On mène la médiatrice de [OC] qui est sécante au cercle aux points M et N. D est un point de la droite Δ orthogonale à P passant par C.
Montrez que (OD) et (MN) sont orthogonales.

5. Dans le plan P on considère un cercle de diamètre [AB] et on appelle Δ la droite orthogonale en A au plan P; M est un point du cercle de diamètre [AB] et N un point de Δ.
Montrez que la droite (MN) est perpendiculaire à la droite (MB).

6. ABCD est un tétraèdre où les couples d'arêtes opposées ((AB), (CD)) et ((BC), (AD)) sont formés de droites orthogonales.

a) La droite orthogonale au plan (ACD) passant par B coupe (ACD) en B′.
Montrez que (CD) est orthogonale à (AB′).
Déduisez-en que B′ est l'orthocentre du triangle ACD.

b) Montrez que les arêtes (BD) et (AC) sont orthogonales.

c) La droite orthogonale au plan (BCD) passant par A coupe (BCD) en A′.
Montrez que (AA′) et (BB′) sont concourantes en un point I.

d) Déduisez-en que les droites orthogonales aux faces du tétraèdre passant par les sommets (on les appelle « hauteurs » du tétraèdre) sont concourantes en I.

7. Perpendiculaire commune à deux droites.
D et D′ sont deux droites non coplanaires.

a) Montrez qu'il existe un plan contenant D parallèle à D′.

b) Montrez qu'il existe une droite orthogonale à D et à D′.

c) Montrez qu'il existe une droite perpendiculaire à D et à D′.

8. On considère un plan P et, dans ce plan, un triangle ABC; D est un point de la droite orthogonale en A au plan P.
On mène les hauteurs [BB′] et [DD′] du triangle DBC et la hauteur [BB″] du triangle ABC,

a) Montrez que [AD′] est hauteur du triangle ABC.

b) Montrez que (DC) est orthogonale au plan (BB′B″).

c) H et K sont les orthocentres respectifs des triangles ABC et DBC.
Montrez que (HK) est orthogonale au plan (DBC).

9. ABCD est un tétraèdre régulier; I est le milieu de [AB] et J le milieu de [CD].

a) Démontrez que les plans (ICD) et (JAB) sont perpendiculaires.

b) Démontrez que le plan (ICD) est perpendiculaire aux plans (ABC) et (ABD), et que le plan (JAB) est perpendiculaire aux plans (ACD) et (BCD).

10. Les droites D et D′ sont perpendiculaires, et P est un plan. D et D′ ne sont pas perpendiculaires à P. On appelle d et d' les projections orthogonales de D et D′ sur P.

Montrez que d et d' sont perpendiculaires *si et seulement si* l'une des deux droites D ou D′ est parallèle à P.

11. P est un plan, A un point de P, D une droite de P passant par A et B un point hors du plan P.

B se projette orthogonalement en H sur P et en M sur D.

a) Montrez que (HM) est perpendiculaire à D. Quel est l'ensemble des points M lorsque la droite D tourne autour de A en restant dans P.

b) Montrez que (AM) et le plan (BHM) sont perpendiculaires.
Déduisez-en que (BHM) et (BMA) sont des plans perpendiculaires.

c) Le plan orthogonal à la droite (AB) mené par H coupe cette droite au point I et la droite (BM) au point N.
Montrez que (HN) est perpendiculaire à (BM) et que le point N est la projection du point H sur le plan (ABM).

d) Quel est l'ensemble des points N lorsque D tourne autour de A en restant dans P?

12. L'étoile de Kepler
ABCD est un tétraèdre régulier; a désigne la longueur d'une de ses arêtes.

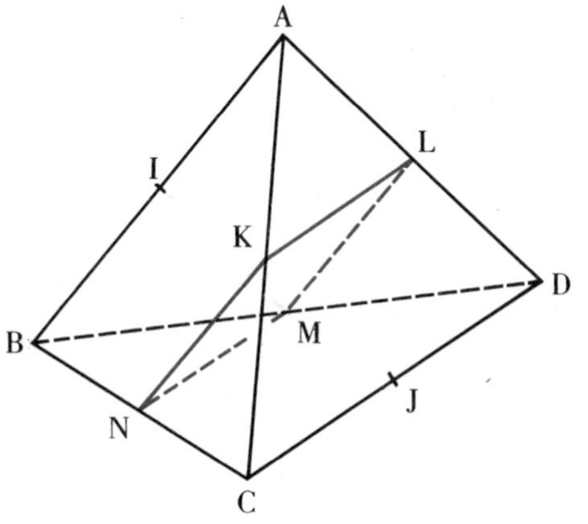

a) Les points I et J sont respectivement les milieux des segments [AB] et [CD]. π est le plan médiateur du segment [IJ].
Prouvez que le plan π passe par les milieux K, L, M, N des arêtes [AC], [AD], [BD] et [BC].
Quelle est la nature du quadrilatère KLMN?
Calculez en fonction de a la distance du point I au plan π.
Caractérisez les plans médiateurs des segments [LN] et [KM].

b) $\mathcal{P}$ est le polyèdre de sommets A, B, K, L, M, N.
Dessinez le polyèdre $\mathcal{P}$ et construisez son patron.
Joignez le point I, milieu du segment [AB], aux points K, L, M, N.
Donnez une description précise des polyèdres de sommets I, B, M, N, de sommets I, A, K, L et de sommets I, K, L, M, N.

c) Δ est la droite qui passe par le point I, parallèle au plan π et perpendiculaire à la droite (AB). E et F sont les points de la droite Δ tels que IE = IF.
Q est le polyèdre de sommets E, A, F, B, I, K, L, M, N.
Dessinez ce polyèdre et construisez son patron.

d) Q′ est le polyèdre symétrique du polyèdre Q par rapport au plan π. $\mathcal{S}$ est le polyèdre formé par la réunion des deux polyèdres Q et Q′.
Montrez que le polyèdre $\mathcal{S}$ (étoile de Kepler) est formé par deux tétraèdres réguliers qui s'interpénètrent et dont les arêtes sont deux à deux perpendiculaires.
Construisez le patron du polyèdre $\mathcal{S}$.

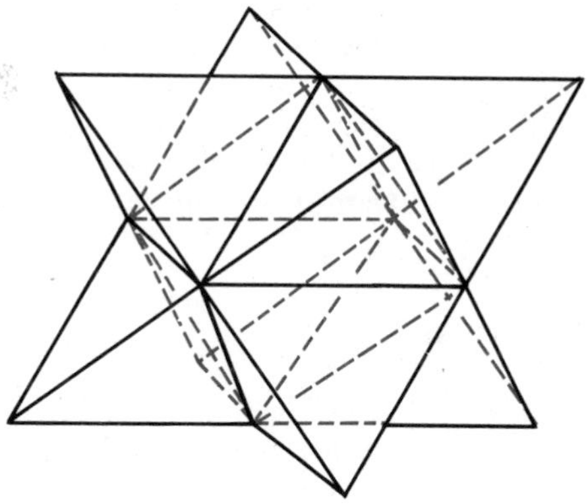

CHAPITRE
28

AIRES ET VOLUMES DE SOLIDES. FORMULAIRE

1. Les prismes

a. Surface prismatique

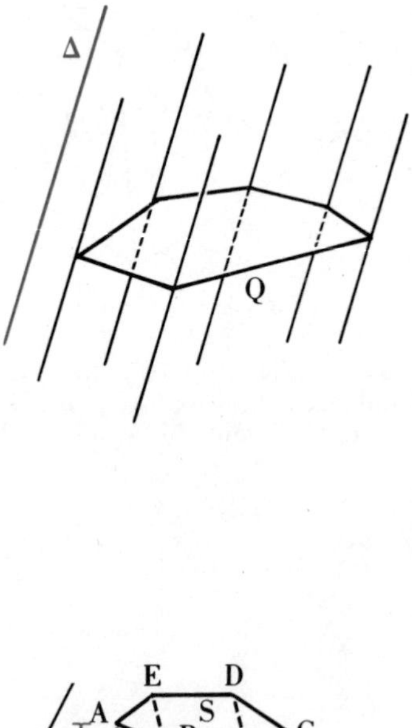

Q est un polygone et Δ une droite non parallèle au plan contenant Q.

La réunion des droites parallèles à Δ et rencontrant Q définit une **surface prismatique** de polygone Q.

b. Prisme

Un prisme est le solide limité par une surface prismatique et deux plans parallèles au plan du polygone de la surface prismatique. Ces plans sont dits *plans de bases du prisme* et leurs intersections avec la surface prismatique sont les *bases* du prisme.

Les autres faces sont appelées *faces latérales.*

La *hauteur h* du prisme est la distance des deux plans de base.

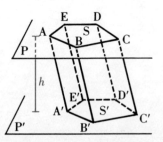

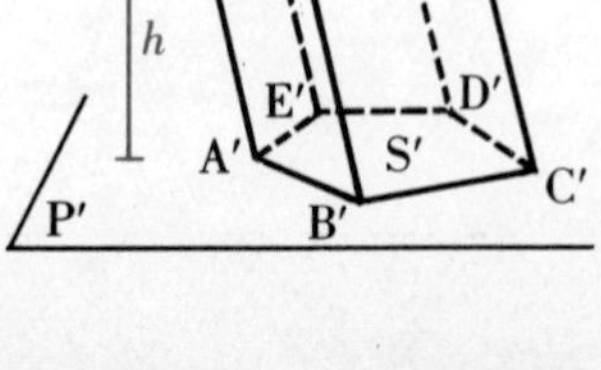

Si B est l'aire de la base S (ou de la base S′), et *h* la hauteur, alors le volume V du prisme est :

$$V = B \times h.$$

c. Prismes particuliers

- Le **prisme droit** est un prisme dont les faces latérales sont des rectangles (figure 1).

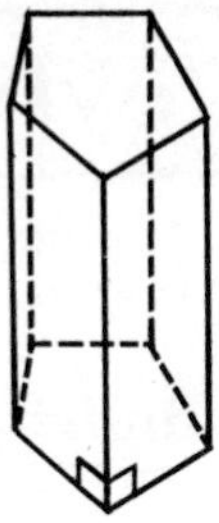

Figure 1

- Le **parallélépipède** est un prisme dont le polygone de base est un parallélogramme (figure 2).

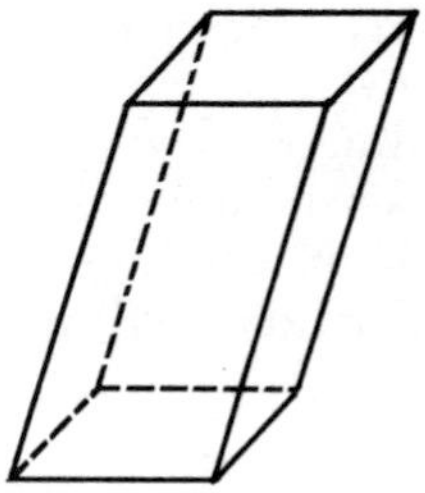

Figure 2

Le **parallélépipède rectangle** est un parallélépipède dont les faces sont des rectangles (figure 3).
Si a, b, c sont les longueurs des arêtes :

$$V = abc.$$

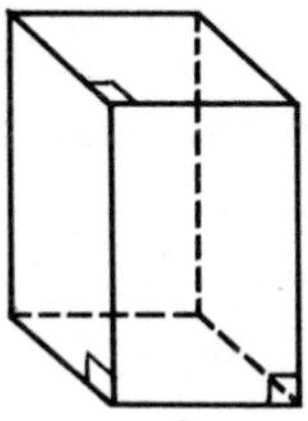

Figure 3

- Le **cube** est un parallélépipède dont les faces sont des carrés.
Si a est la longueur commune des arêtes :

$$V = a^3.$$

2. Les pyramides

La pyramide est le solide obtenu à partir d'un polygone et d'un point A, le point A n'étant pas dans le plan du polygone S. Les faces sont des triangles de sommet A et dont la base est un côté du polygone S. La hauteur h de la pyramide est la distance de A au plan du polygone S.

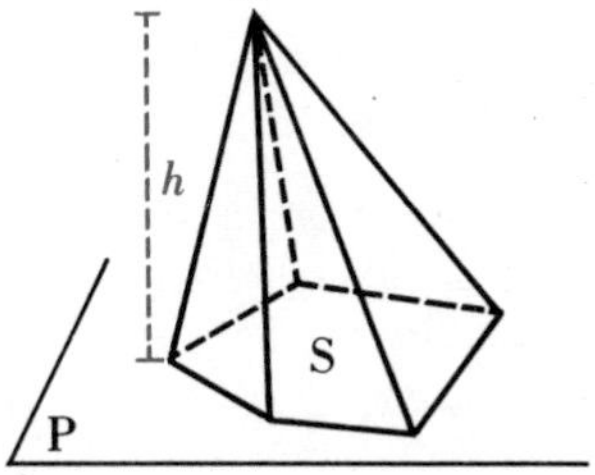

Si B est l'aire du polygone de base, et h la hauteur, alors le volume V de la pyramide est :

$$V = \frac{1}{3} Bh.$$

Si le polygone de base est régulier, et si la projection orthogonale du sommet est le centre de ce polygone, la pyramide est régulière. Dans ce cas, les faces latérales sont des triangles isocèles. La hauteur a issue du sommet de la face latérale est alors appelée *apothème* de la pyramide.

3. Les cylindres

a. Surface cylindrique

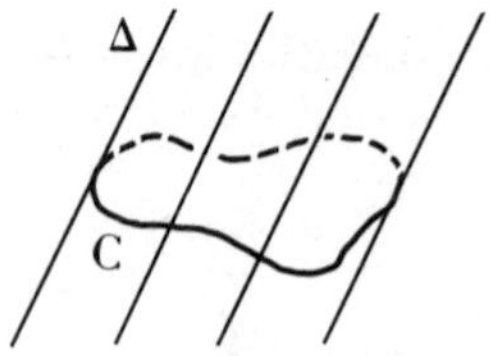

Une surface cylindrique est la réunion des droites parallèles à une droite Δ et rencontrant une courbe C située dans un plan. Chacune de ces droites est appelée *génératrice de la* **surface cylindrique.**

b. Cylindre

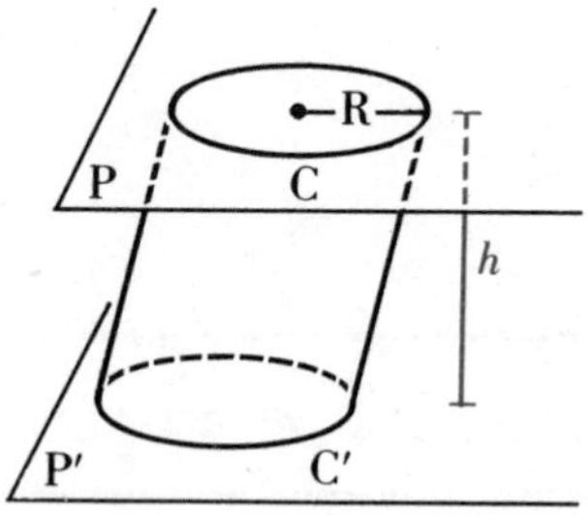

Un cylindre est un solide limité par une surface cylindrique dont la courbe C est un cercle, et par deux plans (dits *plans de base*) parallèles au plan du cercle.

La *hauteur* du cylindre est la distance h des plans de base.

> **Le volume V du cylindre de hauteur h et ayant pour base un disque de rayon R est :**
> $$V = \pi R^2 h.$$

c. Cylindre particulier

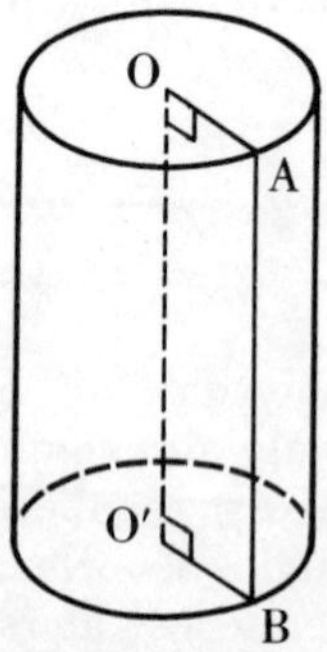

Un **cylindre de révolution** est un cylindre dont les génératrices sont perpendiculaires aux plans de bases.

Dans ce cas, l'aire de la *surface latérale* S_l du cylindre est :

$$S_l = 2\pi R h.$$

Notez que par surface latérale il faut entendre la surface du cylindre, *disques de bases exclus.*

4. Les cônes

a. Cône

Le cercle C de centre O et de rayon R est dans le plan P; I est un point extérieur au plan P. Imaginons que l'on joigne le point I à chaque point du cercle C.

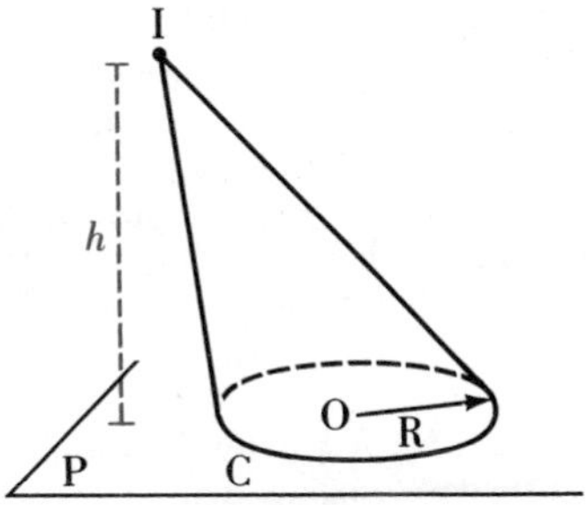

Le solide obtenu est le **cône** de *sommet* I et de *base* le disque D de frontière C.

La hauteur h du cône est la distance du sommet I au plan P :

Le volume V du cône de hauteur h et ayant pour base un disque de rayon R est :

$$V = \frac{1}{3}\pi R^2 h.$$

b. Cône particulier

Un cône de révolution est un cône dont le sommet I se projette orthogonalement sur le plan P au centre O du cercle C.

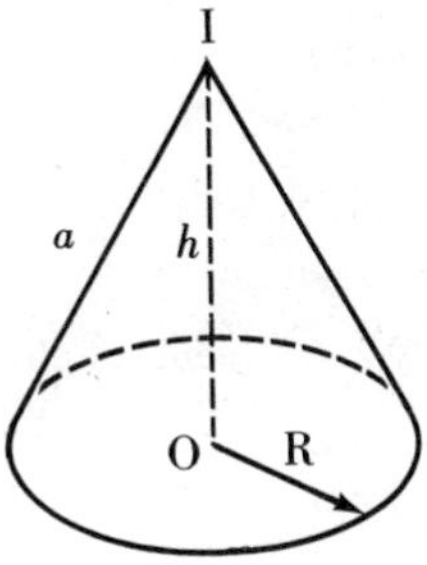

Dans ce cas l'aire S_l de la *surface latérale* du cône (surface du cône, disque exclu) est :

$$S_l = \pi R a.$$

5. Les sphères

Le volume V d'une sphère de rayon R est :

$$V = \frac{4}{3}\pi R^3.$$

L'aire de sa surface est :

$$S = 4\pi R^2.$$

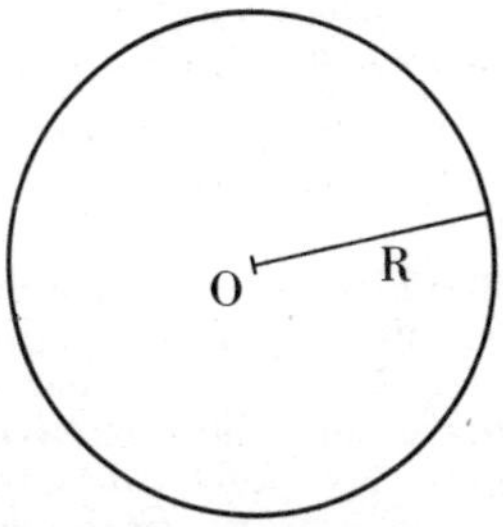

EXERCICES

1. Calculez le volume d'un cube dont le côté (arête) a pour longueur 5,3 cm.

2. L'arête d'un cube a pour longueur 10 cm.
Quelle est l'aire de la surface totale du cube?

3. Calculez l'aire de la surface totale d'un parallélépipède rectangle dont les côtés ont pour longueur : 15 cm, 20 cm, 25 cm.

4. Calculez le volume d'un parallélépipède dont les côtés ont pour longueurs : 1,2 cm; 3,7 cm; 5,9 cm.

5. Calculez la hauteur d'un prisme droit sachant que son volume est 36 cm^3 et que l'aire du polygone de base est 12 cm^2.

6. Le polygone de base d'un prisme droit est un losange dont les diagonales ont pour mesures : 6 et 8. La hauteur de ce prisme a même mesure que le périmètre de base.

a) Calculez l'aire de la surface latérale.

b) Calculez l'aire de la surface totale.

c) Calculez le volume du prisme.

7. Calculez l'aire de la surface latérale d'un cylindre de révolution dont le disque de base a pour diamètre 4 cm et dont la hauteur est 10 cm.

8. Calculez la hauteur d'un cylindre de révolution sachant que son volume est 2,6 m^3 et que l'aire du disque de base est 3,25 m^2.

9. Une pyramide régulière est telle que son apothème a pour longueur 16,13 cm et que sa base est un triangle équilatéral de 10 cm de côté.

a) Calculez l'aire de sa surface latérale et de sa surface totale.

b) Calculez son volume.

10. Une pyramide régulière a pour base un carré inscrit dans un cercle dont le rayon a pour longueur 5 cm. Ses arêtes latérales ont pour longueur 9,2 cm.
Calculez le volume de cette pyramide.

11. Calculez l'aire de la surface latérale d'un cône de révolution dont la hauteur a pour longueur 4 m et dont le disque de base a un rayon de 2,5 m.

12. Calculez le volume d'un cône dont la hauteur a pour longueur 2 m et dont le rayon du disque de base est 0,5 m.

13. Calculez le rayon d'une sphère dont l'aire est 12,56 cm^2.

14. Calculez le volume du solide représenté ci-dessous.

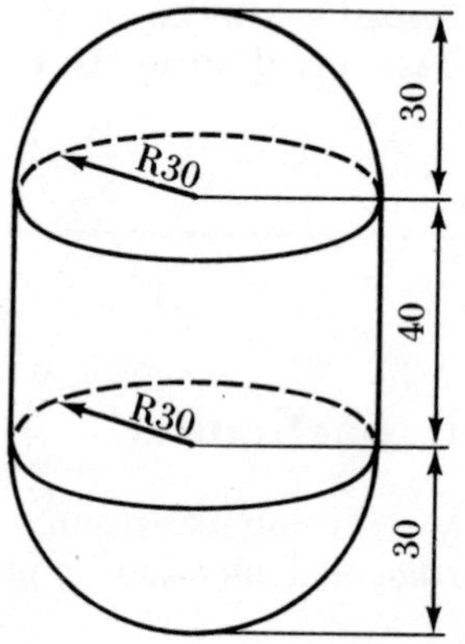

15. Soit un triangle isocèle ABC dont la base [BC] a pour longueur 6 cm et la hauteur [AH] 4 cm. On inscrit dans ce triangle un rectangle MNPQ dont la base [MN] a pour longueur $2x$. On demande :

a) de calculer la longueur du côté [AC];

b) de trouver les longueurs des segments [PN], [AP] en fonction de x.

c) Lorsqu'on fait tourner la figure autour de (AH), le rectangle engendre un cylindre dont on demande d'évaluer, en fonction de x, l'aire de la surface latérale y_1.

d) Représentez sur un graphique les variations de l'aire de la surface latérale du cylindre, quand x varie dans les limites permises.
Déterminez la valeur de x correspondant au maximum de cette aire.

NOTATIONS INDEX

NOTATIONS

Notation	Commentaire
$a=b$ $a\neq b$ $a<b$ $a\geqslant b$ $a<x<b$ $a\simeq b$	a est égal à b. a n'est pas égal à b. a est strictement inférieur à b. Par exemple : $-5<7$; $\sqrt{2}<\pi$. a est supérieur ou égal à b, c'est-à-dire : $a>b$ ou $a=b$. Cette écriture est le condensé des deux inégalités : $x>a$ **et** $x<b$. a est peu différent de b. Par exemple : $\sqrt{2}\simeq 1{,}414$; $\pi\simeq 3{,}14$.
$a\in E$ $a\notin E$ $\varnothing$ $\{a;\ b\}$	a est élément de l'ensemble E (ou a appartient à E). a n'est pas élément de E. Ensemble vide : c'est l'ensemble qui ne contient aucun élément (on le note aussi $\{\ \}$). Ensemble d'éléments a et b; on appelle **paires** les ensembles à deux éléments. Par exemple : $3\in\{1;\ 3\}$; $7\notin\{1;\ 3\}$. Notez que : $\{1;\ 1\}=\{1\}$ et $\{1;\ 3\}=\{3;\ 1\}$.
$(a;\ b)$ $(A;\ m)$	Un couple; notez que : $(a;\ b)\neq(b;\ a)$. Un point massif : A est un point et m un réel (page 228).
$\sqrt{x}$ $\lvert x\rvert$ $d(x;\ y)$ $E(x)$	Racine carrée du réel **positif ou nul** x (page 15). Par exemple : $\sqrt{9}=3$ car $3^2=9$. Valeur absolue du réel x (page 33). Par exemple : $\lvert -15\rvert=15$; $\lvert 7\rvert=7$. Distance entre les réels x et y (page 35). Par exemple : $d(2;\ 3)=3-2=1$; $d(4;\ 7)=7-4=3$. Partie entière du réel x (page 66). Par exemple : $E(2{,}27)=2$; $E(\pi)=3$; $E(-4{,}178)=-5$.
$\mathbb{N}$ $\mathbb{Z}$ $\mathbb{R}$ $\mathbb{R}^*$	Ensemble des naturels : $\{0;\ 1;\ 2;\ 3;\ 4;\ \ldots\}$. Ensemble des entiers (ou encore des entiers relatifs) : $\mathbb{Z}=\{\ldots;\ -3;\ -2;\ -1;\ 0;\ 1;\ 2;\ 3;\ \ldots\}$. Ensemble des réels. Notez que les naturels sont des réels; les entiers sont des réels, mais aussi, par exemple : $\frac{3}{2}\in\mathbb{R}$; $4{,}17\in\mathbb{R}$; $\sqrt{2}\in\mathbb{R}$; $\pi\in\mathbb{R}$. Ensemble des réels non nuls. On le note aussi $\mathbb{R}-\{0\}$.
$\mathbb{R}^+$ $\mathbb{R}^-$ $\mathbb{R}^{*+}$ $\mathbb{R}^{*-}$ $\mathbb{R}^2$ ou $\mathbb{R}\times\mathbb{R}$	Ensemble des réels positifs ou nuls. Ensemble des réels négatifs ou nuls. Par exemple : $1\in\mathbb{R}^+$ et $1\notin\mathbb{R}^-$; $-\sqrt{47}\in\mathbb{R}^-$ et $-\sqrt{47}\notin\mathbb{R}^+$ $0\in\mathbb{R}^+$ et $0\in\mathbb{R}^-$. Ensemble des réels strictement positifs. Ensemble des réels strictement négatifs. Ensemble des couples $(x;\ y)$ de réels.

Notation	Commentaire
$f \left\vert \begin{array}{l} A \longrightarrow \mathbb{R} \\ x \longmapsto f(x) \end{array} \right.$	La fonction f d'ensemble de définition A : un réel x de A a pour image le réel $f(x)$ [page 58].
cos, sin, tan	Fonctions cosinus, sinus et tangente (pages 133 à 143).
$[a; b]$	Intervalle fermé : a et b compris, avec $a < b$. Par exemple : $[1; 3]$ est l'ensemble des réels x tels que : $1 \leq x \leq 3$.
$]a; b[$	Intervalle ouvert : a et b exclus, avec $a < b$. Par exemple : $]-5; 4[$ est l'ensemble des réels x tels que $-5 < x < 4$.
$]-\infty; a[$	Ensemble des réels x tels que $x < a$.
$]a; +\infty[$	Ensemble des réels x tels que $x > a$. Notez que $+\infty$ et $-\infty$ ne sont pas des réels, mais des symboles mathématiques (page 20).
$\vec{u}$	Vecteur : lorsqu'on écrit $\vec{u} = \overrightarrow{AB}$, cela signifie que le couple de points (A, B) est un représentant de $\vec{u}$ (page 180).
$\vec{0}$	Vecteur nul : $\vec{0} = \overrightarrow{AA} = \overrightarrow{BB} = \ldots$
$\lVert \vec{u} \rVert$	Norme du vecteur $\vec{u}$: c'est un réel (page 182). Par exemple : $\lVert \vec{0} \rVert = 0$.
$\vec{u} \cdot \vec{v}$	Produit scalaire des vecteurs $\vec{u}$ et $\vec{v}$: c'est un réel (page 258).
$\vec{u}^{\,2}$	Carré scalaire du vecteur $\vec{u}$: c'est $\vec{u} \cdot \vec{u}$ (page 260).
$(O; \vec{i}, \vec{j})$	Repère du plan : O est un point et $(\vec{i}, \vec{j})$ une base (c'est-à-dire $\vec{i}$ et $\vec{j}$ des vecteurs non colinéaires) [page 183].
$(O; \vec{u})$	Repère d'une droite : O est un point et $\vec{u}$ un vecteur non nul (page 182).
(AB)	La droite qui passe par les points *distincts* A et B.
[AB]	Segment : ensemble des points de la droite (AB), situés entre A et B (A et B inclus).
AB	La longueur du segment [AB] : elle s'exprime en centimètres, en mètres, ...
$\overline{AB}$	Mesure algébrique du vecteur $\overrightarrow{AB}$ (page 255).
$d(A, B)$	Distance entre les points A et B : $d(A, B) = \lVert \overrightarrow{AB} \rVert$. Notez que : $d(A, A) = 0$.
Ox	Demi-droite d'origine O.
$[\widehat{xOy}]$	Secteur angulaire saillant de sommet le point O et de côtés les demi-droites Ox et Oy : c'est un ensemble de points (page 236).
$\overset{\smile}{[xOy]}$	Secteur angulaire rentrant.
$\widehat{xOy}$	Angle géométrique associé au secteur $\widehat{xOy}$ (page 236).
$\overset{\frown}{AB}, \overset{\smile}{AB}$	Arcs de cercle géométriques d'extrémités A et B (page 236).
$(\widehat{Ox, Oy})$	Angle orienté des demi-droites Ox et Oy (page 245).
$(\widehat{\vec{u}, \vec{v}})$	Angle orienté des vecteurs $\vec{u}$ et $\vec{v}$ (page 246).
$\text{mes}\,(\widehat{Ox, Oy})$	L'une des mesures d'un angle orienté (page 245).
$\overset{\curvearrowright}{AB}$	Arc orienté (page 243).
$\text{mes}\, \overset{\curvearrowright}{AB}$	L'une des mesures d'un arc orienté.
$\overset{\curvearrowright}{AB} \equiv \frac{\pi}{4} \quad [2\pi]$	AB congrue à $\frac{\pi}{4}$ modulo 2π : toute mesure de $\overset{\curvearrowright}{AB}$ est de la forme $\frac{\pi}{4} + 2k\pi$, avec $k \in \mathbb{Z}$.

INDEX DES MOTS CLÉS

N° d'éditeur C 38526 III (D.O. VII) MCP
imprimé en France. Octobre 1985
par Mame à Tours (N° 11849)

Conception et maquette : Dominique GAURON.